# DE JEZIDI-TOMBE

*Van dezelfde auteur:*

Dreiging van het licht
Het Jericho-plan

# John Case

# De Jezidi-tombe

2003 – De Boekerij – Amsterdam

*Oorspronkelijke titel:* The Eighth Day (Ballantine)
*Vertaling:* Joost van der Meer en William Oostendorp
*Omslagontwerp/artwork:* Hesseling Design, Ede

ISBN 90-225-3441-3

This translation was published in arrangement with The Ballantine Publishing Group, a division of Random House, Inc.

*Voor Elaine*

# 1

Het was de postbode die er melding van maakte en die een halfuur voordat Delaneys dienst erop zat het alarmnummer belde.

Op de oprit stond de pick-up en in het huis brandde licht, en dus ging de postbode ervan uit dat er iemand thuis was. Maar toen hij aanklopte, werd er niet opengedaan. De brievenbus zat zo vol dat hij overliep. Misschien, zo vreesde hij, misschien heeft meneer Terio wel een hartaanval gekregen.

Delaney schudde zijn hoofd en vervloekte de timing van de postbode. Brent moest om zes uur een play-offwedstrijd spelen en het was nu al vijf over vijf. Helen zou hem afmaken. (*Je moet er zijn voor hem, Jack! Moedig die jongen een beetje aan! Wat is nou belangrijker, je eigen zoon of je maatjes op het bureau?*) Nou, eigenlijk... eerlijk gezegd ging hij maar wát graag naar de wedstrijden van zijn zoon. Brent was goed, beter dan hij zelf ooit was geweest, en het was leuk om aan de zijlijn getuige te zijn van het succes van zijn zoon. Als alles goed liep, had Brent hem daar niet echt nodig. Maar wanneer de knul een kans miste... tja, zijn zoon was een gevoelig kereltje. Nam zijn eigen fouten veel te zwaar op. En Helen had echt geen idee hoe ze hem kon helpen daarmee om te gaan. (*Hou eens op met dat gejank! Het is maar een spelletje.*) Daarom was Delaney er graag bij, vooral voor een belangrijke wedstrijd. Maar de kans dat hij nog op tijd zou zijn werd kleiner. Hij en Poliakoff hadden inmiddels al een roteind gereden en naderden zo'n beetje de districtsgrens waar alle beschaving ophield.

Vanachter het stuur wierp Poliakoff een blik opzij naar Delaney. 'Maak je niet zo druk, man,' gniffelde hij. 'Wil je dat ik de sirene aanzet?'

Delaney schudde van nee.

'Die vent is waarschijnlijk gewoon met vakantie,' hield Poliakoff vol. 'We nemen even een kijkje, ik schrijf wel een proces-verbaaltje. Makkelijk zat.'

Delaney staarde uit het raampje. De lucht was zwaar en verstild, vol dreiging, net als vlak voor een onweersbui. 'Misschien gaat het wel regenen,' mompelde hij.

Poliakoff knikte. 'Zo ken ik je weer. Positief denken.'

De surveillancewagen draaide Barracks Road op en hoewel ze amper anderhalve kilometer terug nog een wijk met gloednieuwe rijtjeshuizen waren gepasseerd, restten nu nog slechts met kruipers overwoekerde bosschages en boerenland. En zo nu en dan een wegrottende schuur.

'Ooit zo ver van je route geweest?' vroeg Poliakoff.

Delaney haalde zijn schouders op. 'Daar is 't,' zei hij en hij knikte naar een metalen bord, doorzeefd met kogelgaten: PREACHERMAN LANE. 'Je moet even omkeren.'

Ze reden nu over een smalle onverharde weg, omzoomd met onkruid en aan de rand van een dicht bos. 'Jezus!' mopperde Poliakoff nu de wagen over een bobbel schoot en vervolgens nog voordat hij kon remmen met een doffe klap bijna door zijn hoeven zakte. 'Sinds wanneer heeft Fairfax County zandwegen?'

'Er zijn er nog wel een paar,' reageerde Delaney, denkend dat het waarschijnlijk niet meer zo lang zou duren. De buitenwijken van Washington dijden in alle richtingen uit, een proces dat al twintig jaar aan de gang was. Over een jaar of twee zou de boerderij daar verderop – een gele boerderij die links voor hen opeens opdoemde – verdwenen zijn, opgeslokt door een vloedgolf van rijtjeshuizen, Wal-Marts en Target-winkels.

De brievenbus stond aan het eind van de oprit, een gehavende aluminium cilinder met een verschoten rode vlag die boven op een, in beton verankerd, houten T-stuk gespijkerd was. Aan de zijkant was een naam gedrukt: C. TERIO.

Naast de brievenbus stond een witte plastic buis met daarop de woorden: THE WASHINGTON POST. Er zaten drie of vier kranten in geprop. Een stuk of twaalf andere edities, waarvan sommige al vergeeld, lagen in een min of meer net stapeltje op de grond.

'U zou binnen eens een kijkje moeten gaan nemen,' had de postbode geopperd toen hij het alarmnummer had gebeld. 'En ook even om het huis heen lopen om te kijken of u iets opvalt.'

Maar uiteraard ging dat niet zomaar. Gezien de situatie konden ze alleen op de deur kloppen, even rond het huis lopen en met de buren praten. Als die er tenminste waren, wat volgens Delaney niet het geval was.

De agenten stapten uit de wagen, keken een ogenblik rond en luisterden. In het zuiden klonk het gerommel van de naderende donder en ze vingen het verre geruis op van de ringweg. Met een grijns begon Poliakoff met zijn krakende bariton te zingen: 'H-e-e-ere we come to save the da-a-yyyy...'

'Kom, laten we dit snel afronden,' bromde Delaney en hij liep naar het huis.

Aan het eind van de oprit passeerden ze een aftandse Toyota Tacoma, met de kont naar het huis geparkeerd alsof de eigenaar iets had in- of uitgeladen. Samen staken de twee politiemannen het overwoekerde gazon naar de voordeur over.

De deurklopper was een kunstig geval: met de hand gesmeed ijzer in de vorm van een libel. Poliakoff legde zijn vuist eromheen, trok het ding naar zich toe en klopte hard. 'Hallo?'

Stilte.

'Hal-loo?' Poliakoff hield zijn hoofd scheef en luisterde aandachtig. Toen er geen reactie kwam, probeerde hij de deur, merkte dat deze op slot zat en haalde vervolgens licht zijn schouders op. 'Laten we achterom gaan.' Samen liepen de agenten rond het huis en tuurden zo nu en dan door een raam.

'Hij liet anders genoeg lampen aan,' merkte Delaney op.

Langs de achterkant van het huis lopend passeerden ze een tuintje – tomaten en paprika's, courgettes en stokbonen – waarschijnlijk ooit keurig onderhouden, maar nu aan het onkruid prijsgegeven. Een hordeur bood toegang tot de keuken. Poliakoff roffelde vier of vijf keer op het houten kozijn. 'Iemand thuis? Meneer Terio? Bent u daar?'

Niets.

Of, bijna niets. De lucht zinderde van het getjirp van cicaden en, in de verte, het insectachtige gebrom van verkeer. Maar er was nog iets, iets... Delaney hield zijn hoofd scheef en luisterde aandachtig. Hij hoorde... lachen. Of eigenlijk niet lachen, maar... ingeblikt gelach. 'De tv staat aan,' zei hij.

Poliakoff knikte.

Delaney zuchtte. Die honkbalwedstrijd van Brent kon hij wel op zijn buik schrijven. Hij voelde het gewoon.

Hoe dan ook, eigenlijk konden ze niets doen. De deuren zaten op slot en een huiszoekingsbevel hadden ze niet. Er was geen bewijs van een medisch noodgeval, laat staan van kwade opzet. Maar het wás verdacht, en aangezien ze hier toch waren, konden ze net zogoed een kijkje nemen, de boel even grondig onderzoeken.

Poliakoff liep terug naar het stapeltje kranten bij de brievenbus, zakte door zijn knieën en sorteerde ze. De oudste was van 19 juli, meer dan twee weken geleden.

Een paar meter verderop bekeek Delaney de pick-up op de oprit. Voorin vond hij een verschoten en door de warmte omgekrulde kassabon van een contant betaalde aankoop bij de Home Depot, een doe-het-zelfzaak. Ook hier de datum 19 juli. En de gekochte spullen: tien zakken Sakretemortel, 130 bouwstenen, een troffel en een plastic kuip.

'Een echte doe-het-zelver.' Hij liet de bon aan Poliakoff zien. Vervolgens leunde hij voorover in de surveillancewagen om zijn aantekenboekje te pakken.

'Ik kijk nog even achter,' liet Poliakoff hem weten.

Delaney knikte, leunde tegen de wagen en begon plichtmatig wat aantekeningen te maken. Niet dat er veel te noteren viel.

*3 augustus*
*C. Terio*
*2602 Preacherman Lane*
*Oudste krant: 19 juli*
*Kassabon Home Depot, zelfde datum*

Hij keek op zijn horloge en noteerde de tijd: 17:29. Het was alleen maar tijdverspilling, hoe je het ook bekeek. In de afgelopen tien jaar dat hij bij het bureau zat, had hij wel een paar honderd keer op dit soort meldingen gereageerd en negen van de tien keer was de vermiste persoon seniel of aan de boemel. Een enkele keer bleken ze dood te zijn, languit op de badkamervloer of onderuitgezakt in een ligstoel. Dit soort dingen viel niet echt onder politiewerk. Het leek meer op conciërgedienst.

'Hé!'

Delaney keek op. Poliakoff riep hem vanaf de andere kant van het huis. Hij slingerde het aantekenboekje op de voorstoel van de wagen en sloeg even zijn ogen op naar de lucht. Verder naar het zuiden hing een regengordijn, wat hem meer hoop gaf dat Brents wedstrijd zou verregenen. Hij liep naar zijn collega.

Die bleek een buiteningang naar de kelderverdieping te hebben gevonden. Twee hoekige metalen deuren met meteen daarachter een korte trap van betonnen treden naar beneden. Poliakoff stond er al op, met de deuren als verroeste vleugels aan weerszijden van hem opengeslagen. 'Wat vind jij? Zullen we een kijkje nemen?'

Delaney keek bedenkelijk en neigde het hoofd naar een van de deuren. 'Heb je die zo aangetroffen?'

Poliakoff knikte. 'Ja. Wijdopen.'

Delaney haalde zijn schouders op. 'Zou een inbraak kunnen zijn... maar kom, we nemen snel een kijkje.' Lieve Heer, laat daar beneden geen lijk liggen, anders zijn we hier de hele nacht nog, was zijn gedachte.

Poliakoff bukte zijn hoofd en riep Terio's naam nu hij met Delaney vlak achter zich de trap afdaalde.

De kelder was praktisch ingericht: een lange, rechthoekige ruimte van bijna twee meter vijftien hoog, muren van baksteen en een cementen vloer. Boven een stoffige werkbank in een hoek van het vertrek zoemde en flikkerde een enkele tl-buis. Een motje sloeg zijn vleugeltjes tegen de armatuur.

Delaney keek even rond. Hij was nerveus, was niet zo dol op kelders. Al van kinds af aan was hij er bang voor geweest, hoewel hem nooit iets naars was overkomen. Hij kreeg er alleen de kriebels van, meer niet. En deze kelder, met zijn simpele planken boordevol verfblikken, doosjes met spijkers en schroeven en gereedschap, was als elke andere kelder die hij ooit had gezien: doodnormaal maar tegelijk ook doodeng.

Poliakoff trok wat met zijn neus.

'Ruik jij iets?' vroeg Delaney, terwijl zijn ogen de kelder afzochten.

'Ja, ik geloof van wel,' antwoordde zijn partner. 'Min of meer.'

Delaneys oog viel op een rode plastic bus op een plank onder de werkbank: BRANDSTOF GRASMAAIER. 'Benzine waarschijnlijk,' liet hij zijn partner weten.

Maar Poliakoff schudde zijn hoofd. 'Hm-hm.'

Delaney haalde zijn schouders weer op. 'Hoe het ook zij,' zei hij, 'er is hier niemand.' Hij liep alweer terug naar de trap, maar hield in nu hij merkte dat Poliakoff hem niet volgde. 'Heb je wat?' vroeg hij achteromkijkend naar zijn partner, die op schouderhoogte een zaklamp vasthield en de krachtige lichtbundel op de verste hoek van het vertrek richtte.

'Ik weet 't niet zeker,' mompelde Poliakoff terwijl hij naar de plek liep waar de lichtstraal tegen de muur uiteenspatte. 'Het is vreemd.'

Delaney keek naar de muur en besefte dat Poliakoff gelijk had: het was inderdaad vreemd. De hoek aan de noordkant van de kelder leek afgescheiden door een paar ogenschijnlijk in de haast opgetrokken muurtjes. De parallelle muurtjes waren elk circa een meter twintig breed en reikten van de vloer tot het plafond, waardoor een soort massieve kast ontstond, een kast zonder deur. 'Wat ís dat?' vroeg Delaney.

Poliakoff schudde zijn hoofd en stapte dichterbij.

De kast, of wat het ook was, was amateuristisch gemaakt. Klodders mortel stulpten naar buiten en de stenen waren wat klungelig op elkaar gemetseld. De agenten staarden naar de constructie. Ten slotte zei Poliakoff: 'Het lijkt… het lijkt wel het kamertje van een amateurklusser!'

Delaney knikte en streek een hand door zijn dikke bruine haar. 'Vandaar die spullen van Home Depot, denk ik. Hij moet wel…'

'Ruik jij dat nu ook?' vroeg Poliakoff.

Delaney snoof. Hoewel hij het grootste deel van zijn leven had gerookt, kon hij eenvoudig niet om deze stank heen. Op de luchtmachtbasis in Dover had hij twee jaar bij de eenheid Gravenregistratie doorgebracht en als hij al íéts had geleerd, dan was het hoe de dood rook.

'Het kan een rat zijn,' opperde Poliakoff. 'Die kruipen wel eens achter de muren…'

Delaney schudde zijn hoofd. Zijn hart bonkte nu al wat harder en de adrenaline joeg door zijn borstkas. Hij haalde diep adem en onderwierp het bouwsel aan een nader onderzoek.

Het slordigste metselwerk zat vlak onder het plafond. Hier was het bovenste rijtje stenen schots en scheef op de laag eronder gemetseld en stulpte de specie uit de voegen. Delaney pulkte een stukje los en vergruizelde het tussen duim en wijsvinger.

'Denk je dat deze vent…?' Poliakoff maakte de zin niet af. Ondertussen liep Delaney naar de werkbank en hij kwam terug met een hamer en een

11

schroevendraaier. 'Misschien kunnen we dit maar beter even melden.'

Delaney knikte. 'Ik denk het ook,' zei hij en hij begon de specie weg te bikken, waarbij hij de schroevendraaier als een beitel gebruikte en een stofwolk van gruis door de lucht joeg. Terwijl Poliakoff nog even hardop piekerde over het 'verstoren van een mogelijke plaats van misdrijf' leek zijn maat ergens door gegrepen en diens hart sloeg welhaast op hol. 'Wij zijn agenten op onderzoek,' mompelde hij. 'Dus ik stel een onderzoek in.'

Het vergde slechts een minuut om de bouwsteen min of meer uit het voegwerk vrij te bikken. Nog één tik met de hamer en Delaney had hem losgewerkt. Vervolgens legde hij zijn gereedschap op de vloer, reikte omhoog en wrikte de steen heen en weer.

Toen deze loskwam, steeg er een stank op die zo penetrant was dat Delaney het bijna kon proeven, alsof hij met het puntje van zijn tong in zijn tandvlees voelde op de plek waar net een rotte kies was getrokken.

'Help 's een handje,' beval hij, en met Poliakoffs hulp verwijderde hij de steen uit de muur en legde deze op de vloer. Bij beide mannen bestond inmiddels geen twijfel meer over wat er achter die muur op hen wachtte, maar het werd nog altijd aan het oog onttrokken; de opening zat te hoog. Delaney nam zijn hamer en schroevendraaier weer ter hand en begon aan een tweede bouwsteen, die hij met ingehouden adem en een soort wanhoop te lijf ging. Al snel kwam ook deze tweede steen los, zodat de kleine ruimte nu vlak boven Delaneys hoofd een raampje had.

Terwijl Delaney om zich heen zocht naar iets om op te staan, deed Poliakoff zijn best zijn maag in bedwang te houden. Naast de kelderdeuren stond een rechte stoel. Delaney sleepte hem naar de muur, klom erop en trok de zaklamp van zijn riem. Daarna wierp hij de lichtbundel door het raampje dat hij zojuist had gemaakt – en viel stil. Ergens boven hen zwol het ingeblikte gelach aan.

'Nou, wat zie je?' wilde Poliakoff weten. 'Wat…'

Delaney wankelde. 'Ik moet kotsen,' zei hij. En dat deed hij dan ook.

Ongeveer veertig minuten later arriveerde de lijkschouwer, in gezelschap van een rechercheur van Moordzaken, drie agenten, een technicus van het forensisch lab en de lijkwagen. De lijkschouwer was een wat oudere man van bijna een meter negentig lang en met een gewicht van zo'n 64 kilo. Aan de donkergele tint van zijn vingers te zien schatte Delaney dat de man sinds zijn geboorte kettingroker moest zijn geweest.

Enkele minuten later brak het onweer los met een felle bliksemschicht en salvo's van donderklappen. Terwijl een van de agenten een heel stel lampen optrok voor wat iedereen inmiddels de 'tombe' noemde, kwam de regen in bakken naar beneden. Vlakbij bepoederde een tweede agent de muren, zoekend naar vingerafdrukken, terwijl een derde foto's maakte met een camera waarvan de flitser zich kon meten met het felle weerlicht buiten. Ten slotte stelde de lijkschouwer voor om de tombe gedeeltelijk te ontmantelen, zodat hij het lichaam kon onderzoeken.

Het was immers een moord. Althans, daar ging men van uit. Tenzij en totdat de lijkschouwer anders bepaalde, werden zelfmoord en dood door ongeval door de politie behandeld als moord.

'Om je dood te lachen,' mompelde de lijkschouwer.

Delaney knikte somber en overhandigde de rechercheur een lijst die hij en Poliakoff hadden samengesteld, een opsomming van de dingen die ieder van hen had aangeraakt: de deuren van de woning, zowel voor als achter; de krant en de brievenbus; het portier van de pick-up; en een van de ramen opzij van het huis. Verder de hamer en de schroevendraaier, de bouwstenen en de lichtschakelaar. Het kassabonnetje van Home Depot.

'Welke gestoorde klootzak doet nou zoiets?' vroeg Delaney zich hardop af.

De lijkschouwer stak een sigaret op en wierp hem een blik toe. 'Wat bedoelt u?'

Delaney fronste het voorhoofd. 'Wat ik bedoel? Ik bedoel... wat dénkt u dat ik bedoel? Ze hebben hem levend begraven, verdomme!'

'Wie?'

Delaneys frons verdiepte zich. Was die lijkschouwer gek of zo? 'Hoe moet ik dat nu weten? Wie het ook dééd. Ik zeg alleen maar...'

'Hij deed het vermoedelijk zelf.'

Delaney staarde de man niet-begrijpend aan.

De rechercheur kwam tussenbeide. 'Kijk maar eens naar het metselwerk,' zei hij, met een knik naar de steen. 'De muur is aan de bínnenkant afgestreken. De kuip metselspecie bevindt zich in de ruimte. Net als de troffel, en de zakken mortel.'

'U beweert dat hij deze muur zélf heeft gemetseld?' vroeg Delaney.

'Daar lijkt het wel op, ja.'

Delaney keek naar de tombe, die nu bijna open was. De overledene zat met zijn rug naar de muur op de vloer, de benen voor zich gespreid, de ogen wijdopen. 'Nee. Waarom zou iemand zoiets doen?' vroeg Delaney. Hij geloofde het niet. Zelfs de troffel, op de vloer aan de voeten van de dode man, bewees helemaal niets. Wie zegt dat er geen tweede troffel, een tweede kuip, een andere zak mortel was?

De lijkschouwer kwam niet direct met zijn antwoord. In plaats daarvan liet hij de agent weten dat er inmiddels genoeg stenen waren verwijderd. Nadat de agent opzij was gestapt, schuifelde de lijkschouwer voorzichtig het kamertje binnen, hij hurkte en trok met een knappend geluid een paar chirurgische handschoenen aan. Vervolgens begon hij de zakken van de dode te doorzoeken. 'Mensen maken zichzelf om tal van redenen van kant,' mijmerde hij. 'Soms is er flink wat zelfhaat in het spel.' Uit de zak van de dode man trok hij een portefeuille tevoorschijn, hij sloeg hem open en staarde vervolgens naar een rijbewijs. 'Terio. T als in Tom, e-r-i-o. Wie maakt er aantekeningen?'

Een van de agenten had al een pen in de aanslag.

'Voornaam: Christian; tweede voornaam: Anthony. Geboortedatum: 11-6-1953.' De lijkschouwer liet de portefeuille in een doorzichtige plastic zak glijden, zuchtte en scheen met een langwerpig, smal zaklampje in de ogen van de dode. 'Twee jaar geleden had ik een keer een zaak,' vertelde hij. 'Een vent die zichzelf had onthoofd – hij had zijn eigen kop eraf gesneden!'

'Bullshit!' riep Poliakoff, die net de trap af kwam. 'Hoe doe je dat in godsnaam?'

'Nou,' vertelde de lijkschouwer hun, 'de manier waarop híj dat deed was: hij bond een touw om een boom en knoopte het andere uiteinde om zijn nek. Daarna stapte hij in zijn auto en gaf plankgas. Hij had een Camaro, dus dat hoofd kwam er schoon af.'

'Maar... waaróm?' vroeg Delaney zich af.

De lijkschouwer schudde zijn hoofd en ging verder met zijn onderzoek. 'Depressie.'

Poliakoff bulderde van het lachen: 'U méént 't!' Delaney liep walgend naar buiten, de regen in. Het kostte hem slechts een moment om zijn surveillancewagen te bereiken en in te stappen, maar dat was al genoeg om kletsnat te worden. Zittend in de wagen, met de regen roffelend op het dak, keek hij aandachtig naar de pareltjes op de voorruit en deed zijn best niet aan de kelder te denken.

Maar dat was onmogelijk. Wat hij had gezien, had hem behoorlijk van slag gebracht. Zelf had hij een beetje last van claustrofobie, misschien wel meer dan een beetje, en het idee om in het pikkedonker te zitten, wachtend op de dood in die amateuristisch gebouwde grafkelder, was een heuse nachtmerrie.

En als die lijkschouwer gelijk had, wat zelfmoord betreft dan – het idee schoot door Delaneys hoofd als een rat door een rioolbuis – maakte dat het zelfs nog erger.

Want deze meneer Terio was duidelijk van gedachten veranderd. Daarvan was Delaney overtuigd. Het eerste wat hij in het licht van de zaklamp had gezien, waren de handen van de dode man – of wat daarvan over was. De vingers waren stompjes, de nagels helemaal afgesleten, het kapotte vlees was korstig van het bloed.

Hij had dus geprobeerd om eruit te komen, meende Delaney. In zijn eentje in het pikkedonker had hij geprobeerd zichzelf een weg naar buiten te klauwen.

# 2

De auto, Caleighs praktische Saturn, was goedgebouwd, vond Danny. Ze reden nu zo'n acht kilometer buiten Nag's Head, met honderd op de teller terug naar Washington, en de weg onder de banden hoorde je niet eens. Je hoorde eigenlijk helemaal níéts. En dat was het 'm nu juist, natuurlijk. Zittend op de passagiersplaats, met zijn ogen op het vlakke landschap van Carolina, viel Danny ten prooi aan een onmiskenbare Veelbetekenende Stilte.

Wat dus niet eerlijk was. Ze hadden geweldig genoten in het vakantiehuisje. Met z'n tweetjes, op slechts een steenworp afstand van het strand. Ze hadden gesurft met zijn Boogieboard, in de branding gespetterd, in de zon liggen bakken. Twee van de vijf avonden hadden ze tot twee uur 's nachts gedanst. Ze hadden gedineerd bij kaarslicht, 36 holes gelopen op de midgetgolfbaan en bij een ondergaande zon lange wandelingen gemaakt. Nu was het tijd om weer naar huis te gaan, en het zwijgen van zijn vriendin, was als een koufront dat vanuit Canada binnendreef.

Hij had geen aanzoek gedaan.

Na al die zonsondergangen en bezielde seks had hij nog steeds geen aanzoek gedaan. En het vrat aan haar, wist hij. Want ze waren nu al drie jaar samen en hoewel ze nog steeds gek op elkaar waren, kón hij het gewoon niet. Mijn probleem, zo maakte hij zichzelf wijs, is dat ik een minimumlijder ben en zij juist dik verdient. Met andere woorden, Caleigh was nog maar een jaar van de economische hogeschool af en haalde nu al tachtigduizend dollar per jaar binnen, terwijl hij vier jaar geleden de kunstacademie had verlaten en slechts tachtig dollar per dag opstreek.

Caleigh was een stagiaire portefeuillebeheer bij het John Galt Fund en een geboren workaholic die zonder klagen zestig uur per week draaide. Zelfs op vakantie was ze dagelijks om zeven uur opgestaan om bij de enige kiosk die het stadje rijk was een van de vier *Wall Street Journals* weg te snaaien. Tweemaal per dag had ze bij de plaatselijke bieb haar e-mail gecheckt en ze was bij herhaling betrapt op het kijken naar de financiële nieuwszender MSNBC.

Voor Caleigh was geld verdienen kunst en spel tegelijk, net zo boeiend en verfijnd als ballet voor een ballerina. Zo niet voor Danny, die pretendeerde 'artiest' te zijn, 'immuun voor geld'.

Wat in elk geval voor de helft waar was, wat dat geld betrof tenminste. Het meeste van het beetje geld dat hij had, kwam van een bijbaantje, niet van de kunst. Hij werkte parttime bij een galerie, waarmee hij 'onder de aandacht' kwam maar wat weinig meer opleverde dan het minimumloon. Het echte geld kwam van de vijfentwintig dollar per uur die hij als freelancer verdiende bij Fellner Associates, een groot privé-detectivekantoor in het District. Het onderzoekswerk was eenvoudig, zij het oninteressant: hij hield zich vooral bezig met het vergaren van informatie uit archieven van de beurscommissie, het uitschiften van dossiers bij de rechtbank en het ondervragen van derderangs bronnen in verband met allerlei fusies, acquisities en rechtszaken. Voorzover Danny wist, bevond Fellner Associates zich bijna altijd aan de verkeerde kant, een omstandigheid waar het kantoor trots op was. Want 'de verkeerde kant' was natuurlijk wel de kant waar het grote geld zat, en daar wilde Fellner Associates zich graag vestigen.

Toch lukte het Danny met zijn freelancewerk de rekeningen min of meer te betalen, hoewel er altijd dingen bleven die hij begeerde maar zich niet kon veroorloven. Waaronder bijvoorbeeld die niet-lineaire video-editingapparatuur waarmee hij eindelijk de kunst kon creëren waar hij nu nog slechts van kon dromen.

Het systeem dat hij wilde hebben, kostte twintigduizend dollar, ongeveer twintig keer zoveel als wat op zijn spaarrekening stond. Waardoor het zo'n beetje buiten bereik bleef. Zoveel zou hij met het werk voor Fellner nooit bij elkaar kunnen sparen, en wat zijn kunst betrof, dat schoof niets. Van je niks, noppes, nada, zou Caleigh zeggen. Eigenlijk had hij al in geen maanden iets van zijn werk verkocht, niet sinds een latinobank in Mount Pleasant van hem een bronzen beeld, *Forest and Threes*, had aangekocht.

Hij leunde achterover, sloot zijn ogen en liet zijn hoofd tegen het trillende zijraam rusten. Caleigh had de radio afgestemd op NPR's *Morning Edition*, met weer zo'n zonderling verhaal in de eerste persoon, waar zij wel graag naar luisterde maar hij niet. Hij zonderde zich ervan af met de gedachte: *if a three fell in the forest, would anyone hear it?*

Caleigh moest de glimlach op zijn gezicht hebben gezien, want ze verbrak de Veelbetekenende Stilte om te vragen: 'En... waar zit jij over na te denken?'

Langzaam met zijn hoofd schuddend deed hij alsof hij half sliep. Waar ik over na zit te denken? Ik denk na over dat ik niets verkoop, dat ik geen geld heb, dat ik niet ga trouwen. Ik denk na over alle knopen in mijn leven.

'Danny?'

Hij knipperde met zijn ogen. Ze kon vasthoudend zijn. 'Wat?'

'Waar dénk je aan?'

De waarheid was dat hij het raadsel overpeinsde dat hoewel hij leigh bijna niets gemeen hadden, ze toch voor elkaar gemaakt war ze elkaar leerden kennen, was er iets van een vonk overgesprongen en hij geloofde dat het vuur nooit zou doven. Werden ze van elkaar gescheiden, al was het slechts een paar dagen, dan begon hij weg te kwijnen als een man die schipbreuk had geleden. Voor Caleigh gold hetzelfde, tenminste, dat zei ze. Als duo waren ze magisch. De een leefde op in de aanwezigheid van de ander. Ondanks hun volstrekt verschillende loopbanen en achtergronden zaten ze dusdanig op dezelfde golflengte dat ze de helft van de tijd elkaars gedachten konden lezen. Telepathie, zeiden ze altijd wanneer de een hardop zei wat de ander dacht.

Natúúrlijk zouden ze trouwen, zodra hij zich wat meer gesetteld voelde, een beetje opschoot met zijn werk en eindelijk eens wat geld verdiende. Als er niet snel iets gebeurt, moet ik misschien maar eens een échte baan gaan zoeken, was zijn gedachte.

'Danny?' klonk Caleighs stem weer. 'De gedachtenpolitie eist een rapport.'

Hij opende zijn ogen en knipperde wat. 'Ik ben verbrand door die zon.'

'Arme lieverd!'

'En ik zit helemaal onder het zand.'

'Ach…'

'En ik zat te denken… misschien ben ik wel te oud om een "Danny" te zijn. Misschien is het tijd om een "Daniel" te worden.'

Ze dacht er even over na en fronste haar wenkbrauwen. 'Neuh. Ik vind van niet.'

'Overmorgen word ik zesentwintig.'

'Nou en? Dan ben je jarig. Dat wil nog niet zeggen dat je je naam moet veranderen.'

Hij verschoof wat in de stoel. 'Laten we het niet over mij hebben.' Hij nam Caleighs hand in de zijne, bracht deze naar zijn mond en kuste haar vingers, die ziltig smaakten. 'Laten we het over jou hebben.'

Caleigh giechelde. 'Hoezo?'

'Ik wed dat je niet kunt wachten om weer thuis te zijn. Short gaan met General Electric. Een ton *pork bellies* aankopen. Wat call-opties plaatsen…'

'Die "plaats" je niet,' verbeterde ze hem.

'Nou ja, wat maakt het uit…'

Ze zuchtte en met een klik zette ze de radio uit. 'Ik weet wel dat je het saai vindt…'

'Maar dat vind ik niet. Volgens mij is het bedrijfsleven boeiender dan het kunstwereldje. Als *scene* dan, bedoel ik.'

Ze giechelde. 'Dat zeg je alleen maar omdat je naar Jakes opening moet en alle galeriehouders de kont moet kussen.'

Hij huiverde, maar was opgelucht dat het koufront voorbij leek te zijn gedreven. 'Zin om mee te gaan?'

Ze schudde van niet en wierp hem een schuine glimlach toe. 'Nou...'

'Dus je gaat liever je haar wassen, *Wall Street Week in Review* kijken...'

'Dat zei ik niet.'

'Nee, je zei het niet, maar...'

Ze lachte. 'Telepathie.'

Hij bromde. 'Misschien blijf ik wel thuis en was ik míjn haar; er zit genoeg zand in.'

Caleigh schudde haar hoofd. 'Dat kun je niet maken!'

'Wat niet?'

'Jake laten stikken. En ik ook niet. Hij rekent op onze komst. En trouwens, zo erg zal het niet zijn.'

'O, jawel,' liet hij haar weten en hij liet zijn hoofd met een zachte plof weer tegen het raampje vallen.

De opening was in de Petrus Gallery in Georgetown.

De galerie, een enkele zaal met hoge plafonds, overal kabelspotjes en muren van roze baksteen, stond in een deel van de stad dat Danny altijd al interessant, en zelfs mysterieus, had gevonden: dit was K Street, *down under*. Achthonderd meter naar het oosten veranderde de straat in een cañon van glazen hoogbouw waarin advocatenkantoren en particuliere organisaties als de Pan-Amerikaanse Gezondheidsorganisatie gevestigd waren. Maar hier, in wat vroeger een getto van bevrijde slaven was, liep hij een vijftal huizenblokken lang langs de Potomac en ónder de verhoogde Whitehurst Freeway door.

Uit het oogpunt van 'stadsplanning' gold dit stuk van K Street als een ramp. En voor Danny verliep de opening niet veel beter.

Als hij nog één keer de woorden 'koelste juli uit de geschiedenis' hoorde, zou hij aftaaien, gegarandeerd – ook al werd de toch al magere opkomst daardoor nog verder uitgedund. Er waren niet meer dan vijfentwintig mensen en geen van hen leek ook maar een beetje geïnteresseerd in de monsterachtig grote doeken die aan de muren hingen. Naar de groeiende stapel lege flesjes in de afvalbakken te oordelen was de clientèle van de galerie vooral op de gratis drank en niet op de schilderijen afgekomen.

'Nou, ze begónnen pas in 1918 met het registreren van de weergegevens,' beweerde een stem links van hem, 'dus het is eigenlijk pas de koelste sindsdíén.'

Zo is het genoeg, besloot Danny: wij zijn weg. Caleigh, verstrikt in een gesprek met Jakes doodernstige moeder, had hem al een kwartier lang blikken van *kom, wegwezen hier* toegeworpen. Met de diverse aanwezige sterren, zoals de criticus van de *Post* en de schrijver van *Flash Art*, had hij al zijn best gedaan. Er was geen reden om nog langer te blijven en hij was al bijna bij Caleigh toen een fluisterstem in zijn oor lispelde: 'Ben jíj dat, Danny Cray?'

Lavinia. Niemand wist precies hoe oud ze was, maar er bestonden foto's van haar met JFK en Andy Warhol, Peggy Guggenheim en Lou Reed. Deze nestor van de kunstscene in DC runde de Neon Gallery in Foggy Bottom en de Kunstblitz in Berlijn.

'Klopt,' reageerde Danny terwijl ze elkaar ritueel omhelsden. 'Tenminste, dat geloof ik.' Hij streek even met zijn hand over zijn korte, piekerige haar.

Ze gniffelde wat, alsof hij een gevatte opmerking had gemaakt, en door haar dik in de mascara gezette oogwimpers nam ze hem op een bijna flirtende manier op. Caleigh, die hem nu samen met Lavinia zag, trok even haar wenkbrauwen op en wierp hem een bemoedigende glimlach toe. 'Nou, ik hóóp dat je het bent,' zei Lavinia, 'want jij bent de man naar wie ik heb lopen zoeken.' Ze hield haar lege wijnglas klaar om zich te laten bijschenken. 'Nog wat bocht, graag, witte wijn… en daarna wil ik het even ergens over hebben met je.'

Ze liepen naar buiten, naar het tuintje achter de galerie, zodat Lavinia een sigaretje kon roken. Buiten was het zo zwaar en drukkend dat de rook niet omhoog leek te gaan, maar als mist bleef hangen. Hij deed zijn best bij haar een reactie los te krijgen over Jakes expositie (immers, Jake zou hem er na afloop naar vragen), maar met een rukje van haar hoofd, waardoor haar beroemde blonde lokken even opsprongen, verwierp ze het onderwerp. 'Niet mijn smaak,' liet ze hem weten.

'Waarom niet? Hij is goed!'

Minachtend schudde ze haar hoofd. 'Nee, hij is niet "goed". Zijn palet is vaal en hij is niet orgineel. Maar luister,' vervolgde ze, van onderwerp veranderend, 'daar wilde ik het niet over hebben. Ik wil het hebben over…' ze prikte met een roodgelakte nagel in zijn borstkas, 'jou!'

Het duurde ongeveer een minuut en daarna begon hij te zweven. Ze vertelde hem dat ze bij de Banco Salvador in Adams-Morgan een van zijn sculpturen had gezien en dat ze zeer onder de indruk was. Zozeer zelfs dat ze zijn andere werk was gaan bekijken. Ze had een aantal litho's gezien die hij had uitgeleend aan een restaurateur in Georgetown, een schilderij dat de Cafritzes hadden aangekocht en dat nu in hun muziekkamer hing, en een installatie die hij had gedaan voor de Torpedo Factory in Alexandria. 'Ik vond het prachtig.'

'Welke?' vroeg hij.

'Het eerste! Het laatste! Allemaal!'

'Dat is fantastisch. Echt!'

Maar daar het ging het helemaal niet om. Waar het om ging was het volgende: er kwam een gaatje vrij in de expositieagenda bij Neon. 'Eigenlijk geen gaatje,' vertrouwde ze hem toe, 'eerder een gapend gat: twee weken in oktober. Je zou vrijdag de vijfde kunnen openen.' Of hij belangstelling had?

'Nou…'

'Op de woensdag en donderdag, de derde en vierde dus, zou je de expositie kunnen inrichten.' Er schoot haar iets te binnen. 'Je hébt toch wel voldoende werk…?'

Zonder erbij na te denken knikte hij van ja. 'Tuurlijk, maar… wat is er gebeurd? Ik bedoel…'

Met een *tss*-geluid sloeg ze haar ogen ten hemel. 'Een van mijn "projecten",' vertrouwde ze hem toe. 'Jong, slim… en volslagen tweepolig. Ik zie hem níét voor de kerst uit zijn bed komen, en daar kan ik dus niet op wachten. Ik run een zaak, geen kliniek.' Ze zweeg even, een peinzende blik in haar ogen. 'En?'

Hij aarzelde bijna een hele seconde en haalde niet al te overtuigend zijn schouders op: 'Ja… natuurlijk!'

'Geweldig!'

Daarna moest hij wel blijven, omdat het ergens niet passend leek om te vertrekken voordat Lavinia dat deed.

Een minuutje later verscheen Caleigh opeens naast hem, met Jake en diens moeder in haar kielzog. 'Was dat niet Lavinia Trevor?' vroeg ze opgewonden. 'Wat wilde díé?'

Danny wilde niets zeggen met Jake erbij. De Neon genoot veel meer aanzien dan de Petrus. Hij haalde zijn schouders op. 'Iemand om haar wat wijn bij te schenken en haar gezelschap te houden terwijl ze een sigaretje rookte.'

'Zei ze nog iets?' vroeg Jake. 'Over de expositie? Wat vond ze ervan?'

Danny reageerde weer met een schouderophalen. 'Het spijt me. Het enige waar ze over praatte, was een kennis van haar die tweepolig is.'

Caleigh wierp een vluggе blik op haar horloge. Op maandag moest ze altijd al om halfzes op om de ochtendkranten te lezen en haar on-line-column te schrijven voordat de beurs opende. Danny gaf een kneepje in haar hand. 'Volgens mij moet jij nu zo'n beetje naar huis. Ik rij wel met iemand mee.' Ze glimlachte. Ze wist dat er meer achter zijn gesprekje met Lavinia zat.

Na Caleighs vertrek duurde het nog een halfuur voordat Lavinia eindelijk van het toneel verdween en ze Danny ten slotte nog een samenzweerderig wuivend gebaar toewierp. Hij besloot dat hij nu maar beter tot het eind kon blijven. Jake was halfdronken en kon absoluut niet zelf rijden.

Op weg naar huis zocht Jake wat geruststelling. 'Dat was klote,' zei hij terwijl hij met grote teugen uit een halflege fles merlot dronk.

'Het ging prima,' liet Danny hem weten.

'Echt?' vroeg Jake. In zijn stem wedijverden twijfel en hoop met elkaar.

'Absoluut! Het was een homerun.'

Zijn vriend bromde wat en keek uit het raampje. 'Niks verkocht.'

'Daar gaat het niet om,' zei Danny, hoewel het eigenlijk wel een beetje zo was. 'Eerst exposeer je, daarna verkoop je. Dat duurt even.'

'Denk je?'

'Ja.'

Jake keek hem schuin en argwanend aan. 'Waar ben jíj zo blij om?'

'Ik? Ik ben niet blij. Ik ben depri!'

Zijn vriend liet het een ogenblik bezinken, knikte toen tegen zichzelf en sloot zijn ogen. 'Goed,' zei hij en hij begon bijna onmiddellijk te snurken.

Misschien was het wel een self-fulfilling prophecy, maar nadat hij Jake had afgezet, begon Danny's gevoel van trots af te nemen. De waarheid was dat er wel een paar stukken geschikt waren voor een expositie, maar dat waren er niet genoeg. Hij zou al zijn verkochte werken bijeen moeten rapen, plus de stukken die hij aan de zorg van vrienden had toevertrouwd. En de installatie in de Torpedo Factory, die waar Lavinia zo enthousiast over was, leek opeens uniek. Het was een mixed-media kunstwerk, en hij bezat niet langer de mogelijkheid om de ingewikkelde beeldeffecten waar dit soort werken om vroeg nog voor elkaar te boksen. De opmaakapparatuur die hij bij de Artists Co-op had gebruikt, was niet langer beschikbaar. De eigenaar ervan had het systeem teruggehaald om 'videoaandenkens' aan dode huisdieren te maken (een lucratieve handel, naar het scheen).

En er was nog een probleem: zijn interessantste sculptuur, het pièce de résistance van elke expositie in de nabije toekomst, was *Babel On II*. Dit was een verbijsterende constructie die uit meer dan achtduizend doorzichtige legostenen bestond die tezamen een bijna onzichtbare stad vormden, met in het midden een ruim vijftien centimeter hoog, driedimensionaal hologram van Walter Mondale die boven Kurt Cobains lijkbaar bidt. Het holografische beeld was prachtig en spookachtig, net zo verfijnd en kortstondig als de wegkwijnende roem van zijn onderwerpen. Het enige probleem was: hoe kreeg hij het werk naar de Neon Gallery zonder het te vernielen?

Ach, maak je niet druk, dacht hij. Je hebt twee maanden om dat uit te vogelen.

Aangezien hij in Jakes Volkswagen reed, was parkeren geen probleem; het vinden van een parkeerplekje voor zijn eigen auto, een reusachtige, roestende Oldsmobile uit 1976, was hier in Adams-Morgan altijd een uitdaging.

Toen hij de twee trappen op vloog om Caleigh over Lavinia's aanbod te vertellen, was zij zelfs nog opgewondener dan hij. 'Ik wist 't wel!' straalde ze en ze sloeg haar armen om hem heen. Ze trok een fles Mumm's uit de koelkast ('was eigenlijk bedoeld voor je verjaardag, maar we kunnen altijd een nieuwe halen').

Toen even na middernacht de telefoon overging, was Danny dronken.

Caleigh nam op en overhandigde de hoorn vervolgens met een vragende blik aan hem. 'Jude Belzer,' zei ze.

Hij schudde zijn hoofd. Die naam kende hij niet. Ook de stem, een merkwaardig accent, herkende hij niet: half Engels en half vaag, iets wat hij niet kon thuisbrengen.

'Meneer Cray?'

'Danny.'

'Zo je wilt. Het spijt me dat ik je nog zo laat bel, maar…'

'Geen probleem,' liet Danny hem weten.

'Ik ben advocaat.'

'Oké.'

'Een wederzijdse vriend stelde voor dat ik contact opnam.'

'En wie was dat?' vroeg Danny.

'Een van je vele fans bij Fellner Associates,' legde de advocaat uit. 'Luister, ik kom net uit Milaan en morgen moet ik naar San Francisco. Zou het mogelijk zijn – hoe dan óók – om elkaar morgen te treffen? Ik weet dat 't kort dag is, maar…'

'Ik weet 't niet…'

'Ik heb een voorstel dat jou volgens mij wel zal interesseren. We kunnen afspreken in de Admirals Club op Reagan National.'

Danny kromp ineen. Bijna zijn hele leven had hij in het DC-gebied gewoond. Voor hem zou de luchthaven altijd gewoon 'National' blijven heten.

'Danny.'

'Ja, ik ben er nog.'

'Ik zat te denken… rond een uur of tien?'

Hij wist even niet zo goed wat te antwoorden. De Neon-expositie ging gigantisch worden, maar het zou niet gemakkelijk zijn. Hij moest nog een berg werk verzetten om alles te laten lukken. Van de andere kant, de duizend dollar die hij op de bank had staan, was niet het eeuwige leven beschoren. En hij kon niet – zóú niet – op kosten van Caleigh leven.

De stilte moest weer lang hebben geduurd, want Belzer spoorde hem een tweede keer aan. 'Danny?'

'Ja, goed… tien uur is prima.'

'De Admirals Club?'

'Oké. Op National.'

Pas toen hij had opgehangen, besefte Danny dat ze niet eens hadden afgesproken hoe ze elkaar konden herkennen. Maar op de een of andere manier wist hij dat dat geen probleem zou zijn. Er was iets in Belzers stem, meer de toon dan zijn accent, waardoor Danny vermoedde dat de advocaat al wist hoe hij eruitzag. En misschien nog wel veel meer.

# 3

Hij zag er... patent uit.

Dat was Danny's conclusie terwijl hij nog nadruppend van de douche en met een handdoek om zijn middel voor de spiegel stond. Regelmatige gelaatstrekken, blauwe ogen, gave huid. Een beetje lang, mager en, voor iemand die niet 'trainde', in vrij goede conditie. Hoewel... hij voetbalde tweemaal per week op de Mall en hij ging hardlopen met Caleigh in Rock Creek Park op de (toegegeven, zeldzame) keren dat hij net zo vroeg opstond als zij. Dus een tv-junkie kon je hem eigenlijk niet noemen.

Al met al vond hij zichzelf er goed uitzien, hoewel misschien iets te vlot voor een eerste ontmoeting, vooral met een advocaat. Zijn haar, bijvoorbeeld: kort, bruin en piekerig, met blonde punten (met dank aan Caleigh, die vroeger als kind duidelijk nooit met poppen had mogen spelen). Misschien dat als hij wat gel in zijn haar deed en het recht naar achteren kamde (à la Pat Riley), het oké zou zitten, een beetje coupe-soleilachtig.

Hij haalde een borstel door zijn haar, hield zijn hoofd scheef en aanschouwde het resultaat in de spiegel: niet slecht, behalve dat hij er nu uitzag als een piraat. Een jonge en innemende piraat weliswaar, maar niettemin een zeerover – wat voor een zakelijke ontmoeting misschien niet zo passend zou zijn.

Het kwam door de tatoeage, besloot hij. En de piercings.

De tattoo was een zwart silhouet, een abstract tribal-motief, dat rond zijn rechterschouder krulde. De piercings bestonden uit drie gouden ringetjes in de schelp van zijn linkeroor en een vierde door zijn rechterwenkbrauw, het gevolg van een verloren weddenschap.

Maar het deed er eigenlijk niet toe. De tattoo zou onder zijn overhemd verdwijnen en die piercings kon hij zo verwijderen. Zodra dat gedaan was, was hij weer moeders lieve jongen: een aardige jongeman zonder zichtbare scherpe randjes.

Hij liep de slaapkamer in, opende de kastdeur en nam er de kleren uit die hij voor dit soort gelegenheden had aangeschaft: het pak en de stropdas van Zegna, die Caleigh had weggegraaid bij Glad Rags (een chique postorderboetiek voor de society), de instappers van Cole-Haan (nog van zijn afstuderen) en het o-zo-coole ruitjesoverhemd van Joseph Abboud. Al met al een donker en zakelijk ensemble, te dragen bij begrafenissen dan wel gangsterontmoetingen, dat hing af van hoe je ernaar keek. En het deed hem glimlachen, omdat het prachtige pak en de glimmende schoenen wel een vermomming leken.

Maar bij een attachécase trok hij de grens. In plaats daarvan droeg hij een leren 'enveloppe' met daarin een geel schrijfblok en de Mark Cross-vulpen die zijn vader hem in een moment van wishful thinking en goed-geefsheid had geschonken.

In de metro naar de luchthaven las hij de *Washington Post*, of eigenlijk: *Doonesbury*, het modekatern en de sportpagina. Opeens was hij er, te midden van het naar binnen en buiten deinende gedrang van Terminal B. Aan een bewaker vroeg hij de weg naar de lounge van American Airlines en hij werd verwezen naar de tweede verdieping aan de zuidkant van het lucht-havengebouw. Daar, op de muur naast een houten deur, hing een koperen plaque waarop stond: ADMIRALS CLUB.

Een zoemer naast de deur verschafte toegang tot een groot en fris ver-trek met een wand van spiegelglas aan het andere eind. De bewaker bij de balie verzocht Danny zich als gast in te schrijven en knikte vervolgens naar een hoek van de ruimte die uitzicht bood op een van de drukste start- en landingsbanen.

Jude Belzer zat in een oorfauteuil die net zogoed een leren troon had kunnen zijn, en keek hoe Danny langs een vloot van lege stoelen en ban-ken zijn kant op kwam. Vlakbij knabbelden drie mannen in pak op met honing gezoete, geroosterde pinda's en ze nipten van een colaatje. Hoewel ze niet met elkaar praatten, waren ze overduidelijk samen: een legertje goedgeklede pionnen dat over het gebied van hun koning waakte.

Voor Danny leken ze zo uit een kopieerapparaat te zijn gerold: ze waren alledrie in de dertig en hoekig gebouwd, met dik, zwart, kortgeknipt haar. Je zou hen moeilijk uit elkaar kunnen houden, dacht hij, behalve die kerel in het midden, wiens rechterwenkbrauw in tweeën gespleten leek, waar-door hij er bijna drie leek te hebben.

Belzer deelde hetzelfde kleurenpalet met zijn lijfwachten (of wat het ook waren). Alles aan hem was donker, van het pak tot zijn gitzwarte haar en de halfronde zonnebril. Die hij afzette nu Danny naderde, om aldus een paar onpeilbare bruine ogen te onthullen. Terwijl Belzer opstond om han-den te schudden, viel Danny's oog eerst op de wandelstok met zilveren handvat, het gouden monster van een Rolex en de lederen laars die een of andere vergroeiing omhulde.

'Danny Cray.'

'Jude Belzer.'

De slanke en atletisch gebouwde advocaat had een krachtige handdruk en was knap genoeg om de jonge vrouw, die opdook om te vragen of ze iets

24

wilden drinken, van de wijs te brengen. Belzer had de uitstraling van een filmster en Danny kon de radertjes achter de ogen van de serveerster zien draaien, terwijl ze hem probeerde te plaatsen in haar menagerie van beroemdheden. Blozend en stotterend, te gretig om het hun naar de zin te maken, stoof ze weg om hun bestelling te halen: koffie voor Danny, een Pellegrino voor Belzer.

Belzer zette zijn zonnebril weer op en verontschuldigde zich. 'Mijn ogen zijn gevoelig voor fel licht,' zei hij op spijtige toon.

'Nou,' zei Danny, terwijl hij plaatsnam in een gemakkelijke stoel, 'daar zitten we dan.'

Belzer reageerde met een langgerekt 'ja'. Hij leunde glimlachend voorover en begon zonder enige inleiding op zachte toon uit te leggen waarom ze hier waren. 'Ik zou u graag willen inhuren voor wat *damage control*.'

'Mij "inhuren"?'

Belzers handen vielen open als een boek. 'Wat freelance onderzoek. Daar houdt u zich toch mee bezig?'

'Ja zeker,' knikte Danny.

'Goed dan…' Hij glimlachte zijn tanden bloot. 'Ik heb een cliënt, een zakenman in Italië, Zerevan Zebek…' De advocaat zweeg even, alsof hij op een reactie wachtte. Maar die bleef uit en dus ging hij verder. 'Sinds enige tijd is meneer Zebek het doelwit van… hoe moet ik dat nu noemen… een "campagne" om zijn reputatie kapot te maken.'

De serveerster arriveerde met hun bestelling en op Danny's gezicht verscheen een sympathieke frons. 'Wanneer is dat begonnen?' vroeg hij.

'Een paar maanden geleden,' antwoordde Belzer. 'Een van de kranten in Florence, *La Repubblica*, begon bepaalde geruchten te publiceren…'

'Over?'

'Meneer Zebeks zaken. Onze eerste reactie…'

'En wat hielden die geruchten dan in?' vroeg Danny. Niet gewend te worden onderbroken, fronste Belzer zijn voorhoofd. 'Ik bedoel, ik was benieuwd naar de aantijgingen,' verduidelijkte Danny.

De advocaat schudde zijn hoofd, sloot zijn ogen en maakte een ongeduldig gebaar met zijn hand, alsof hij iemand uitzwaaide om wie hij niets gaf. 'Wat maakt dat uit? Het stelt niets voor.'

Danny liet zich achteroverzakken in zijn stoel, dronk van zijn koffie en liet de stilte tussen hen groeien, wat niet meeviel. De lichaamstaal van de advocaat hield het midden tussen ergernis en minachting.

Met een zucht gaf Belzer ten slotte toe. 'Oké, ze zeggen dat hij contacten heeft met de maffia, dat hij een wapenhandelaar is… een vervuiler en een oplichter. Ze zéggen dat hij de duivel in eigen persoon is.'

Danny grijnsde. 'Terwijl hij… eigenlijk…?'

Belzer haalde zijn schouders op. 'Hij is een ondernemer die risico's durft te nemen. Gereserveerd? Uiteraard. Maar dat hoort bij het vak, nietwaar? We hebben het wel over iemand die honderden miljoenen dollars heeft geïnvesteerd in een reeks kleine bedrijven, waarvan enkele het heel, echt heel goed hebben gedaan, en misschien nog wel beter zullen doen. We hebben het over de allermodernste wetenschap – robotics en MEMS – niet Telepizza.'

Danny zou nog niet het verschil weten tussen micro-elektromechanische systemen en een zakje M&M's, maar hij begreep waar Belzer op doelde. Het afgelopen anderhalf jaar had hij genoeg werk gedaan voor Fellner Associates om te weten dat het hightech-wereldje, waarin de miljarden er als tornado's doorheen werden gejaagd, keihard was. De advocaat geloofde kennelijk dat zijn cliënt door een concurrent werd belasterd. 'Dus waarom stapt hij niet naar de rechter?'

Belzer nam een slok van zijn bronwater. Met een wolfachtige grijns leunde hij voorover. 'Ja, daar draait 't nu juist om, hè? Ik bedoel, daarom zitten we hier.'

'O.'

De oudere man liet zich weer in zijn stoel zakken. 'We kennen een aantal betrokkenen, loonslaafjes van de roddelbladen en zo. Maar het heeft geen zin om achter hén aan te gaan. We willen hun verhalen terugvolgen naar de bron, uitzoeken wie erachter zit.'

Danny liet dit even bezinken. Wie weet was het een klusje voor hem.

'Een van de mensen van wie we wéten dat hij betrokken was,' ging Belzer verder, 'was een Amerikaan.'

'O...'

'Een zekere Terio.'

'En hoe kunnen we daar zeker van zijn?' vroeg Danny.

Belzer nam hem koeltjes op. 'Misschien hoeft u dat niet te weten.' De jongere man keek bedenkelijk, maar de advocaat haalde zijn schouders op. 'Toen meneer Terio met een verslaggever praatte, werd er iets opgevangen.'

'"Opgevangen"?'

Belzer knikte.

'U bedoelt... hij zat aan het tafeltje naast u of... u luisterde hem af?'

Belzers gezicht verstrakte tot een pseudo-verontwaardigde blik. 'Ik heb nog nooit iemand afgeluisterd,' protesteerde hij. Hij zweeg even om er vervolgens aan toe te voegen: 'Daar hebben we zo onze mensen voor.' De opmerking deed Danny glimlachen. Maar ook moest hij wat bezorgd hebben gekeken, want de advocaat haastte zich om hem gerust te stellen. 'Het was in een ander land, meneer Cray. Met andere wetten.'

Danny knikte bedachtzaam. 'En wat wilt u nu dat ik doe?'

'Nou, als we een kijkje konden nemen in meneer Terio's paperassen...'

'Zijn "paperassen",' herhaalde Danny. 'Wat voor "paperassen"?'

Belzer haalde zijn schouders op. 'Wat we maar kunnen vinden. En als we kunnen uitzoeken met wie hij praatte, of met wie hij nog méér praatte, dan zou dat zelfs nog beter zijn.'

Waarom praten we opeens in de verleden tijd? vroeg Danny zich af. '"Praatte"?'

Belzer knikte. 'Meneer Terio is overleden.'

Danny knipperde met zijn ogen.

De advocaat schoof wat in zijn stoel. 'Het kwam in het nieuws.'

Danny bood hem een verontschuldigende blik. 'Ik ben net terug in de stad,' zei hij. 'Mijn vriendin en ik waren in North Carolina, dus…'

'Het stond in de kranten,' legde Belzer hem uit. Hij draaide met een vinger in de lucht. 'Tv. Radio.'

Danny dacht even na. 'Dus deze vent was, wat… vooraanstaand? Ik bedoel, om in de krant te komen…'

Belzer schudde zijn hoofd. 'Nee,' bekende hij. 'Hij was niet echt "vooraanstaand". Hij was hoogleraar. Het was meer hoe hij stierf dan wie hij was.'

Danny nam nog een slokje koffie en leunde voorover. 'Hóé hij stierf?'

Belzer keek hoe buiten een 737 landde. Hij zweeg een tel en antwoordde toen: 'Meneer Terio metselde zichzelf in.'

Danny wist niet zeker of hij het goed had verstaan. Enkele seconden tikten voorbij. 'Pardon?'

Belzer keek hem weer aan. 'Ik zei dat hij zichzelf inmetselde.'

Het heeft met taal te maken, dacht Danny. Het Engels van deze knakker is perfect, maar het is Engels-als-tweede-taal-perfect, dus misschien bedoelt-ie niet wat hij denkt dat-ie bedoelt. 'Wanneer u "inmetselde" zegt, bedoelt u dan zoals… zoals in dat verhaal van Edgar Allan Poe?'

Belzer knikte. 'Alleen was het in het geval van meneer Terio een doe-het-zelfdaad.'

De jongere man bleef zitten waar hij zat en zweeg een poosje. Het volgende moment viel zijn zakenmanvermomming weg en zonk hij met een ongelovige gniffel terug in zijn stoel. 'Het spijt me, hoor, maar… "doe-het-zelf"?'

Belzer neigde het hoofd iets ter bevestiging van wat hij had gezegd. 'Hij heeft zichzelf levend begraven.'

'Wát?!' hoorde Danny zichzelf uitroepen.

Belzer knikte nog eens.

'Maar… hoe dóé je zoiets?' vroeg Danny.

Verbijsterd schudde de advocaat zijn hoofd. Daarna fronste hij het voorhoofd en probeerde hij het uit te leggen: 'Volgens de politie bezocht hij een of andere winkel die Home Depot heet en kocht hij daar wat hij nodig had. Vervolgens metselde hij vanbinnen uit een kamertje dicht.'

Danny kon zijn oren niet geloven. Hij was helemaal ondersteboven van het idee. 'Maar waarom? Waarom zou iemand zoiets dóén? Daar heb je toch pistolen voor? Bruggen! Pillen!'

27

Bijna weemoedig schudde Belzer weer het hoofd. 'Hij was duidelijk gek.'

Je meent het, dacht Danny. 'Natúúrlijk was hij gek, maar… wat ik bedoel: wat bracht hem ertoe? Zelfs een gek heeft redenen voor wat hij doet. Het zijn alleen gékke redenen.'

Belzers handgebaar drukte een mengeling van hulpeloosheid en onverschilligheid uit. 'U hebt helemaal gelijk.'

Danny knikte en haalde vervolgens een hand door zijn haar. Ten slotte deed hij een poging terzake te komen. 'Oké, dus meneer Terio is een beetje een raadsel. Maar waarom ik? Ik bedoel, ik kan nog wel begrijpen dat u meer te weten wilt komen over deze lastercampagne tegen uw cliënt, maar… waarom stapt u niet naar Fellner Associates?' Nog voordat de advocaat kon antwoorden, praatte Danny door. 'Begrijp me niet verkeerd, ik voel me gevleid. Het is alleen… Zij zijn het A-team. Ik ben maar in m'n eentje. Ik kan bij lange na niet aan hun middelen tippen.'

Hij wilde het eigenlijk niet zeggen, maar het lag zo voor de hand dat hij er niet omheen kon. Hij was een parttime privé-detective zonder vergunning, terwijl Fellner Associates in een stuk of zes landen over wel een dozijn vestigingen en honderdtwintig stafmedewerkers beschikte, onder wie een voormalige vice-directeur van de CIA. Ook waren ze geabonneerd op een honderdtal geheime databases en hadden ze een Rolodex vol namen en telefoonnummers van deskundigen op alle mogelijke terreinen, van 'twijfelachtige documenten' tot gerechtelijk dataonderzoek. De vraag: waarom ik? was dus helemaal niet zo slecht.

'Eigenlijk,' deelde Belzer hem in vertrouwen mee, 'hebt u al eerder voor meneer Zebek gewerkt.'

Danny keek verrast. 'O ja?'

De advocaat knikte. 'U was… wat ze volgens mij een "onderaannemer" noemen.'

'Een *sub*.'

'Precies. U hielp met een kwestie die Fellner voor de holding van meneer Zebek afhandelde.'

Danny schudde zijn hoofd. 'Help me even.'

'Sistemi di Pavone.'

Danny liet de naam tot zich doordringen. Hij had zoveel gedaan voor Fellner, maar op een dusdanig laag niveau dat hij soms niet eens de naam van de cliënt te horen kreeg. *Sistemi di Pavone*, het zei hem niets, maar het leek onbeleefd om dat te zeggen. 'Ja-ja.'

'Meneer Zebek heeft een hoop – hoe zeg ik dat? – "werkachtig werk" bij Fellner ondergebracht. Schuldenregelingen, voor het grootste deel, wat fusies en acquisities. Maar de zaak-Terio is anders. Dat is een persoonlijke aanval.' Belzer zweeg even om er zeker van te zijn dat Danny het begreep, en ging daarna verder. 'Dus het is niet nodig om Fellner erbij te betrekken. Wat wij nu zouden willen doen, is het Terio-onderzoek van onze andere bezigheden isoleren, terwijl we toch alles… om zo te zeggen, intern houden.'

Danny knikte begrijpend. Hij zag wel in waar dit hout zou kunnen snijden. Hij verschoof wat in zijn stoel en leunde voorover. Het onderwerp van tarieven moest nu te berde worden gebracht, wat een tikkeltje lastig was. Fellner betaalde hem vijfentwintig dollar per uur, maar nam in de boeken het dubbele op. Dus misschien moest hij wel vijfendertig vragen. Of zelfs vijftig (als hem dat met een uitgestreken gezicht lukte).

Er werd iets omgeroepen over vertrektijden en Belzer keek even op zijn horloge.

'Hoe laat vertrekt uw vlucht?' vroeg Danny.

Belzers kin ging iets omhoog. 'Wanneer ik het zeg,' zei hij.

Het duurde even voordat het tot Danny doordrong, en toen het zover was, hoorde hij zichzelf zeggen: 'Goed, ik kan waarschijnlijk wel helpen, maar… misschien kunt u iets specifieker zijn over waar u naar zoekt.'

'Christian Terio,' reageerde Belzer. Hij keek nu een beetje geïrriteerd. 'Zo eenvoudig is het. Wie wás hij? Wat voerde hij in zijn schild?'

'U zei dat hij hoogleraar was.'

'Hij zat bij de vakgroep Filosofie en Godsdienstwetenschap van de George Mason University,' legde Belzer uit. 'Het is moeilijk te begrijpen waarom iemand in zo'n positie de heer Zebek in een kwaad daglicht zou willen stellen. Daarom zouden we iets meer te weten willen komen over zijn vrienden en collega's, de mensen die hem na stonden, zijn correspondenten, zo hij die had. Misschien dat iemand hem als tussenpersoon gebruikte, of dat hij ervoor werd betaald om te doen wat hij deed.'

'En dat was…?'

'Mijn cliënt verdacht maken.'

'Zou het mogelijk zijn die verhalen te zien?' vroeg Danny. 'Het zou kunnen helpen.'

Belzer dacht hier even over na. 'Leest u Italiaans?'

Danny wierp hem een spijtige blik toe.

Belzer haalde zijn schouders op. 'Ach, misschien kunnen we ze laten vertalen voor u, maar eigenlijk… weet ik niet zeker of ze wel zo van nut zouden zijn.' Hij zweeg even en stapte op een ander onderwerp over. 'We zijn vooral geïnteresseerd in eventuele archieven die u kunt bemachtigen – papier, computer, wat dan ook. Er zouden belangwekkende stukken kunnen zijn – verbanden met meneer Zebek – die u over het hoofd zou zien maar die wíj zouden herkennen.'

'Dingen die voor uw cliënt van grote betekenis zouden kunnen zijn?'

Opnieuw liet Belzer zijn handen als de bladzijden van een boek openvallen. 'Precies. Hoe meer ruwe gegevens wij krijgen, des te beter. Daarnaast zouden we graag zien dat u een onderzoek instelt naar meneer Terio alsof wij ons in een vijandige overnamesituatie bevonden.'

'Dus... u wilt dat ik een profielschets maak.'

'Precies. En wel zo gedetailleerd mogelijk.'

'Een onderzoek naar geldmiddelen?'

De advocaat knikte. 'En houd in het achterhoofd dat Terio een hoogleraar was, en geen Nigeriaanse dictator, ja? Een onderzoek naar geldmiddelen zou ons wel eens kunnen vertellen wie hem betaalde.'

Danny schraapte zijn keel. 'Vooralsnog zie ik geen problemen opdoemen,' zei hij, 'hoewel ik wel even zal moeten weten hoe uw budget eruitziet.'

De advocaat maakte een wegwerpgebaar. 'Het budget staat... open. We zullen al uw onkosten betalen, en uw tarief, dat is... wat? Honderd dollar per uur?'

Danny deed zijn best een uitgestreken gezicht te houden. Hier zat hij dan, zoekend naar de gotspe om zijn uurtarief naar vijfendertig of veertig dollar op te drijven, en deze Belzer bood zélf honderd aan! Hij haalde diep adem. 'Dat is prima,' wist hij uit te brengen.

Belzer grijnsde. 'Ik weet dat u een kunstenaar bent, meneer Cray...'

'Dan.'

'... en dat u nog steeds bezig bent uw naam te vestigen. Daar zou ik u graag een handje mee helpen, zolang de belangen van de cliënt worden gediend.'

'Natuurlijk.'

'En ik hoor goede verhalen over u.'

'Echt?' Dit leek zo onwaarschijnlijk dat Danny een nerveus lachje niet kon onderdrukken.

'Ja, echt,' hield Belzer vol. 'Ik zag een werk van u bij Les Yeux du Monde, geruwd aluminium, heel mooi. En ik begrijp dat er iets van u in de Torpedo Factory staat? Ik heb het zelf niet gezien, maar las er iets over.'

Danny was gevleid en een beetje van zijn apropos gebracht. Ook Belzer had van onderzoek doen duidelijk kaas gegeten.

'Zodra dit achter de rug is,' ging Belzer door, 'kom ik misschien eens een kijkje nemen naar uw... oeuvre.'

'Nou, toevallig ga ik binnenkort exposeren,' verklapte Danny. 'In oktober, in de Neon Gallery.'

'Fantastisch. Ik koop niet veel kunst, maar bezit wel een paar werken, dus wie weet?' En met die woorden reikte Belzer hem een envelop aan met daarop het logo van de Admirals Club. 'Uw voorschot,' verklaarde hij. 'Vijfduizend om te beginnen, voor uw tijd en onkosten. Als u een boekhouding bijhoudt, zullen we dit naar behoefte aanvullen.'

Het was Danny's eerste voorschot. Meestal moest hij wel twee maanden wachten totdat Fellner zijn uren en onkosten had verwerkt. Om in één keer zoveel contant geld op zak te hebben, en vooruitbetaald, was een grote verrassing. 'Dus...'

'Doe alles wat nodig is,' zei Belzer, die zich vervolgens met de hulp van zijn wandelstok overeind hielp en een visitekaartje uit de binnenzak van zijn colbertje tevoorschijn toverde. Het kaartje was bedrukt met een telefoonnummer – verder niets.

'Van mijn mobieltje,' legde hij uit. 'Bel me zodra u iets hebt.' Hij draaide zich om, wuifde Danny over zijn schouder nog even gedag, prikte zijn wandelstok in het hoogpolige tapijt en liep de lounge uit.

Daar stond Danny, met het kaartje in de hand, en hij dacht: honderd dollar per uur, acht uur per dag, vijf dagen per week – waar zijn die pinda's etende kerels gebleven?

Hij keek om zich heen. Ze waren verdwenen.

Vier mille per week, zestien ruggen per maand… Pas toen hij weer in de metro zat, had hij eindelijk oog voor die ene vraag die hem zo had dwarsgezeten: welke advocaat heeft er nu lijfwachten?

# 4

H et was een droom en daar was hij zich, zelfs terwijl hij droomde, van bewust. Maar toch...

Hij stond op een klif aan de rand van de oceaan en voelde zich duizelig. In zijn hand hield hij Belzers visitekaartje, maar dat was met geen mogelijkheid te lezen. Hoezeer hij zich ook concentreerde, de cijfers dansten en vervaagden, veranderden in letters die nog vóór ze gevormd waren weer in ándere letters veranderden.

De telefoon naast het bed rinkelde en haalde hem uit zijn slaap. Hij wilde niet opnemen. Hij wilde het kaartje lezen. Dat was belangrijk. Maar zijn hand gehoorzaamde als in een reflex en hij reikte op de tast naar de telefoon. Nog half slapend bracht hij de hoorn naar zijn oor.

'Gefeliciteerd met je verjaardag, jongen!' Het was de bulderende stem van zijn vader.

Danny mompelde iets onsamenhangends en duwde zich knipperend met zijn ogen op een elleboog.

'Ik probeerde hem nog even te laten wachten,' viel zijn moeder bij, 'maar je weet hoe hij is, hè.'

'Ha, mam. Pa.' Hij gaapte en wreef in zijn ogen. Ze belden vanuit de cottage in Maine, het zomerverblijf dat zijn opa had gebouwd.

'Het is halfacht,' zei zijn vader in een mengeling van voorgewende verrassing en geveinsde onschuld. 'Om halfacht is iedereén op! Zo gaat dat nu eenmaal in de wereld!'

'Proficiat, lieve Danny,' koerde zijn moeder. 'En sorry dat we je wakker belden.'

'Wie ligt te meuren, zal niet beuren,' grapte zijn vader.

Danny gniffelde. 'Het is al goed. Ik had toch net een nachtmerrie.'

'Ik vind dat je vader jouw werkuren eens moet leren respecteren,' hield zijn moeder vol. 'Kunstenaars houden er heel andere tijden op na dan de rest. Ik begrijp dat wel.'

Er klonk wat gesnuif van zijn vader.

'Ik meen het, Frank!' Zoals altijd praatten zijn ouders niet zozeer met hem, maar kibbelden ze goedaardig om hem héén. Hun genegenheid voor elkaar vormde voor hem het fundament. Hij was de jongste van de drie Cary-jongens en veruit de makkelijkste. In tegenstelling tot Kevin en Sean genoot Danny van zijn vaders plagerijen en meestal plaagde hij net zo hard terug.

'Wat voor nachtmerrie?' vroeg zijn vader. 'Dat je steeds weer droomt dat je al dertig bent...'

'Hé!'

'... en geen werk hebt?'

'Ik ben nog maar zesentwintig!'

De oude man slaakte een kreet van verrukking.

'Fránk! Hij is jarig, hoor!'

'Neem me niet kwalijk. Zésentwíntig jaar oud,' mijmerde zijn vader. 'De beste opleiding, kostte wel een paar centen...'

'Frank.'

Danny stapte uit bed, sleepte het telefoonsnoer mee om de hoek en stiefelde de keuken in. 'Nou,' zei hij, 'ik heb goed nieuws: ik ga exposeren. In oktober. In de Neon Gallery.'

'Je meent 't,' reageerde zijn vader, plotseling serieus.

'Het is vrij groot,' vertrouwde Danny hem toe terwijl hij de waterkoker met water vulde.

'O, Danny!'

Hij zette koffie terwijl zijn moeder overdreven deed over dat hij zo'n genie was en dat iedereen wist dat het 'slechts een kwestie van tijd' zou zijn. Uiteindelijk kon zijn vader het niet meer aanhoren en hij stapte over op een ander onderwerp, bulderend met een zwaar, Iers accent: 'We gaan terug naar *the auld sod*, wij tweetjes – je moeder en ik!'

'Jullie gaan wát?'

'Naar huis, jongen – twaalf dagen en elf nachten. Dublin, Waterford, Kerry en Cork. Het wordt absoluut geweldig.'

Danny lachte. *The auld sod*. Naar zijn beste weten was niemand van zijn familie de afgelopen honderd jaar in Ierland geweest.

Voordat Caleigh naar haar werk was gegaan, had ze een verrassingsontbijt voor hem gemaakt. Terwijl zijn ouders doorkletsten over hun reis pakte Danny er een stoel bij. Net als Danny was Caleigh – meestal – vegetariër, maar ze gebruikten wel melkproducten en, bij zeldzame gelegenheden, vis. Ze maakten zichzelf wijs dat ze dat voor de omega-3-vetzuren deden. Op een prachtig versierd bord lagen gerookte zalm en roomkaas omringd door uienringen, zo dun gesneden dat ze doorschijnend waren. In de broodrooster zat al een bagel met papaverzaad. Hij duwde het hendeltje omlaag en keek toe hoe de spiralen oranje opgloeiden.

Vlak bij zijn bord stond een verjaardagskaart tegen het peper-en-zoutstel. Op de voorkant van het zware, crèmekleurige papier zat een teddybeer met een verjaarstaart, klaar om de kaarsjes uit te blazen. Danny deed de kaart open en vond een handgeschreven boodschap: *Hartelijk gefelici-teerd met je verjaardag, lekker ding. C.*

Het water begon te koken en hij goot er wat van over de gemalen koffie, ondertussen geduldig luisterend naar zijn vaders monoloog over Caleigh. (Hoe kwam hij toch van Dublin op Caleigh?)

'Ze is een geweldige meid,' sprak zijn vader, 'en er komt een dag dat ze wakker wordt en beseft dat ze samenwoont met een ongeschoold sujet...'

'Een "sujet"?! In welke eeuw leven we, pa?'

Zijn vader gromde. 'Hé, we hebben een cadeautje voor je, maar je moeder heeft het niet op tijd op de post gedaan.'

'Ik hoopte dat je langs zou komen, al is het maar voor het weekend,' zei ze. 'Je vader overweegt een nieuwe boot te kopen, dus hij zou je goede raad wel kunnen gebruiken.'

Zijn vader floot even tussen zijn tanden door. 'Deze zul je mooi vinden, knul! Heeft heel wat pit.'

'Te veel pit, als je het mij vraagt!' riep zijn moeder uit. 'Goed, schat, je hebt vast van alles te doen. Nogmaals, proficiat!'

'Bedankt.'

De broodrooster plofte.

'Ik hou van je hou van je hou van je.'

'Ik ook van jullie.'

Rond de klok van tienen was Danny met zijn laptop aan de keukentafel al bijna een uur on line geweest. Als eerste had hij de website van de George Mason University bezocht, waar hij alle gegevens van Terio leek te hebben gevonden: adres en telefoon, e-mail en fax. De vakgroep Filosofie en Godsdienstwetenschappen had haar eigen website, met de biografische gegevens van al haar medewerkers. Volgens de site had Terio in 1978 aan Georgetown doctoraalexamen gedaan. Twaalf jaar later was hij gepromo-veerd aan de Johns Hopkins University. (Waarom duurde dat zo lang? vroeg Danny zich af.) Daarna was hij gaan doceren aan de universiteit van Boston en vervolgens was hij naar George Mason gekomen. In de afgelo-pen tien jaar had hij in diverse vakbladen een twaalftal artikelen gepubli-ceerd die door collega's waren gerecenseerd, alsmede in 1995 een boek met de titel *De stralende tombe: hermitage en extase in het vroege christen-dom.*

Volgens uitgeverij Amazon was het boek niet meer verkrijgbaar, dus ging Danny naar Alibris.com en daar vond hij een tweedehands exemplaar voor 28 dollar zoveel. Na het boek te hebben besteld en na betaald te heb-ben voor bezorging de volgende dag klikte hij door naar de website van de *Washington Post,* waar hij alle verhalen die inmiddels over Terio en zijn overlijden waren gepubliceerd, kon downloaden. Tot zijn grote ergernis lag de site plat en met geen mogelijkheid viel te zeggen wanneer dat verholpen zou zijn; vermoedelijk binnen een paar minuten, maar het zou ook uren kunnen duren.

Hij zette nog een kop koffie en probeerde het nog maar eens. Zonder resultaat.

Met een zucht liet hij zich achteroverzakken en hij overdacht de alternatieven. Bij de *Post* kende hij niemand zo goed dat hij hem om een gunst kon vragen, maar er waren zat mensen die hij wél kende en die toegang hadden tot Nexis, de onwaarschijnlijk dure database waarvan het elektronisch archief de volledige tekst van duizenden kranten en tijdschriften omvatte. Fellner had een abonnement dat hij kon gebruiken, maar… toch maar niet. Belzer wilde hen erbuiten houden, en dat vond Danny prima. Hij zou het op de ouderwetse manier aanpakken: de bibliotheek.

Hij griste een aantekenboekje mee, nam de brandtrap naar de hal beneden, waar hij keek of er post was, niet dus, en daalde de trap af naar het trottoir. Zijn flatgebouw was een ietwat vervallen gebouw van twee verdiepingen aan Mintwood Place, ongeveer dertig meter van Columbia Road, waar het nu kermis was.

Hij overwoog de auto te nemen, maar besloot de Bruine Bommenwerper toch maar niet van zijn huidige rustplaats los te rukken. De Oldsmobile eiste niet alleen een hoop parkeerruimte op, maar omdat er nog steeds kentekens van de staat Virginia op zaten, kon hij op de vele voor inwoners van Washington gereserveerde plekken maximaal twee uur parkeren. Bovendien was de airco kapot en de startmotor onbetrouwbaar, en was parkeren buiten de parkeerterreinen altijd een probleem. Hij zou de bus wel nemen. Gettoblasters bonkten een salsadreun terwijl daklozen op de weg stonden en autobestuurders parkeerplekken in dirigeerden (of ze die nu wilden of niet). Jongens op skateboards slalomden door het voetgangersverkeer. Vlak bij de hoek ruziede een goedgeklede blanke vrouw bij de stoeprand met een onvermurwbare zwarte agent die een bon onder de ruitenwisser van haar Jaguar had geschoven.

'Maar waarom zou ik 'm niet daar mogen parkeren?' vroeg ze op verontwaardigde toon. 'U hebt me geen enkele reden gegeven! Dat die parkeermeter kapot is, wil nog niet zeggen dat de plék in onbruik is.'

Danny grijnsde. *In onbruik*, die uitdrukking had hij nog nooit iemand horen gebruiken, niet in een alledaags gesprek en niet in Adams-Morgan, waar de helft van de bewoners nou niet wat je noemt Algemeen Beschaafd sprak.

Zijn overhemd plakte al aan zijn huid terwijl hij buiten voor de bank op de bus wachtte – wachtte totdat hem te binnen schoot dat zijn onkosten werden vergoed. En niet alleen zijn onkosten: met die honderd dollar per uur zou hij zijn cliënt helemaal geen plezier doen door de bus te nemen.

Dus hield hij de eerste taxi die hij zag aan en stapte vijf minuten later uit voor de Cleveland Park-bibliotheek aan Connecticut Avenue. Als het even kon, meed hij bibliotheken. Die microfiches waren een ramp, en microfilm was al geen haar beter. De helft van de keren vond hij er niet wat hij zocht en lukte dat wel, dan spuugden de apparaten grijs-op-grijze kopieën uit die in zijn hand krulden. Hij had er een bloedhekel aan.

Gelukkig was Terio's dood nog recent genoeg, zodat de kranten die hij zocht nog op de planken stonden. Niet dat er veel in stond, overigens.

In de *Post* stond een necrologie met een foto erboven. Danny bekeek de foto aandachtig, maar werd er weinig wijzer van. Terio bleek een vriendelijk ogende man van achter in de dertig, met een zachte glimlach en een peper-en-zoutbaard. Het bericht zelf was kort en somde zijn leven op met een reeks klinische zinnen die eindigden met de woorden 'liet geen familie achter'. Toch was het verhaal niet helemaal van betekenis verstoken. Volgens de *Post* was Terio zes jaar jezuïetenpater geweest voordat hij zijn gelofte brak en docent werd. (Dus daarom had het zo lang geduurd, dacht Danny.)

De *Washington Times* bracht het verhaal als nieuws in plaats van als een overlijdensbericht. De krant deed verslag van de omstandigheden waaronder het lichaam was aangetroffen, inclusief de namen van de bezorgde postbode en van de hulpsheriffs van Fairfax County, die het lichaam hadden gevonden. De krant haalde de lijkschouwer aan, die de doodsoorzaak toeschreef aan uitdroging ergens tussen de dertiende en de veertiende juli.

Verder stond er weinig in de kranten, en dus spitte Danny de *Readers' Guide to Periodical Literature* door, op zoek naar artikelen die de hoogleraar had geschreven. Het waren er aardig wat, en hij noteerde ze stuk voor stuk in zijn aantekenboek om zoiets van een bibliografie samen te stellen. (Het zou hem in elk geval helpen nog iets van zijn verslag te maken als hij verder met lege handen bleef zitten.) Hij bekeek de artikelen en zag dat de meest recente de titels 'Syncretisme in West-Koerdistan' en 'Uzelyurt: "Vaticaan van de Jezidi's"' droegen.

Danny achtte zichzelf belezen, maar Koerdistan was een land dat hij niet kende. En wat die Jezidi's betrof, vergeet het maar. De encyclopedie hielp hem met Koerdistan:

*Een traditionele regio, een uitgestrekt plateau- en berggebied, vooral bevolkt door Koerden, dat grote delen van het huidige Oost-Turkije, Noord-Irak en Noordwest-Iran omvat (alsmede kleinere delen van Noord-Syrië en Armenië).*

Wat hem betrof riep de beschrijving een maalstroom van politiek getinte psychopathologie op, maar meer ook niet. Hij wist eigenlijk niet veel van het gebied. Alleen de gebruikelijke dingen: dictators en woestijnzand. Handwerkskunst en martelingen.

Hij pakte een ander deel van de encyclopedie en vond een enkele verwijzing naar Jezidi, hier gedefinieerd als 'een syncretische religie in het Nabije Oosten'.

Meer had de bibliotheek hem niet te bieden. Buiten op Connecticut Avenue kocht hij bij Vace's Italiaanse kruidenierszaak een stuk pizza en daarna riep hij een taxi aan die hem naar de Fairfax-campus van George Mason moest brengen. De chauffeur bleek nieuw in het land. Als voormalig Liberiaans diplomaat had hij al een hoop hulp nodig om Virginia te vinden, maar Danny wist hem ernaartoe te loodsen, eerst over de Key Bridge en daarna via de ringweg verder naar de I-66.

Mason, gevestigd op een campus bijna vijfentwintig kilometer buiten Washington, was een staatsuniversiteit met een groeiende reputatie en een snel uitdijend aantal studenten. Danny wist waar het was. Enkele maanden daarvoor had hij Caleigh meegenomen naar een concert van Dave Matthews in het nabijgelegen Nissan Pavilion.

Terwijl hij over een lage heuvel in de richting van het bezoekerscentrum wandelde, zich ondertussen afvragend of de taxichauffeur ooit de weg terug naar het District zou vinden, stelde hij zichzelf de vraag of hij hiermee eigenlijk niet zijn werkuren aan het opdrijven was. Immers, wat verwachtte hij hier te vinden? Als je het nuchter bekeek, waarschijnlijk niets. Maar een bezoek aan de school was een van die stenen waaronder je moest hebben gekeken, want anders zou hij in de ogen van de cliënt een belachelijk figuur slaan. (*U bedoelt dat u niet eens bent gaan kijken waar hij werkte?*)

Dus stapte hij het bezoekerscentrum binnen, waar een gespierde jonge vrouw hem een brochure met op de achterkant een plattegrond aanreikte. 'U moet Robinson hebben,' zei ze. 'Godsdienstwetenschappen zit op de eerste verdieping.'

Op zijn weg naar 'Robinson' dacht hij na over een voorwendsel dat hij kon gebruiken. Iets eenvoudigs. Niet te dramatisch. Zoals… *Hallo, ik ben een vriend van de familie, dacht even in Chris' werkkamer rond te kijken om te zien of het moeilijk wordt om z'n spullen weg te halen.* Of beter: *Een paar weken geleden heb ik hem een boek geleend en ik hoopte even te mogen kijken of het misschien op zijn bureau ligt.*

Een leugen, uiteraard, maar slechts een kleintje, en bovendien hoorde dit soort smoezen bij het vak. Als privé-detective kon je niet zonder.

Maar in dit geval bleek een voorwendsel onnodig. De vakgroepssecretaresse – een vrouw met een dubbele kin en gekleed in een bloemetjesjurk – legde uit dat de professor zaliger niet eens een kamer hád.

'U bedoelt zeker niet méér?' vroeg Danny.

Haar mondhoeken krulden omhoog en vormden een geduldige glimlach. 'Min of meer,' zei ze. 'Ik bedoel, natuurlijk hád hij wel een kamer, maar… we groeien gewoon zo hard! Toen professor Terio met sabbatsverlof ging, moesten we zijn ruimte aan dr. Morris geven, een gasthoogleraar uit Oxford.'

'O,' zei Danny teleurgesteld.

'Professor Terio zou zijn kamer terugkrijgen,' legde de secretaresse uit. 'Dr. Morris keerde maanden geleden al terug naar Engeland, maar… om de een of andere reden nam professor T. alle tijd om weer in te trekken. Niet dat er haast bij was, en hij had kennelijk andere dingen aan zijn hoofd, maar…' Ze schudde met haar grijze krullen en kneep haar ogen dicht.

'Het spijt me,' troostte Danny haar.

'We waren geen vrienden of zo. Het is gewoon… nou ja, het was gewoon zo afschuwelijk. Steeds wanneer ik aan hem denk in dat…' Ze huiverde en kneep haar ogen weer dicht.

Danny wachtte even en vroeg toen: 'Hoe lang was hij met sabbatsverlof?'

Ze schudde haar hoofd. 'De gebruikelijke periode. Een jaar. Hij verrichtte onderzoek. Iemand zei dat hij in het Nabije Oosten zat, in Ankara of zoiets. En daarna was hij volgens mij in Rome.'

'Goed… weet u ook wanneer hij terugkwam?'

'O, dat was een paar maanden geleden,' zei de secretaresse. 'In de herfst zou hij weer college gaan geven. Dus we hebben zijn beide cursussen moeten annuleren. Gelukkig waren het geen verplichte vakken.'

'Wat denkt u dat hem ertoe gebracht heeft?' vroeg Danny.

Ze schudde haar hoofd. 'Geen idee. Ik zou gedacht hebben dat hij wel de laatste zou zijn die zelfm… die zou doen wat hij heeft gedaan. Hij was een heel gelovig mens. Hoewel ik denk dat hij, vanuit godsdienstig oogpunt bekeken, niet echt de hand aan zichzelf sloeg, maar alleen… de omstandigheden creëerde om…' Ze huiverde opnieuw.

'Gelooft u dat hij gelovig was?' vroeg Danny. 'Ik dacht dat hij het priesterschap vaarwel had gezegd?'

'O ja, hij verloor zijn roeping, dat klopt, maar niet zijn geloof.' Ze zuchtte en hield haar hoofd schuin. 'Wie zei u ook alweer dat u was?'

'Danny Cray.'

'En u bent… een vriend?'

Danny schudde zijn hoofd. 'Ik werk bij het advocatenkantoor dat dr. Terio's nalatenschap beheert,' vertelde hij, zich ondertussen afvragend waar hij dat nu weer vandaan haalde. 'We willen er zeker van zijn dat het testament waar wij over beschikken het meest recente is.'

Deze uitleg leek haar tevreden te stellen. De frons op haar voorhoofd verdween en haar glimlach verscheen weer.

'Ik vroeg me af,' ging Danny verder, 'is een van zijn collega's misschien aanwezig?'

Ze keek hem licht spottend aan. 'Nu? U maakt zeker een grapje. Het is vakantie! Alleen wij werkslaven zijn er nog. Als u over een paar weekjes terugkomt…'

Met de belofte dat hij dat zou doen, vertrok hij met een catalogus waarin alle cursussen opgesomd stonden die voor de herfst op het programma stonden. Al bladerend liep hij terug naar de Student Union en hij zag dat Terio ingeroosterd was om een cursus te geven over islam-mystiek en een doctoraal seminar over iets wat de *Zwarte Schrift* heette.

Hongerig inmiddels (het was al bijna drie uur) ging hij naar de kantine en belde het taxibedrijf met zijn mobieltje. Daarna verorberde hij een Gardenburger en kuierde naar buiten. Het duurde nog eens vijf minuten (die volgens Danny's berekening $8,33 waard waren) voordat de taxi arriveerde. Hij verzocht de chauffeur hem naar de rechtbank van Fairfax County te rijden.

Daar hoopte hij de laatste wilsbeschikking en het testament van de professor te achterhalen. Op z'n minst zou hij hierin de naam van de executeur-testamentair vinden, iemand die zou weten wat er met Terio's papieren was gebeurd. Aangezien er geen nabestaanden waren, zou de executeur vermoedelijk de bezittingen van de professor in beheer hebben.

De rechtbank was een redelijk georganiseerde en efficiënte instelling die Danny al diverse keren eerder had bezocht. Toch kostte het hem bijna een uur om het testament te pakken te krijgen en toen hij het eenmaal had, bleek het een teleurstelling te zijn. Het vijf jaar eerder opgemaakte document vermaakte Terio's nalatenschap aan 'de priesters en nonnen van het weeshuis waar ik ben opgegroeid' – het katholieke Home Bureau in Brooklyn, New York. Het advocatenkantoor waar het testament was opgemaakt, stond geregistreerd als de executeur.

Inmiddels bleek het vijf uur en dus sluitingstijd te zijn. Hij schreef het beetje beschikbare informatie gauw op en voegde zich in de voetgangersstroom naar de dichtstbijzijnde metrohalte. Een halfuur later, toen de trein langs Arlington Cemetery denderde, werden zijn gedachten aan Terio verstoord doordat hij zich plotseling herinnerde dat hij jarig was – en door het gelukkige besef dat hij zojuist zevenhonderd dollar had verdiend.

Dank u, Lieveheer!

# 5

En dank u voor deze fantastische meid aan mijn arm, was Danny's gedachte terwijl hij en Caleigh Columbia Road afliepen. Ze was een meisje uit South Dakota, en wel uit het plaatsje Pierre – wat, zoals ze mensen graag in herinnering bracht, niet op z'n Frans werd uitgesproken, maar met het afgebeten, no-nonsense accent van de Dakota's: 'Peer,' volhardde ze dan, gewoon 'Peer'.

Het jaar daarvoor was Danny voor de kerst met haar mee naar huis gegaan en het was hem opgevallen dat het een 'uitgekleed' landschap was: plat, kaal en ruig. Het leek op een hardhouten vloer, vlak en beige, die zich naar de horizon uitstrekte en waar temperaturen heersten die tot imaginaire getallen zakten. Min tien. Min twintig. Hoe laag kon dat wel niet worden? En hoe lang hield je dat vol? En haar familie... Zij was de jongste van het stel en het enige meisje van acht kinderen, met zeven broers die allemaal groot, sterk en pezig waren. Het was moeilijk voor te stellen dat generaties van plaggenstekers en tractorverkopers een kind konden hebben voortgebracht dat zo tenger, stralend en mooi was als de vrouw aan zijn arm. Niet dat Caleigh het eens zou zijn met zijn waardeoordeel. 'Ik zie er wel oké uit, denk ik,' was zo'n beetje haar manier om toe te geven dat ze een schoonheid was.

Maar de Latino's op de hoek van Eighteenth Street en Columbia Road wisten wel beter. Terwijl het paar voorbijliep, sloeg een van hen zijn ogen ten hemel en prevelde een soort gebedje terwijl zijn vriend deed alsof hij door de bliksem was getroffen. Licht wankelend sloeg hij een derde knul op de rug en riep uit: '*Chica sabrosa, chavo!*' En daarna barstte het drietal in lachen uit.

Ze hielden halt voor de etalage van de dierenwinkel om Caleighs 'dierentic' te bevredigen. Ze was gek op dieren – het strenge verbod op huisdieren in hun flat was een domper op haar bestaan. Elke zondag tuurde ze in de kranten naar het huuraanbod, op zoek naar een 'huisdiervriendelijke' woning. Ze sleepte Danny mee, maar de markt was te overspannen, wat de verhuurders volgens hem, zonder uitzondering, tot 'de echte honden' maakte.

Caleigh en Magda, de eigenaresse van de dierenwinkel, waren inmiddels dikke vriendinnen. Vanavond moesten hij en Caleigh zoals altijd even naar binnen zodat een puppy (dit keer een 'otterhond') kon worden opgepakt en geknuffeld.

Vijf minuten later waren ze bij hun favoriete Italiaan, I Matti, waar de ober hen met een theatraal 'Buona sera!' begroette. Marco nam Caleighs handen in de zijne en vroeg haar zoals bij elk bezoek, vaste prik, of Danny haar wel goed behandelde. Toen ze bevestigde dat dit het geval was, veranderde de vragende blik van de ober in een glimlach en ging hij hen voor naar een *primo* tafeltje met uitzicht op straat.

Nadat de ober weg was gelopen, mompelde Danny: 'Die vent is verliefd op je, dat heb je toch wel in de gaten, hè?'

Caleigh sloeg haar ogen ten hemel en wuifde het weg. 'Zo is Marco gewoon. Dat doet hij bij iedereen.'

'Ja hoor! En daarom krijgen we ook dit tafeltje, jij en ik en, als-ie geluk heeft, de burgemeester. Ik dacht 't niet.'

'Ach...' Ze haalde haar schouders op.

Nadat ze hadden besteld, zei ze: 'Vertel eéns over de zaak.'

'"De zaak"?'

Ze bloosde. 'Ja! Dat is het toch? Je bent toch bezig met een "zaak"? Net zoals Nero Wolfe.'

Danny fronste zijn voorhoofd. 'Nero Wolfe was een vetzak. En oud! En hij ging nooit de deur uit.'

'Nou ja, afgezien daarvan.'

Hij haalde zijn schouders op. 'Het gaat wel goed, denk ik. Het is in elk geval lucratief.'

Al snel werden een bord *bruschetta pomodoro* en twee glazen *Greco di Tufo* op tafel gezet. Hij vertelde haar over zijn teleurstellende bezoek aan de George Mason University. 'Dus daarna ging ik naar de rechtbank.'

'Waarvoor?'

'Voor het testament van die man.'

'Maar wat heeft dat voor zin? Ik bedoel, natuurlijk kan een testament interessant zijn, maar...' Een beet in de bruschetta deed het gerecht uit elkaar spatten in kloddders vettige tomaat. 'Gadver,' mompelde ze, en ze schraapte ze tot een hoopje op haar bord. 'Misschien ben ik nog niet helemaal toe aan de pasta-uitdaging,' moest ze bekennen.

Het was inmiddels tien jaar geleden dat ze vanuit Pierre naar het oosten was verhuisd, maar nog steeds kon Danny in de platte klinkers van haar stem de Plains horen, net zoals hij het Sioux-bloed in haar hoge jukbeenderen zag. Ze was zo verfijnd als een parel en net zo hip als iedereen, maar zelfs de universiteiten van Swarthmore, Harvard en Washington waren er niet in geslaagd de boerenmeid die in haar school te doen verdwijnen. Ze wist niet alleen hoe ze een tractor moest besturen, maar ook hoe ze de motor moest repareren.

Op het moment dat hij in zijn eigen bruschetta beet, viel deze uit elkaar. Caleigh giechelde. 'We zijn er nog niet klaar voor om in het openbaar te dineren,' stelde ze vast. 'Maar goed, hoe zat het met dat testament?'

'Volgens mij was die vent een wees.'

'Echt? Hoezo?'

'Omdat hij alles naliet aan een liefdadigheidsinstelling in New York. Verder was mijn bezoek aan de rechtbank een fiasco. Het testament was vijf jaar oud en er stond helemaal niets in over zijn verzamelde geschriften. Geen "geïnstrueerde beschikking van persoonlijke stukken" – niets.'

'En zijn executeur?' vroeg ze.

Danny schudde zijn hoofd. 'Gewoon een advocatenkantoor – dat ook het testament opstelde.'

'Dus…' Caleigh huiverde. 'Hij had geen vrienden? Familie?'

'Niet dat ik weet.'

'Wat vreselijk!'

Echt iets voor haar, mijmerde hij, medelijden hebben met iemand van wie ze nog nooit gehoord had. En die nog dóód was ook.

'Wat gebeurt er dan met zijn werken?' vroeg ze.

'Dat weet ik niet.'

'Maar misschien krijg je die wel van ze.'

Hij keek bedenkelijk. 'Mmmm… misschien niet.'

'Waarom niet?'

'Omdat er advocaten bij betrokken zijn en advocaten zijn een beetje vreemd wat "paperassen" betreft en… technisch gezien behoren ze toe aan de begunstigde.'

'Je bedoelt, die instelling…'

'Het katholieke Home Bureau in Brooklyn. Dat is een weeshuis, heb ik uitgezocht.'

'Maar je mag ze toch zeker wel bekijken?'

Danny knikte langzaam. 'Ja… misschien wel. Maar misschien ook niet.'

Caleigh waagde zich aan nog een hap van de bruschetta. Ten slotte zei ze: 'Dus eigenlijk… ben je nog niet veel opgeschoten.'

Hij maakte een hulpeloos gebaar. 'Ik vang honderd dollar per uur – dus dát schiet wel aardig op. Ik bedoel, stel je voor, het slechtste wat kan gebeuren is dat ik de zaak oplos. In één keer. Waar blijf ik dan?'

Een uur later waren ze terug in de flat, high van elkaars gezelschap.

'En dan nu als uitsmijter: het echte dessert,' beloofde Caleigh, en haar blauwe ogen begonnen te glimmen terwijl ze zich naar de slaapkamer begaf. Hij keek hoe ze met vloeiende heupbewegingen wegliep. Komt door de wijn, ging het door zijn hoofd. Twee glazen en alle remmen gaan los. De waarheid was dat ze, voor zo'n preuts iemand, een libido had van heb ik jou daar. 'In een andere eeuw,' had ze ooit geschertst gezegd, 'zouden mijn "vleselijke verlangens voor mij een kwelling zijn geweest". Maar dat was toen.' En dit, dacht hij, is nu – terwijl ze om de hoek van de slaapkamerdeur leunde en hem een blik toewierp. 'Niet weglopen jij.'

Dat zou hij niet doen. Maar ondertussen krabbelde hij iets op een Post-it-velletje en hij plakte het op de koelkastdeur: *advocaat bellen i.v.m. boedel.* Daarna belde hij snel even met een informatiemakelaar in Daytona Beach met het verzoek om een lijst van Terio's telefoongesprekken in de maand voorafgaand aan zijn dood. 'Niet alleen de nummers,' zei Danny. 'Ook de namen.' Hij was net bezig het nummer en de vervaldatum van zijn Visa-card door te geven toen Caleigh in een zwarte doorkijk-harempyjama de woonkamer in geparadeerd kwam.

'Wauw!' riep hij uit en ze schoot in de lach nu hij met de telefoon klunsde in een poging op te hangen. 'Kan ik iets voor je meenemen?'

'Zoals?' vroeg Caleigh.

'Kweenie. Mezelf?'

Toen hij de volgende ochtend onder de douche vandaan stapte, was ze allang weer de deur uit.

Hij sloeg een handdoek om zijn middel, zette een kop koffie en belde daarna Alfred Dunkirk, de advocaat die Terio's nalatenschap afhandelde. Hoewel Belzer niets had gezegd over het opeisen van Terio's nalatenschap leek het verstandig om zich tegenover de advocaat van de overleden hoogleraar een beetje op de vlakte te houden.

'Ik las het verhaal over meneer Terio's overlijden,' legde Danny uit, 'en de necrologie in de *Post.*'

'Ja?'

'Ik was benieuwd naar het huis…'

'Pardon?' De man leek oprecht verbijsterd.

'Ik was benieuwd wanneer het in de verkoop komt.'

Dunkirk deed geen poging zijn afkeer van Danny's opportunisme te verbergen, maar wimpelde hem ook niet af – niet helemaal, althans. 'Bel makelaardij Spencer maar,' stelde hij voor. 'Die regelen dat.'

En dus belde hij die. 'Al Dunkirk zei dat ik u moest bellen,' vertelde hij de makelaarster. 'Hij zei dat u het huis van de heer Terio gaat verkopen.'

'Dat klopt,' reageerde de vrouw.

'Nou, ik zou graag eens komen kijken.'

'O, nou… dat is gewéldig, maar ik moet u wel vertellen dat het een beetje prematuur is. Volgende week komt het pas in de verkoop.'

'Ach.' Hij maakte zijn teleurstelling duidelijk.

Maar de makelaarster haastte zich om hem gerust te stellen. 'O, maar ik kan u het huis wel laten zien!' verzekerde ze hem. 'Ik kan het alleen nog niet verkopen. Nog niet! Maar als u echt geïnteresseerd bent – we kunnen het vanmorgen nog gaan bekijken.'

Het leek niet zo'n goed idee om in de rijdende Bommenwerper voor Adele Slivinski's kantoor te verschijnen – het was een auto die mensen sceptisch naar zijn bestuurder deed kijken. Dus nam hij een taxi. Adele, een veertigjarige met stijf blond haar dat als een helm rond haar hoofd plakte, en een dopneus die niet in haar gezicht leek te horen, was een uitbundige vrouw met een witte Mercedes met daarop een kenteken waarop stond: HOMEY.

'Leuk nummerbord,' merkte Danny op toen ze in westelijke richting wegreden, op weg naar Route 50.

'Ik wilde HOMES of zelfs HOMZ, maar die waren al vergeven. Dus moest ik me neerleggen bij HOMEY, maar...'

'Wat?'

'Nou ja, het wordt wel eens verkeerd begrepen.'

Danny gniffelde.

Terwijl de Mercedes langs uitgestrekte wijken met dure huizen voortraasde, draaide de makelaarster in hoog tempo een standaardverhaal af over hypotheekrente en kapitaalverschaffers, nieuwe huizen versus oudere, totdat ze zomaar opeens op het platteland waren.

'Is het niet fantástisch?' riep ze uit terwijl ze een wasbordweg op draaiden. 'Dit is nog een van de weinige plekjes van Fairfax die niet helemaal volgebouwd zijn.'

Aan de buitenkant zag het huis er ietwat vervallen uit, maar bezien met het oog van een potentiële koper was er niets mis mee. Integendeel, het zag er comfortabel uit, in goede staat, met koperen dakgoten en een enorme eik die het dak schaduw bood tegen de middagzon. Het interieur was om door een ringetje te halen, met in de woonkamer bloedrode oosterse tapijten op de vloer. Aan de muren hingen met de hand ingekleurde, negentiende-eeuwse gravuren in eenvoudige houten lijsten: woestijnlandschappen, overbevolkte karavanserais en taferelen uit de soeks.

Heel aardig, dacht Danny, en het echte werk bovendien – niet iets wat je in de supermarkt koopt.

De meubels waren versleten maar comfortabel, met eenvoudige houten delen en goed gestoffeerde banken en fauteuils. Adele opende en sloot deuren van lege kasten en een fantasieloos ingerichte badkamer, en Danny volgde. Ze kwamen in de keuken, die Adele kwalificeerde als 'bruikbaar'. 'Maar als ik het voor het zeggen had,' zei ze, 'zou ik deze apparaten weggooien. Ik bedoel, zo passé, ja toch?!' Vervolgens ging ze hem voor langs 'het washok' en 'een fijne, grote voorraadkast – dat is echt een pre', en hield ten slotte aarzelend halt voor een versleten witte deur. 'En dit is de studeerkamer,' zuchtte ze. 'Ik wil me echt verontschuldigen voor de staat waarin deze zich bevindt – dit is een voorvertoning, dus ik hoop dat u het begrijpt: ik heb nog geen gelegenheid gehad de boel op te ruimen.' Ze opende de deur, stapte opzij en liet Danny eerst binnen.

Hij verwachtte een rotzooi aan te treffen, maar het zag er eigenlijk vrij keurig uit – alleen iets aan de kleine kant en vol spullen. Een paar zwarte archiefkasten en overvolle boekenplanken. Een houten bureau met een *flat screen*-monitor te midden van stapels papier en boeken, waarvan een aantal vrij oud – en alles onder een laag stof. Onder het bureau: een Dell Dimension-computer. Een kaart van het oosten van Turkije aan de ene muur, een kaart van het Vaticaan aan de andere.

Voor het eerst had Danny het gevoel dat hij een beetje opschoot.

'Het is een beetje muf,' merkte Adele op.

'Nee, het is best een mooie kamer,' stelde Danny haar gerust en hij bleef staan om de inhoud van een van de boekenplanken te bekijken.

Het was geen verrassing dat de meeste boeken academische titels droegen en over verscheidene facetten van godsdienst handelden. Slanke boekdelen beschreven het leven en werk van middeleeuwse heiligen en mystici, terwijl andere en dikkere pillen bespiegelingen bevatten over een scala van esoterische onderwerpen, met werken variërend van *Elizabethaanse joden* tot boeken in het Arabisch en Italiaans waarvan Danny de inhoud zo een-twee-drie niet kon thuisbrengen.

Adele trok even met haar neus. 'Het is natuurlijk veel ruimer dan het door alle rommel lijkt,' zei ze. 'En die ingebouwde planken zijn ook heel handig.'

Danny knikte. 'Ja,' zei hij, 'die zullen goed van pas komen.'

'Een van de dingen die ik zo heerlijk vind aan dit huis is de doorloop, de manier waarop je van de ene kamer naar de andere kunt zwieren. Dat is te danken aan het grondplan – het is zo open!'

Hij knikte, maar luisterde niet. Zijn aandacht werd getrokken door een plank vlak achter het bureau van de professor. Opvallend was de goede staat van de boeken die erop stonden – in tegenstelling tot de exemplaren op de andere planken waren deze bijna allemaal gloednieuw. Zijn ogen schoten langs de titels:

*Lipide buisjes en het paradigma van moleculaire technieken*
*De hermetische Apocalyps*
*Proteïnecomputers*
*De magische geschriften van Thomas Vaughn*
*Nanotechnologie en de kwantumkraal*

'Als je een boekenverzameling hebt, is het een prachtige kamer,' vertrouwde Adele hem toe. 'Al die plánkruimte!'

Hij bleef maar knikken. 'Lees je veel, Adele?'

'Om je de waarheid te zeggen, ja,' antwoordde ze. 'Ik ben bezig met het nieuwe boek van Margaret Atwood…'

Hij slaakte wat geïnteresseerde geluidjes, pakte ondertussen een boek van de plank en liet het in zijn hand openvallen. Hij las de eerste zin waar zijn oog op viel: 'Nanotechnologie is de kunst en wetenschap van het met atomaire precisie construeren van complexe, praktische apparaten'. Pfff, dacht hij, de tekst in zich opnemend. Stel je voor.

Maar dat deed hij niet. Wat hem in plaats daarvan zo opviel, was dat dit een tamelijk merkwaardige plank met boeken was en dat er weinig exemplaren bij zaten die veel met Terio's eigen expertise te maken hadden. Of met elkaar. Terio was een theoloog, en deze gingen allemaal over… ja, over wat? Magie en technologie? Alchemie en moleculaire biologie? Het was net alsof Terio als een schizofreen met één been in de Middeleeuwen had gestaan en met het andere in het jaar 3000.

Met een bescheiden niesje verbrak de makelaarster de stilte. *Hatsjie!*

'Gezondheid.'

Half beschaamd glimlachte ze en ze draaide zich om naar de deur. Maar toen hij haar niet volgde, aarzelde ze in de deuropening. 'Deze kamer bevalt u wel, hè?'

'Eigenlijk,' begon hij, 'was ik benieuwd naar de computer.' Hij maakte een kort alomvattend gebaar. 'Wat gebeurt ermee wanneer het huis wordt verkocht?'

'O, die wordt bij opbod verkocht op een openbare veiling,' liet ze hem weten terwijl ze een Kleenex uit haar tasje viste en naar haar neus bracht. 'Ik geloof dat Laws' dat gaat afhandelen.'

'En de archiefkasten?' vroeg Danny, terloops een la opentrekkend om er een vluchtige blik in te werpen.

'Zoals ik al zei…'

Van voorgeschreven formaat. Gealfabetiseerd. Nette etiketjes.

'Alles moet eruit!' riep ze opgewekt.

'Juist ja.'

Ze draaide zich op haar hakken om en hij moest haar nu wel volgen.

Na het bezichtigen van de slaapkamers op de eerste verdieping wierpen ze nog even een blik op de zolder, die praktisch leeg was. Daarna liepen ze weer naar beneden, en naar buiten. 'En, wat vindt u ervan?' vroeg Adele terwijl ze de deuren weer op slot draaide.

Danny glimlachte goedkeurend. 'Het is hartstikke mooi, maar… hoe ziet de kelder eruit?' Hij kon nu net zogoed meteen grondig te werk gaan.

De makelaarster schonk hem een vrolijke glimlach. 'Als u wilt,' zei ze en ze ging hem voor naar de achterkant van het huis. Knielend bij de kelderdeuren om het combinatieslot open te krijgen, keek ze plotseling met een bezorgd gezicht op. 'Ik hoop dat u niet bijgelovig bent.'

Onzeker keek Danny haar aan en schudde zijn hoofd.

'Meneer Terio… overleed… in de kelder,' legde ze uit.

'O?!'

'Het heeft in de kranten gestaan,' verklapte ze. 'Zelfmoord.'

Hij huiverde even.

'Sommige mensen krijgen de kriebels van dat soort dingen,' vertelde ze. Het slot ging open en Danny bukte zich om te helpen met de deuren, die door de roestige scharnieren krakend opengingen. De makelaarster ging hem voor en daalde overdreven voorzichtig de trap af om beneden een plafondlamp aan te knippen die zwakjes begon te flikkeren. 'Dat peertje moet ik eigenlijk vervangen,' mompelde ze. En gelijk had ze. De kelder was duister en kleurloos. 'Maar goed, dit is het. U kunt zien dat het best wel ruim is! Veel plek voor planken – of u kunt het een verfje geven en er een biljarttafel in zetten. Bent u getrouwd?'

Danny schudde zijn hoofd. 'Nog niet,' mompelde hij en hij deed een paar stappen in het lange, rechthoekige vertrek. Langzaam wenden zijn ogen aan het kunstmatige schemerlicht en plotseling staarde hij naar de opengebroken constructie waarin de vorige eigenaar aan zijn einde was gekomen.

'Er staat een prima werkbank,' dweepte Adele, in de hoop zijn aandacht af te leiden. 'Stevig als een huis en – ik heb het niet gevraagd, maar ik weet zeker dat-ie blijft.'

Hij knikte wat afwezig en wilde de constructie (of wat ervan over was) eigenlijk wat nader bekijken, maar iets hield hem tegen. Een vonk adrenaline schoot door zijn borstkas en opeens leek de ruimte vreselijk benauwd. Even was het bijna alsof hij geen lucht kon krijgen.

De makelaarster draaide weer om haar as en zette haar voet alweer op het trapje naar buiten. 'Nou, dat is het wel zo'n beetje,' sprak ze met een hoge stem.

Hij was opgelucht dat hij haar naar buiten kon volgen, naar waar de Mercedes geparkeerd stond. Ze liepen langs een open vuilcontainer en hij zag dat deze halfvol was.

'O, hemeltje!' riep Adele uit. 'Denkt u dat de vuilophaaldienst hem komt halen als ik ze bel?'

'Vast wel.' Hij sloot de klep en trok het ding achter zich aan. De container had weliswaar wieltjes en een handgreep, maar het was nog lastig om hem over het grind naar de trottoirband te sleuren.

Terug op kantoor belde Adele met haar mobieltje voor een taxi. Daarna overhandigde ze hem een informatiepakket over het huis, inclusief haar visitekaartje, vastgeniet aan het bovenste mapje. Ten slotte gaf ze Danny met een vrolijke glimlach een hand. 'Denk er even over na,' zei ze, 'en laat het me weten als u nog vragen hebt.'

Het vergde bijna een uur om weer bij de flat te komen, maar toen hij daar aankwam, vond hij voor zijn deur een pakje van UPS. Het was het boek dat hij besteld had bij Alibris, en hij droeg het mee naar binnen. Op het moment dat hij het postpakketje op het bureau liet ploffen, vond hij een faxbericht dat het apparaat op de vloer had geworpen.

Het kwam van de informatiemakelaar in Daytona. Het eerste vel was een factuur voor 'Verleende diensten: $425,15'. Die vijftien centen verwonderden hem, maar de tweede pagina bevatte de informatie die hij zocht: een lijst van interlokale telefoongesprekken die Terio in de laatste maand van zijn leven had gevoerd. De lijst omvatte de tijd, datum en duur van elk gesprek, plus de naam van de abonnee.

Het was een korte lijst, maar Danny zag dat de dag voor Terio's dood een plotselinge stortvloed van contacten vermeldde – en dat al deze telefoongesprekken naar drie steden gingen: Oslo, Istanbul en Palo Alto.

Deze onwaarschijnlijke combinatie gaf hem stof tot nadenken. Palo Alto en Istanbul verhielden zich tot elkaar als Helen Keller en Sly Stallone. Gooi Oslo erbij, en je voegt… Scrooge eraan toe. Wat konden ze in vredesnaam gemeen hebben?

Hij bekeek de namen. In Istanbul werden de abonnees geïdentificeerd als Remy Barzan en de Agence France Presse. De telefoontjes naar Palo Alto betroffen ene Jason Patel. En die naar Oslo waren gericht aan een zekere Ole Gunnar Rolvaag van het Oslo Instituut. De namen zeiden Danny niets, maar Turkije was al eerder ter sprake gekomen – pas nog. Hij keek uit het raam en probeerde het zich weer voor de geest te halen. En even later lukte dat. Het was de secretaresse van de George Mason University. Die had hem verteld dat Terio tot enkele maanden geleden met sabbatsverlof was geweest, en dat hij die tijd had doorgebracht 'in Ankara of zoiets'. En in Rome.

Die telefoontjes hadden dus iets met zijn onderzoeken te maken, stelde Danny vast. Zoveel leek wel duidelijk, want Palo Alto stond voor Stanford University en Istanbul – tja, Istanbul was vermoedelijk de plaats waar Terio zijn onderzoek had verricht. Dat gedoe over islam-mystiek en de Donkere Schrift (of hoe dat ook alweer heette).

Maar dan: de Agence France Presse was een nieuwsagentschap, en als Terio leugens zaaide over Belzers cliënt, dan was de AFP ongetwijfeld in staat ze te verspreiden. Dus misschien was dat toch een aanknopingspunt.

En wat Oslo betrof…

Misschien moest hij een of meerdere nummers bellen om te kijken wat hij te weten kon komen, bedacht hij. Maar nee. Meestal kreeg je maar één kans. Het was beter eerst even te wachten om te zien wat hij wijzer kon worden. En intussen kon hij nadenken over een excuus om te bellen.

Bovendien, zo dacht hij, zou Belzer hier misschien bij betrokken willen zijn. Trouwens, hij moest hem maar eens bellen. Verslag uitbrengen. Hem vertellen wat hij te weten was gekomen.

Maar nu nog niet. Eerst moest hij de veilingmeester bellen, ene Howie Culpepper van Laws' Auctions. Zijn telefoonnummer stond in de brochure die Adele hem had gegeven, en de man nam na de eerste rinkel al op.

'Culpeppah!' De veilingmeester had een grappig accent en een hortende lach. Toen Danny hem vroeg of hij de computer en de archiefkasten uit het huis van Terio kon kopen, barstte de oudere man los in een lachsalvo dat vloeiend overging in een uitvoerige spijtbetuiging. 'Het spijt me, beste vrind – ik wou dat het mócht. Maar dat mag ik niet doen! Dat mág ik niet! Voor de datum van liquidatie een nummer vrijgeven? Vergeet 't maar.'

'Zeker weten?'

'Verdomd zeker! Da's tegen alle regels.'

'Want ik heb echt een computer en wat archiefkasten nodig,' liet Danny hem weten. 'En ik dacht – snapt u, tweedehands zouden ze een stuk goedkoper zijn dan nieuw bij Staples.'

'Ja, nou – u zou zich vast en zeker heel wat geld kunnen besparen, maar... u zult gewoon even moeten wachten.'

'Tot wanneer? Wanneer is de veiling?'

Culpepper mompelde wat en Danny hoorde hem door een soort register bladeren. 'Hier heb ik 't...' klonk het ten slotte. '1 oktober. Rond het middaguur – helemaal in Manassas! Ik kan u een lijst opsturen van wat we hebben, als u wilt – en een routebeschrijving naar de locatie. Hebt u daar wat aan?'

Danny antwoordde van wel en gaf de man zijn adres. Daarna hing hij op en keek even op zijn horloge. Het was bijna halfeen, dus halftien in San Francisco. Een goed tijdstip om te bellen, maar... hij moest naar zijn werk. Eigenlijk diende hij van een tot vijf in de galerie te zijn, en het laatste wat hij wilde, was te laat komen. Al was het slechts een paar minuten, de man die de tent runde – een neurotische Brit die Ian heette – zou de rest van de dag passief pissig en met een pruilmondje rondlopen. Niet dat hij iets zou zeggen, o nee. Hij zou net zo lang stilzwijgend lopen te sikkeneuren totdat uiteindelijk de hele sfeer verpest was.

Maar goed, als hij snel was, kon hij het nog redden.

Hij haalde Belzers visitekaartje uit zijn portemonnee en draaide het nummer. Hij hoorde de telefoon overgaan en toen de advocaat opnam, verbaasde Danny zich over het heldere geluid. Het was niet zozeer alsof de stem vanuit de belendende kamer tot hem sprak; het was veeleer alsof de stem in zijn eigen hoofd zat.

'*Ciao*.'

'Hallo, u spreekt met... Dan Cray.'

'A... Dán. Mooooi.'

'Ik dacht ik bel even. Ik heb een paar dingen te melden.'

'Nu al?' reageerde Belzer goedkeurend. 'Dat is snel.'

Danny vertelde hem over de lijst van interlokale telefoongesprekken die hij had verkregen van 'een bron in Florida'. 'Terio pleegde een paar telefoontjes vlak voordat hij, eh, zichzelf opsloot in de kelder. Wilt u dat ik erachteraan ga?'

'Hoe bedoel je?'

'De mensen die hij belde – ik kan proberen ze te ondervragen.'

'Neuh…' antwoordde Belzer. 'Dat hoef je volgens mij niet te doen, Dan. Als jij me die lijst faxt, neem ik het wel over.' De advocaat gaf hem vervolgens een nummer met het netnummer van San Francisco.'

'Ik fax het zodra we zijn uitgepraat.'

'Perfect,' zei Belzer.

'Dus ik ging naar zijn huis,' ging Danny verder.

'Wie z'n huis?'

'Dat van Terio. Het is een boerderij.'

'Aha.'

'Er staan een computer – wat interessant kan zijn – en een paar archiefkasten.'

'Zit er ook iets in die kasten?'

'Eigenlijk wel, ja. Ze leken vol te zitten. Ik kreeg geen kans iets te lezen, maar als u interesse hebt: op 1 oktober wordt alles bij opbod verkocht.'

'Dat duurt nog maanden!' klaagde de advocaat.

'Weet ik.'

'Nou, kunnen we niet een soort… preëmptief bod doen?'

'Ik geloof van niet,' antwoordde Danny. 'Ik heb met de veilingmeester gesproken, en…'

Belzer mompelde iets wat Danny niet begreep. 'Dat was het?' vroeg hij ten slotte.

'Voor nu? Ja, dat is het wel zo'n beetje,' liet Danny hem weten.

'*Bene* – tot zover gaat-ie goed. Hou me op de hoogte, dan weet ik zeker dat we dit tot op de bodem kunnen uitzoeken. *Ciao!*' En daarmee hing de advocaat op.

Danny trok zijn zwarte, dikke katoenen broek en het groengele Tommy Bahama-overhemd aan dat Caleigh hem voor de kerst had gegeven. Staand voor de spiegel in de badkamer stak hij de gouden ringetjes door zijn linkeroor. Daarna deed hij wat gel in zijn haar, streek er met zijn vingers doorheen en vloog de trap af.

Om zich tijd te besparen reed hij met de Bommenwerper naar de galerie, ook al had Ian liever niet dat hij op het terrein van Wexler parkeerde. *Dat kreng is net zo groot als een vliegdekschip, Danny; hij neemt twee parkeerplaatsen in. En ziet er echt vreselijk uit.* Het was waar. De wagen was zijn leven ooit met een metallic bronzen jasje begonnen, maar door de jaren heen was de lak verschoten tot een matbruine tint. Het plastic dashboard was gebarsten, de veren van de voorstoelen waren gesprongen en de achteruitkijkspiegel werd op zijn plek gehouden door klodders lijm uit Caleighs lijmpistool. De wagen reed één op vijf (op de snelweg) en verbruikte bijna tweeënhalve liter olie per week.

Met andere woorden: milieutechnisch, esthetisch en automobilistisch volkomen incorrect. Toch vond hij hem prachtig. Het was een cadeau van zijn opa (die hem tot op zijn oude dag bleef vertroetelen, totdat Danny's oma liet weten dat ze er niet langer in wilde zitten), en dus zat hij niet met maandelijkse afbetalingen. En er zat een gelúíd in, man. Sleuteltje omdraaien en de motor kwam werkelijk brullend tot leven.

Natuurlijk was hij net zo gemakkelijk te parkeren als een trekker met oplegger, maar als hij een plaatsje kon vinden, kon hij hem er vrij goed insteken. Hij leek een aangeboren gevoel voor dimensies en afmetingen te hebben, waardoor hij de wagen zonder zichtbare inspanning in krappe parkeerruimten kon prikken, terwijl Caleigh soms met knikkende knieën naast hem zat.

Nadat hij de kleine parkeerplaats achter de galerie was opgedraaid, koos Danny voor een plek naast Ians Z-3 Roadster. Het effect was te vergelijken met dubbel parkeren op Rodeo Drive – en Danny moest toegeven dat hij het wel leuk vond.

Binnen trof hij Ian naast een vrouw van in de vijftig. Zijn kin rustte op de rug van zijn vuist, die werd ondersteund door een elleboog, die weer steunde op zijn andere hand. De twee staarden naar een levendig aquarelletje van een eendenvijver die door een regenbui werd gegeseld. Ten slotte wierp Ian zijn handen in de lucht en mompelde iets van 'ronde compositie'.

De klok leek wel stil te staan, zo voelde het.

Danny bracht ongeveer een halfuur door in de showroom om een vrouw in een wit linnen mantelpakje te assisteren bij het uitkiezen van een schilderij dat de vermiljoenkleur van het stukje stoffering waarvan ze een staal bij zich had, zou 'oppakken'. Ian kon zijn oren niet geloven en sloeg even zijn ogen ten hemel, terwijl de vrouw de stof omhooghield naast het ene kunstwerk na het andere, waaronder een litho van Rauschenberg, die een bedrag met vier nullen moest opbrengen. De rest van de middag vulde hij met het in kratten verpakken van recent verkochte werken en het invullen van postformulieren – dat alles gevangen in tweestrijd. Want hier, op dit moment, verdiende hij negen dollar per uur terwijl hij met zijn speurwerk voor Belzer tien keer zoveel kon verdienen. Maar hij wist natuurlijk wel beter dan zijn 'dagbaan' op te geven. Het vak van privé-detective was onvoorspelbaar, en zijn manier van in z'n eentje werken hield het risico in dat zijn enige cliënt op elk moment een einde kon maken aan het onderzoek. Bovendien, zo maakte Danny zichzelf wijs, wilde hij Ian niet laten stikken, ook al was Ian niet zijn beste vriend (of, wat dat aangaat, zelfs niet de beste galeriehouder die hij kende).

Om vijf uur hielp hij Ian met afsluiten en hij voegde zich daarna tussen de pendelende meute voor een tergend langzame rit naar Fairfax County. Hij deed er een uur en 42 minuten over, maar uiteindelijk kwam hij aan bij de boerderij van Chris Terio. Daar stapte hij uit de auto en liep hij, met het gevoel een crimineel te zijn, naar de vuilcontainer om de vuilniszakken eruit te halen. Even kwam het bij hem op dat er misschien een manier was om in huis te komen en, eenmaal binnen, uitgebreid in de archieven van de overleden professor rond te neuzen. Maar nee. De vuilnis van de man meenemen was één, maar zijn huis binnendringen en zijn archieven bepotelen, dat ging echt te ver. Zolang de vuilniszakken aan de straat stonden, kon iedereen die maar wilde ze meenemen. Ze waren openbaar bezit.

Dus het was niet alsof hij zich schuldig maakte aan huisvredebreuk, integendeel. Hoewel Danny het zelf nog nooit had gedaan, was het doorspitten van vuilnisbakken helemaal niet zo ongebruikelijk. Elk detectivekantoor had wel iemand in zijn adressenbestand die dit soort werk deed.

Tot zijn ontzetting zag hij dat de zakken in een paar centimeter water stonden. Gelukkig waren ze niet gescheurd. Hij sleepte de zakken over het gazon naar de Bommenwerper, opende de kofferbak en wierp ze erin. Vervolgens reed hij, vergezeld van een zwakke geur van rottend fruit, terug naar Adams-Morgan.

De volgende ochtend kocht hij bij de plaatselijke drogist een pot Vicks VapoRub en daarna stak hij de straat over naar Martin's Hardware. Daar kocht hij een paar plastic zeiltjes, een pak rubberen handschoenen en een 'state-of-the-art' luchtverfrisser van het merk Ozium. Ten slotte zeulde hij zijn aankopen mee naar de Bommenwerper, twee straten verderop, en reed naar zijn studio.

Deze bevond zich op de tweede verdieping van wat ooit een warenhuis was geweest, op de hoek van Florida Avenue en Tenth Street, in het noordoosten van de stad. Tijdens de nasleep van de moord op Martin Luther King was het gebouw geplunderd en met brandbommen bestookt en uiteindelijk verworden tot een zieltogende klomp bakstenen, verluchtigd met graffiti. Een lint van vuil en gebroken glas schurkte zich tegen de fundering van de oude winkel, die nu het domein was van talloze kleine drugsdealers en duttende dronkaards.

Hoe naargeestig het gebouw verder ook was, de studio zelf was een zee van licht en opmerkelijk ruim. Om niet te spreken van spotgoedkoop. Hoewel de parterre nu al twintig jaar dichtgemetseld was, werden de overige verdiepingen stuk voor stuk omgeven door van de vloer tot het plafond reikende ramen die over het getto uitzicht boden op de buitenwijken.

Danny's 'atelier' (zoals Caleigh het gekscherend noemde) bevond zich in de noordwesthoek van het gebouw. Het was een rechthoekige ruimte met drie meter hoge plafonds en een rij ramen langs de beide buitenmuren.

De noordwesthoek van de studio zelf diende als zijn 'kantoor', bestaande uit een oud, stalen bureau met daartegenover een tot op de draad versleten bank en een al even kale leren stoel. Daarnaast rustte een aftandse tv op een gerecyclede dossierkast. Op het aanrecht, een meter verderop, stond een waterkoker naast de kleine gootsteen.

Het was het industriële equivalent van de 'schone, goedverlichte woning' zoals ooit door Hemingway beschreven, hoewel het verre van 'fris' was. De hardhouten vloeren zaten onder de verfspetters, alsof Jackson Pollock, met in beide handen een kwast, een attaque had gekregen. In een hoek van het vertrek, voor een wirwar van ijzeren staven, waarvan de plastische intentie hem niet meer helemaal duidelijk was (als dat ooit al het geval was geweest), stond een lasapparaat. Aan de andere kant van de kamer staarde een zeepstenen buste van J. Edgar Hoover, een artefact uit Danny's studietijd, met strakke blik naar de wereld achter de ramen. Elders leunden een stuk of vijf doeken tegen de muur naast de deur, die eruitzag alsof de DEA hem ooit had ingetrapt – niet één, maar meerdere keren. De meeste doeken waren jaren geleden geschilderd, toen Danny net van de academie kwam en met een mooie (hoewel psychotische) Nederlandse mimespeelster op Mallorca woonde.

Terwijl hij met Terio's huisvuil en de bij Martin's gekochte spullen de studio betrad, schoot het hem te binnen dat hij hoognodig eens een inventaris moest maken van de stukken die hij hier nog had staan en de werken die hij aan vrienden had uitgeleend. Zo zou hij tenminste weten hoe hij ervoor stond zodra het tijd werd om zich over de Neon-expositie te buigen.

Hij liet de vuilniszakken op de vloer vallen, zette de tv aan (de radio was kapot) en keek even om zich heen. Wat stond er allemaal? Wat bezat hij nu eigenlijk dat hij tentoon kon stellen? Een paar draadsculpturen, wat collages, een 'installatie' als ontluikend kunstwerk waarvan het brandpunt een scherpe, witte omtrek op de vloer was. Op het eerste gezicht leek het op het silhouet van een slachtoffer van een moord. Maar een nadere inspectie onthulde iets anders, of beter gezegd, twee dingen: een bobbel in de schouders die wel eens vleugels of het begin daarvan konden zijn geweest, en een met veel zorg geschilderde hand aan het einde van een gestrekte arm. Het effect van de vleugels en de hand was dubbelzinnig en verontrustend, juist omdat je niet zeker wist of ze ontloken of afstierven. Waren het overblijfselen of voorboden? Was de figuur gevallen of juist aan het verrijzen? Zelfs Danny wist het niet.

Hij had er bijna een week over gedaan om het silhouet (en de hand) goed te krijgen, en nu wilde hij zo'n rood zwaailicht kopen dat je op Amerikaanse politieauto's ziet. Met het zwaailicht flikkerend boven het silhouet en Händels *Messiah* op de achtergrond zou het kunstwerk verwarring stichten. En misschien wel meer.

En dan had hij nog *Babel On II*.

Danny's meest recente werk baadde in een poel van zonlicht, midden in de kamer. Het was griezelig en tegelijk ook onmiskenbaar mooi – een doorzichtige stad met in het hart een mysterieus hologram. Bij daglicht leek het zwevende beeld zelfs nog meer op de verschijning die hij in gedachten had: verbleekt en vervaagd was het hologram hallucinair, alarmerend.

Hij gooide de ramen open, spreidde de zeilen uit op de vloer en bracht een likje VapoRub onder elk neusgat aan, hopend dat het de zure lucht uit de vuilniszakken zou maskeren. Daarna keerde hij een van de zakken om op het zeil en trok een paar wegwerphandschoenen aan.

Het vuil was allesbehalve vers, maar bleek minder ranzig dan hij had gevreesd. Het leek erop dat Terio een vegetariër was geweest. Er zaten tenminste geen vleesresten in de zakken, dus ook geen maden. Maar wél fruitvliegjes, een hele zweem, die opsteeg en in de lucht boven het zeil danste.

Met het uiteinde van een bezem woelde hij het vuil om en trok het uit elkaar om te zien of er ook medisch afval tussen zat. Terio kon wel een junkie, een diabeticus of een hemofiliepatiënt zijn geweest. Wist hij veel? Maar hij trof geen naalden of verbanden of iets anders waar bloed op zat. Wat hij wel aantrof, was een hoop verpakkingsmateriaal: een lege doos van Cheerios, een eierkarton, wat yoghurtbakjes en een prop maïsvliezen, zwart van de schimmel. Verder koffiedik en Melissa-filters, een paar geplette colablikjes en een stuk of zes Dasani-bronwaterflessen. Een verfrommelde schoenendoos waar een paar Nike Predators (maat 45) in had gezeten – en hele stapels oude kranten. Hij deed niet aan recycling, was Danny's gedachte.

Belangrijker leek de vondst van wat briefjes waarop een handschrift prijkte, Post-its met telefoonnummers, herinneringsbrieven en korte boodschappenlijstjes (*boter prei yoghurt brood*), enveloppen en rekeningen, reclamedrukwerk, catalogi en creditcardbonnetjes. Danny schoof het papierwerk opzij om het later te bestuderen – de prioriteit lag nu bij het opruimen van de troep en het buitenzetten van de vuilniszakken voordat de stank hier definitief zijn intrek nam.

Ondertussen merkte hij dat de tv op Caleighs 'wereldje', MSNBC, stond afgestemd, waar een paar analytici leuterden over 'basispunten' en een komende vergadering van de federale regering. Caleigh vond MSNBC onderhoudender dan een U2-concert. Thuis in de flat leek de tv altijd op dit kanaal te staan en werd zijn vriendin gebiologeerd door de eb- en vloedbewegingen van de koerswaarden, de hybris van de dot.coms en het bewegingsgemiddelde van de Dow.

De eerste keer dat hij zich had gerealiseerd dat haar belangstelling voor het geldwezen net zozeer een roeping als een baan was, had hij argwanend gereageerd – alsof hij op een diep geheim was gestuit. Het leek hem dat Caleighs belangstelling symptomatisch moest zijn voor een dieper gewortelde zwakke plek – hebzucht, met name – en dat die geen goed voorteken was voor een toekomst met een kunstenaar. Maar al heel snel was hij gaan begrijpen dat haar fascinatie weliswaar veel met geld van doen had, maar helemaal niets met consumptie. Ze was niet kooplustig. Voor Caleigh waren de aandelenmarkten een soort atletiekwedstrijd waarin ze werd opgeroepen om staaltjes van inzicht en analyse weg te geven. Geld vormde slechts een graadmeter van haar prestaties, het financiële equivalent van een stopwatch.

Hij begreep dit allemaal wel, maar deelde niet in haar enthousiasme voor de markt en voor de kanalen die er verslag van deden. Voor hem was MSNBC een soort visuele paracetamol, met pratende hoofden die eindeloos doorzeurden boven een ondoorgrondelijke parade van rode en groene symbolen. Als zijn handen niet vuil waren geweest, zou hij een andere zender hebben opgezocht. Het was tenminste een soort gezelschap en het voordeel was dat je het met gemak kon negeren.

Met de eerste vuilniszak was hij snel klaar; zijn 'vondsten' lagen naar een kant van het zeil geschoven. Hij stopte de rest van het afval terug in de zak, trok het rode afbindtouwtje strak en zette hem opzij. Daarna keerde hij de tweede vuilniszak om boven het zeil en begon, zo nu en dan naar de tv opkijkend, gehurkt de troep te doorzoeken.

De getallen op de buis waren voornamelijk groen – wat goed was, want dit betekende dat Caleigh in een prima humeur thuis zou komen. Hij bedacht dat het misschien wel leuk zou zijn om iets met Wall Street te doen. Misschien kon hij met behulp van een soort beurstikker een kunstwerk maken. En die tikker dan laten golven in plaats van scrollen. Of niet alleen golven. Waarom niet meteen monteren op het voorhoofd van een vent in een streepjespak? En niet zomaar een vent – nee, de Man met de Bolhoed, van Magrittes beroemde schilderij.

Of misschien ook maar niet. Het was nogal fantasieloos.

Weldra was hij bijna klaar met de tweede vuilniszak, maar in gedachten was hij nog steeds bezig met zijn tikker. Zou hij bij Dow Jones toestemming moeten vragen om het te gebruiken? Of kon hij het gewoon op video zetten en er dan wat mee spelen – op zijn nieuwe video-editingapparatuur.

Niet dat hij die had. Nog niet. Tot dusver was hij veertien uur voor Belzer bezig geweest, wat neerkwam op veertienhonderd dollar. Dat was een hoop geld in heel korte tijd, maar nog altijd een druppel op een gloeiende plaat. Hij had twintig mille nodig, vijftien als hij er via de groothandel aan kon komen.

Het idee gaf hem wat rust – letterlijk. Het had geen zin om haast te maken. Waarom nam hij niet gewoon een beetje de tijd? Grondig zijn. Met een zucht sloeg hij zijn ogen op naar de tv en zag dat een van de correspondenten buiten voor een *Blade Runner*-achtig fort verslag uitbracht. Waar is dat? vroeg hij zich af, terwijl de correspondent vertelde hoe bewoners van Silicon Valley geschokt waren na de moord op een CTO.

Danny wist niet eens wat een CTO was, het kon hem ook niet schelen, maar het verhaal prikkelde zijn nieuwsgierigheid omdat een moordzaak nu niet bepaald een onderwerp was dat je op MSNBC tegenkwam.

De correspondent stond naast een bord met daarop de letters VSS, zijn haren wapperend in de wind, de ogen half dichtgeknepen tegen de zon. '... in de heuvels, en ik moet zeggen dat de mensen hier echt overstuur zijn, en niet alleen omdat het bedrijf erom bekendstaat op zoek te zijn naar beleggingen en dit iets is wat kapitaalverschaffers doorgaans afschrikt. Volgens de politie werd de heer Patel vanmorgen vroeg aangetroffen in een uiterst afgelegen gebied van de Mojave-woestijn, een gebied zo afgezonderd dat het slechts zelden wordt bezocht, zelfs niet door kampeerders en trekkers. De autoriteiten vinden het een wonder dat het slachtoffer – dat met glasvezel aan een yucca was vastgebonden en kennelijk gemarteld was – sowieso werd gevonden, en ook zo snel'.

Patel?

Er werd teruggeschakeld naar de studio, waar een aantrekkelijke Aziatische vrouw vervolgens de vraag stelde: 'En het bedrijf waar meneer Patel werkte? Heeft dat al een verklaring afgelegd?'

'Nog niet, Pam.'

Danny staarde met open mond naar het scherm. Met een halve grijns op zijn gezicht, alsof hij niet wijs was. Dat kan niet! Dit is een ándere vent, dat moet wel!

Nog steeds naar de buis starend zag hij hoe een man van middelbare leeftijd, gekleed in een donker pak, het gebouw uit kwam om meteen al door de correspondent te worden tegengehouden. De man, met een wilde bos peenhaar en een schichtige blik in zijn ogen, wilde duidelijk de benen nemen, maar de camera hield hem gevangen als een hert in de lichtbundel van een paar koplampen.

'Kende u het slachtoffer?'

Er zijn oneindig veel mensen die Patel heten, was Danny's gedachte. Bob, Ravi, Omar...

'Iedereen kende Jason.' Ho even! Jáson?! 'We zijn niet zo'n groot bedrijf. Als u me nu wilt excuseren...'

'Hij was de CTO, de *Chief Technology Officer* van VSS, klopt dat?' vroeg de correspondent.

'Ja,' antwoordde de man terwijl zijn ogen van links naar rechts schoten, alsof hij naar de uitgang zocht.

'Kunt u ons vertellen waar hij mee bezig was?'

'Nee.' En daarmee beende de geïnterviewde uit beeld.

Godver! dacht Danny. Is Belzer hier al van op de hoogte? Misschien moest hij hem even bellen. Of misschien ook niet. De kans dat er in Californië nog meer Jason Patels rondliepen, leek wel klein maar het was niet onmogelijk. Voordat hij Belzer met het nieuws ging bellen (aangenomen dat het nieuws was), moest hij eerst uitzoeken of het telefoonnummer van de dode man hetzelfde was als dat wat Chris Terio had gedraaid.

Niet dat Danny er ook maar een seconde aan twijfelde dat het dezelfde vent was. Dat moest namelijk wel. Twee mensen, morsdood. De een gemarteld, de ander levend begraven. Misschien dat die telefoontjes toeval waren, maar zelf dacht hij van niet. Wat iedereen ook mocht zeggen, 'een sigaar' was bijna nooit alleen een sigaar.

Maar belangrijker zaken eerst.

Hij wendde zich af van de tv en wierp zich weer op het vuil. Hij vond een wedstrijdrooster voor het voetbalteam van George Mason, een afhaalmenu van een Chinees en acceptgiro's van Greenpeace en de Vereniging van Verlamde Veteranen. Ten slotte haalde hij nog een laatste keer het uiteinde van de bezem door de rommel, veegde hem in een zak en knoopte deze dicht.

Het plastic zeil was glibberig van het verrotte groenteafval. Even overwoog hij het schoon te maken, maar hij besloot dat het veiliger was om het in de vuilcontainer te dumpen. En dus propte hij het zeil en de plastic handschoenen in een derde vuilniszak en sjouwde de drie zakken de brandtrap af en via de kelder naar buiten.

Weer binnen snoof hij de lucht eens op en haalde de bus Ozium tevoorschijn. Als een dirigent zwaaide hij ermee rond, hij nam plaats op de vloer en begon de stukjes papier die hij had verzameld te sorteren.

De meeste bleken weinig interessant. Enkele aanbiedingen voor creditcards, een paar bekende catalogi en geperforeerde betalingsbewijzen van Virginia Power, AOL, Sprint en DirecTV. Een herinnering van de bibliotheek van Fairfax County dat de uitleentermijn van *Engines of Creation* was verlopen.

Toen zag hij het. Een verzendbewijs van FedEx, nat van het vuilnis en gedateerd op 19 juli: de dag waarop Terio had gebeld met Jason Patel en de man in Turkije, en tevens dezelfde datum als die in het *Washington Post*-verhaal werd genoemd – die van het kassabonnetje van Home Depot voor de doe-het-zelfgraftombe. Danny ging rechtop zitten en bekeek het bewijs aandachtig:

*Ontvanger: Piero Inzaghi, S.J.*

De nattigheid had het adres minder leesbaar gemaakt, de inkt was uitgelopen, maar door zijn ogen een beetje toe te knijpen kreeg hij het scherp:

*Via della Scrofa*
*N. 42A*
*Rome, Italië*

Te oordelen naar de initialen achter zijn naam moest deze man, deze Inzaghi, een priester zijn – een jezuïet. Misschien een oude kennis, iemand uit Terio's eigen verleden als priester. Danny's ogen gleden omlaag naar de ruimte onder het adres van de ontvanger, waar de douanespecificatie viel te lezen:

*Aantal pakketten: 1*
*Totaalgewicht: 3,54 kg*
*Beschrijving artikel:* IBM *Thinkpad (tweedehands)*
*Totale waarde voor douaneheffing: $900,-*

Tjonge, dacht Danny. Hier zal Belzer blij mee zijn! Dit zal...
    Kut...
    Dit was, zo realiseerde hij zich plotseling, het einde van zijn onderzoek. Er viel weinig meer te doen voor hem. Zijn cliënt wilde immers niet dat hij een van de voor de hand liggende bronnen (Rolvaag, Barzan of Patel) ondervroeg. En de veiling zou gewoon over twee maanden plaatsvinden. Misschien dat Belzer hem nog zou vragen daar aanwezig te zijn en te bieden, maar zelfs al deed hij dat, dan was dat slechts een paar uur werk en niets meer. Wat die laptop betrof, die bevond zich nu in Italië. En de cliënt kwam daarvandaan. Dus dat was het dan. Belzer zou het nu ongetwijfeld van hem overnemen.
    Einde verhaal.

*Einde.*

# 6

Alleen, dat was het niet. Het was niet het Einde.
Hij had een rapport te schrijven en moest nog wat losse eindjes
aan elkaar knopen. Hij nam plaats aan zijn bureau in de studio, ging on
line, bezocht de website van FedEx en tikte het nummer in van het verzendbewijs om te kijken of Terio's computer inderdaad in Rome was aangekomen. Wat het geval was.

Het volgende dat hem te doen stond, was even nakijken of de in Californië vermoorde Jason Patel dezelfde Patel was als die Terio had gebeld.

Dat kan op een paar manieren, dacht Danny. Bijvoorbeeld: hij kon het
nummer draaien dat hij van de informatiemakelaar in Daytona had gekregen en kijken wie er opnam. Nee. Als het écht dezelfde Jason Patel was,
zou er niemand opnemen of anders de politie – en in dat geval zou het wel
eens een gecompliceerde toestand kunnen worden.

Veiliger was het om een kredietcontrole uit te voeren op de Jason Patel
van wie hij het telefoonnummer had. Dit was natuurlijk niet helemaal legaal. De verspreiding van kredietoverzichten werd zogenaamd beperkt tot
een handjevol mensen dat daartoe een verzoek indiende, zoals huisbazen
en werkgevers, alsmede verzekeringsmaatschappijen, incassobureaus en
bedrijven die klanten krediet verstrekken. Afgezien van deze groepen, en
afgezien van de persoon om wiens gegevens het ging, waren de gegevens
niet ter inzage – althans, in theorie.

Praktisch gezien was het slechts een kwestie van een dummyrekening
openen bij een van de kredietrapportagebureaus. Fellner Associates beschikte over een aantal van zulke rekeningen, onder nietszeggende namen
als Franklin Realty, First Manassas Investments en Harriman's Department Stores. Danny had wel eens eerder controles uitgevoerd, dus het
vergde slechts een minuut of twee om in een van zijn oude aantekenboekjes het benodigde wachtwoord te vinden.

Hij ging naar de website van Experian en voerde het beetje informatie
in dat hij had – wat eigenlijk neerkwam op Patels voor- en achternaam en
het telefoonnummer dat hij uit Florida had gekregen. Om aan te geven dat

hij enkel de 'bovenste regel' van het overzicht nodig had, klikte hij op een van de vakjes op het scherm. Dit zou hem Patels laatste adres en huidige werkgever opleveren, maar geen financiële informatie – geen probleem. Hij hoefde immers niet te weten hoeveel Patel verdiende en of hij wel op tijd zijn rekeningen betaalde, maar alleen of de man was doodgemarteld.

Na de gegevens ingevoerd te hebben, drukte hij de Enter-toets in, leunde achterover en wachtte. Even later veranderde het scherm en verscheen de informatie: Patels naam, adres en telefoonnummer. En daaronder de woorden:

*Very Small Systems, Inc.*
*Chief Technology Officer*

Jezus, het was dezelfde vent.

Zijn eerste ingeving was direct Belzer te bellen. Maar in San Francisco was het nog vroeg in de morgen – dus besloot hij te wachten. Intussen probeerde hij alles even van zich af te zetten.

Hij haalde een klein aantekenboek uit de bovenste la van zijn bureau en bladerde het door totdat hij vond wat hij zocht: een lijst van sculpturen en schilderijen, litho's en andere werken, stukken in galerieën en uitgeleend aan vrienden. In totaal waren het er vijftien, waarvan negen of tien hem nog wel aanstonden. Opgeteld bij wat hij in de studio en in zijn eigen flat had, zou het wel eens op twintig werken kunnen neerkomen die de moeite van het exposeren waard zouden zijn.

Hij liep naar de ramen en staarde naar buiten over de boomtoppen, maar zonder ze echt te zien. In zijn verbeelding bereidde hij de expositie al voor en maakte hij een virtuele toer door de Neon Gallery. De galerie bestond uit twee grote zalen, met zeer hoge plafonds, en een kleinere ruimte op de eerste verdieping. De meeste van zijn werken zouden mooi in een van de grotere zalen passen, met misschien wat overloop naar de eerste verdieping. Maar hij zou met geen mogelijkheid de hele galerie kunnen vullen – niet met wat hij had.

Dus misschien is het maar goed dat het over is met Belzer. Ik moet aan de slag.

Even schoot hem Lavinia's inschattende, koele blik, haar bloedrode lippen en zakelijke toon weer te binnen: 'Je hébt toch wel voldoende werk…?'

Vandaag was het – wat? – 10 augustus; de opening van de expositie stond gepland voor de vijfde oktober. Dat gaf hem bijna twee maanden de tijd. Maar natuurlijk moest hij nog twintig uur per week voor Ian werken. Tenzij hij opstapte. Even overwoog hij het. Wie weet was het een verstandige zet. De expositie was een stuk belangrijker dan alles wat hij in de galerie deed. Van de andere kant, hij had precies – Wat was het? Eén mille? – op de bank staan. Plus wat hij nog van Belzer te goed had. Niet genoeg. En hij zou extra onkosten maken voor het organiseren van de expositie. Dus als hij zijn baan bij Ian opzei, zou hij moeten teren op de goedheid van… Caleigh. Dat wilde hij niet.

Wat hij echt nodig had, was videoapparatuur. Daar kon hij zóveel mee doen. Maar de kans daarop was klein. Hij had ongeveer vijfentwintig uur voor Belzer gewerkt, wat niet genoeg was, zelfs niet om zijn voorschot te verdienen. Hij moest nog een rapport schrijven, en er was een miniem kansje dat Belzer hem zou vragen om naar de boedelverkoop te gaan en op de archiefkasten te bieden. Dus misschien kon hij het nog opkrikken naar dertig uur: ongeveer de helft van wat hij nodig had om een aanbetaling te doen voor een goed video-editsysteem.

Gefrustreerd pakte hij een stuk metaaldraad op en hij begon weer te werken aan een mobile dat hij de week daarvoor opzij had gezet. Het was een delicaat werkstuk dat hij had geconstrueerd uit zwaar koperdraad, verbogen en gemodelleerd tot een schilderkunstige voorstelling van Albert Einstein. Het mobile hing aan een nylon draad aan het plafond en draaide langzaam om zijn as; in alles leek het erop dat het in de lucht was geschetst. Het was een interessant experiment en Danny was er trots op, maar wilde dit project slagen, dan zou het vanuit elk gezichtspunt duidelijk – meteen duidelijk – moeten zijn dat dit een representatie was van Einstein, ongeacht naar welke kant het mobile draaide of waar iemand in de kamer stond.

En hij was nog niet zover. Van de achterkant leek het meer op Jerry Garcia. Hij pakte de schaar en een buigtang en draaide het draad de ene en dan weer iets de andere kant op, voegde hier een stukje metaal toe en haalde daar een stukje weg. Al snel ging hij helemaal op in zijn werk, zich nergens anders meer van bewust dan van zijn handen en het draad in zijn handen – het beeld, de vorm, de verrassing.

Bijna een uur was hij bezig, totdat hij – tamelijk plotsklaps – opkeek en besefte waar hij was. De overgang die hij beleefde, was net zo heftig en plotseling als die een zwemmer voelt wanneer hij door het wateroppervlak heen breekt en van de ene ambiance in de andere terechtkomt. Hij deed een stap naar achteren, hield zijn hoofd iets schuin en bekeek het mobile. Daarna liep hij eromheen. Niet slecht, stelde hij vast. Minder Jerry, meer Albert.

Maar als hij nu niet opschoot, zou hij te laat komen. Om één uur moest hij in de galerie zijn, en het was al kwart voor. Toch bleef hij nog lang genoeg staan om met een ontevreden blik naar zijn *Babel On II* te kijken. Het was het beste wat hij ooit gemaakt had. Hij móést het opnemen in de expositie. Maar hij moest ook nog steeds zien uit te vogelen hoe hij het gevaarte ging verplaatsen en heel ging houden.

De rest van de middag werkte hij in de galerie. Caleigh belde. ('Het is voor jou,' mopperde Ian.) Ze vertelde dat ze moest overwerken. Ook zou ze hun weekendplannen moeten wijzigen. Morgen ging ze naar Seattle – een of andere crisis op het hoofdkantoor.

Nadat Jake langs was gekomen om twintig dollar te lenen, brandde Ian los in een benepen preek over 'privé-telefoontjes en bezoek op het werk'. Danny luisterde geduldig, speelde wat met de ringetjes in zijn oor en had heimelijk medelijden met de beste man – die hem niet eens in de ogen durfde te kijken. Het was gewoon gênant. De man hyperventileerde bijna.

'Oké,' zei Danny toen Ian uitgeraasd leek te zijn. 'Rustig maar.'

Maar dat leek het alleen maar erger te maken. 'Rústig maar?' piepte Ian. 'Ja, misschien als ik…' Enzovoorts.

Danny liet het gelaten over zich heen komen, maar toen Ian eindelijk klaar was, kon hij zijn mond niet dichthouden. 'Vergeet niet,' reageerde hij, 'dat je me slechts negen dollar per uur betaalt.'

Als Ian zich met het luchten van zijn hart niet al had uitgeput, was Danny's vermoeden, zou hij wel eens kunnen zijn ontploft.

Na het werk wipte hij even langs bij Mixtec voor een bord rijst en bonen, dat hij wegspoelde met een paar flesjes Negra Modelo. Daarna ging hij terug naar zijn flat, schreef zijn rapport en voerde met behulp van het programma Quick Books de gemaakte onkosten plus de gewerkte uren in. Toen hij daarmee klaar was, belde hij Belzer op om verslag uit te brengen over het verzendbewijs van FedEx dat hij tussen Terio's vuil had gevonden.

'Dat is heel goed werk,' merkte Belzer op. 'Heel slim!'

'Dank u.'

'En hij verzond de computer naar Rome?'

'Inderdaad,' zei Danny, 'naar een priester die Inzaghi heet.'

'"Inzaghi"… en hoe weet je dat hij een priester is?'

'Omdat er achter zijn naam "S.J." staat.' Omdat een reactie uitbleef, voegde Danny eraan toe. 'Society of Jesus. Dat betekent dat hij een jezuïet is.'

'Ik weet wel wat 't betekent,' reageerde Belzer. 'Ik dacht alleen… Roma.'

'Mooie stad,' merkte Danny gekscherend op. 'Als u iemand zoekt om de goede vader op te zoeken… ik ben beschikbaar, hoor.'

Tot zijn verrassing werd het idee met een lange stilte begroet. 'Ik dacht dat jij geen Italiaans sprak?' zei Belzer ten slotte.

Danny lachte. 'Spreek ik ook niet. Nou ja, ik kan pasta bestellen. "Penne penne penne. Vino."' Hij zweeg een moment. 'Dat zou dus driemaal pasta worden en, eh, wat wijn.'

Belzer gniffelde. 'Ik zal erover nadenken en bel je morgenochtend terug.'

Ja hoor, dacht Danny. Ik wacht wel bij de telefoon.

Hij smeerde net wat marmelade op een stuk toast toen de telefoon ging. Tot zijn verbazing was het Belzer. 'Ik zat te denken,' begon de advocaat. 'Het kan een voordeel zijn.'

'Wat?' vroeg Danny.

'Dat je Amerikaan bent. Een échte Amerikaan. En niet de taal beheerst.' Danny keek bedenkelijk. Meende hij het nou? 'Ik vat 't even niet. Waarom zou dát helpen? Ik zou hem niet eens naar die computer kunnen vragen. Want daar hebben we het nu toch over? De priester – de computer?'

'Precies. Maar stel dat je over de goede papieren beschikte – en telefonische ondersteuning? Je kunt die priester vertellen dat je rechercheur bent – politierechercheur – en dat je de dood van meneer Terio onderzoekt.'

De suggestie kwam zo onverwacht en klonk zo onwaarschijnlijk dat hij, hoewel helemaal alleen in de flat, even een verbouwereerd gezicht mimede. Hij houdt me voor de gek, dacht hij terwijl de stilte tussen hen toenam.

'Dan?' spoorde Belzer hem na een poosje aan.

'Ja…'

'Ik zei net dat…'

'Het is gewoon… niet wat ik normaliter doe,' liet Danny hem weten.

'O, jawel,' reageerde Belzer. 'Het is precies wat je normaliter ook doet. Deed je niet net alsof je een huis wilde kopen toen je die makelaarster belde?'

'Ja, natuurlijk, maar dat is iets heel anders dan je voor politieagent uit te geven. Het ene is een leugentje om bestwil, het andere een misdrijf.'

'Niet in Italië,' zei Belzer. 'Een hulpje van de sheriff van Fairfax County heeft helemaal geen autoriteit in Rome, dus jezelf daarvoor uitgeven zou eerder een zonderlinge daad zijn dan een delict. Het is niet alsof je aanspraak maakt op wettelijk gezag, want dat zou je niet hebben… niet écht.' Belzer zweeg even en vervolgde toen: 'En laten we even niet uit het oog verliezen waar we hier mee bezig zijn: Zerevan Zebek wordt van Noord- tot Zuid-Europa verdacht gemaakt – en dat kost hem miljoenen. Ik geef toe dat hij zich dat kan permitteren, hij is een welgesteld man, maar hij is niet de enige die beschadigd raakt. Zodra een bedrijf als Sistemi di Pavone klappen oploopt, lijden daar een hoop mensen onder. Leveranciers lopen hun geld mis; mensen verliezen hun baan. Het is een sneeuwbaleffect.'

'Dat begrijp ik, maar…'

'Een beetje doen alsof is niet meteen het einde van de wereld. Ik vraag je niet iets illegaals te doen.'

'Weet ik, maar…'

'Je kunt toch een poging wagen?' opperde Belzer.

'U bedoelt…'

'Ga erheen. Kijk hoe ver je kunt gaan.'

Danny dacht erover na. Hij dacht: *Roma!* En: geen Ian meer! 'En stel dat ik het doe?' hoorde hij zichzelf vervolgens zeggen.

'Je zou heel goed betaald worden.'

'En wat wilt u dat ik doe?'

'Praat met de priester. Kijk of je die computer terug kunt krijgen.'

Er verscheen een sceptische uitdrukking op Danny's gezicht. 'En hoe moet ik dat nou aanpakken?'

'Ik geef je tienduizend dollar,' ging Belzer verder. 'Boven op je uurtarief en onkosten. Misschien dat die priester jou die computer verkoopt. Doetie dat, prima – dan kun je de rest van het bedrag houden. Eigenlijk kan het me niets schelen hoe je het aanpakt. Ik hoop alleen dat je je fantasie gebruikt om met een voorwendsel te komen dat voor iedereen werkt. En slaag je uiteindelijk niet, tja, dan ben je in elk geval goed betaald voor je tijd.'

Danny wist niet zo goed wat hij moest zeggen. Het idee om net te doen alsof hij een agent was, maakte hem nerveus. Zelfs al was het niet onwettig, dan kleefde er wel degelijk een vies luchtje aan. Net zoiets als snuffelen in vuilnisbakken. Ook dat was legaal, maar je zou het niet in je cv willen opnemen. En dat was nog niet alles... De avond daarvoor had hij een vervolgreportage gezien over de 'woestijnkruisiging'. Een vrouw in een rood mantelpakje stond voor een reusachtige yucca, haar ogen toegeknepen tegen de woestijnzon. Ze praatte over hoe Patels lichaam was doorboord door tientallen cactusnaalden. *Mij is verteld, John, dat deze zo scherp en sterk zijn dat zelfs als je met de dikste leren laarzen tegen zo'n boom trapt, die naalden er dwars doorheen gaan.* Maar toch, hij was niet doodgebloed. *Voorlopig onderzoek duidt aan dat meneer Patel stierf aan de gevolgen van uitdroging.*

Net als Terio, dacht hij. Wederom toeval en, net als de eerste keer, werd hij ook nu weer nerveus. Net zoals Belzer hem op de zenuwen begon te werken. Die man was veel te glad, zelfs voor een advocaat. En ook een tikkeltje mesjokke. Anders zou hij hem niet willen overhalen zich als politieagent voor te doen.

Maar aan de andere kant... er lag wel tienduizend dollar voor het grijpen. Misschien kon hij die computer gewoon kópen van de priester. Wie weet had die man helemaal geen behoefte aan dat ding. Het Vaticaan had waarschijnlijk al een pakhuis vol computers. Ze zwómmen waarschijnlijk al in die dingen.

Hij zou, pak 'm beet, twee- of drieduizend bieden en dus zelf zeven of acht mille overhouden. En zelfs als de heilige vader dat rotding niet wilde verkopen, zou hij nog altijd achtduizend dollar opstrijken, gewoon omdat hij hem even had opgezocht.

'Zoals ik al zei, zullen wij de onkosten voor onze rekening nemen,' benadrukte Belzer nog eens.

'Hm-hm.' Danny was ooit eerder in Italië geweest – direct na zijn eindexamen, die rugzakvakantie met Jake. Hoewel ze alleen van brood en kaas leefden en in jeugdherbergen sliepen, was het er bijna bovennatuurlijk duur geweest – zo duur dat ze niet eens aan Rome waren toegekomen. Drie of vier dagen hadden ze in Florence rondgezworven en net zoveel geld uitgegeven als ze voor twee weken hadden begroot. Zo konden ze het niet volhouden, ze namen een bus naar de hiel van de laars en vonden een boot naar Korfoe. Misten het Vaticaan en nog zoveel meer. Dus misschien was dit het moment om Rome eindelijk eens te zien...

En hoe lang vliegen was het nu helemaal? Zeven of acht uurtjes? Laten we zeggen tien uur, van deur tot deur: van Adams-Morgan tot de Spaanse Trappen. Als je er even over nadacht, zou hij alleen voor het maken van de reis al duizend dollar verdienen.

Wat zijn dat nou voor gedachten, man?! Er is iemand dood. Je laat één keer zijn naam vallen en nu is-ie dood. En het enige waar jij aan kunt denken, zijn je uren. Je wordt al een lekker achterbakse opportunist, zei hij tegen zichzelf. Nou, eerlijk gezegd… reageerde het stemmetje in zijn hoofd.

Danny schudde zijn hoofd. Het was een wonderbaarlijke gedachtegang: jezelf in het centrum van het universum plaatsen, voor alles wat er gebeurde de eer en de schuld op je nemen. En dat terwijl je in feite helemaal niets wist over die Jason Patel, wiens dood vermoedelijk niets met Belzers cliënt, Zerevan Zebek, te maken had.

'Ben je daar nog?' vroeg Belzer.

'Hè? Ja! Absoluut. En eh, natuurlijk – ik zal het maar wat graag doen.' Opportunist.

'Uitstekend! Daar ben ik blij om.'

'Goed, maar ik kan niets beloven.'

'Uiteraard. Je kunt alleen je best doen – meer wordt ook niet van je gevraagd.' Een korte stilte. 'Hoe snel denk je te kunnen gaan?'

Hoe eerder, hoe beter, dacht hij. Met al het werk dat hem nog te doen stond voor de Neon-expositie… 'Eigenlijk zou… nu meteen… zo'n beetje het beste moment zijn.'

'Morgenavond dan?'

'Morgenavond is prima.'

'Ik laat je wel oppikken – om acht uur is er een vlucht vanaf Dulles. Ik zorg ervoor dat de chauffeur alles bij zich heeft wat je nodig hebt, tickets, identiteitsbewijs…'

'Wat voor identiteitsbewijs?'

'De tickets zullen uiteraard op jouw naam staan, dus je zult je paspoort nodig hebben. Maar wat ik bedoel, is je andere identiteitsbewijs. Tja, wat zullen we daarop zetten? Ik denk Fairfax County. Politie of sheriff – wat ze daar ook hebben.' Danny reageerde niet, en dus voegde Belzer eraan toe: 'Zoals we net bespraken…'

'Nou, laten we hopen dat ik dat niet nodig zal hebben,' suggereerde Danny op hoopvolle toon.

'Als je een ander voorwendsel kunt bedenken – dat net zo goed is – dan heb ik daar geen probleem mee. Maar voor het geval je niet…'

Danny zuchtte. 'Oké.'

'Dan is dat geregeld. *Buon viaggio, Danielo!*'

Caleigh was blij voor hem en wekte op een overdreven manier de indruk dat ze wel mee wilde. Maar dat was onmogelijk, en dat wisten ze allebei.

Ten slotte trokken ze een fles rode Old Vine open en toastten op de mazzel die hij had. 'Zeg maar wat je wilt hebben,' zei hij. 'Ik moet in elk geval iets voor je meenemen. Wat je maar wilt!'

'Een T-shirt zou leuk zijn,' zei ze met een onschuldig gezicht. 'Als je iets kunt vinden met het Colosseum erop, dat zou fantastisch zijn. Sieraden ben ik al zo zat.'

De volgende avond stond hij voor het raam, wachtend op zijn chauffeur, toen buiten een gitzwarte, verlengde Mercedes voorreed en dubbel parkeerde. Rijke patser, dacht hij, en hij vroeg zich af hoe laat zijn chauffeur zou komen opdagen. Een minuut verstreek, en nog een. Ten slotte zag hij de bestuurder van de Mercedes uitstappen en langzaam naar de voordeur van Danny's flatgebouw slenteren. Pas toen de deurbel klonk, besefte hij dat de limo daar voor hém stond.

De chauffeur, een stevige vent van in de veertig, leek zo uit de *Gentleman's Quarterly* te zijn gestapt: prachtig uitgedost in een donker pak, *wingtip*-schoenen en een zwarte gleufhoed. Hij rukte de plunjezak uit Danny's handen, liep op een drafje terug naar de wagen en hield het portier naar de achterbank open. 'Voor u,' zei hij met een knik naar een leren diplomatenkoffertje op de achterbank. In een min of meer vergeefse poging een nonchalante indruk te wekken deed Danny zijn uiterste best de brede grijns die aan zijn mondhoeken trok te onderdrukken. 'Bedankt!' zei hij en hij gleed op de achterbank alsof hij op de thuisplaat belandde.

*Woeps!*

De wagen was praktisch geluiddicht. Vlak achter hen hing de chauffeur van een vuilniswagen op zijn claxon, Pietje Ongeduld die wil passeren. Danny vermoedde dat het geluid keihard moest zijn, maar kon het nauwelijks horen. En de chauffeur van de limousine kon het geen barst schelen. Die nam ruimschoots de tijd om Danny's plunjezak in de kofferbak te proppen, rond de wagen te lopen, in te stappen en zijn veiligheidsgordel om te doen. Daarna zette hij zijn hoed recht, keek in de binnenspiegel of alles goed zat en glimlachte. '*Now vee go,*' klonk het met een accent dat Danny niet helemaal kon thuisbrengen.

Midden-Europa misschien?

Terwijl de limo voortgleed, nam Danny het interieur op. Hij zag een kleine tv, een stuk of zes tijdschriften en een klein flesje champagne in een zilveren emmer met ijs. De bloedrode roos in een vaas van geslepen glas verspreidde een heerlijke geur. Danny reikte over zijn schouder en knipte het leeslampje aan; het licht doorkliefde het door het getinte glas verduisterde interieur.

Het was allemaal erg indrukwekkend, een tikkeltje gênant – maar wel grappig. Wat zijn ogen echt deed knipperen, was de bundel tijdschriften die hij voor zich vond. *Art in America. Daruma. Bomb. Asian Art.* Stuk voor stuk duidelijk voor hem – speciaal voor hem – uitgekozen.

Hoe vleiend dat ook was, toch voelde hij een zweem van ongerustheid terwijl hij het diplomatenkoffertje naast zich opende. Erin trof hij een mobiele telefoon aan, plus de handleiding en een kort briefje. *Dit helpt ons met elkaar in contact te blijven,* las hij. *Amerikaanse gsm'etjes werken niet in Europa, en in het hotel zijn de telefoons niet beveiligd. Gebruik daarom dit toestel, naar behoefte. B.* Danny bekeek vluchtig de handleiding, die (in zes talen) uitlegde dat de telefoon een digitaal toestel was met ingebouwde codering, gebaseerd op de gsm-standaard in Europa.

Naast het mobieltje bevatte het koffertje een leren portefeuille. Hierin trof Danny zijn tickets en reisplan aan, met een bevestigingsnummer voor een suite – een suite! – in het Hotel d'Inghilterra. Een visitekaartje van 'Paulina Pastorini, Vertalingen' zat met een paperclip aan het reisplan bevestigd, plus een envelop met daarin de neplegitimatiepapieren die Belzer had beloofd. Deze bestonden uit een bescheiden stapeltje duur ogende visitekaartjes en een gelamineerd identiteitsbewijs. Zowel de kaartjes als het identiteitsbewijs waren gebosseleerd met een klein gouden schild. Tot zijn verrassing zag Danny dat het bewijs zijn beeltenis (hoe kwamen ze daaraan? vroeg hij zich af) en de naam *Frank Muller (det.)* droeg.

Er was zelfs een penning – een metalen klomp met vleugeltjes en een getal: 665. Hij schoot meteen in de stress. Stel dat hij werd aangehouden zodra hij op de luchthaven de metaaldetector passeerde. Hoe zou hij het feit verklaren dat hij een neplegitimatie bij zich droeg – en nog wel van de politie? Cool blijven, fluisterde hij zichzelf in. Niemand die dat ding of het persoonsbewijs zou bekijken. En al deden ze het, het was niet verboden om ze in je bezit te hebben. Hij zou ze gewoon in zijn plunjezak stoppen en deze afgeven.

Het kostte ongeveer veertig minuten om op Dulles te komen. Hij pakte de tickets om de naam van de luchtvaartmaatschappij en de vertrektijd te checken – en zag tot zijn schrik dat hij eersteklas vloog. In plaats van aangenaam verrast te zijn, nam zijn ongerustheid alleen maar toe. De limo, de suite in het hotel, eersteklastickets. Waar kom ik in terecht? vroeg hij zich af.

De baliemedewerkster trakteerde hem op een stralende glimlach terwijl ze zijn ticket verwerkte en een PRIORITY/FIRST CLASS-kaartje aan zijn plunjezak bevestigde. Even later leunde hij al comfortabel achterover in wat dicht in de buurt van een leren fauteuil kwam, nippend aan een glas champagne en starend uit het raampje terwijl onder de vleugels de stad Washington steeds kleiner werd. Hij was in de zevende hemel – of dat zou hij geweest zijn als die penning niet in zijn plunjezak had gezeten.

Die penning was fout. Het ding bezorgde hem de zenuwen. Er was iets aan dat agentje spelen dat... nou ja, dat deed je niet als je aan de goede kant stond. En dat wierp een vraag op, een heel interessante vraag zelfs, een vraag die zo essentieel was dat hij er niet eens over wilde nadenken.

Stel dat ik aan de verkeerde kant sta?

# 7

Achter de douane wachtte een menigte bij de gate, waar een stuk of zes chauffeurs zich in een soort ontvangstrij hadden opgesteld om door hun passagiers te worden gevonden. Danny's chauffeur bleek een kleine, maar stevig gebouwde man met borstelige, zwarte wenkbrauwen te zijn en hij had een met de hand geschreven bordje waarop stond:

CRAY

SISTEMI DI PAVONE

Toen de man zag dat Danny op het bordje reageerde, stapte hij glimlachend naar voren. '*Signor* Cray?'

'*Sì.*'

'*Benvenuto!*' De man nam de plunjezak uit zijn hand en ging hem voor op een kwieke wandeling door de terminal. '*Parla Italiano?*' riep hij over zijn schouder.

'Nee.'

Zijn schouders gingen op en neer. '*Non importa.* Ik naar Hotel d'Inghilterra, oké?'

'*Sì.*'

'*Molto bene.*'

Op het moment dat Danny van de terminal naar buiten stapte, werden de warmte, het kabaal en de dieseldampen hem bijna te veel. Door de opwinding eindelijk in Rome te zullen zijn had hij niet kunnen slapen in het vliegtuig, en de jetlag die hij nu voelde, vloeide als stroop door zijn aderen. Het volgende moment stond de chauffeur voor zijn neus en hield het achterportier open van een glimmend nieuwe, illegaal op een taxistandplaats geparkeerde Alfa Romeo. Een paar meter verderop knikte een politieman in een keurig uniform eerbiedig naar de chauffeur, die een klein saluut met hem uitwisselde. Even later waren ze op weg.

Wat Danny betrof leken de industriële voorsteden van Rome veel op de buitenwijken van elke andere grote stad. Velden die vergeven waren van het onkruid en bezaaid met rotzooi werden afgewisseld met fabrieken, kantoorgebouwen en autodealers die allemaal even modern, lelijk en saai waren. Afgezien van de muur van oleanderstruiken die de rijbanen van elkaar scheidden, zou dit overal geweest kunnen zijn waar het maar warm was. De zon was een uitgesmeerd en fel schijnsel aan een kleurloze hemel.

Het volgende moment – had hij zitten pitten? – waren ze in het centrum en werd hij omringd door de vergane grandeur van alle gebouwen, prachtig en onmogelijk te negeren. De chauffeur volgde de Tiber, die nu langs een gigantisch kasteel kronkelde, stak daarna de rivier over en reed een onmetelijk en wanordelijk plein op. Terwijl een groepje nonnen uiteenstoof, zoefde de Alfa door een hoog oprijzende stenen poort die toegang bood tot een uitgestrekt en lommerrijk park. Verrast door de rust en stilte onder de bomen leunde Danny naar voren in zijn stoel en vroeg: 'Waar zíjn we? *Dove?*'

'*È la Villa Borghese,*' antwoordde de chauffeur wat verbaasd. '*Naturalmente.*'

Bijna net zo snel als ze het hadden betreden, waren ze het park alweer uit. Nu reden ze over een drukke verkeersweg, bumper aan bumper met Fiats en Vespa's en omringd door drommen winkelende mensen. Antiquariaten en designerboetieks stonden broederlijk naast elkaar: Missoni, Zegna, Gucci, Bulgari. Het was alsof hij pardoes een advertorial van een glossy magazine was binnengereden. Het verkeer kroop inmiddels voort terwijl de chauffeur zijn Alfa voorzichtig door de massa's stuurde, net zo hard grommend naar voetgangers als naar medebestuurders. Tot Danny's verrassing gaf de man niet één keer een ram op de claxon, maar beperkte hij zich tot een litanie van gemompelde krachttermen.

De krioelende menigte werd kleiner; de Alfa draaide een straat met kinderkopjes in en kwam een ogenblik later naast een verschoten rode loper tot stilstand. Terwijl de chauffeur uit de auto sprong en naar de portier riep, hoorde Danny de kofferbak openspringen. Het volgende moment werd het portier voor hem opengehouden en stapte hij uit voor de ingang van een ouderwets hotel – een okerkleurig stenen gevaarte waarvan de voorgevel de naam ALBERGO D'INGHILTERRA droeg.

Hij schreef zich in. De baliemedewerker nam zijn paspoort in en de chauffeur verdween. Een zwakbegaafde piccolo liet hem zijn kamer zien.

Dit was, zoals beloofd, een suite – twee aangrenzende kamers die eruitzagen alsof ze waren ingericht voor *Masterpiece Theater*. Fluwelen gordijnen schermden de ramen af, dempten het licht en de geluiden van buiten. In het midden van de grootste kamer stond op een ronde mahoniehouten tafel een vaas met een welkomstboeket; de zoete bloemengeur wedijverde met de doordringende lucht van meubelwas.

De aangrenzende kamer ademde nagenoeg dezelfde sfeer. Nostalgisch en luxe, gedomineerd door een indrukwekkend hemelbed dat het gewicht van een onmogelijk dik matras droeg. Een lawine van veren kussens lag hoog opgestapeld tegen het hoofdeinde, boven op een dun donzen dekbed. Danny liet zich achterovervallen om het matras uit te proberen – eventjes maar, dacht hij, alleen om weer op adem te komen – en voelde hoe zijn ogen dichtvielen.

Laat in de middag.

Hij schrok wakker en met het redeloze besef dat hij laat was, sprong hij letterlijk uit bed, hij huppelde over het oosterse tapijt naar de douche en stapte de uit marmer opgetrokken cel binnen. Een krachtige stroom water verdreef de jetlag uit zijn botten.

Opeens had hij honger. Opgewonden in Rome te zijn schoot hij in zijn kleren, vloog de trap af naar de lobby en beende naar buiten de Bocca di Leone op. Zonder zich al te veel te bekommeren over welke kant hij op liep, liet hij zich meevoeren door de massa totdat hij opeens de Spaanse Trappen beklom. Eenmaal boven verloor hij zichzelf in het netwerk van straten en zwierf door een doolhof van zijstraatjes. Twintig minuten later kwam hij uit op de Via Veneto en hij had geen flauw idee waar hij zich ten opzichte van het hotel bevond.

Buiten het *Cafe de Paris* plofte hij in een stoel aan een tafeltje langs het trottoir, hij bestelde een sandwich mozzarella en tomaat ('*sì, sì, sì – a Caprese, signor*'), een flesje Pellegrino-bronwater en een campari-soda. Vervolgens leunde hij achterover en aanschouwde de stoet voorbijgangers.

Het was een elegante en stijlvolle parade. De vrouwen waren zonder uitzondering slank en modieus gekleed – net zoals de meeste mannen, overigens. Iedereen leek te roken en niemand droeg een heuptasje. Behalve de toeristen dan. Van hen leek de helft Amerikanen die een 'extra grote' maaltijd te veel naar binnen hadden gewerkt. Wat hemzelf betrof, oké, hij was niet dik en hij droeg zijn goede schoenen – de instappers van Cole-Haan – maar dat buiten beschouwing gelaten voelde hij zich, gekleed in zijn kaki broek van Gap en een merkloos poloshirt, te midden van al deze Italianen bijna slonzig.

Hij kon nu twee dingen doen, dacht hij: of meteen aan het werk (gelijk de brave knul die hij was) of dat doen wat meer voor de hand lag, namelijk een paar uurtjes doorbrengen in de cafés, de *Herald Tribune* lezen en genieten van *la dolce vita*.

Een lastige keuze, maar de deugdzaamheid won. Hij betaalde de rekening met zijn Visa-kaart, stak de straat over naar een geldautomaat van de Banco Ambrosiano, tapte daar een half miljoen lires uit de muur en nam daarna een taxi terug naar zijn hotel.

Hij plofte neer in een oorfauteuil naast het raam. Met de telefoon in zijn hand repeteerde hij nog even de korte monoloog die hij in het vliegtuig uit Washington had bedacht. Ervan overtuigd dat hij het nu onder de knie had, toetste hij het nummer in dat op het verzendbewijs van FedEx stond, drukte op SEND en wachtte. Meteen begon het toestel aan de andere kant van de lijn te snerpen. Geconcentreerd leunde hij met zijn ellebogen op zijn knieën. Ten slotte klonk er een stem van een bandje: '*Ciao! Avete raggiunto Inzaghi. Non posso ora venire al telefono…*'

De enige woorden die hij herkende, waren *ciao*, *Inzaghi* en *telefono*, maar hij begreep de boodschap. De priester was er niet. Hij zou het de volgende ochtend opnieuw proberen.

Er viel verder weinig te doen. Pater Inzaghi was de enige reden waarom hij in Rome was. Als de man de stad uit was of weigerde iets met hem af te spreken, tja… in dat geval zou Belzers cliënt voor weinig resultaat een hoop geld hebben uitgegeven. Maar dat is zíjn probleem, dacht Danny, ik kan er verder ook niets aan doen. Als Belzer hem een dag, een week of een maand in het Inghilterra wilde onderbrengen en hem om de paar uur hetzelfde telefoontje wilde laten plegen, dan was dat helemaal aan hem – prima, wat Danny betrof.

Hij pakte een flesje Peroni uit de minibar, liet zich in een stoel zakken en zette met de afstandsbediening de tv aan. Al snel ging hij helemaal op in een enerverende UEFA-Cup-wedstrijd, in zalige onwetendheid van het feit dat deze al maanden eerder was gespeeld. Ergens in de tweede helft ging de telefoon en met een verstrooid 'Ja?' nam hij op.

'Meneer Cray?' Het was een vrouwenstem, maar de stem klonk wel laag en had een licht accent.

Met de afstandsbediening schakelde hij het geluid van de tv uit. 'Dit is Danny Cray.'

'U spreekt met Paulina Pastorini – uw tolk. Ik neem aan dat signor Belzer u wel heeft verteld dat ik contact op zou nemen?'

'Aha, natuurlijk!'

'Goed, allereerst heet ik u van harte welkom in Rome…'

'Dank u…'

'… en wil ik even weten of ik u misschien van dienst kan zijn. Hebt u alles wat u nodig hebt?'

'Ik geloof van wel,' liet hij haar weten, 'maar… ik probeer iemand te bereiken…'

'Ja?'

'Ja. En dat wil nog niet zo lukken. Hij is priester. En ik denk dat hij in het Vaticaan werkt.'

'Ja?'

'Goed, ik heb zijn telefoonnummer, maar krijg alleen maar een antwoordapparaat. En dat gaat uiteraard in het Italiaans, dus…'

Er klonk een zacht lachje, heel sexy. 'Als u wilt… kan ik hem wel even bellen en kijken of hij Engels spreekt.'

Met een fronsende blik dacht Danny even na. 'Het is een béétje ingewikkeld,' zei hij.

'Ik begrijp het. Onze vriend heeft het me uitgelegd. Maar dat is geen probleem. Ik zeg gewoon dat ik u help wat dingetjes te regelen.'

'Goed…'

'"Rechercheur Muller" is het toch?'

'Ja.'

'Dan zal ik hem morgenochtend bellen,' deelde de tolk mee. 'Zo vroeg mogelijk.'

'Fantastisch.' Hij deed zijn best zijn ongenoegen niet in zijn stem door te laten klinken, maar voelde wel dat hij daar niet helemaal in slaagde. Het zat hem dwars dat de tolk van 'rechercheur Muller' af wist – hoewel ze dat natuurlijk wel móést weten.

'Ik regel gewoon een afspraak,' zei ze. 'Mét mij als hij geen Engels spreekt – en anders zónder mij. Vindt u dat goed?'

'Prima.'

'Dat doe ik dan. En u? Bent u vrij… morgen?'

'Zo vrij als een vogeltje,' liet Danny haar weten.

'Pardon?'

'Ik zei zo vrij als een vogeltje.'

Opnieuw die lach, een lichtvoetig gekwinkeleer. 'O, natuurlijk. Neem me niet kwalijk, maar… die uitdrukking kennen we niet in Italië. En maar goed ook, want in Rome zijn de vogels vooral duiven – en het is nogal moeilijk om die als "vrij" te zien. Ze zijn eerder – hoe zeg je dat? – dakloos.'

Nu moest ook hij lachen.

Nadat ze hadden opgehangen, opende hij nog een flesje Peroni en belde naar de States om zijn boodschappen te beluisteren.

Het eerste ingesproken bericht was van Jake, die belde om te zeggen dat hij nu echt een schilderij had verkocht. *Bel me effe, man! Ik trakteer!*

De tweede boodschap was van Caleigh. Ze belde vanaf de Westkust naar huis om hem haar nummer door te geven van de Oyster Point Inn. *I love ya, Danny boy! Ciao!*

Daarna zijn moeder: *Ik wou even wat van me laten horen. En je eraan herinneren dat we dinsdag naar Ierland afreizen. Als je contact wilt opnemen, weet Kevin ons wel te bereiken.* En vervolgens op een bijna samenzweerderige toon: *Waarom pik je niet gewoon samen met Caleigh het huis in, als we toch weg zijn? Ik leg de sleutel wel op de gebruikelijke plek. Captain logeert bij meneer Hutchins.*

En ten slotte: *Dan? Hallo, dit is Adele Slivinski van Remax. En ik ben bang met slecht nieuws. Ik weet niet hoe serieus je was over dat huis van meneer Terio, maar tenzij je het wilde kopen om het af te breken…* Een diepe zucht. *Het staat er niet meer. Gisteravond was er brand en nu… nou ja, er is niets van over. Maar ik wilde je even laten weten dat er in dezelfde buurt een ander huis vrijkomt, en ik denk dat je dat prachtig zult vinden.* En na eerst nog een hele rits nummers te hebben ingesproken, hing ze op.

Zeg maar dag met je handje tegen Terio's archieven, was zijn gedachte. Hij wierp de telefoon op de bank, kwam overeind, liep naar het raam, schoof de gordijnen opzij en staarde naar de straat beneden. Dit begint een beetje eng te worden, dacht hij. Eerst Terio – dan Patel en nu het huis. Dat is een hoop geweld. Hoewel dat van het huis ook vandalisme kon zijn geweest. Ja, dát was het waarschijnlijk, vandalisme. Een oud huis – onbewoond. Vreemde verhalen over een 'grafkelder'. Het waren vast jongeren uit de rijtjeshuizen verderop in de straat geweest.

Het was een geruststellend scenario, en hij wilde het maar al te graag geloven. Hij kon het zich wel voorstellen: kinderen die voor de kick in de auto van hun ouweheer springen en naar Terio's huis rijden. Van die gothic-fans. Vermoedelijk een stel gothics – ze zagen het huis op de tv, hoorden de griezelige verhalen – dachten zelf een hoofdrol te spelen in hun eigen griezelfilm. Dus ze braken in, feestten erop los, misschien met een paar kaarsen en... de boel vloog in de fik. Wie weet wat er was gebeurd?

Zittend voor de tv, met zijn voeten op het koffietafeltje en kijkend naar CNN, viel hij rond tien uur in slaap, om midden in de nacht door een vliegende brigade Amerikaanse dronkaards uit zijn nachtmerrie te worden bevrijd, terwijl ze onder zijn raam over straat zwalkten en brulden: 'Mijn rubberen eendje, jij bent 't helemaal!'

Van zijn droom herinnerde hij zich niets meer – alleen dat die hem angst inboezemde. En hij wist ook niet meer dat hij zich had uitgekleed of in bed was gekropen, maar dat moest hij wel hebben gedaan. Want hij lag wel degelijk tussen de lakens toen het zonlicht iets na zessen in de ochtend door de ramen naar binnen viel.

Het was nog te vroeg om al iets te ondernemen, dus ging hij op zoek naar een *Herald Tribune*, denkend dat er wel eens een verhaal over Jason Patel in zou kunnen staan. De meeste winkels waren nog dicht, maar hij vond een kiosk op de Via del Corso. Hij kocht een krant en nam hem mee naar een bar aan de Piazza Colonna.

Daar nam hij bij de counter vrij lang de tijd om te zien hoe het hier in z'n werk ging. Eerst betaalde je de kassajuffrouw voor wat je wenste. Vervolgens gaf ze de bestelling door aan een van de buffetbedienden en daarna kon je het ophalen.

De tent stond barstensvol met winkeliers en verkoopsters, zakenlui op weg naar hun werk en een paar Italiaanse militairen met veren in hun baretten. Een drietal mannen in smerige blauwe overalls – waarschijnlijk hadden ze net hun nachtdienst erop zitten – zat in de hoek te kaarten en nipte van hun koffie met een scheutje cognac. Iedereen lachte en was vrolijk. De zon scheen fel. Het was allemaal zo anders dan Washington – het kikkerde hem op. Als hij zijn gesprek met Inzaghi kon regelen, zou hij de middag vrij kunnen nemen om de Sixtijnse Kapel te bezoeken, een wandelingetje te maken in de Villa Borghese, een cadeautje te kopen voor Caleigh...

Toen zijn cappuccino klaar was, gleed hij op een kruk aan een toonbank die van een koperen bovenblad was voorzien en bladerde de krant door op zoek naar een bericht over Patel. Maar er stond niets over hem in. En waarom ook? Het was gewoon een van de vele moorden in Amerika. Elke dag werden er wel een stuk of tien mensen vermoord.

En huizen die afbrandden, ook dat gebeurde om de haverklap.

Het zonlicht stroomde door de caféramen naar binnen en zette de nevel van sigarettenrook in een gloed. Eerlijk gezegd wil ik dit zo snel mogelijk achter de rug hebben, dacht hij. Rome of geen Rome, deze zaak met Belzer werkte hem op de zenuwen. Er was te veel slecht nieuws – er hing te veel geweld omheen. En hoezeer hij er ook van genoot, deze hele opdracht was te mooi om waar te zijn.

Danny nam de laatste hap van zijn tweede croissantje en liet zich van zijn kruk glijden. Doe het nou maar gewoon, maande hij zichzelf. Gauw aan de slag, afmaken die klus. Stelt verder niks voor. Stel die priester je vraag, en het is ja of nee: je mag die computer hebben of niet. Hoe dan ook, daarna vlieg je gewoon weer naar huis en kun je weer aan het werk – je échte werk.

Terug bij het Inghilterra was het bijna halfacht. Terwijl hij aan de balie om zijn sleutel vroeg, bleek zijn tolk in de lobby op hem te wachten. Ze kwam op hem afgelopen.

'Meneer Cray? Ik ben Paulina.'

Eigenlijk wist hij niet zo goed hoe hij zich haar had voorgesteld – een dame van ergens in de veertig misschien? Verslaafd aan boeken, vriendelijk, met een leesbril. Maar de vrouw die voor hem stond, zag er heel anders uit: een donkere schone, hooguit dertig jaar, met de chique uitstraling van iemand die het er echt niet om hoeft te laten. Ze droeg een laag uitgesneden, frisgroen linnen mantelpak met een ultrakorte rok en hooggehakte bruine schoenen van krokodillenleer.

'Hallo.' Meer wist hij niet uit te brengen.

Haar glimlach was betoverend nu ze door dikke oogwimpers en al flirtend naar hem opkeek. 'Ik dacht dat je ouder zou zijn,' verklapte ze hem.

'Ik dacht dat jíj ouder zou zijn.'

Weer dat zangerige lachje. 'Goed. Nou ja, sorry dat ik hier zomaar... opduik. Zullen we koffie gaan drinken?'

Ze wachtte niet op zijn antwoord, maar draaide zich soepel en snel om en was al op weg naar de hotelbar. Als een hond, alert en opgewonden tegelijk, de ogen strak op de deinende rand van haar rok gericht, trippelde Danny achter haar aan. De rok was zo kort dat je het amper nog fatsoenlijk kon noemen. Terwijl ze op een kruk neerstreek en haar benen over elkaar sloeg, kreeg Danny het gevoel dat hij zijn tong had verloren.

Gelukkig doemde er opeens vanuit het niets een ober op die hem red-de van de noodzaak een gesprekje te beginnen. De tolk sloeg haar ogen naar hem op. 'Cappuccino?'

Danny knikte. 'Graag,' wist hij met enige moeite uit te brengen.

'Het spijt me dat ik zomaar opeens voor je neus sta,' zei ze toen de ober was weggelopen. 'Maar je nam niet op en ik haat voicemail, dus…' Ze haalde haar schouders op, een bescheiden gebaar dat de aandacht vestigde op de ranke welving van haar hals en de verfijnde lijnen van haar sleutel-beenderen. 'Ik dacht, ik laat gewoon een briefje achter. En toen' – een waar-lijk betoverende glimlach – 'stond je daar opeens!'

'Tsja!' reageerde hij, zelf verbaasd over hoe onhandig hij klonk. Verman je, ja! 'En, eh… wat had er op dat briefje moeten staan?'

Weer die kwinkelerende lach. 'Iets over pater Inzaghi, natuurlijk. Het leek me het beste om hem vroeg te bellen – voordat hij weer de hort op was…' Ze stak haar handen omhoog en wapperde wat in de lucht. 'Ik weet 't niet, om te gaan bidden of zo. Ik besefte opeens dat ik geen idee had wat priesters de hele dag dóén. Ik bedoel, waar gaan ze naartoe? Nou, nu weet ik het!'

'Dus je kreeg hem te pakken?!'

'Ja!'

'En wat doet pater Inzaghi zoal de hele dag?'

'Hij zit in de bibliotheek van het Vaticaan – te zwoegen.'

'Waarop?'

'Hij is… hoe noemen ze dat? Hij is de incunabelen aan het digitalise-ren.'

'Je meent het,' merkte Danny op.

Ze knikte opgewekt.

'En de incunabelen zijn… wat?' vroeg Danny.

'O, mooi,' antwoordde Paulina. 'Want ik was bang dat jij dat wel wist – ik moest het iemand vragen. En als jij het wist en ik niet, dan zou dat een slechte zaak zijn geweest, omdat – nou ja, taal is mijn vak!' Ze leunde iets voorover, zich schijnbaar niet bewust van de uitwerking die haar inkijk op hem had. Hij deed zijn best niet te kijken, wat min of meer te vergelijken was met het tarten van de zwaartekracht. Zijn blik schoot even voorbij de zongebruinde afscheiding naar de crèmekleurige glooiing daar beneden. Die beschaduwde spelonk, de tepels die zich naar voren duwden…

'De incunabelen,' zei ze met ogen die schitterden. 'Volgens mij is 't een beetje griezelig, vind je niet? Maar nee – het zijn gewoon boeken die vóór 1500 zijn gedrukt. Deze priester, Inzaghi, is er een expert in. In boeken of computers – een van de twee. Misschien wel allebei, denk ik. Maar hij werkt al zo lang in de archieven dat ze hem "Rex Topo" noemen.'

Danny keek haar vragend aan. 'Rex Topo?'

Haar ogen lichtten op. 'Dat is de Muizenkoning! Zo noemen ze de priesters die zich met de boeken bezighouden. Muizen! En deze "muis" is hun koning.' Ze liet zich van de kruk glijden. 'Als je me nu even wilt excuseren?' Met een glimlach schreed ze uit het zicht; haar lichaam was als een magneet die alle blikken in het vertrek naar zich toe zoog.

Een ogenblik later kwam de ober. Met de snelheid en zwier van een gever bij blackjack zette hij twee porseleinen kopjes halfvol koffie neer, en daarbij een wit kannetje met opgeklopte melk en een schaaltje van tin en glas met daarop vier soorten suiker.

Danny nam een slokje van de heerlijke koffie en luisterde naar het crescendo en decrescendo van de gesprekken om hem heen. Daarna nog een slokje en vervolgens een onderbreking van het geroezemoes – een plotselinge cesuur die maakte dat hij zijn ogen opsloeg. En daar was ze weer. Ze baande zich een weg naar hem toe, terwijl haar handtasje uitdagend tegen haar dij tikte. Het was moeilijk om niet te staren.

'Waar was ik gebleven?' vroeg ze, ze zette haar tasje op de bar en schoof weer op een kruk.

'Je had het over muizen.'

'O ja!' Ze nam een slokje koffie, zette het kopje neer en werd serieus. 'Zoals ik al zei, sprak ik Inzaghi vanmorgen en ik vertelde hem dus waar jij hem over wilde spreken – in algemene bewoordingen. Ik zei dat het een politiezaak was, betreffende professor Terio.'

Danny knikte. 'En, wat zei hij…?'

'Vanmiddag ga je met hem lunchen. Ik heb gereserveerd in een eersteklas eethuisje in de Via dei Cartari. Ik denk dat als je hem eens goed trakteert, lekker eten, een beetje wijn – misschien véél wijn – dat hij dan wel eens behulpzaam kan zijn.'

'En jij? Kom jij ook?'

Ze schudde haar hoofd. 'Zijn Engels is voortreffelijk. Vloeiend, zelfs. Hij studeerde in Schotland. Zonder mij zul je meer succes hebben.'

'Nou, dát betwijfel ik,' zei hij en hij had al direct spijt van zijn woorden. Hallo, nu je toch bezig bent, waarom niet meteen even naar haar knipogen?

Haar ogen schitterden.

Hij voelde zich een hufter. Ook al had hij dan (*nog*) niets gedaan, ook al had hij de vrouw nog met geen vinger aangeraakt, zijn verraad tegenover Caleigh was een *fait accompli*, een voldongen feit, al was het slechts in zijn verbeelding.

'Nou,' zei Paulina, haar donkere ogen vrolijk, 'da's heel aardig van je. Maar volgens mij is het beter als jullie met z'n tweetjes zijn.'

Spijtig haalde Danny zijn schouders op. Hij reikte naar het kannetje melk, goot een beetje in zijn koffie en roerde. Ondertussen viel zijn blik op haar tasje, dat op de bar lag. Het was een zijdeachtig damestasje, in de kleur van verse broccoli, met een trekkoordje als sluiting. Het tasje lag wagenwijd open. Hij ving een glimp op van het witte, papierachtige buisje van een Tampax en, ernaast, de donkerblauwe cilinder van een pistoolloop.

Zijn ogen schoten even weg, maar gleden weer terug voor nóg een vluchtige blik. Hij had wel eens horen zeggen dat vuurwapens in het echt een beetje nep lijken – als speelgoed. Dit wapen was klein genoeg om inderdaad een stuk speelgoed te zijn, maar viel daar absoluut niet mee te verwarren. Het pistool in haar handtasje was maar wat echt en liet zich met gemak verbergen. Een damespistool. Misschien is het wel normaal, dacht hij. Misschien heeft een vrouw als Paulina in een stad als Rome wel behoefte aan wat bescherming. Misschien hebben alle mooie vrouwen in Rome wel een wapen op zak.

'Goed,' zei ze, 'ik zal de naam van het restaurant even opschrijven, oké? Ik heb voor halfeen gereserveerd.' Ze haalde een pen uit haar tasje tevoorschijn en krabbelde een adres op een schelpvormige, papieren onderzetter.

'Hoe lang doe ik erover om er te komen?' vroeg hij terwijl hij de onderzetter van haar aannam.

Op een charmante manier fronste ze haar wenkbrauwen en wiegde een beetje met haar heupen. 'Twintig minuten als je loopt.' Weer die stralende glimlach. 'Maar langer als je een taxi neemt.' Ze wierp een blik op haar horloge, stak een hand op naar de ober en maakte een schrijfbeweging in de lucht.

'Ik betaal wel,' zei Danny.

'Mooi, want ik moet er nu echt vandoor,' zei ze, ze kwam overeind en streek haar rok glad. 'Als je nog iets nodig hebt, bel je me, ja?'

'Ja.' Hij stond op.

Ze boog zich naar hem toe en haar haren streken langs zijn gezicht. Terwijl ze hem kuste, eerst op de ene, vervolgens op de andere wang, streelde de bedwelmende geur van een duur parfum even zijn neusgaten. In tegenstelling tot de luchtkusjes die hij gewend was in de galerie maakte zij daadwerkelijk contact – en bleef bij de tweede kus even hangen. Haar lippen ontspanden zich en hij voelde eventjes haar adem op zijn wang. Daarna bewoog ze iets naar achteren en hield nog even zijn schouders vast in haar uitgestrekte handen. 'O, nee,' giechelde ze, 'er zit lipstick op je wang.' Zachtjes veegde ze het er met een servet af, waarna ze het tevreden op de bar liet vallen. *Buona fortuna!*

En opeens was ze, voordat hij nog iets kon uitbrengen, verdwenen.

Het 'eethuisje' bleek niet de knusse gelegenheid die hij zich had voorgesteld. Er waren geen geruite tafelkleedjes of in raffiabladeren gewikkelde flessen chianti. Nee, in plaats daarvan betrof het hier een poging tot verfijnd minimalisme, met marineblauwe muren en tafeltjes waarop een soort wit gaas was gedrapeerd. Danny maakte zichzelf bekend bij de eerste kelner, die hem naar een tafeltje bij het raam bracht waar een gezette, kleine man van in de vijftig zat. De man zag Danny naderen en kwam overeind.

'*Investigatore!*' groette hij met een respectvolle knik. 'Aangenaam.' Ze schudden elkaar de hand.

De man was gekleed in een donkerblauw pak dat betere tijden had gekend. De manchetten droegen een glans die wees op slijtage, net als de gaatjes in een van de mouwen – het bewijs, zo was Danny's gedachte, van motjes in het Vaticaan. De enige indicatie van de ordinatie van zijn metgezel was een klein gouden kruis, vastgemaakt aan de revers onder zijn kin.

Een ober verscheen met de kaart en vroeg of de heren iets wilden drinken. Hoewel Danny dat nooit deed – drinken bij de lunch – stelde hij niettemin een flesje wijn voor en hij verzocht Inzaghi een keuze te maken. De priester voldeed daar maar al te graag aan. Hij zette een leesbril op, bestudeerde met een licht sceptische blik de wijnkaart, sloeg deze vervolgens dicht en gaf hem terug aan de ober. Daarop volgde een korte woordenwisseling, waarna de ober zich omdraaide om de fles in kwestie te gaan halen.

Inzaghi leunde achterover in zijn stoel en begon zijn leesbril te poetsen terwijl hij zijn tafelgenoot aandachtig opnam. 'U bent nog erg jong,' stelde hij vast.

Danny haalde zijn schouders op.

'Voor een rechercheur, bedoel ik.'

Hij knikte.

'Nou, u moet wel heel slim zijn.'

Hij weerstond de aandrang om met een tweede schouderophalen te antwoorden, maar wist niet zo goed wat hij moest zeggen en dus knikte hij met de gedachte: dit gaat niet echt lekker.

Maar het leek de priester niet op te vallen. 'Ik was geschokt,' ging hij verder, 'toen ik hoorde dat Christian was overleden.' Hij schudde zijn hoofd. 'Ik kwam erachter toen ik hem niet kon bereiken. Ik stuurde het ene e-mailtje na het andere. Ik belde, maar… niets. Dus belde ik de universiteit. En die vertelden het me: zelfmoord!' Hij schudde zijn hoofd, alsof hij het zo van zich kon afzetten.

'Dus u was verrast?' vroeg Danny.

'Verrast? Natuurlijk. Ik zeg niet dat hij geen problemen, geen zorgen had. Maar u moet begrijpen dat hij iemand was die verliefd was op het leven! Een man met een geweldig gevoel voor humor. Alhoewel…' De priester boog zich iets voorover en voegde er op een vertrouwelijk toontje aan toe: 'Zijn grappen waren vreselijk.'

Danny glimlachte. 'Hoe dat zo?'

Inzaghi wierp hem een licht wanhopige blik toe. 'Misschien is het een taalprobleem. Mijn Engels is…'

'Voortreffelijk!'

'Nee, nee. Het voldoet, meer niet. En Chris, hij maakte altijd… woordspelingen. Vreselijke woordspelingen, naar mijn mening, maar goed… misschien begreep ik ze niet vanwege de taal.'

Danny knikte beleefd.

'Voorbeeld!' kondigde de priester aan. 'Ik vraag u: wat is er zo grappig aan "hé-ho de Terio"?'

Danny gniffelde. 'Niet veel.' Het was een kinderliedje, dacht hij, hoewel hij niet meer wist welk.

'Dat denk ik dus ook,' merkte de priester op. 'Het is gewoon niet grappig. Maar steeds wanneer hij het zei, hield-ie het niet meer. "Hé-ho de Terio!" En dan lag hij dubbel!' De priester schudde zijn hoofd.

'Je zou niet verwachten dat het zo vaak terug zou komen.'

Met een spijtige grimas boog Inzaghi het hoofd. 'Maar dat deed het juist wel, voor Christian. Het was zijn – hoe noem je dat? – zijn "ezelsbruggetje", voor het geval hij een wachtwoord vergat,' legde hij uit. De grijns verdween van zijn gezicht en de priester keek somber. 'Ik heb hem in de steek gelaten.'

Danny keek hem verwonderd aan. 'Waarom zegt u dat?'

Priester Inzaghi haalde zijn schouders op. 'Omdat hij een vriend was!' Hij slaakte een wanhopige zucht. 'Ik had meer open moeten staan voor zijn gevoelens. Ik had iets moeten merken! Maar… ik had geen flauw benul.' Hij wierp een hoopvolle blik naar Danny, zoekend naar mededogen.

'Volgens mij denken de meeste mensen zo,' zei Danny, 'wanneer iemand overlijdt… en dan nog wel op die manier. Zelfs na een ongeluk denken ze nog: was ik er maar bij geweest, dan zou hij er nu nog zijn. Maar meestal kunnen we er echt niets aan doen. Níemand had hier iets aan kunnen doen.'

De ober verscheen met een fles Barbaresco, ontkurkte hem met een zwierig gebaar en wachtte totdat Inzaghi zijn goedkeuring gaf. Toen de priester goedkeurend knikte, schonk de ober hun glazen in en nam de bestelling op. Toen hij weer verdwenen was, boog Inzaghi zich voorover en zei met een verlegen blik: 'Ik vraag me af, rechercheur…'

'Ja?'

'Ik vraag me af of ik misschien… uw papieren zou mogen zien?'

De vraag verraste Danny, hoewel dat natuurlijk niet zou moeten. De adrenaline vloeide door zijn borstkas en een nerveus lachje krulde zijn mondhoeken omhoog. Een smoesje over de telefoon was één ding, maar liegen was iets anders – en dit, wat dit ook was, was zelfs nog erger. Zich uitgeven voor een agent? Wat dacht hij nu eigenlijk? 'Geen probleem,' zei hij, hij reikte in zijn binnenzak, haalde het legitimatiebewijs dat Belzer voor hem had laten maken tevoorschijn en gaf het aan de priester, die hem verontschuldigend aankeek.

'U bent namelijk nog zo jong,' legde deze uit. 'Ik verwachtte een ouder iemand.' Inzaghi bekeek het bewijs nauwelijks en gaf het, in verlegenheid gebracht, terug. 'Het spijt me.'

Danny schudde zijn hoofd. 'Het is goed om voorzichtig te zijn – je weet maar nooit.'

'Inderdaad,' reageerde de priester.

'En… hebben ze u ook verteld hoe het gebeurde?'

'Nee.' Inzaghi keek hem nieuwsgierig aan en schudde zijn hoofd. 'Zou dat dan wat uitmaken?'

'Nou, het is een van de redenen waarom ik hier ben. Het was een heel ongebruikelijke "zelfmoord".'

De priester fronste het voorhoofd. 'En waarom dan wel?'

Danny beschreef de omstandigheden waaronder Terio was aangetroffen en hield aandachtig het gezicht van de priester in de gaten terwijl het schokkende nieuws tot de man doordrong; de aanvankelijke ontzetting maakte plaats voor afschuw. Toen Danny was uitgepraat, nam Inzaghi een flinke slok wijn en veegde zijn mond af met een servet. 'Mijn god! Dat is grotesk. Ik bedoel… o!'

Danny schonk hem een ongelukkige blik.

'Alhoewel!' Inzaghi bracht een wijsvinger omhoog om zijn woorden kracht bij te zetten. 'Alhoewel!' herhaalde hij, zwaaiend met zijn vinger alsof hij Fidel Castro was. 'Het is niet de eerste keer.'

Danny knipperde met zijn ogen. 'Niet?'

De priester schudde plechtig zijn hoofd.

'Nou, het is de eerste keer dat ík ervan hoor. Mensen springen meestal – of schieten zichzelf een kogel door het hoofd,' stelde Danny. 'Of anders nemen ze wel pillen of zo.'

'Ja, natuurlijk, u hebt gelijk. Maar binnen het geloof – binnen het christendom – kent dit een lange geschiedenis.'

'O ja?' vroeg hij verwonderd. Zijn godsdienstige opvoeding was minimaal geweest. Uiteraard was alles mogelijk, maar als er mensen rondliepen die zichzelf voor Jezus inmetselden, zou je toch denken dat hij daar wel eens van gehoord had. 'Een lange geschiedenis?'

De priester nam nog een flinke teug wijn, veegde de rand van zijn glas schoon en keurde de kleur tegen het licht dat door een nabij raam naar binnen viel. 'De wereld,' begon hij, 'is de vijand van de verlossing. En dat is ook altijd zo geweest. Ze is het slagveld voor de ziel, de plaats waar het vlees de duivel treft. Onttrek jezelf aan de wereld, en de duivel kan je niet langer iets maken.' Hij nam nog een slok en leunde wat naar Danny over. 'Ze werden "anachoreten" genoemd, naar het Griekse *anachoreo*, wat "ik trek me terug" betekent. De eersten gingen de woestijn in en woonden in grotten. De eigenaardigste onder hen waren de stylieten, die hun leven boven op een hoge zuil doorbrachten.'

'Zuilen?'

'Klassieke ruïnes,' legde de priester uit.

'En daar brachten ze hun léven door?! Zittend op een zuil?'

De priester knikte. 'Een groot deel van hun leven, ja,' bevestigde hij. 'Later – in de middeleeuwen – werden ze… opgesloten. In de muren van de kerken. De noordelijke muren.'

'Opgesloten,' herhaalde Danny.

'Ik denk dat je het zo noemt. Ik bedoel ermee *seppellire vivo*. Levend begraven. Dat is toch het juiste woord?'

Danny knikte. 'Ja,' zei hij, 'dat klopt.'

'Dat dacht ik al, maar mijn Engels… het laat me soms in de steek. Hoe dan ook, deze anachoreten werden in kleine cellen – *anchorets* – achter het altaar gestopt. Deze hadden kleine ramen – spleten, zeg maar – zodat de geestelijken in staat waren de mis te volgen en voedsel te ontvangen. Maar eenmaal binnen kwamen ze er nooit meer uit. Er was geen deur.'

Danny stond versteld. Hij beeldde zich in hoe dat geweest moest zijn – niet vanuit de anachoreet bekeken, die duidelijk getikt was, maar vanuit het oogpunt van de kerkgangers. Die ogen in de muren. Hij huiverde.

Inzaghi gniffelde. 'Het waren niet alleen mannen. Er waren ook kluizenaarsters. En net zoals voor de mannen gold, werden ook zij, zodra ze eenmaal ingemetseld waren "gevangenen van het geloof". Ze waren "dood voor de wereld". Officieel – én feitelijk. Ze bestonden eigenlijk niet, ze werden alleen nog gevoed.'

'Jezus,' mompelde Danny.

'U zou het boek van Chris eens moeten lezen,' zei de priester tegen hem. 'Het is een tikje academisch, een beetje traag ook, maar zeker de moeite waard – vooral het hoofdstuk over wat hij "de onwillige anachoreten" noemt.'

Danny fronste de wenkbrauwen. 'En wie waren dát?'

'Wel, dát waren anachoreten die geen anachoreet wílden zijn. Mannen en vrouwen – baby's en kinderen – die tegen hun wil werden ingemetseld.'

De ober arriveerde met hun salades, besprenkelde beide met een driedubbele draai uit een pepermolen en trok zich met een zacht 'Prego' terug.

'Deze anachoreten die geen anachoreet wilden zijn…' pakte Danny de draad op.

'U moet echt dat boek van Chris lezen. Hebt u het?'

Danny knikte. '*De stralende tombe*. Ja, ik heb het meegenomen.'

'Daar staat het allemaal in,' zei Inzaghi.

'Ik zal het vanavond eens inkijken.'

De priester haalde zijn schouders op. 'Weet u,' zei hij, opnieuw vooroverbuigend en wederom op vertrouwelijke toon, 'ik moet zeggen dat het me niet helemaal duidelijk is waarom u hier bent, rechercheur. Ik bedoel, als Chris zelfmoord pleegde…?'

'Tja, dat is het 'm nu juist,' antwoordde Danny. 'We zijn er niet honderd procent zeker van dat het zelfmoord wás.'

Een zacht en langgerekt 'O…' ontsnapte aan de lippen van de priester. Zwijgend legde hij zijn vork op tafel, plaatste zijn handen op zijn schoot en keek recht in Danny's ogen.

'Het is mogelijk,' zei de Amerikaan, 'dat meneer Terio werd vermoord.'

Langzaam schudde de priester zijn hoofd. 'Dat zou inderdaad meer hout snijden,' stelde hij.

Nu was het Danny's beurt om verrast te kijken. 'O ja?'

Inzaghi bleef knikken. 'Toen Chris Rome verliet, was hij van streek. Hij was ongerust. Misschien iets meer dan ongerust. Misschien was hij wel báng.'

Plotseling voelde Danny zich verplicht om echt de rechercheur uit te hangen. 'En waarom dan wel?'

'Er was hem iets overkomen.'

'In Rome?'

'Nee,' vertelde de priester, 'in Oost-Turkije.'

Dat klinkt logisch, dacht Danny. Terio had daar een deel van zijn sabbatsverlof doorgebracht, en zelfs nadat hij in de States was teruggekeerd, had hij naar Istanbul gebeld, dus… 'Wat deed hij daar?'

Inzaghi bracht wat mismoedig zijn handen omhoog. 'Onderzoek.'

'Naar wat?'

'Een nieuw boek. *Avatars van het syncretisme.*' De priester glimlachte. 'Hij was niet zo goed in titels.'

Danny fronste het voorhoofd. Hij wist bijna wat de woorden betekenden. Vijf of zes jaar eerder waren ze in een cursus westerse beschaving, die hij tijdens zijn tweede jaar op de kunstacademie had gekozen, zijn ene oor in en het andere oor uit gegaan. 's Even kijken: *avatar*. Hij keek bedenkelijk.

Inzaghi las de verwarring op zijn gezicht en kwam hem te hulp. 'Christian bestudeerde de stichters van bepaalde religies in het Nabije Oosten, religies die elementen van andere religies omhelsden.'

'Zoals van…?'

'Mani en Zarathoestra,' antwoordde de priester. 'Baha'Allah en sjeik Adi.'

De eerste drie namen waren hem vaag bekend, alsof ze in datzelfde studiejaar ergens in een meerkeuzevraag waren opgedoken. Ze waren verbonden met drie obscure religies: het manicheïsme, de leer van Zarathoestra en het bahaïsme. Maar sjeik Adi zei hem niets – wat geen schande was. Een rechercheur zou hier immers de ballen verstand van hebben. 'Huh,' bromde hij dus maar, nipte van zijn wijn en bracht een vorkje rucola naar zijn mond.

Andermaal schoot priester Inzaghi hem te hulp. 'Ze waren allemaal stichters van religieuze sekten in het Midden-Oosten.'

'Dat dacht ik al.'

'Dus u hebt van ze gehoord?'

Nu was het Danny's beurt om de schouders op te halen. 'Van de meesten.'

'Maar niet van sjeik Adi.'

Danny knikte.

'Dat dacht ik wel,' zei Inzaghi. 'De Jezidi's zijn niet zo bekend.'

'Jezidi's?'

'Sjeik Adi. Hij was de leider van de Jezidi's.'

Danny rolde even met zijn ogen. De rol van de niet-zo-slimme detective ging hem verontrustend gemakkelijk af.

'Het is een Koerdische stam,' legde de priester uit. 'Een subetnische groep.'

Danny knikte sip. Koerden, dacht hij. Nu ook nog Koerden. Eerlijk gezegd wist hij van geen van deze zaken iets af – niet echt. Zoals van die Koerden bijvoorbeeld. Het enige wat hij over hen wist, was dat ze in Turkije of Irak (of misschien wel Iran) zaten. En dat ze werden vervolgd! Dat was het. Eén feitje, misschien twee, en hij was al uitgeluld over het hele onderwerp van het Koerdische volk.

'Sjeik Adi was hun profeet,' voegde Inzaghi eraan toe en hij prikte een hap groen op zijn vork.

'Profeet van wie?'

'Van de Jezidi's,' antwoordde de priester. 'Chris ging erheen om de *Zwarte Schrift* te bestuderen.' Inzaghi glimlachte. 'Dat is hun bijbel,' verklaarde hij. 'Hun heilige tekst.'

Danny leunde achterover en de ober verscheen met hun hoofdgerecht – een heerlijk ogende biefstuk voor Inzaghi, en linguini bestrooid met snippers zwarte truffel voor hemzelf. Hij vroeg zich af hoe hij de computer ter sprake kon brengen. 'En waarom noemen ze dat de *Zwarte Schrift*?' vroeg hij langs zijn neus weg.

Bedachtzaam kauwde Inzaghi op een stukje biefstuk. 'Wie weet?' antwoordde hij. 'Ik weet sowieso niet zeker waarom de Jezidi's doen wat ze doen. Ik bedoel, we hebben het hier wel over mensen die bidden tot de Pauw Engel!'

Danny keek de man sceptisch aan. 'Ze aanbidden pauwen?'

'Satan,' zei de priester.

Danny gniffelde. 'Het spijt me, eerwaarde, maar… hoe komt u van pauwen opeens bij Satan?'

Inzaghi glimlachte op een manier die niet neerbuigend bedoeld was, maar toch… 'Ze zijn het symbool van de duivel.'

'Pauwen?'

'Ja.'

Danny dacht er even over na. 'Dus u zegt dat deze Koerdische lui… dat die de duivel aanbidden?'

'Precies. Niet alle Koerden natuurlijk, helemaal niet. De meeste Koerden zijn moslim.'

'Alleen deze – wat? – Jezidi's.'

'Precies. De Jezidi's vereren Satan.'

Danny staarde voor zich uit. 'U houdt me voor de gek.'

De priester schudde zijn hoofd en kauwde verder op zijn biefstuk.

'U bedoelt... Satan, de duivel?'

Inzaghi knikte en legde vervolgens uit dat hoewel ze ooit met velen waren, de Jezidi's nu nog slechts ongeveer een miljoen zielen telden. 'Ze zijn een heel lange tijd vervolgd geweest,' legde hij uit. 'U kunt het zich wel voorstellen. Ze hebben verschrikkelijk geleden – eerst als Koerden en later als Jezidi's. Ze worden echt van twee kanten vervloekt.'

Danny haalde zijn schouders op. 'Ja zeg, je aanbidt de duivel, dan moet je ook wel tegen een beetje kritiek kunnen.'

Inzaghi lachte. 'Het is niet wat u denkt. Ze offeren geen kinderen of zo en vliegen ook niet op bezems rond. Ze hebben een bewuste beslissing genomen om Satan te vereren, omdat de *Zwarte Schrift* ze leert dat God op de achtste dag moe werd van de wereld en deze overleverde aan de duivel. Voor hen is de duivel niet het kwaad; hij is de Malik Tawus, min of meer de opperengel.'

'Net zoals Lucifer.'

'Ja, maar dan zonder de zondeval.'

'Dat is interessant,' vond Danny, 'maar... even op Terio terugkomend... u zei dat hij van streek was, dat er in Turkije iets was gebeurd.'

De priester schoof wat in zijn stoel heen en weer, alsof hij plotseling in verlegenheid werd gebracht. 'Juist.'

'Nou? Wat dan?'

Inzaghi zuchtte diep. 'Volgens Chris?'

'Ja.'

'Goed, Chris zei – ik weet dat 't belachelijk klinkt, maar... hij zéí dat-ie de duivel had gezien.'

De Britten hebben er een woord voor, een woord dat Ian om de haverklap gebruikte: *gobsmacked*. Dat je met de mond vol tanden staat. En dat overkwam Danny nu. Een poosje wist hij niet wat hij moest zeggen. Ten slotte schoot het hem te binnen: 'Wát?!'

'Ik zei: "Hij zéí dat-ie de duivel had gezien."' Een nerveus lachje.

'Ga weg!'

De priester schudde zijn hoofd.

Danny wist niet of hij nu moest lachen of huilen. Hij was dan misschien wel een katholieke jongen, maar in zijn familie was godsdienst nooit zo'n issue geweest. Hoewel een deel in hem vasthield aan de mogelijkheid dat er wel een God was, stamde hij af van een lange lijn afvallige katholieken – feitelijk agnostici. Op een paar van zijn tantes na, een stel oude vrijsters die tamelijk devoot waren, had de Kerk in het leven van de familie Cray de functie een raamwerk te verschaffen voor overgangsriten. De Crays trouwden in de kerk en ze lieten er hun kinderen dopen (zijn eigen doopattest zat in een envelop in de onderste la van zijn moeders cilinderbureau). De kerk zou wellicht hun rouwdienst verzorgen en hen helpen begraven. En een aantal van hen bezocht misschien minder of meer regelmatig een mis, vooral wanneer ze ouder werden – hoewel zijn ouders dit punt nog niet hadden bereikt. Maar niemand in zijn familie (de tantes uitgezonderd) was godsdienstig; niemand geloofde eigenlijk in de duivel.

Het kwaad, dat was echt, dat wist hij wel, maar het was niet vlees geworden. De duivel, dat was net zoiets als… de tandenfee.

'En hoe zag hij eruit?' vroeg Danny uiteindelijk. 'Hoorntjes, staart, nou?'

De priester schudde zijn hoofd en keek er ietwat beschaamd bij. 'Dat zei Chris niet. Alleen dat hij in een Bentley reed.'

'De duivel.'

'Ja.'

'En waar was dat ergens?'

'Ergens in het oosten van Turkije.' Met een ironische grijns boog Inzaghi iets voorover. 'Je zou toch denken dat de duivel eerder een Rolls zou hebben, vindt u niet?'

Danny grinnikte wat onzeker. Wat moest hij daar nu op zeggen? Wat zou een smeris zeggen? Zat die priester hem uit te proberen of voor de gek te houden? 'Maf,' was zijn commentaar.

'Helemaal mee eens.'

Terwijl de ober de borden afruimde, besloot Danny dat het moment aangebroken was om terzake te komen. Hij haalde het FedEx-verzendbewijs dat hij uit Terio's vuilnis opgediept had tevoorschijn en vroeg Inzaghi of hij de computer van de professor eens een keer mocht bekijken. 'We hopen dat er iets op staat. Iets wat ons zou kunnen helpen bij het onderzoek.'

De priester fronste het voorhoofd. O-o, vreesde Danny. 'Ik ben bang dat ik 'm niet héb,' sprak Inzaghi. 'Niet echt, tenminste.'

'Hoezo niet?'

'Hij staat nog bij de douane.' Volgens de priester moest er nog invoerbelasting worden betaald – ongeveer vijfhonderd dollar. Totdat die belasting werd voldaan, zou het apparaat in de vrachtterminal van luchthaven Leonardo da Vinci blijven. 'Tja, u weet hoe dat gaat,' zei Inzaghi. 'Ik heb om het geld verzocht, maar het kan wel maanden duren. En eerlijk gezegd zal het best handig zijn, zo'n laptop, maar ik heb hem niet echt nódig. Er zijn andere computers die ik kan gebruiken.'

'Waarom stuurde hij dat ding dan naar u?'

Inzaghi grinnikte. 'Het was gewoon een cadeautje. Ik wilde altijd al een laptop, en Chris – hij klaagde altijd over het gewicht. Ik weet nog dat hij voor de grap zei dat "een draagbare computer" een contradictio in terminis was.'

Danny lachte. 'Dus het was een afdankertje…'

'Precies!' antwoordde de priester. 'Alleen niet zo goedkoop, dat bleek wel.

Als hij hem nu naar mijn werkkamer had verzonden – in het Vaticaan – dan zou ik hem allang hebben. Maar hij stuurde 'm naar mijn flat in de Via della Scrofa. Dat is in Rome, en dus moeten we Caesar betalen.'

Danny dacht even na en met de ellebogen op tafel boog hij zich voorover. 'En wat als ik hem voor u ga ophalen?' vroeg hij. 'Ik kan hem via het bureau van de sheriff declareren. En zodra ik dat ding heb bekeken, zorg ik ervoor dat u hem direct terugkrijgt.'

De priester tuitte zijn lippen, leunde achterover en nam het in overweging. Even later hield hij zijn hoofd schuin, alsof hij wilde zeggen: afgesproken. Hij reikte in zijn binnenzak en haalde een prachtig visitekaartje tevoorschijn, dat hij aan Danny overhandigde. 'Het nummer bovenaan is van mijn flat in de Casa Clera. Daar ben ik 's avonds meestal. Maar u kunt me ook altijd mobiel bereiken, behalve wanneer ik in de kerk ben. Dan zet ik hem uit.'

'Fantastisch,' zei Danny, hij krabbelde zijn mobiele nummer achter op een van Frank Mullers visitekaartjes en gaf het aan de priester.

'Ik zal u een brief meegeven voor de douane,' beloofde Inzaghi. 'En een kopie van de ladingsbrief. Dan zou u geen last moeten hebben op de luchthaven.'

'Dat is heel aardig van u,' liet Danny weten.

'Welnee,' reageerde de priester. 'De ene dienst is de andere waard.'

# 8

Van het restaurant liepen ze naar het Vaticaan. Danny volgde Inzaghi door een doolhof van oude straatjes die zo nauw waren dat zelfs op een zomermiddag de schemering overheerste. Zo nu en dan sloegen ze een hoek om en stonden ze opeens op een zonovergoten piazza. Een ogenblik later hadden ze een andere hoek gerond en verschoot het licht van een gouden naar een zilveren gloed.

Via een voetgangersbrug even ten westen van het kolossale Castel Sant' Angelo staken ze de Tiber over. De brug was een soort openluchtmarkt, waar olijfbruine Arabieren en lusteloze Afrikanen van alles te koop aanboden, van hasjiesj, paraplu's en spotprenten tot tinnen soldaatjes op batterijen, die gewapend met een geweer op hun buik over de grond kropen.

Het was warm op de Via della Conciliazione, een brede boulevard die toeristen en touringcars als door een trechter rechtstreeks naar het Sint-Pietersplein loodste, alwaar een zee van klapstoeltjes zich uitstrekte in afwachting van een pauselijk optreden. Inzaghi voerde hem langs een door de Zwitserse Garde bemande poort en daarna over een eeuwenoud achterweggetje dat uitkwam op een enorme binnenplaats – de Cortile della Pigne. Omringd en afgebakend door een arcade van donkerbruine gebouwen werd de binnenplaats door geplaveide wandelpaden en grasvelden in kwadranten opgedeeld, met een bruisende fontein in het midden. Aan de overzijde van de plaats stond, tot Danny's verrukking, een reusachtige dennenappel – gemaakt van marmer en ongeveer tweeënhalve meter hoog – rustend op een prachtig uitgesneden kapiteel.

'Waar komt dát ding vandaan?' vroeg Danny.

Inzaghi haalde zijn schouders op. 'Een geschenk,' zei hij. 'Of geroofd.'

Lopend door de zuilengangen betraden ze het gebouw dat vanbinnen bijna net zo modern als oud aan de buitenkant was. Bij een kleine balie tekende Inzaghi voor hen beiden om Danny vervolgens naar een roltrap te voeren. Twee verdiepingen lager belandden ze in een soort mezzanine, een felverlichte, geheel in glas gezette wachtkamer. Achter het glas bevond zich een ondergronds magazijn van boeken en manuscripten, staand, leunend of opgestapeld op onafzienbaar lange planken. Een bordje maakte duidelijk dat dit het ARCHIVIO SEGRETO was.

'Een jaar of tien geleden vond hier een enorme renovatie plaats – eigenlijk een verbouwing,' vertelde Inzaghi. 'Er was niet genoeg ruimte voor de manuscripten. Dus nu hebben we dit! Zo'n 43 kilometer aan goedkope metalen boekenplanken. Je zou er een marathon op kunnen lopen.' De priester glimlachte. 'Geef me even een minuutje, dan haal ik het papierwerk.'

Danny werd achtergelaten in het gezelschap van een wat oudere non, die achter een antiek bureau zat en geen acht op hem sloeg. Met haar ogen geconcentreerd op een Silicon Graphics-monitor sprak ze zachtjes in een telefoon-headset terwijl haar rechterhand driftig op een muis klikte.

Uiteindelijk keerde Inzaghi terug met een dikke envelop. 'Sorry dat het zo lang duurde,' verontschuldigde hij zich, 'maar ik heb een kopie van de ladingsbrief voor u, plus een brief waarin ik u toestemming geef voor mij de computer af te halen. Ik weet niet of dit echt nodig is, maar…' Een lach. '… dit ís immers Italië, en hoe meer papierwerk, hoe beter.'

'Dank u.'

'En u laat het me weten als u iets wijzer bent geworden?'

'Zeker weten,' beloofde Danny. Alles liep op rolletjes, zo leek hem. Het lastigste van de klus, waar hij het meest tegen opgezien had – liegen tegen een priester over dat hij van de politie was – was nu min of meer achter de rug. En zo erg was het niet eens geweest. Integendeel, het was zo goed gegaan dat deze aardige man zowaar een bríéf voor hem geschreven had.

'Ik vroeg me af, hoe lang denkt u hem nodig te hebben?' vroeg Inzaghi.

De Amerikaan aarzelde. Hij kon zich niet voorstellen dat Belzer de computer lang zou houden. Aan de andere kant: wat wist híj nou? Als de bestanden versleuteld waren, kon het wel even duren. Maar zodra ze de bestanden gekopieerd zouden hebben, werd die computer overbodig. 'Niet zo lang,' beloofde Danny. 'Tenzij we mazzel hebben. Als we iets vinden, bewijzen of zo…' Hij maakte de zin niet af en gebaarde met zijn handen. 'Dan kan het wel een poosje duren,' gaf hij toe.

Inzaghi knikte. 'Ik begrijp het. Goed, u hebt mijn nummer – en ik heb dat van u.'

'Oké.'

'Maar ik denk eigenlijk dat u het vandaag niet meer moet proberen.'

'Wat proberen?' vroeg Danny.

'De luchthaven,' antwoordde Inzaghi en hij tikte op zijn polshorloge. 'Het is nu drie uur, en met dat verkeer… dat haalt u nooit.'

'De douane is tot vijf uur open. Heb ik gecheckt.'

Inzaghi knikte. 'Natuurlijk. Maar dat betekent dat ze daar al om vier uur weg zijn.' Grinnikend loodste de priester hem naar de roltrap, waar hij hem uitzwaaide met een glimlach die zo oprecht was dat Danny, die nu langzaam vanuit de ingewanden van de bibliotheek oprees, er de hele terugweg naar het Inghilterra door werd achtervolgd. De vriendelijkheid van die man was gewoon deprimerend.

Het tegendeel gold voor deze middag. De zon scheen, Rome was een bruisende stad. Hij nam de lift naar zijn kamer en haalde *De stralende tombe* uit zijn koffer tevoorschijn. Het boek was enkele dagen daarvoor van Alibris gearriveerd en hij had het pakje nog niet eens geopend. Het was een vrij dun boek, stelde hij vast, met een foto van Terio op het stofomslag – dezelfde foto als die de *Washington Post* boven zijn necrologie had geplaatst. Hij stak het boek onder zijn arm, ging naar buiten en hield een taxi aan.

'Villa Borghese,' droeg hij de chauffeur op, en omdat hij in een avontuurlijke bui was, voegde hij er ondernemend aan toe: '*Per favore.*'

Het was een kort ritje. Zoals hij al had vermoed, bleek het park een perfecte plek om een zomermiddag al lezend door te brengen. Enorme platanen belommerden de gazons en zitbanken. Verliefde stelletjes slenterden voorbij. Kinderen speelden. IJsventers duwden hun karretjes over de paden. Danny kocht een bekertje pistacheijs, ging zitten en begon te lezen.

De eerste helft van *De stralende tombe* was gewijd aan de eerste anachoreten. Met het doorvertellen van hun verhalen, zo stelde Terio, waren Sint-Antonius van Egypte en zijn volgelingen grotendeels verantwoordelijk voor de opkomst van het kloosterwezen in het Westen. Dat kwam, aldus Terio, doordat religieuze heremieten steevast volgelingen aantrokken. Ironisch was dat hoe dieper hun retraite was – hoe verder ze zich in de woestijn terugtrokken – hoe waarschijnlijker de kans dat ze er aan de andere kant met een eigen gevolg weer uit kwamen. En dat was maar goed ook: het waren immers de kloosterordes die tijdens de donkere Middeleeuwen het geschreven woord in stand hielden en zo de westerse beschaving redden van de onwetendheid en de duisternis.

Op zich allemaal heel interessant, maar Danny's aandacht werd pas echt getrokken door een van de laatste hoofdstukken van het boek. In zijn verhandeling over de 'onwillige anachoreten' haalde Terio een ballade of volkslied aan dat naar verluidde meer dan duizend jaar oud was. Het was getiteld 'De ingemetselde echtgenote' en was beroemd van Bombay tot Boekarest. Er waren, zo schreef Terio, meer dan zevenhonderd versies van het deuntje, in meerdere talen en dialecten.

In de Joegoslavische variant wordt een vrouw in de muren van een fort opgesloten. In Turkije is dat een karavanserai. In Perzië een brug. En altijd om 'geluk' af te dwingen of, in het geval van bruggen, om de riviergoden, die zich over dit soort oeververbindingen vertoornden, gunstig te stemmen.

De Transsylvanische variant vond Danny de meest aangrijpende. Hierin beult een groepje metselaars zich ver van huis af om een klooster te bouwen – om hun werk 's nachts vernietigd te zien worden. Gezegd wordt dat 'geesten' hier schuldig aan zijn, en de mannen zijn bevreesd: zullen ze dan nooit meer naar huis terugkeren? Wanneer de hoofdmetselaar over het probleem nadenkt, hoort hij een stem die hem vertelt dat de geesten van de rivier slechts gunstig gestemd kunnen worden door de offergave van een vrouw. En wel de eerste vrouw die de plek zal betreden. Zij zal in de fundering van de brug moeten worden opgesloten. Opgelucht dat er een oplossing is gevonden, stapt de metselaar met dit verhaal naar zijn collega's, en ze worden het eens: de eerste vrouw die naar de plek komt, zal levend worden begraven. De volgende morgen houdt iedereen vol spanning de weg in de gaten, en al spoedig zien ze in de verte een vrouw naderbij komen. Naarmate ze dichterbij komt, slaat de opwinding van de metselaar om in afgrijzen als hij beseft dat de vrouw zijn eigen jonge vrouw is, van verre gekomen met bloemen, voedsel en wijn. De metselaar smeekt God om haar te laten omkeren, terug te laten gaan zoals ze kwam, maar dat doet ze niet. En dus wordt ze in de muur ingemetseld. De metselaar sterft vervolgens van verdriet.

In zijn bespreking van het lied erkent Terio dat er net zoveel interpretaties als variaties in de tekst waren. Voor een aantal postmoderne analytici was het lied 'een dodelijke metafoor voor het huwelijkse leven' (waarin een vrouw volgens hen 'figuurlijk "ingemetseld" zat in een huwelijk om zo haar kuisheid te beschermen'). In een andere uitleg stond het lied voor 'de symbolische inmetseling van de Serven' door moslimindringers.

Volgens Terio echter moest het volkslied letterlijk worden genomen. Naar zijn mening was 'De ingemetselde echtgenote' niets meer en niets minder dan geschiedschrijving op basis van mondelinge overlevering – de populaire weergave van een historisch gebruik volgens welk vrouwen en kinderen levend werden ingemetseld om het slagen van belangrijke bouwprojecten zeker te stellen. Als bewijs van deze traditie haalde Terio de inmetseling aan van een vrouw, naar verluidt nog maagd, in een muur van het Nieder Manderscheid-kasteel in Duitsland. Een tweede voorbeeld was de Brug-Poort in Bremen: toen deze in de negentiende eeuw werd gesloopt, bleek het bouwwerk in zijn fundering een kinderskelet te hebben verborgen. Verdere bewijzen werden blootgelegd tijdens renovaties aan Engelse kerken en Franse kathedralen. Terio merkte in het voorbijgaan op dat een aantal geleerden dacht dat het kinderliedje 'London Bridge' naar het gebruik verwees. Spontaan schoot het liedje Danny te binnen:

London Bridge is falling down,
   Falling down, falling down.
London Bridge is falling down,
   My fair lady.
Take the keys and lock her up,
   Lock her up, lock her up.
Take the keys and lock her up,
   My fair lady.

Als je erover nadacht, sloeg het deuntje nergens op. Welke sleutels? Wie opsluiten? Was dat de strekking – een of andere mooie dame opsluiten om te voorkomen dat de brug instortte? Jezus. Hij kreeg er de kriebels van.

Alles welbeschouwd joeg het verhaal je de stuipen op het lijf, wat droogjes verteld maar wél boeiend. Zo boeiend zelfs dat toen hij eindelijk het boek dichtsloeg, hij tot zijn verrassing merkte dat de avond al was gevallen. Ongemerkt waren de lampen in het park aangefloept en waren de lange schaduwen van de namiddag opgelost in een verder dragende duisternis.

Hij kwam overeind en liep in de richting van een zwakke gloed, een nevel van licht waarvan hij hoopte dat het de Piazza del Popolo was. Niet dat het er iets toe deed. Hij ging op in zijn gedachten en kon net zogoed echt verdwaald zijn. Op een gegeven moment zou hij wel een taxi aanhouden die hem terug naar zijn hotel zou rijden, waar hij rustig van een diner zou genieten en vervolgens zijn bed in zou rollen. Maar intussen sjokte hij langs standbeelden van derdewerelddichters en revolutionairen door het park, met *De stralende tombe* stevig in zijn handen achter zijn rug. Voor het eerst betwijfelde Danny of Chris Terio echt zelfmoord had gepleegd. Stel dat hij een 'onwillige' anachoreet was. Wat dan? Wie zou zoiets doen? Iemand levend begraven?

Hij schudde het van zich af, maar de gedachte die zich vervolgens opdrong, bleek geen verbetering. Als het zelfmoord was geweest en Terio zichzelf echt had ingesloten, wat was er dan door hem heen gegaan? vroeg hij zich af. Wat ging er door zijn hoofd toen hij die laatste steen op zijn plaats metselde?

Toen Danny de volgende ochtend in het douanekantoor op de luchthaven Leonardo da Vinci voor de balie op een stempel wachtte, was het warm en voelde de lucht korrelig tegen zijn huid. Achter de balie hamerde een elegante jongeman op een antieke schrijfmachine. Een sigaret hing smeulend in zijn mondhoek. De douanebeambte was verbazingwekkend geconcentreerd bezig, alsof het toetsenbord een mysterie van reusachtige afmetingen was. Zo nu en dan deelde hij als in slowmotion een mep uit tegen de terugloop van de wagen, kneep zijn ogen dicht tegen de rook en hamerde weer verder. Ten slotte stopte hij en begon, net zo langzaam, te herlezen wat hij had getypt.

'*Va bene,*' verkondigde hij, en met een slinger aan de rolknop draaide hij het papier uit de machine. Hij kwam overeind en schoof het document over de balie naar Danny. 'U, tekenen.'

Danny gehoorzaamde en de douanebeambte stempelde en medeondertekende het papier. Daarna wees hij naar een getal (het was 1.483.000): 'Nu, u betalen.' Danny gehoorzaamde opnieuw en telde de lirebiljetten af uit een heel rolletje dat hij diezelfde ochtend bij de bank had opgenomen.

De beambte sorteerde de briefjes en stopte ze weg in een la onder de balie. Vervolgens draaide hij deze op slot, mompelde iets wat Danny niet helemaal verstond en verdween in een achterkamertje. Een minuut later keerde hij terug met een pakje in zijn handen en presenteerde het alsof het een kroon was, rustend op een kussen.

'Grazie!'

'Prego!'

Even later zat hij op de achterbank van de taxi, op weg naar het hotel en met de computer naast zich in de doos. Zijn voornemen was het ding binnen het uur met FedEx naar Belzer te verzenden, maar hij bedacht dat hij een vergissing zou begaan als hij niet eerst de inhoud kopieerde. Er raakte zelden iets zoek bij FedEx, maar een ongeluk zat in een klein hoekje en overkwam hem dat nu, dan kon het hem een hoop geld gaan kosten. Het was beter om de bestanden naar een diskette te kopiëren, zodat hij een back-up zou hebben voor het geval dat.

Op zijn teken stopte de taxichauffeur op de Via del Corso bij een chic winkeltje met kantoorbenodigdheden. Hij liet de auto met chauffeur, die in een voetbalblaadje zat te lezen, op het trottoir geparkeerd achter, ging de winkel in en kocht een doosje diskettes en wat postetiketten. Daarna ging hij terug naar het hotel en de trap op naar zijn kamer, waar hij zich op het bed liet zakken en met behulp van een briefopener voorzichtig de plakzegels op het pakketje doorsneed.

Precies zoals hij had gehoopt zat de Thinkpad in een hoes van zwarte nylon, met alle accessoires, waaronder een externe diskdrive en de benodigde adapters voor Italië. Het vergde slechts een minuut om alles aan te sluiten en aan de praat te krijgen. Hij ging direct naar de rootdirectory.

Daar vond hij een tiental directory's met tekstbestanden. De rest bestond uit systeembestanden en toepassingen die hij absoluut niet nodig had. Daarom maakte hij op de diskette dezelfde directory's aan en kopieerde er de tekstbestanden naartoe. Ten slotte liet hij de diskette in een van de hotelenveloppen glijden, noteerde de naam *Terio* op de voorkant en schoof hem in zijn plunjezak. Vervolgens stopte hij de Thinkpad weer in de hoes en legde hem terug in de kartonnen doos.

Het was tijd om Belzer te bellen. Tijd om uitbetaald te krijgen.

Het telefoonnummer van de advocaat prijkte op diens visitekaartje. Met het mobieltje dat Belzer hem had meegegeven, draaide hij het nummer. De verbinding was loepzuiver, een doodse stilte die werd onderbroken door een ver elektronisch getril. Toen opeens: 'Prego.'

'Eh... ik probeer meneer Belzer te bereiken.'

De stem reageerde enthousiast. 'Daniel! Mijn vriend! Geniet je een beetje van de eeuwige stad?'

'Het is te gek hier. Ik ben er ondersteboven van.'

'Fantastisch! En, heb je nieuws voor me?'

'Ik heb goed nieuws voor u,' antwoordde Danny.

'Ja! Dus je hebt de priester ontmoet?'

'Nog beter – ik heb de computer.'

'Wat?! Dat is geweldig!'

'Ja, goed – maar hoe bezorg ik 'm u?' vroeg Cray, met een pen in de aanslag. 'Ik dacht misschien met FedEx…'

Belzer grinnikte. 'Eh, tja, op zich prima, denk ik. Maar waarom besparen we niet een beetje geld?'

'Oké… hoe zal ik dan…'

'Waarom neem je niet even de lift, in plaats van FedEx te sturen?'

'Wat?' Even dacht hij dat hij het verkeerd had verstaan.

'Ik zei dat je hem met de lift naar boven kunt brengen. Ik zit op de tweede verdieping.'

Hij knipperde met zijn ogen. Is dit een grap? Nee, kan niet. Wat doet Belzer hier? Hoe lang is hij hier al? Het idee dat Belzer op hetzelfde moment hier in het hotel verbleef – zonder dat hij ervan wist – zat hem dwars. Het bezorgde hem een claustrofobisch gevoel. Aan de andere kant: waarom ook niet? Misschien was dit wel zijn vaste stek als hij in de stad was, vandaar dat hij hem ook hier had ondergebracht. Misschien was hij voor zaken in Rome. Niet dat het Danny iets uitmaakte, overigens. Het maakte zijn klus er alleen maar een stuk eenvoudiger op. 'Welke kamer?' vroeg hij.

Belzer grinnikte weer. 'Allemaal.'

'De hele etage?'

Danny kon het schouderophalen van de advocaat bijna horen. 'Het is een veiligheidsmaatregel,' legde Belzer uit. 'Het geeft mij in elk geval wat privacy, en trouwens, het zijn maar een paar kamers.'

Maar een paar kamers? Voor vijfhonderd dollar per nacht? 'Ik kom nu naar boven,' beloofde Danny.

De lift voerde hem naar de tweede verdieping, waar hem onmiddellijk duidelijk werd dat dit inderdaad Belzers domein was. Al meteen toen de liftdeuren opengleden, sprong een stevige kleerkast in een zwart kostuum op van zijn rechte stoel en stapte naar de lift. Snel nam hij Danny op, knikte vervolgens beleefd en gebaarde naar twee andere mannen verderop in de gang.

Hij liep verder en trof de advocaat in een ouderwetse bibliotheek met notenhouten lambrisering.

'Dan!' begroette Belzer hem joviaal terwijl hij van achter een antiek houten bureau vandaan kwam om hem de hand te schudden. Ook nu weer droeg hij een donker pak van goede snit en een bril met grijsgetinte glazen – niet echt een zonnebril, maar wel donker genoeg om slechts met veel moeite zijn ogen te kunnen zien. 'Ik kan je niet zeggen hoe blij ik ben. Echt!' Belzer nam de jongeman bij de arm en troonde hem mee naar een ovale tafel onder een raam met verticale stijlen, dat uitkeek op de straat. 'Is dit hem?' vroeg hij terwijl hij het pakje uit Danny's armen nam.

'Ja, dit is hem,' antwoordde Danny. Hij nam plaats in een leren fauteuil en keek toe hoe Belzer het pakje bekeek. De advocaat merkte dat het geopend was en keek vragend in Danny's richting.

'Ik wilde er zeker van zijn dat alles erin zat,' zei Danny.

Belzer knikte en nam een stoel bij de tafel. Een ober verscheen met een dienblad en schonk voor hen beiden een glas ijswater in. 'Iets drinken?' vroeg Belzer terwijl zijn gemanicuurde hand een kringetje beschreef in de lucht.

'Nee, dank u, ik…'

'Sigaartje? Kop koffie?'

Danny schudde zijn hoofd. 'Nee, echt – ik hoef niets.'

Belzer wuifde de ober weg alsof deze een vlieg was en trok de Thinkpad uit zijn verpakking. Hij plaatste de laptop tussen hen in op de tafel, klapte het scherm omhoog en schoof het AAN-knopje naar voren. Het duurde bijna een minuut voordat het opstartmuziekje klonk, waarna, onder het toeziend oog van Danny, de vingers van de advocaat op het toetsenbord begonnen te tikken.

Hij kon niet precies zien wat Belzer aan het doen was – het scherm stond de andere kant op – maar hij vermoedde dat Belzer Terio's directory's doorzocht, op zoek naar iets bijzonders. Of misschien ook niet. Misschien probeerde hij maar wat.

Vijf minuten verstreken, daarna tien. Zo nu en dan pauzeerde Belzer even om iets wat kennelijk van belang was te lezen of te herlezen. Danny schonk er weinig aandacht aan, bleef zitten waar hij zat, de gewerkte uren in zijn hoofd optellend, en deed hard zijn best zich te herinneren wat Belzer ook alweer precies had gezegd toen ze hun afspraak maakten over de computer. *Ik geef je tienduizend dollar… boven op je uurtarief… Misschien dat die priester jou die computer verkoopt. Doet ie-dat, prima… dan kun je de rest van het bedrag houden.*

Zoiets.

Danny nam een slok water en begon te rekenen. Eén-komma-vijf miljoen lire was ongeveer 675 dollar. Dat had hij de douane betaald voor de computer. De vraag was: viel dat onder 'onkosten'? Of onder de voorwaarde 'smeken, lenen of stelen'? Niet zo hebberig, maande hij zichzelf. Je hebt geluk als deze vent je zelfs maar voor de uren betaalt die hij je verschuldigd is. Dit is té makkelijk. Voor tien mille had iemand je toch tenminste op de korrel moeten nemen of zo. Goed, geen uitgavenpost dus, maar de kosten van het zakendoen. Dan bleef er over… ongeveer 9000 dollar. Tenzij Belzer de computer hield, in dat geval zou hij voor de priester een Thinkpad moeten kopen. (Maak daar maar een tweedehands Thinkpad van.) Die kostte… hoeveel? Eén mille? Maar dit was Italië: misschien wel twee dus.

Hoe dan ook… *worst case*-scenario: als Belzer de Thinkpad hield, zou

Danny toch nog 7500 dollar aan de deal overhouden – plus zijn uren. Die stonden nu op achtenvijftig, voorlopig. Alles bij elkaar zou hij vermoedelijk rond de vijftien mille verdienen. Genoeg voor die videoapparatuur – of in elk geval genoeg om de rest op afbetaling te kunnen voldoen.

Belzer rammelde nog eens vijf minuten door op de computer. Een- of tweemaal maakte Danny aanstalten om iets te zeggen – zou hij blijven of moest hij maar gaan? – maar met een rustig afkapgebaar van zijn rechterhand in de lucht legde de advocaat hem het zwijgen op, zelfs nu zijn ogen aan het scherm leken vast te kleven.

Ten slotte opende hij een diplomatenkoffertje dat naast de tafel op de vloer stond en haalde er een cd uit. Hij legde de cd in een drive onder aan de laptop, schoof hem dicht en begon te tikken. Spoedig begon de harde schijf te knarsen, een ritmisch, pulserend geluid dat in dit negentiende-eeuwse vertrek volkomen misplaatst leek. Misschien kopieerde hij wat dingen; Danny wist het niet zeker. Na bijna een minuut werd het apparaat stil. Belzer sloot af en klapte het scherm dicht. 'Ik ben héél blij met jou,' zei hij met een brede grijns.

Danny moest er bijna van blozen. 'Dank u.'

Belzer schudde zijn hoofd, nam zijn bril af en hield deze in zijn ene hand. De advocaat deed dit om de zoveel tijd, en Danny herkende het inmiddels als een gebaar dat hij gebruikte om belangrijke zaken kracht bij te zetten. Een gebaar van insluiting. 'Nee, ik dank jóú. Als jij niet dat FedEx-verzendbewijs had gevonden – in het vuil nog wel…'

Danny aanvaardde het compliment met een bescheiden schouderophalen.

'Ik heb 's nagedacht,' zei Belzer. 'Je bent een interessante jongeman: slim, snel, creatief – en voorzover ik kan beoordelen, ken je geen schroom. Dat zie je zelden.'

Deze woorden van lof bezorgden Danny een ongemakkelijk gevoel. Hij kromp bijna ineen, maar slaagde erin Belzer in de ogen te blijven kijken. Voor de eerste keer viel het Danny op dat de ogen van de advocaat de kleur en structuur van modder hadden. 'Dank u,' zei hij.

'Goed… ik heb dus nagedacht… misschien is het een goed idee om dit op een wat vastere basis voort te zetten.'

Danny keek de man vragend aan. 'Hoe bedoelt u?'

'Ik bedoel: ik wil dat je voor me gaat werken – fulltime.'

Danny nam niet eens de tijd om het aanbod te overwegen. 'Dank u,' zei hij, 'maar dat lijkt me geen goed idee. Voor mij is dit… gewoon een tijdelijke bijverdienste.' Hij zweeg even en laadde zich op om een speech af te steken over kunst en hoe belangrijk die voor hem was, maar de advocaat onderbrak hem.

'Laat me even uitpraten,' zei hij. 'Ik dacht, we zetten je uurtarief om in een salaris. Je zult moeten reizen, maar wij zorgen ervoor dat dat eersteklas gebeurt – dus je zult er niet al te zeer onder lijden.'

Danny dacht erover na. Om eerlijk te zijn: hij was dól op reizen – vooral eersteklas (wat hij inmiddels precies één keer had gedaan). 'En waar zou de reis dan naartóé gaan?' vroeg hij.

Belzer haalde zijn schouders op. 'De cliënt heeft veel belangen. Londen, Moskou, Tokio... Los Angeles. Moeilijk te zeggen. Ik zie jou als een soort brandweerman. Een troubleshooter. Er is ergens een probleem – jij springt in het vliegtuig, zoekt het uit en brengt verslag uit. Aan mij. Volgens mij zou je dat wel interessant vinden, zelfs al was het maar voor een jaar of twee.' Nu zette Belzer de bril weer op en leunde achterover in de stoel, alsof hij Danny even een moment gunde om erover na te denken.

En dat deed hij. Het was onmogelijk om het rekensommetje niet te maken: honderd dollar per uur, veertig uur per week, tweeënvijftig weken lang, dat was... wat? Tweehonderdduizend per jaar? Niet slecht voor een kunstenaar van zesentwintig jaar. Caleigh zou echt versteld staan. Aan de andere kant: hij zou geen kunstenaar zijn, maar voor déze meneer werken en...

Belzer keek hem aan.

'Pardon?' zei Danny.

'Ik zei, je hoeft niet meteen te beslissen. Denk er een paar dagen over na – en kom dit weekend met je antwoord.'

'Dit weekend?'

'We kunnen erover praten in Siena. Ik zou het leuk vinden als je daar de Palio bijwoont.'

De Palio? dacht Danny. 'Wat is een Palio?'

Belzer fronste het voorhoofd. 'Je houdt me voor de gek.'

Danny schudde van nee.

De advocaat glimlachte en boog zich voorover. Met de ellebogen op tafel plaatste hij zijn vingers tegen elkaar tot een dakje en begon uit te leggen. 'De Palio is de oudste en meest spectaculaire paardenrace ter wereld. Ze houden hem tweemaal per jaar op de Piazza del Campo – wat een van de mooiste pleinen van Italië is, een echt grote piazza in de vorm van een zeeschelp. Alle *contrade* hebben een paard in de race, dus...'

'Wat is een *contrade*?' vroeg Danny.

'*Contrada*,' corrigeerde Belzer hem. 'Een van de oude wijken in Siena.' Hij begon te lachen. 'Het is heel erg *West Side Story*-achtig, heel erg *Romeo en Julia*. De Montagues en de Capulets – en ik.' Hij lachte opnieuw. 'Maar goed... het begint dus met een kanonschot. Vijftigduizend mensen op elkaar gepakt op het Campo, schouder aan schouder, met de paarden die er in cirkels omheen draven. De jockeys rijden zonder zadel.'

'Klinkt spectaculair.'

Belzer nam de bril weer af en boog zich iets voorover. 'Het is magnifiek. Heel Italië ligt stil. Tijdens de race lijkt het wel een landelijke hartstilstand. Voor een kunstenaar als jij... is dít waar het leven om draait. De menigte, het bloed, de snelheid.' Belzers modderogen hielden hem gevangen, een flauwe glimlach speelde rond zijn volle lippen.

Danny dacht erover na. Is dat waar het leven om draait? Vast niet. Hoe dan ook, wat hij echt wilde was betaald krijgen, het eerstvolgende vliegtuig terug naar de States nemen en met Caleigh in bed duiken. Maar toch…

'En als je daar toch bent, kun je meteen Zebek ontmoeten – hij wil jóú ontmoeten – en wij schrijven ter plekke een cheque voor je uit. Die ligt dan voor je klaar zodra je arriveert.'

Danny wist even niet wat hij moest zeggen.

De advocaat grinnikte. 'Het is slechts een dag of twee,' beloofde hij, 'en je uren en onkosten betalen we gewoon door.'

'Dat is het probleem niet,' zei Danny. 'Ik ga binnenkort exposeren…'

Achter Belzers bril verscheen een teleurgestelde blik, en Danny besefte dat hij ondankbaar klonk. De advocaat was immers uitermate genereus en – plotseling bekroop hem een afschuwelijke gedachte. Als hij niet ging om die cheque op te halen, hoe lang zou het dan duren voordat hij hem opgestuurd kreeg? En wanneer dat gebeurde – áls het al gebeurde – zou het dan wel het volle bedrag zijn? Of zou Belzer zich bedenken over zijn gulheid? En Zebek? Misschien zou het best interessant zijn eens iemand te ontmoeten die zo rijk, zo machtig was. Misschien was hij wel kunstverzamelaar. Misschien… 'Oké,' besloot Danny. 'Waarom ook niet? Ik kom ook niet dagelijks in Italië.'

'Fantastisch!' reageerde Belzer. 'Acht uur morgenavond, ik zal naar je uitkijken. Voor het avondeten, *al fresco*, op het Campo zelf. Het wordt een bijzondere avond, de avond voor de race.'

'En hoe kan ik u vinden?'

Belzer haalde zijn schouders op. 'Ga naar het Campo en zoek naar het Palazzo di Pavone in de Logge della Mercanzia. Daaronder zullen de tafeltjes gedekt zijn. Je ziet de vlaggen vanzelf.'

Danny zocht zijn zakken af naar een pen.

'Je hoeft het niet op te schrijven. Iedereen weet waar het is. Zoek naar een lang balkon dat helemaal wordt ondergescheten door pauwen. Die zie je nergens anders rond het Campo.' Hij lachte en miste de verschrikte blik in Danny's ogen.

Pauwen? Wat had Inzaghi ook alweer gezegd? Iets over een 'Pauw Engel'. 'U bedoelt dat hij pauwen houdt – midden in de stad?'

Belzer lachte. 'Waarom niet? Beter dan een waakhond – en Zebek kon de verleiding niet weerstaan.'

'Weerstaan? Hoezo?'

'Het palazzo. Het is zestiende-eeuws, en toen het op de markt kwam – nou ja, je kunt het je wel voorstellen; die dieren hóórden er gewoon.'

Niet-begrijpend fronste Danny het voorhoofd.

Belzer glimlachte. 'Ik vergeet steeds dat je geen Italiaans spreekt.' Hij dacht een ogenblik na en begon het toen uit te leggen. 'Elk van de *contrade* heeft een symbool, meestal een dier maar niet altijd.' Hij zweeg even. 'Hoe dan ook, één van die dieren is *il pavone* – de Pauw. Dus logisch, als je een bedrijf hebt dat *Sistemi di Pavone* wordt genoemd, en het hoofdkantoor is in Siena... welnu, over de aankoop van het *Palazzo di Pavone* hoefde hij geen seconde na te denken. Ik geloof dat ze dat in marketingtermen "*branding*" noemen.' Met een schouderophalen plantte Belzer zijn wandelstok op de vloer en werkte zichzelf overeind.

'En de computer?' vroeg Danny, die nu ook opstond.

De advocaat wierp een onverschillige blik naar de laptop. 'Wat is daar-mee?'

'Ik heb tegen die priester gezegd dat ik zou proberen hem terug te ge-ven.'

'Geef hem dan maar terug,' sprak Belzer. Hij keek even op zijn Rolex. 'O, dat vergeet ik bijna.' Uit de binnenzak van zijn colbert diepte hij een brui-ne envelop op en overhandigde deze aan de Amerikaan.

'Wat is dit?'

'Je kaartje voor de *rapido* naar Siena. Die vertrekt om twee over halfelf van Termini. Morgenochtend dus. En er zit een voucher in voor de Villa Scacciapensieri.' Er verscheen een spijtige blik op zijn gezicht. 'Een aardig hotel, alleen misschien niet zo centraal als je zou willen. Maar goed, met de Palio voor de deur... mogen we blij zijn dat je niet in een tent overnacht. Alles is volgeboekt.'

Met wat gemompel deed Danny het ongemak af. De twee schudden el-kaar de hand.

'Tot morgen, dan.'

'Acht uur,' zei Belzer nog eens. 'En dan kun je overmorgen samen met ons vanaf het balkon de race bekijken. Het is wat hoor, en iedereen is het erover eens: voor het uitzicht zou je een moord doen.'

Zittend aan een tafeltje in de slaapverwekkende eetzaal van het Inghilterra nam hij de volgende ochtend alle tijd voor zijn ontbijt. Hij had veel om over na te denken en er schoot een tekst van een oud new-wavenummer door zijn hoofd:

> *Should I stay,*
> *Or should I go?*

Enerzijds: hij had zijn eigen leven. En wat hij eigenlijk moest doen, was te-ruggaan naar dat leven en keihard aan de slag met zijn werk; dan kon hij die beeldapparatuur kopen die hij nodig had en... wie weet? Misschien een paar stukken verkopen. Meer kon een kunstenaar eigenlijk niet vragen – gewoon genoeg verdienen om te kunnen blijven werken. Mocht hij ooit een grote slag slaan, prima. Maar het ging om het wérk. Niet om het geld.

'Nog wat koffie, signor Cray?'

Danny keek op en knikte. 'Graag.'

De ober schonk hem bij, boog en trok zich terug.

Aan de andere kant… hij kon het wereldje van de schone kunsten de rug toekeren en het duistere pad inslaan – niet voorgoed natuurlijk, maar lang genoeg om zich te koesteren in een wereld van privé-jets en chique hotels met Belgische bonbons op de kussens. Want dat bood Belzer hem: een kans om 'groots te leven'.

En dat was verleidelijk. Maar die verleiding – en het was duidelijk evenzeer een verleiding als een 'kans' – wierp vragen op. Bijvoorbeeld: dat gedoe over 'het duistere pad'. In zijn (toegegeven, beperkte) ervaring waren het zelden de rijken die om de goede zaak streden. Dat was gewoon een feit.

En deze zaak met Belzer, hoe kon hij weten wie nu aan de goede of aan de verkeerde kant stond? Of zelfs waar dit nu eigenlijk over ging? De vraag was: kon het hem eigenlijk wel iets schélen aan wiens kant hij stond? Hij dacht van wel, maar nu, met dat aanbod van Belzer, vreesde hij dat wat hij aan deugdzaamheid bezat minder met integriteit te maken had dan met een gebrek aan opties. Misschien was hij niet de brave jongen die hij zich altijd had voorgesteld – maar gewoon een slechterik die zijn kans afwachtte om zijn slag te kunnen slaan.

Hij nam een slokje van zijn koffie en bewonderde het crèmekleurige porseleinen kopje. Het punt was: deze zaak met Terio en Belzer – op de een of andere manier bracht het óngeluk. Dat voelde hij. De pauwen, het geweld, het was allemaal zo vreemd. Het maakte dat hij een kruisje wilde slaan, wat voor hem…

Jezus, dacht hij, ik begin door te draaien. Geërgerd door zijn geweten tekende hij voor het ontbijt en verdween naar zijn kamer.

Hij trok Terio's laptop onder het bed vandaan, nam plaats op de sofa en zette het apparaat aan. Misschien dat er iets op staat wat me kan helpen de knoop door te hakken. Iets over Terio of Zebek…

Maar zoiets bleek er niet te zijn.

Er was eigenlijk niets.

Zero. Niente. Nada.

Hij staarde wat voor zich uit. Het beeldscherm leek een muur van opgloeiende pixels. Eventjes dacht hij dat het ding kapot was – maar nee, gisteren bij Belzer had hij het nog gedaan. Hij zette hem uit en weer aan. Zelfde verhaal.

Zo bleef hij nog even, met de computer op schoot, op de rand van het bed zitten, maar het leek wel een eeuwigheid. Hij herinnerde zich dat Belzer tegenover hem zat in de bibliotheek en aandachtig naar het scherm tuurde. Na een poosje had de advocaat een cd in de drive gestopt – zodat hij de bestanden kon kopiëren. Tenminste, dat dacht Danny. Een van de stations was gaan knarsen. En nu…

Plotseling begreep hij wat er gebeurd was. Belzer had de bestanden helemaal niet gekopieerd. Hij had de harde schijf geformatteerd en met Disc-Wipe of een ander programma overschreven. Daar was die cd voor.

Was hij dan zo blind geweest? En nu hij erover nadacht, begon de betekenis van wat Belzer had gedaan pas goed tot hem door te dringen. Voor de eerste keer wist hij zeker aan welke kant hij stond – de verkéérde. De vernietiging van de bestanden wierp een geheel ander licht op Belzer en op 'het onderzoek' waartoe hij opdracht had gegeven. Dit was geen onderzoek – het was een doofpot. Het ging helemaal niet over Terio die valse informatie verspreidde, want dan zou Belzer die bestanden eerst wel hebben gekopieerd voordat hij de laptop teruggaf. Ze waren het bewijs van wat Terio had gedaan. Maar nee, de advocaat had alles gewist.

Dus nu wist Danny het. Hij was geen brave jongen, maar ook geen échte crimineel. Hij bleek gewoon het zoveelste onnozele slachtoffer, een marionet. De advocaat betaalde hem niet voor zijn verstand – Fellner Associates, dáár werkten de echt slimme jongens. Belzer betaalde hem voor zijn naïviteit. Bij Fellner zouden ze Belzers plannetje al meteen hebben doorzien. Met alle middelen die het bedrijf tot zijn beschikking had, zouden ze eerst via Nexis de verdachtmakingen jegens Zebek hebben uitgezocht. Vervolgens zouden ze de resultaten hebben laten vertalen. En als dat niets opleverde, zouden ze hebben geweten dat de cliënt tegen hen loog – en de zaak de rug hebben toegekeerd.

Danny liep rood aan van woede. Hij was doorgaans een rustige jongen, maar hij had een Iers temperament – en áls hij uit zijn slof schoot, kon je maar beter bij hem uit de buurt blijven. Zijn moeder maakte zich er zorgen over. *Jij bent net een hamer die doormidden breekt, Danny! Je vliegt van het handvat en volgens mij kan het je niks schelen wie er dan geraakt wordt.*

Dat was eigenlijk niet waar. Het kon hem juist wel schelen. Op dit moment wilde hij Belzer raken – en niemand anders. Maar Belzer een hengst verkopen, behoorde niet tot de opties. Niet echt. Daarom schoof hij de computer opzij, liet zich achterovervallen op de bank en staarde naar het plafond. Wat nu? vroeg hij zich af.

Het antwoord kwam direct: zorg dat je betaald wordt.

Belzer confronteren zou niets opleveren. Wat hem nu te doen stond, was het spelletje meespelen, het geld ophalen waar hij recht op had en als goede vrienden afscheid nemen: *Dank u voor het aanbod, meneer Belzer – het was heel interessant – maar ik heb een expositie in te richten. Ciao!*

En ondertussen zou hij hem naaien. Met de back-up die hij had gemaakt, zou hij de bestanden weer op de computer zetten. Belzer wist niets van de back-up – en hij zou er ook met geen mogelijkheid achter kunnen komen. De priester zou krijgen waar hij recht op had, wat het ook was wat Terio hem wilde geven – als er al iets wás. Misschien was de computer helemaal geen boodschap in een fles, zeg maar. Misschien had Terio de

Thinkpad inderdaad gewoon als een geschenk verzonden – zoals Inzaghi dacht – en meer niet. In dat geval kon de priester hetzelfde doen als wat Belzer had gedaan en Terio's bestanden allemaal verwijderen.

Maar er moet iets op dat ding hebben gestaan, anders zou Belzer de schijf niet hebben gewist. Ook dat was iets wat Danny niet wist: waarom wilde Belzer die bestanden vernietigd hebben? Hij wist het niet en wílde het ook niet weten. Danny Cray zou de Thinkpad bij de priester bezorgen – inclusief de herstelde bestanden. En zich een stuk beter voelen. Daarna – bekeken ze het allemaal maar.

Maar zo gemakkelijk ging dat dus niet. Belzer had de harde schijf opnieuw geformatteerd en niet alleen Terio's tekstbestanden vernietigd, maar ook het besturingssysteem van Windows. De eerste klus was dus het besturingssysteem te herstellen – iets wat Danny nog nooit had gedaan of gewild. Hij had duidelijk een computerfreak nodig – maar waar vond je zo iemand?

Toevallig is een van de voordelen van het verblijf in een goed hotel de goede portier die daarbij hoort. Het was Giorgio's taak om voor zijn gasten te zorgen, om alles voor hen te regelen wat ze maar wensten: kaartjes, reserveringen, informatie, mensen aan elkaar voorstellen – wat, wanneer en hoe dan ook. Na de portier zijn probleem te hebben voorgelegd, keerde Danny terug naar zijn suite om de oudere Giorgio de gelegenheid te geven even wat rond te bellen. Wat hem met succes afging. Na ongeveer een uur stond er een jongeman voor de deur met een zwaarbeschadigd cd-doosje. In het doosje zat een illegaal kopietje van Windows 98.

De jongen had niet veel tijd nodig om de boel te installeren – iets meer dan een halfuurtje. Toen het karwei geklaard was, gaf Danny hem het equivalent van honderd dollar en bonjourde hem de deur uit. Daarna nam hij plaats achter de laptop en herstelde een voor een de tekstbestanden die Belzer had verwijderd. Dit kostte hem een minuut of twee. Toen hij klaar was, belde hij Inzaghi op.

'Dat is snel,' zei de priester, niet de moeite nemend zijn verrassing te verhullen. 'Ik dacht dat u 'm nog dagenlang wilde houden.'

'Er stond niets op waar wij naar zochten,' legde Danny uit. 'Dus! Hoe bezorg ik hem bij u? Morgen vertrek ik namelijk. Ik neem aan dat het met FedEx kan?'

Inzaghi aarzelde even. 'Mij best, maar – waar gaat u naartoe? Terug naar Amerika?'

'Nee, eigenlijk ga ik naar Siena.'

'Voor de Palio! Natuurlijk! Prachtige stad – ik benijd u. Vergeet vooral niet naar de kathedraal te gaan. Die is zelfs na een bezoek aan de Sint-Pieter nog spectaculair!'

'Ik zal mijn best doen.'

De priester zweeg even, alsof hem zojuist iets te binnen was geschoten. 'En hoe reist u?'

'Het ziet ernaar uit dat ik de trein neem.'

'Nou, in dat geval,' zei Inzaghi, 'ik ga morgenochtend naar Frascati – ik kan met u op Termini afspreken.'

'Zeker weten?'

'Tuurlijk. Er hangt een informatiebord in de hal. Gigantisch ding – niet te missen. Hoe laat vertrekt uw trein?'

'Twee over halfelf.'

'Dan zie ik u om, pak 'm beet, om kwart voor tien. Alleen…'

'Wat?' vroeg Danny.

'Kijk uit voor de kinderen,' raadde de priester hem aan.

'Welke kinderen?'

'De zigeunerkinderen. Echt schatjes hoor, maar het zijn eersteklas zakkenrollers.'

# 9

Massa's mensen, stof en herrie.

Danny en de priester hadden in café Termini, net binnen de stationshal, op rechte stoelen aan een tafeltje plaatsgenomen. Inzaghi zat tegenover hem, met de riem van de Thinkpad-hoes in een lus om zijn arm – uit voorzorg tegen de kinderdiefjes die het station afspeurden op zoek naar open portemonnees en onbeheerde bagage. De priester nam aarzelend een slokje van zijn espresso en trok een gezicht. 'Niet zo best.'

Danny knikte, maar luisterde niet echt. Hij was gevangen in een mijmering die met de toekomst te maken had, en was zich slechts in de verte bewust van de man tegenover hem aan het tafeltje en van het gedruis op het station. In gedachte was hij allang voorbij deze ontmoeting, de reis naar Siena, de Palio en het waarschijnlijke 'bedankt-maar-toch-maar-niet' dat hij Belzer zou meedelen. Hij bevond zich duizenden kilometers hiervandaan, in een winkel in Lower Manhattan, en gaf zijn geld uit aan videoapparatuur.

'Bij elk pompstation in de provincie is de koffie beter dan hier, rechercheur,' oordeelde Inzaghi. 'Ik schaam me ervoor Italiaan te zijn.'

Danny haalde zijn schouders op. Rechercheur. Het woord voerde hem terug in het heden, terug in Italië. Hij keek op naar de priester. 'Luister,' begon hij. 'Ik moet u iets opbiechten.'

Inzaghi fronste zijn wenkbrauwen. De rechercheur had kennelijk geen woord van zijn kritiek gehoord. 'Ja?'

'Het is… nou ja, eigenlijk ben ik geen rechercheur. Ik ben… een detective.'

Inzaghi knikte. 'Nou en?'

'Een privé-detective,' verduidelijkte hij.

De priester knipperde plotseling nieuwsgierig met zijn ogen.

'En ik werk niet voor Fairfax County,' ging Danny verder.

'Maar…' Nu was Inzaghi echt in de war. Zijn handen trilden even in de lucht, rustten toen weer op het tafeltje. 'Uw legitimatie – die heb ik toch gezien? Fairfax County.' Hij fronste het voorhoofd. 'In Virginia. En vervolgens… bracht u me dit ding.' Met de rug van zijn hand klopte hij tegen de computer.

Danny knikte. 'Weet ik wel, maar… ik heet eigenlijk Danny Cray. En ik ben kunstenaar, beeldend kunstenaar. Dit onderzoekswerk is gewoon een manier om de rekeningen te betalen. Soms moet je iets voorwenden, en… het spijt me.'

Inzaghi keek verbaasd, maar zijn gezicht verried geen woede. 'Dus wie heeft jou ingehuurd?' vroeg hij even later.

Het was een voor de hand liggende vraag, en net zo begrijpelijk dat Danny hem niet wilde beantwoorden. Toch deed hij het. Hij vertelde Inzaghi over Belzer en Zebek. Klaar met zijn verhaal maakte hij met een wijsvinger een rolbeweging naast zijn hoofd. 'Het was *Tring, tring!* Het enige wat ik hoorde, was het gerinkel van de kassa. En voordat ik het in de gaten had, had Belzer me in zijn web gevangen en was ik "rechercheur Muller".'

Met een frons op zijn gezicht leunde Inzaghi wat achterover en trommelde met zijn vingers op het tafeltje. 'Het is net zoals die zigeuners het doen: met kinderen.'

'Hoe bedoelt u?'

'Zoals ze hun onschuld misbruiken.'

In verlegenheid gebracht keek Danny neer op zijn handen. 'Ik wist waar ik mee bezig was. Het was een hoop geld. Dus ik zou niet kunnen zeggen dat ik zo "onschuldig" was.'

De priester glimlachte. 'Ik had het niet over jou. Ik had het over mezelf.'

Danny's schaamte nam toe. Na een ogenblik duwde hij zijn stoel achteruit. 'Goed,' zei hij en hij maakte aanstalten overeind te komen.

De priester legde een hand op zijn arm. 'Ik ben niet kwaad. Belangrijk is dat je de waarheid hebt verteld – en dat ik de computer heb. Maak je maar geen zorgen.'

Danny ontspande wat en liet zich weer in zijn stoel zakken. 'Dank u,' zei hij ietwat onzeker. Inzaghi schonk hem het voordeel van de twijfel, en hij wist niet of hij dat wel verdiende.

De priester vouwde zijn handen. 'Maar eigenlijk,' vervolgde hij, 'zou je je misschien wél zorgen moeten maken.'

Danny keek hem aan.

Inzaghi boog zich weer iets voorover. 'Ik bedoel, je moet voorzichtig zijn,' zei hij.

Danny haalde zijn schouders op. 'Ik ga binnenkort naar huis…'

'Nee. Binnenkort ga je naar Siena. Naar huis komt pas later.' De priester aarzelde even. 'Wat ik zeg is: wees op je hoede in Siena.'

'Oké.'

'Vertel me eens. Deze Zebek – hoeveel weet je over hem?'

'Niet veel.'

'Dat dacht ik al. Volgens mij moet hij erg op zichzelf zijn, want al lees je elke dag de belangrijkste kranten, dan nog kom je zijn naam het hele jaar niet tegen. Behalve misschien terloops en op de lijsten.'

'Wat voor "lijsten"?'

'Van de rijkste mensen. De machtigste. De beste zus, de beste zo. Agnelli, Berlusconi, Zebek. Hij staat er altijd tussen. En, hij is niet eens een Italiaan.'

'Niet?'

De priester schudde zijn hoofd. 'Hij is een Turk – hoewel hij al heel wat jaartjes in Italië woont.'

Danny wist even niet welke kant dit gesprek op ging en dat was aan zijn gezicht af te lezen.

Inzaghi zag zijn onzekerheid. 'Punt is: er was helemaal geen lastercampagne tegen Zerevan Zebek.'

'Weet u dat zeker?'

De priester knikte. 'Absoluut zeker. Er is bijna niets gepubliceerd over de man – in Italië noch elders. Ik herinner me een foto in *Oggi*. Een feestje in Milaan. Gucci of een aids-bal. De lijsten. Dat is het wel zo'n beetje.'

Danny keek sceptisch. 'Als hij zo rijk is, zou je toch zeggen dat…'

'Hij is een beruchte omstreden figuur. Wat een hoop zou kunnen verklaren. Wat uiteraard ook voor andere dingen geldt.'

'Zoals wat?' Hij wilde niet nieuwsgierig zijn – wilde deze zaak gewoon achter de rug hebben – maar kon het niet helpen.

De priester tuitte zijn lippen. 'Misschien heeft hij banden met de maffia.'

Danny verbleekte.

'Of erger,' zei de priester.

'Erger? Wat zou nou erger kunnen zijn?'

Inzaghi maakte een gebaar. 'Hij is Turks. Bijna alles is mogelijk.'

'Wat bedoelt u?' vroeg Danny.

'Wat ik bedoel… het land wordt geleid door het leger en door bepaalde families. Samen bezitten ze alle banken en papavervelden, munitiefabrieken en transportbedrijven. Aan de ene kant allemaal heel respectabel – met westerse ondernemingen als partners. Maar als je dieper graaft, stuit je volgens mij op afspraken met Libanese milities aan beide zijden van wat ze vroeger "de Groene Lijn" noemden. Bulgaarse bendes. Politieke facties in Armenië en Irak, in Iran en Syrië. Er wordt veel gesmokkeld. Daarbij vergeleken is onze maffia provinciaals.'

'Hoe weet u dat allemaal?'

'Ik lees *Le Monde*.'

'En u denkt dat Zebek…'

De priester schudde zijn hoofd. 'Ik weet niets over hem – ik weet alleen dat ik heel veel níét weet. Meneer Zebek is een mysterie. Maar hetzelfde geldt voor jou.'

Danny bracht zijn handen omhoog, alsof hij een beschuldiging wilde afweren. 'O nee, nu niet meer.'

105

'O ja, zeker wel. Ik weet namelijk nog steeds niet waarom je werd betaald om deze computer in bezit te krijgen.'

'Belzer wilde de bestanden wissen,' vertelde hij. 'En dat heeft hij gedáán.'

Danny zag dat de priester teleurgesteld was. 'Toen Chris me vertelde dat hij me de laptop cadeau gaf, zei hij dat hij er wat van zijn voorbereidende werk op had laten staan, zodat ik alvast wat kon lezen. Ik dacht dat ik misschien iets voor hem kon doen. Misschien een postume publicatie van zijn laatste werk, snap je, zijn onderzoek voor het boek. Nu zal het er niet meer van komen, vrees ik; ik...'

'Geen zorgen,' onderbrak Danny hem. 'Ik heb een back-up gemaakt, een diskette... Belzer weet er niets van. Ik heb de bestanden weer teruggezet. Dus wat er ook op de schijf stond...' Hij haalde zijn schouders op.

Even krulden Inzaghi's mondhoeken omhoog, maar al snel vertrokken ze weer tot een horizontaal streepje. 'Dat was heel aardig van je. Maar nu weet ik het zeker. Je moet niet naar Siena gaan.'

Danny rolde met zijn ogen. 'Hij moet me betalen, *Padre*. Reken maar dat ik op die trein stap.'

En dat deed hij. In de vroege middag arriveerde hij in de stad en merkte dat hij geheel onvoorbereid was op de pracht van dit kroonjuweel van Toscane. De stad was een sieraad, ingezet in een gouden landschap, met boerderijen en olijfboomgaarden rondom een collage van paleizen en torenspitsen, die zich over drie zacht glooiende heuvels drapeerde.

Buiten voor het station vond hij een taxi – een gedeukte Fiat – waarin hij onderuitzakte terwijl de chauffeur zich waagde aan een huiveringwekkende rit over een smalle weg die door de heuvels kronkelde en hen spiraalsgewijs steeds hoger voerde. Omsloten door eeuwenoude stenen muren gaf Siena nu en dan een glimp van zichzelf bloot terwijl de taxi in de glinsterende zomerhitte steeds hoger klom.

'U komt voor de Palio, nietwaar?' De chauffeur was een gedrongen, donkere man met een fleurige zijden sjaal om zijn hals – een onwaarschijnlijk kledingstuk dat vreemd afstak tegen zijn verschoten poloshirt en grijze broek. De sjaal zelf was magenta en groen, en Danny zag een gouden draak boven de plooien uit koekeloeren.

'Ja, natuurlijk!' riep Danny boven het kabaal van de zwoegende motor uit. 'De Palio!'

De chauffeur pakte de punt van zijn sjaal tussen duim en wijsvinger, trok hem los en hield hem voor zich uit. '*Drago!*' riep hij, kijkend in de binnenspiegel om te zien of Danny het begreep.

Danny trok licht aan de kraag van zijn overhemd en zwoer trouw aan zijn eigen vlag: 'De vs.'

De chauffeur moest lachen en gaf vervolgens een ruk aan het stuur, eerst naar rechts en daarna weer naar links, nu een zwarte Renault de taxi naar de grindberm dwong. Er volgde een litanie van krachttermen terwijl de taxichauffeur zich in zijn stoel omdraaide en de zondigende tegenligger met een starende blik bestrafte.

Hierna was het Danny's beurt om te vloeken nu een tegemoetkomende vrachtwagen vlak na een bocht op hen afgestormd kwam. Met tegenzin richtte de chauffeur zijn blik weer op de weg en ging op de rem staan.

'De Draak dus,' zei de chauffeur. Langzaam bereikte de auto weer zijn buitensporige snelheid terwijl de chauffeur het gesprek op nonchalante toon voortzette. 'Wij gaan winnen, denk ik. Ik het paard gezien hebben.' Hij haalde een hand van het stuur en kuste het boeketje vingertoppen. Ook zijn andere hand liet het stuur nu los en hij maakte een weids gebaar. 'Dit paard, hij beweegt goed.'

Danny oefende al zijn wilskracht uit om de handen van de man weer aan het stuur te krijgen. Terwijl ze denderend over de kiezelsteentjes van de binnenplaats van het hotel tot stilstand kwamen, vertaalde Danny's opluchting zich in een flinke fooi, ondanks het feit dat de rit twee bijna-doodervaringen had behelsd, wat in Italië heel normaal was. Bijgelovig als hij was, was Danny er heilig van overtuigd dat een gulle fooi elke rampspoed op afstand hield.

Het hotel stond op een heuvel die uitzicht bood op een olijfboomgaard in een van de meest romantische omgevingen die hij ooit had gezien. Tijdens het inschrijven bleek dat er voor hem, andermaal, een suite was gereserveerd, afgezonderd gelegen aan een rustige binnenplaats waarvan de muren schuilgingen achter klimrozen. Bijen hingen sloom in de lucht en schoten vervolgens weg in het zonlicht. Vogels kwetterden. Er klonk geborrel van water. Overal stonden terracotta potten, overlopend met bloemen en kruipers. En aan alles kleefde de geur van rozen en lavendel.

Danny's eigen vertrekken waren aangenaam koel en vrolijk ingericht, met donkere houten balken aan de plafonds, een hoekhaard en een marmeren badkamer. Hij dacht erover de stad in te gaan – Siena was een stad die hij graag wilde verkennen – maar besloot eerst iets te drinken op het terras.

Hij was halverwege zijn tweede campari-soda, zijn blik rustte op de olijfboomgaarden beneden, toen opeens Paulina Pastorini op elegante wijze zijn blikveld betrad. Ze zag hem, wuifde even en stak het terras over met een tred die zo sensueel was dat je haar gemakkelijk als een gevaar op de weg kon bestempelen.

Ze droeg een feloranje halterjurkje en witte sandalen met hoge hakken, en haar ogen gingen schuil achter een dure zonnebril. Met haar crème-kleurige teint en kastanjebruine haar was het effect adembenemend. Een stemmetje in zijn achterhoofd fluisterde dat hij eigenlijk niet blij was haar te zien, dat het beter was om alleen te zijn, dat ze alleen maar ongeluk zou brengen. Maar het werkte niet. Geen seconde. Deze vrouw was heel opwindend.

'Aha, dáár zit je!' zei ze, ze lachte haar tanden bloot en wierp haar glanzende haar in haar nek. 'Mag ik bij je komen zitten?' vroeg ze, en zonder het antwoord af te wachten, trok ze er een stoel bij en nam plaats.

Vanuit het niets verscheen de ober. '*Signorina?*'

Ze brandde los in het Italiaans. De ober knikte en trok zich terug. Met een onnozele glimlach bracht ze haar kin omlaag en keek Danny aan over haar zonnebril.

Bambi-ogen, was zijn gedachte.

'Ben jij wel een brave jongen geweest?' vroeg ze.

Danny verschoof wat in zijn stoel en zocht wanhopig naar een geestig antwoord: 'Ik denk van wel.'

Ze lachte.

'Ben je hier voor de Palio?' vroeg hij.

Ze schudde haar hoofd. 'Ik ben hier voor jóú,' verklapte ze hem en ze zweeg even. 'Om je in Siena rond te leiden, om te tolken – wat je maar wilt.' Haar elegante schouders gingen op en neer.

Een ogenblik later verscheen de ober weer, nu met een fles pinot Grigio en twee glazen. Hij hield de fles schuin voor Paulina en wachtte haar goedkeuring af. Toen ze instemmend knikte, ontkurkte hij behendig de fles en schonk haar een bodempje in. Toen ze van de wijn proefde en in komische verrukking met haar lippen smakte, moest de ober lachen. En Danny ook.

Het ging allemaal heel ontspannen, volkomen in overeenstemming met de doezelige luister van de middag. Dit is het leventje van een rijkaard, dacht hij. En zo spel je je lot uit de loterij: P-a-u-l-i-n-a.

Toen de wijn bijna op was, lieten ze Paulina's auto – een witte Lancia – voorrijden, waarna ze de heuvel af reden naar de stad. Ze was een goede chauffeur, honderd keer beter dan de taxichauffeur, en schakelde keer op keer soepel naar de volgende versnelling. Danny merkte dat hij naar haar benen zat te kijken en wendde snel zijn ogen af.

'Ik heb gehoord dat je kunstenaar bent,' zei ze.

Hij knikte.

'En een goeie ook, volgens signor Belzer. Een echte Picasso!'

Danny grinnikte. 'Jaaa, hoor, dat ben ik. "Een echte Picasso!"'

'Maar dat zei hij echt! Ik geef het gewoon even door. Maar goed, ik dacht: laten we wat kunst gaan bekijken. Ik kan je dingen laten zien waardoor je van je ogen gaat.'

Even snapte hij het niet, maar toen begreep hij wat ze bedoelde. 'Van je "sokken",' liet hij haar weten.

'Pardon?'

'Van je "sokken". Je kunt van je sokken gaan of vallen – niet van je ógen.'

Ze keek even naar hem. 'Echt? Niet je ogen dus? Je sókken?' Haar lach was pure betovering, maar toch wekte ze de indruk dat ze de uitdrukking opzettelijk had verward – dat ze 'leuk' deed voor hem. 'Wat is daar nou logisch aan?' vroeg ze. 'Zelf draag ik geen sokken. Jij gelukkig wel. Dus misschien kunnen we die laten vallen.'

Tussen de meesterwerken door – de beroemde fresco's van het *Goede bewind* en het *Kwade bewind* in het Palazzo Pubblico, de kathedraal met zijn doopvont en Donatello's reliëfs, een prachtig ingelegd marmeren plaveisel – vertelde ze hem over de Palio.

'Siena – het is niet zo'n grote stad, weet je. Misschien zestienduizend mensen in zeventien *contrade*.' Ze keek naar hem. 'Je weet wat een *contrada* is?'

Hij knikte. 'Net zoiets als een buurt.'

Ze leek onder de indruk. 'Goh, niet te geloven,' klonk het bewonderend. 'Amerikanen weten dat bijna nooit.' Ze zweeg even en vervolgde toen: 'Goed, dan weet je dus dat elke *contrada* zijn eigen grenzen heeft binnen de stad – en zijn eigen kapel, museum en gezelligheidsvereniging, zijn eigen patroonheilige, vlag en totem.'

'Zoals de Draak.'

'Ja, zoals *Drago*. Verder is er een Panter, en een Wolf, maar het is niet wat je zou verwachten. Ik bedoel, ik weet dat jullie in de States deze… symbolen hebben voor je sportteams, maar dat zijn hoofdzakelijk… ehmmm… wilde dieren. Sterk. Snel. Gewelddadig. Maar hier is het anders.' Een zangerig giecheltje. 'Heel anders.'

'Hoezo? Wat bedoel je?'

'Nou, je hebt een Gans, een Slak en een Golf, een Bos. Zelfs een Rups.' Ze giechelde opnieuw en het kwam hem voor dat ze last had van de wijn. 'En niet eens een mooie, zoals die in *Alice in Wonderland*. Niks geen strepen of aparte snorharen. Gewoon een groene tomatenworm.'

'Ga weg.'

Ze vermaande hem, gaf hem met een volmaakt gemanicuurde vinger een tikje op zijn bovenarm. 'Wacht maar, je zult het wel zien. Maar goed, trouw aan de buurt blijf je je hele leven lang. Eenmaal een Slak, altijd een Slak – en voor de andere *contrade* geldt hetzelfde. Je kunt wel trouwen met iemand van buiten je *contrada*, maar je eigen *contrada* blijf je altijd trouw.'

'En jij?' vroeg Danny.

'Ik?'

'Ja, uit welke *contrada* kom jij?'

Weer die giechel. 'Hmmmm,' klonk het toen, 'hoe zeg je dat? *Uptown*.' Ze lachte. En hij begon ook te lachen.

Na in de Piccolomini-kapel wat vroege Michelangelo's bekeken te hebben, liepen ze weer naar buiten en merkten ze dat de stad al in het duister gehuld was; van de zon restte nog een roze gloed in de westelijke heuvels. 'Laten we naar het Campo gaan,' stelde Paulina voor, ze nam Danny bij de hand en leidde hem door een doolhof van doorgangetjes en straatjes.

'We bevinden ons op *Onda*-grondgebied,' vertrouwde ze hem toe. 'De Golf. Zie je?'

Inderdaad. Aan elk balkon hingen *Onda*-vlaggen, rimpelende stroken wit en marineblauw, de kleuren om en om, de een boven op de ander. Het motief zag je overal terug, aangebracht op bloembakken, geschilderd op deuren, zelfs uitgesneden in de funderingen van de gebouwen om hen heen. Vóór hen flikkerde een straatlantaarn aan. Hij lachte nu hij zag dat de lantaarn de vorm had van een vis – een gestileerde vis die op gestileerde golven danste.

'Weet je dat sociologen vanuit de hele wereld hiernaartoe komen om het *contrada*-systeem te bestuderen?' vroeg Paulina. 'Echt! Ze zeggen dat de *contrade*, lang geleden, oude stammen waren. En deze stammen zijn als grote families. Iedereen is een neef, snap je? Dus ze zorgen voor elkaar. Maar buiten de *contrada*? Daar is het altijd vechten. Ik denk dat deze rivaliteit de stad nu bij elkaar houdt.'

Ze liepen over een klein plein waar kinderen met Palio-sjaaltjes met een rode rubberen bal aan het voetballen waren.

'En de race zelf?' vroeg hij.

'Die wordt tweemaal per jaar verreden. En altijd op dezelfde data, of hij nu in het weekend valt of niet. Op 2 juli en 16 augustus. En niet alle *contrade* doen aan beide mee. Er is slechts plek voor elf. Dus in juli zijn het de zes die in augustus het jaar daarvoor niet meerenden – plus nog eens vijf die ze met lootjes trekken. Daarna, in augustus, zijn het de zes die niet in juli uitkwamen, plus een tweede trekking voor de overblijvende vijf plaatsen.'

'Dus wat is het? Een historisch spektakelstuk? Of een echte wedstrijd?'

'Het is niet alleen voor de show. Er komen paarden bij om. Soms ook jockeys. Zelfs zo nu en dan iemand uit het publiek.'

'Je houdt me voor de gek.'

Ze schudde haar hoofd. 'O, nee. De *contrade* nemen het doodserieus. Dit gaat al duizend jaar zo. Het is een week vol festiviteiten, dat is waar, ja. Een spektakel. Je zult wel zien – vanavond is de laatste avond voor de grote strijd, dus dan gaat het er altijd op zijn wildst aan toe. Maar goed, er zijn dagen en avonden met middeleeuws spektakel, zingen en vlaggen zwaaien – een onderdeel waarbij het er heel beschaafd aan toe gaat. Daarna, zodra het kanon het startschot geeft, brandt de race los... nou ja, dan wordt het wreed en corrupt tegelijk. Je ziet 't morgen wel. Drie keer het Campo rond, zonder zadel, met in het midden vijftigduizend mensen die vreselijk tekeergaan terwijl de paarden langsvliegen. Het duurt maar anderhalve minuut.'

'Waarom zeg je dat het corrupt is?'

Ze haalde haar schouders op. 'Het hoort bij de wedstrijd. Alles mag. Niets is verboden. De meeste jockeys komen uit de Maremmen en ze kunnen goed overweg met de zweep – hoewel ze die vooral tegen elkaar gebruiken in plaats van tegen de paarden. Een aantal paarden is gedrogeerd en elk jaar verongelukt er wel eentje bij de San Martino-bocht – daar liggen weliswaar strobalen, maar het blijft een onmogelijke bocht.' Ze zweeg even en vertelde toen verder. 'En uiteraard is de hele race doorgestoken kaart. Elk jaar weer, hoewel het niet eens altijd lukt, omdat het allemaal zo chaotisch verloopt. De ene jockey krijgt betaald om te verliezen – een tweede om de derde dwars te zitten. Toch is het uiteindelijk aan de paarden welke *contrada* wint – want die paarden hebben geen ruiter nodig om te winnen.'

'Wat?'

Ze schudde haar hoofd. 'Het is de Kentucky Derby niet. De helft van de jockeys wordt van zijn paard geduwd of valt er in de bochten af. Het paard dat als eerste finisht, wint. Dus uiteindelijk doet de ruiter er niet echt toe.'

'Wie heeft er gewonnen in juli?'

Ze fronste haar voorhoofd. 'Niet *Pavone*.' Ze dacht een ogenblik na. '*Istrice*, geloof ik.'

'Laat me raden,' zei hij. 'De Struisvogel?'

Ze glimlachte en schudde haar hoofd. 'Het Stekelvarken.'

Ze sloegen rechts af en liepen nu door een zeer nauw steegje. Met een hand op zijn arm hield Paulina hem tegen en wees hem erop dat de vlaggen en versiering aan de huizen hier anders waren. De vlaggen waren nu turkoois en goudkleurig, en overal zichtbaar was het insigne van de Pauw, met uitgewaaierde staartveren. 'We bevinden ons nu op *Pavone*-grondgebied,' zei ze, 'een van de midden-*contrade*.'

Het volgende moment bracht ze een vinger naar haar lippen. 'Ssst,' zei ze. 'Luister.'

Hij hield zijn hoofd scheef en hoorde het toen: een enorm gedempt geroezemoes van stemmen, gelardeerd met het scherpere contrapunt van bestek, het geklingel van borden en glazen. Achter het geroezemoes klonk zo nu en dan een zwakke melodie op. Hij hoorde het iele geschal van trompetten.

'Betoverend, vind je niet?' vroeg Paulina.

Ze liepen weer verder. Paulina struikelde en greep zich vast aan zijn arm, leunde tegen hem aan. De warme lucht droeg haar geur en hij zag de zwakke glans van transpiratie op haar gezicht, de vochtige haarlokken op haar voorhoofd. Om de hoek stapten ze door de boog van een smalle galerij en het volgende moment werden ze overspoeld door een kakofonie van geluiden.

Het Campo.

Omgeven door eeuwenoude herenhuizen was de piazza geplaveid met de voor de stad zo karakteristieke bruinrode steen – de 'gebrande terrasiena' van een miljoen paletten. Het hele plein was één groot openluchtbanket. Transpirerende obers haastten zich af en aan, droegen dienbladen vol pasta, vis en wild naar twintig meter lange tafels waaraan duizenden feestvierende Siënezen hadden plaatsgenomen. Overal zag je de vreemdste en mooiste vlaggen, staand op elke tafel, hangend van elk balkon.

Eeuwenoude liederen hingen in de lucht en trompetgeschal zwol aan en stierf weer weg. Danny deed een stap naar achteren en zag nu pas dat hij op een geïmproviseerde renbaan stond. Langs de buitenrand van het plein waren de versleten steentjes afgedekt met vierkante plakken omgekeerde turf.

Paulina leidde hem naar een voor de Pauwen-*contrada* gereserveerd gedeelte, waar honderden mensen zaten te smullen aan tafels die gedekt waren met een goudkleurig tafelkleed. Wimpels en sjaaltjes en pauwenveren gaven aan wiens stek dit was. Paulina gebaarde naar een donkerbruin paleis dat in de donkerte achter de tafels verrees. 'Het Palazzo di Pavone,' zei ze. 'Daar zitten we morgen. Het heeft een fantastisch uitzicht.'

Danny staarde omhoog naar de lange en sierlijk kronkelende balkons, waar pauwen rondscharrelden te midden van een woud van gepotte palmen. 'Niet vanavond?' vroeg hij. 'Ik dacht dat ik een afspraak had met Belzer?'

Verontschuldigend trok ze een pruilmondje. 'Ik sprak eerder met hem. Hij komt wat later, maar wilde niet dat jij alle pret zou mislopen. Hij zei dat-ie je morgen wel zou zien.' Ze zag de teleurstelling op zijn gezicht, hield haar hoofd schuin en tuitte haar volle lippen tot een zelfs nog meer overdreven pruilmondje. 'Voldoe ik niet als gezelschap?'

'Dat is 't niet...'

Ze nam zijn hand en trok hem mee. 'Kom op. Wij zitten aan tafel drie.'

Hoewel hij geen moment aan eten had gedacht, besefte hij opeens dat hij honger had – en maar goed ook, want het eten werd in golven aangevoerd. Het aantal gangen leek eindeloos, en elke gang ging vergezeld van zijn eigen wijn. Alles was even heerlijk, en er hing echt een sfeer van prikkelende intensiteit op het Campo. Naarmate het banket vorderde, klonk trompetgeschal op. De gesprekken verstomden, er viel een stilte over de menigte en vervolgens barstte een loeiend applaus los nu een stoet van mannen en vrouwen in middeleeuwse kledij door een van de gebogen ingangen het plein betrad. In afgemeten stappen schoven ze vooruit over een breed pad tussen de tafels. Elke afvaardiging droeg enorme banieren met zich mee naar het midden van het plein, waar een geïmproviseerd podium was gebouwd, omringd met fakkels. Toen de *Pavone*-afvaardiging de plek bereikte, stond een zee van banketteerders als één man op en begon te zingen. Vlaggetjes, beschilderd met pauwen, werden langzaam heen en weer gezwaaid. Vanaf de balkons achter de mensen dwarrelde de confetti naar beneden, een heftige bui van goud en azuurblauw die de menigte in glitter onderdompelde.

Het was te lawaaiig om met iemand een gesprekje aan te knopen, behalve met je directe tafelgenoot – en de enige met wie Danny kon praten, was Paulina. Verder leek niemand hier Engels te spreken. Ze vertaalde voor hem, en hoewel het zo moeizaam ging dat het nauwelijks de moeite waard leek, voelde hij zich zowaar verlaten wanneer ze even wegliep naar wat kennissen aan andere tafels. Het enige wat hij met zijn disgenoten kon, was hun aardige glimlach retourneren en zijn glas heffen wanneer ze dingen zeiden als *buona fortuna* en *vittoria a Pavone!* – wat ze vrij vaak deden. Tegen de tijd dat de koffie en *vin santo* kwamen, en daarna nog de *grappa*, was het na elven.

Hij wilde zich verontschuldigen, maar Paulina stond tien meter verderop, aan het hoofd van de tafel, in geanimeerd gesprek met een elegante, grijze man. Ze keek op, ving Danny's blik en glimlachte.

Danny tikte op zijn horloge, zwaaide nonchalant naar haar en stond op van de tafel. Het Campo deinde. Ho… *'Grazie tutto,'* riep hij, *'grazie mille!'* Zijn Italiaans was eigenlijk vrij goed, stelde hij vast. *'Arrivederci, mon amici!'* Zijn tafelgenoten lachten en brachten hun glas omhoog.

'Danny,' klonk Paulina's stem opeens naast hem en ze haakte haar arm in de zijne. 'Ik wist niet dat je Italiaans sprak!'

'Ik ook niet,' mompelde hij.

'Maar waar ga je heen?'

'Hotel.' Hij begon handen te schudden met mensen aan de tafel.

'Nu al? Maar het is nog niet eens middernacht.'

Hij keek haar aan. 'Ik ben 'n beetje… moe.'

Ze giechelde. 'Volgens mij ben je 'n beetje… dronken.'

Daar moest hij even over nadenken. 'Dat zou kunnen, ja,' reageerde hij en hij knikte er overdreven ernstig bij.

'Nou, goed dan,' zei ze, een laatste slokje van haar *vin santo* nemend. 'Laten we gaan!'

Danny schudde zijn hoofd. 'Ik neem wel een taxi.'

'Doe niet zo gek. Ik moet toch voor je zorgen? En trouwens, een taxi gaat je nooit lukken vanavond. Onmogelijk.'

Ze liepen terug naar waar de auto geparkeerd stond. Danny concentreerde zich op de kinderkopjes, die enige aandacht vereisten, terwijl Paulina op haar hoge hakken mee strompelde, een of twee keer struikelde, lachte, fluisterde, zijn arm even aanraakte en maar praatte. Dit alles omlijst door haar zorgeloze gegiechel.

Het volgende moment zaten ze opeens in de Lancia en reden ze in volle vaart heuvelop naar het hotel. Ze deed een cd in de speler en de klanken van Thelonious Monk overspoelden hen. Hij dacht net wat een prachtige avond het was, en wat een prachtige meid zij was, toen haar hand opeens langs zijn dij schuurde. Hij dacht niet dat het per ongeluk gebeurde.

Hij deed zijn best trouw te zijn aan Caleigh, heus, maar het viel niet mee. Toch was hij vastberaden zich goed te gedragen, want zij was voor hem de enige – daarvan was hij overtuigd. En ze zou de benen nemen als hij haar belazerde, want trouw zijn aan elkaar betekende álles voor haar. Dat had ze van meet af aan duidelijk gemaakt.

Een paar regendruppels spatten op de voorruit uiteen, niet eens genoeg om de ruitenwissers aan te zetten. Als vloeibare juwelen kleefden ze tegen het glas, oplichtend in de gloed van tegemoetkomende koplampen. Paulina praatte over de laatste keer dat ze in Amerika was – hoe alles supergroot was. 'De huizen, auto's, Happy Meals. Alles!'

Danny knikte bevestigend en dwong zichzelf zijn ogen van haar benen af te houden. Hij kende ze al net zo vanbuiten als het alfabet.

'En hoe zit dat met jou?' vroeg ze.

'Wat bedoel je hoe dat met mij zit?'

'Ben jij ook supergroot?'

Zijn mond viel open. Ik heb echt te veel gezopen, schoot het door zijn hoofd. Want ze kon toch niet bedoelen wat hij dácht dat ze bedoelde? Het moest zo'n Engels-als-tweede-taaldingetje zijn. 'Nee,' zei hij. 'Ik ben ietsje groter dan gemiddeld, meer niet.'

Ze lachte en haar hand streek weer over zijn dij terwijl ze voor een bocht terugschakelde.

Ze zal het nooit te weten komen, zei Danny tegen zichzelf, denkend aan Caleigh. Die zat duizenden kilometers hiervandaan, en de vrouwen zouden nooit elkaars pad kruisen, niet in een miljoen jaar. Zijn ogen gleden omlaag naar Paulina's knieën en naar de roomzachte huid erboven.

*Whatcha gonna do, boy?*
*Whatcha gonna do?*

Hij lachte in zichzelf en wendde zijn ogen af.

'Wat zit je te lachen?' vroeg Paulina.

Hij schudde zijn hoofd. 'Ik dacht aan een plaat waar ik vroeger veel naar luisterde.'

'Welke dan?'

'*Bat out of Hell.*'

Ze keek onzeker. 'Ken ik niet,' zei ze.

Hij haalde zijn schouders op. 'Niet belangrijk.' Even overwoog hij haar te vertellen over dat album, en met name over het nummer waar die tekst van was: 'Paradise by the Dashboard Light'. Beter maar van niet.

Het punt was: het deed er niet echt toe of Caleigh het ooit zou weten. Daar ging het niet om. Waar het om ging, was dat hij haar niet bedroog, dat hij niet loog. Hij was haar nu bijna een jaar trouw, en zo hoorde het ook. Geheimen waren de pest voor een relatie, en andere vrouwen waren als landmijnen – je wist nooit wanneer er een zou ontploffen.

Haar hand rustte licht op zijn knie. Misschien ben ik wel te bezopen om het verschil tussen goed en slecht te weten, hoopte hij.

Plotseling doemde het hotel voor hen op nu de Lancia de binnenplaats van het Scacciapensieri op scheurde. Ze zette de motor af, spreidde haar benen iets en klauterde uit de auto. Vervolgens wierp ze de sleutels naar de portier, nam Danny bij de arm en legde haar hoofd op zijn schouder. Samen liepen ze de lobby in en namen de lift naar de tweede verdieping.

Terwijl ze de gang in stapte, aarzelde ze. Zijn kamer was naar rechts, de hare naar links. 'Nou,' zei ze, terwijl haar volmaakte amandelogen de zijne zochten.

'Trusten...' mompelde hij. 'Bedankt voor vanavond. Het was echt geweldig.' Hij boog zich iets, gaf haar een vluchtig kusje op de wang en liep naar zijn kamer. Hij voelde zich opgelucht en teleurgesteld tegelijk. Staand voor de deur van kamer 302 klungelde hij wat met de sleutel en vervloekte de vlaag van deugdzaamheid die hem zo-even parten had gespeeld. Een stemmetje in zijn achterhoofd – een soort tegengeweten – krijste: *Waar ben je mee bezig? Wat denk je nou? Ze is een verrukkelijke meid – jij bent dronken. Caleigh bevindt zich zes tijdzones hiervandaan! Bij haar is het zelfs een andere dag! Ga ervoor!*

Maar nee, hij was trouw. De sleutel draaide in het slot en de nachtelijke verleiding lag achter hem. Hij liep de badkamer in, kleedde zich langzaam uit, waste zich en poetste zijn tanden. Niet dat hij zoveel had gedronken, zo geloofde hij, maar de wijn was behoorlijk naar zijn hoofd gestegen. Hij tikte een paar Advils uit een flesje en sloeg ze met een glas water achterover in de hoop dat ze de volgende ochtend een mogelijke kater zouden verzachten. Daarna knipte hij het licht uit en liep naar zijn bed.

En daar lag ze – tussen de lakens in zijn bed, met haar bruine lokken in een krans op het kussen en een plagerige glimlach rond haar lippen.

Jezus christus, dacht hij, staand in het midden van de kamer in zijn boxershort. Wat nu? Zonder dat hij het wilde, ging hij naar het bed, alsof hij op zo'n lopende band stond die je op luchthavens wel ziet. Hij wist niet wat hij moest zeggen.

Ze strekte zich uit en haar borsten deinden. 'Ik ben nog niet helemaal klaar met mijn zorgtaken,' sprak ze poeslief en ze klopte op het bed naast zich.

Dit is te veel, dacht hij. Ik kan dit niet. Er zijn grenzen aan wat...

Zwijgend trok ze de lakens terug en in een vluchtige blik die overging in een lange staar zag hij dat ze poedelnaakt was. De blik in zijn ogen ontlokte een glimlach om haar mond. 'Nou, waar wacht je op, Picasso? Duik erin.'

# 10

Liggend in bed, met zijn ogen dicht, laveerde Danny tussen slapen en ontwaken, en werd zich langzaam steeds bewuster van het zonlicht dat de kamer vulde. In deze blinde toestand was zijn gezichtsveld als een blanco pagina – een lege, felle gloed. Prima zo, wat hem betrof. Precies zoals hij het graag had. Hij had geen zin om op te staan. Hij wilde blijven waar hij was, in het luilekkerland aan deze zijde van zijn droomtoestand. Maar nee, hij moest opstaan. Hij had van alles te doen en moest de gevolgen onder ogen zien. Moedig, want hij wist dat hij een kater had, opende hij zijn ogen om ze meteen weer zo snel als een pistoolschot dicht te knijpen tegen het flitslicht van de ochtendzon.

Daar lag hij dan, met slechts één gedachte: oooo, nee hè…

Heimelijk bewoog hij zijn arm in een boog over de lakens en slaakte een zucht van opluchting toen zijn hand niets anders voelde dan stof en lucht. Met een diepe kreun dwong hij zijn ogen voor de tweede keer open, hij ging rechtop zitten en zwaaide zijn benen over de rand van het bed. Je bent een ploert, verweet hij zichzelf.

Het leek wel een eeuwigheid, zo lang bleef hij daar zitten, met de zon op zijn rug, starend naar zijn blote voeten, met een houten kop, terugdenkend aan de avond daarvoor. Lorenzetti's fresco's, Donatello's reliëfs, Paulina's… alles.

'Ooo, jezus,' stamelde hij, terwijl hem weer iets te binnen schoot wat hij had gezegd, een zin die hij 's avonds laat had uitgesproken. Niet dat dat nodig was geweest, overigens. Beelden van Siena schoten door zijn hoofd: de tafels op het Campo, Paulina die zo grappig en zo mooi was, de platte borden met eten, blauwe en goudkleurige glitter die uit de lucht dwarrelde. Wat had ze ook alweer gezegd? *Nou, waar wacht je op, Picasso?*

God, hij voelde zich belabberd. Zittend op de rand van het bed ging hij de kenmerken van zijn kater af: onder aan zijn schedel een aanhoudend geklop, achter zijn ogen een soort zenuwtrekkerig gevoel en in zijn hele hoofd ook een zeker drukkend gevoel, alsof zijn hersens iets te groot waren voor zijn schedel. Maar al met al kon hij zeggen dat het niet eens zo'n erge kater was. Zóveel had hij nu ook weer niet gedronken – en zoveel excuus had hij dus ook niet. Toch voelde hij zich niet best. Langzaam kwam hij overeind, slenterde de badkamer in, draaide de kraan open, vormde zijn handen onder de waterstraal tot een kommetje en spatte het water tegen zijn wangen en ogen. De kou deed hem al meteen naar lucht happen en hij zuchtte opgelucht. Opkijkend zag hij een karmozijnrode afdruk op de spiegel. Een zoen.

En daar, tegen de chromen tandenborstelhouder, een briefje op hotelpapier – gericht aan Danielissimo:

*Ben werken bij Sistema (saaai!). Rond twee uur terug om je een lift naar de stad te geven. B. wil jou om halfdrie bij het palazzo zien. Mmmm... wat een* notte di amore! *Voor mij onvergetelijk gewoon – en voor jou ook, want anders... Groetjes en kusjes (en je weet wel waarop)!*
*P.*

Jezus, dacht hij en hij verfrommelde het briefje. Een '*notte di amore*'.

Hij probeerde er niet aan te denken, maar dat was onmogelijk. Zelfs terwijl hij het douchewater op temperatuur testte, flitsten de beelden van de avond daarvoor door zijn hoofd. Paulina, eerst standje zus en dan weer standje zo, zoals ze smaakte, de zachte glooiing van haar buik, haar deinende borsten. Terwijl hij onder de douche stapte, bedacht hij dat het een beetje een understatement was om te zeggen dat hij met haar naar bed was geweest. In werkelijkheid was hij zich als een uitgelaten, over het gazon rollende hond aan haar te buiten gegaan.

Het was niet zijn sterkste moment geweest.

Hij draaide zijn gezicht naar de douchekop en liet haar van zich afspoelen. Langzaam ook voelde hij de kater afnemen. Toen de badkamer even later in een stoombad was veranderd en hij zich weer een beetje mens voelde, stapte hij achter de glazen wanden van de douchecel vandaan en droogde zich af met een badstof handdoek die zo dik was als zijn pols.

Eenmaal afgedroogd nam hij een washandje en probeerde uit alle macht Paulina's zoen van de spiegel te vegen, maar slaagde er slechts in deze tot een roze veeg te reduceren. Hij gaf zijn poging op, haalde een borstel door zijn haar en trok wat kleren aan. Zijn ogen waren bloeddoorlopen. Hij moest nodig een zonnebril hebben.

Ten slotte daalde hij de trap af naar het terras, waar hij probeerde de dag op gang te brengen met een dubbele espresso, gevolgd door een glas versgeperste sinaasappelsap.

Het werkte. Min of meer.

Het was al bijna twaalf uur. De zon brandde fel en prikte in zijn ogen. De receptionist vertelde hem waar hij een zonnebril kon kopen en droeg de piccolo op voor een taxi te zorgen. Toen Danny zich omdraaide om te gaan, reikte de receptionist hem zijn paspoort aan.

'*Grazie.*'

De taxi bracht hem naar de rand van de stad, waar hij een Maui Jims-zonnebril kocht. Vervolgens keerde hij terug naar het hotel. Terwijl hij naar boven liep om zijn plunjezak te gaan inpakken, dubde hij over de vraag wat hij met de diskette zou doen – de diskette met Terio's bestanden. Hij had hem niet langer nodig. Zijn werk voor Belzer zat erop, en Inzaghi had de bestanden. Toch was hij nieuwsgierig en het kon geen kwaad om er even naar te kijken zodra hij weer in de States zou zijn. En dus propte hij de diskette in zijn plunjezak en ritste hem dicht.

Terug in de lobby informeerde hij bij de portier naar de treinverbindingen tussen Siena en Rome. Helaas, zo kreeg hij te horen, de treinen reden onregelmatig. Siena lag slechts langs een aftakking van het hoofdspoor. De bus zou beter zijn.

'Het punt is dat ik een vlucht van kwart over negen moet halen.'

'Maar u blijft nog wel voor de Palio?' vroeg de portier.

'Zeker weten.'

'Dan zal het lastig worden. De race begint om vier uur, dus de enige mogelijkheid is de trein van twaalf voor zes naar Chiusi en daarna die van kwart voor zeven naar Rome. Dan bent u in de stad rond...' – zijn hand bewoog even heen en weer – '... achten, iets later misschien. Daarna een taxi naar de luchthaven – nog een halfuur. Ik weet 't niet...' Hij keek sceptisch en teleurgesteld tegelijk.

Danny knikte. 'Het is krap, maar ik vlieg eersteklas, dus...'

'In dat geval,' zei de man, 'is het mogelijk. Maar nog wel moeilijk. Misschien met de taxi, denk ik.' Hij grimaste even. 'Hoewel, het is wel een druk weekend, dus misschien zal dat niet lukken.'

'En hoeveel zou dat kosten?' vroeg Danny zich hardop af, met de gedachte dat als het een regiotaxi was, het in de honderdduizenden lires zou lopen.

'Naar Rome?' De portier haalde zijn schouders op. 'Misschien tweehonderd dollar.'

Hij verzocht de portier het te regelen, ervan uitgaand dat hij de kosten wel als onkosten zou kunnen opvoeren; immers, als hij het vliegtuig niet haalde, zou hij weer een hotel moeten nemen. De portier beloofde zijn best te doen, hoewel dat álles was wat hij kon beloven. De *signor* moest namelijk wel begrijpen dat de Palio slechts tweemaal per jaar plaatsvond. 'Er zijn drie keer zoveel mensen, maar het aantal taxi's – dat blijft hetzelfde, snapt u?'

Hij knikte, en de portier beloofde andermaal zijn best te doen. Danny liep naar de receptie om zich uit te schrijven en liet zijn plunjezak achter bij de receptionist, zodat hij die meteen, zodra hij uit de stad terugkeerde, kon meegrissen en kon vertrekken.

Hij nam plaats in de lobby en wachtte op Paulina, hoewel hij haar eerlijk gezegd liever niet zag en gewoon een taxi wilde nemen. Om tien voor halfdrie vroeg hij zich af hoe lang hij nog zou wachten. Belzer was een drukbezet man, en Danny wilde beslist niet te laat komen. Als ze nu niet binnen vijf minuten opdaagde…

Voordat hij deze gedachte kon afmaken, ging zijn gsm af – een dringend en tjirpend geluid. In de veronderstelling dat het Paulina was, klapte hij het toestelletje open en bracht het naar zijn oor.

Iemand blafte zijn naam. 'Daniel?' Een mannenstem.

'Ja… met wie spreek ik?'

'Inzaghi! Kun je me verstaan?'

'Toppie.'

'Wat?!'

'Ik zei dat ik u versta. U hoeft niet te schreeuwen, hoor.'

'Waar ben je nu?' vroeg de priester op dwingende toon, weinig tot geen moeite nemend om zijn toon wat te temperen – het klonk enigszins dringend.

'Siena. Onderweg naar de Palio. Dat heb ik u toch verteld.'

'Ga er niet naartoe. Het is er niet veilig voor je.'

'Wat?'

'Kom terug naar Rome. We moeten praten.'

'"Praten"? Waarover?'

'Luister. Ik ben de hele nacht met die bestanden bezig geweest,' zei de priester, 'en…'

'Welke bestanden?'

'Terio's bestanden natuurlijk, wat dacht je dan? Die op de computer staan. En het is afschuwelijk. Je kunt je niet voorstellen wat hij van plan is, deze Zebek!'

'Hoe bedoelt u?' vroeg Danny. Maar voordat Inzaghi antwoord kon geven, kwam Paulina de lobby binnen gestormd; ze droeg een minuscuul zwart mantelpakje, een grote witte hoed en een enorme zonnebril. Danny keek snel op zijn horloge. Halfdrie. 'Wacht even,' zei hij en hij stond op.

'Sorry dat ik zo laat ben,' zei Paulina terwijl ze met een hand haar hoed vasthield. 'Ben je zover? Ik heb de afspraak verzet naar drie uur, maar we moeten ons wel haasten.'

Danny knikte en sprak weer in de telefoon. 'Ik moet nu gaan. Ik bel u over een paar uur terug, oké?'

'Nee, Danny, het is niet "oké". Volgens mij moet je…'

Paulina wees dringend op haar horloge.

'Luister, het spijt me echt heel erg, maar… ik moet ervandoor,' zei hij. 'Zodra het kan, bel ik u terug.' En onder protest van de priester beëindigde hij het gesprek en hij volgde Paulina, die zich naar de auto haastte.

Het mobieltje ging opnieuw, maar toen hij de stem van de priester weer hoorde, deed hij alsof de verbinding slecht was. 'Ik versta u niet,' zei hij, terwijl Inzaghi nog steeds tegenstribbelde. 'Het spijt me, eerwaarde. U valt weg.'

'Wat een aanhouder,' zei Paulina terwijl ze in de Lancia stapte.

Eenmaal in de auto schakelde Danny uit voorzorg de gsm uit. Hij was weliswaar nieuwsgierig naar wat de priester te zeggen had, maar op dit moment wilde hij bovenal Belzer ontmoeten, betaald worden en snel naar de luchthaven Leonardo da Vinci sjezen om zijn vlucht te halen. In aanwezigheid van Paulina kon hij in elk geval zeker niet met Inzaghi een gesprek voeren over Terio's bestanden. Hij kon de priester beter even terugbellen zodra hij op weg was naar Rome.

'Heb jij een kater?' vroeg hij aan Paulina terwijl ze in de richting van de stad raceten.

'Oef – wat denk je? Een houten kop.' Ze lachte, maar het klonk een beetje ingetogen.

Al snel hadden ze de stadsmuur bereikt. Een rood-wit geschilderde versperring – bemand door een politieman in uniform – blokkeerde de grote poort. Paulina stopte rechts van de weg op een stuk gestreepte bestrating. Ze stapte uit, maar liet de motor draaien.

'Vandaag is het *centro* verboden voor alle verkeer,' zei ze. 'Ik zet je hier af. Loop gewoon heuvelafwaarts. Alle wegen voeren naar het Campo en vanaf daar ken je de weg wel. Bij het palazzo loop je gewoon naar het hek – onder het lange balkon waar we gisteravond zaten. Je naam staat op een lijst.' Ze keek vluchtig op haar horloge. 'Je hoeft niet te rennen, maar je kunt ook weer niet… etalages gaan kijken, oké?'

'En jij?'

'O – nee.' Ze haalde haar schouders op. 'Ik moet naar Turijn, voor werk. Vertalen. Een beetje een haastklus. En trouwens, ik heb de Palio al zo vaak gezien.'

'Goed – bedankt voor alles.'

Ze nam haar hoed af, gooide hem op de achterbank, schudde haar haar los, boog zich voorover en, voordat hij haar kon tegenhouden, kuste ze hem vol op de mond. '*Ciao* dan, Danny. Misschien zie ik je nog eens. We hebben lol gehad, hè?'

Bij het Campo aangekomen waadde hij door de deinende mensenmassa, op zoek naar Zebeks palazzo. Hij zocht de muren rond het oude plein af en zijn blik viel op de blauwe en goudkleurige vlaggen aan een lang, kronkelend balkon. Terwijl hij zich een weg naar de vlaggen baande, viel het hem op dat de tafels die voorheen de omtrek van het plein afbakenden nu weggehaald waren. Aan sommige muren van de gebouwen rond het plein hingen dikke stootkussens. Tegen de tijd dat hij bij het openstaande ijzeren hek – met afbeeldingen van pauwen in het smeedijzer – aankwam, was het bijna drie uur.

Achter het hek, op een lommerrijke en met Palio-vlaggen versierde binnenplaats, stond een gespierde bewaker naast een druppelende fontein. Hij droeg een uniform dat alle 'hulpdiensten' op het feest droegen, zoals hem naderhand zou opvallen: een zwarte lange broek en Doc Martens en een duur zwart T-shirt met *pavone* in sierletters op de borst. De *o* in *pavone* was het turkoois en goudkleurige oog van een pauwenveer. De bewaker vroeg Danny naar zijn naam en raadpleegde een uitdraai. Tevreden mompelde hij vervolgens iets in een mobieltje en hij droeg de Amerikaan op even te wachten. Al snel verscheen er een welgevormde jongedame, gekleed in een goudkleurig minirokje en een blauw topje dat net boven haar navel ophield. 'Hoi,' koerde ze in een accent dat vaag Duits klonk. 'Ik ben Veroushka.'

'Danny,' wist hij nog net uit te brengen.

'Weet ik.' Ze leunde tegen hem aan, stak haar arm door de zijne en zei: 'Ik moet voor je zorgen, oké?'

Wat moest hij daar nu op zeggen? 'Fantastisch.' Samen liepen ze een stenen trap op, in de richting van het geluid van gelach en een piano. Ik ken deze vrouw, dacht hij, maar... waarvan? Je zou toch denken dat ik me dat wel zou herinneren? Hoe vergeet je zo iemand? Ze was adembenemend mooi. Boven aan de trap draaide hij zich naar haar om. 'Waar ken ik jou van?'

Ze giechelde. 'Ik weet 't niet.'

En toen wist hij het weer: ze was een van de meisjes in de catalogus van Victoria's Secret. Die kreeg Caleigh maandelijks in de bus, en Veroushka poseerde op elke bladzijde.

Even later bevonden ze zich te midden van wat wel de meest kosmopolitische party in Europa moest zijn. Een Scandinavische zangeres zat in haar eentje achter een gigantische zwarte Steinway en zong met een lieve, trieste stem 'When Did You Leave Heaven?' terwijl NAVO-generaals en in witte gewaden gehulde sjeiks zich onderhielden met een blond duo dat volgens Veroushka een geslachtsveranderende operatie achter de rug had en een Duits industrieel vermogen had geërfd, zo fluisterde ze hem in zijn oor. Hij herkende een paar mensen uit de bladen en van de televisie. Daarna vertelde Veroushka hem wie de anderen waren. Er waren bankiers en zakenlieden, schrijvers en politici. Ze kneep in zijn arm en knikte naar een jongeman die in zijn eentje in een stripboekje zat te lezen. 'Rivaldo,' verklapte ze.

Ze plukte een glas champagne van het dienblad van een passerende ober, nam Danny bij de hand en voerde hem naar het balkon, waar ze over het gonzende Campo uitkeken. Onder hen paradeerden kinderen als trommelaars in middeleeuwse dracht voorbij, terwijl een andere afvaardiging haar vlaggen in de lucht wierp. 'Waar zijn de paarden?' vroeg Danny.

Zijn escort giechelde. 'In de kerk,' zei ze, 'waar ze worden gezegend.' Ze zag zijn spottende gezicht, kroop dicht tegen zijn arm aan en lachte. 'Echt hoor!'

'Ze nemen ze mee de kerk in?'

'De kapel – elke *contrada* heeft een kapel. Daarna brengen ze de paarden hierheen en drijven ze in het starthek.' Ze gebaarde naar rechts. 'Dat staat daar. Ze brengen ze pas een paar minuten voor de race en daarna sluiten ze het Campo hermetisch af, totdat de race achter de rug is.' Ze nipte van haar champagne. 'Als je wilt wedden, moet je je geld op *Pavone* zetten.'

'Worden er veel weddenschappen afgesloten?'

Ze hikte, giechelde en knikte toen ernstig. 'Ooo, ja.' Danny glimlachte en kletste verder, hoewel hij eigenlijk helemaal geen zin had om over koetjes en kalfjes te praten. Alle feestgangers leken rijk en beroemd te zijn – behalve hijzelf. En nu liep hij hier, met deze lingeriekoningin aan zijn arm, de kansen van de paarden inschattend. Wat klopt er niet aan dit plaatje? vroeg hij zich af. En het antwoord kwam direct: je speelt ver boven je niveau, jochie. En dat doe je al veel te lang.

Niet dat hij onaantrekkelijk was. Vrouwen mochten hem wel, en hij was jong, fatsoenlijk en zag er niet onaardig uit, dat viel niet te ontkennen. Bovendien kon hij vrij goed naar anderen luisteren en aardig dansen. Met andere woorden: hij was wel oké. Maar tot voor kort maakte hij het toch niet vaak mee dat mooie vrouwen zich aan hem vastklampten. Dat overkwam Brad Pitt en George Clooney misschien, maar niet Danny Cray. Behalve... de laatste tijd. Wat op een van de volgende twee dingen kon duiden: óf hij kreeg als 's werelds meest begerenswaardige vrijgezel opeens wat hem toekwam, óf Belzer wilde hem met alle geweld inlijven.

'En waar is onze vriend?' vroeg hij.

Veroushka keek hem wat verwonderd aan.

'Belzer,' verduidelijkte hij.

Een wezenloze blik.

'Zebeks advocaat?' hielp hij haar.

Ze schudde haar hoofd. 'Onze gastheer beschikt volgens mij over een hele hoop advocaten, maar die komen niet op zijn feestjes.'

Hij wilde net vragen wat ze bedoelde toen een van de bewakers – zo te zien een bodybuilder – hem op de schouder tikte. '*Scusi* – signor Zebek wil u nu ontvangen.'

Met een ongelukkig schouderophalen in de richting van zijn escort (of extraatje of wat ze ook was) volgde Danny de veiligheidsman een marmeren trap op en daarna via een lange gang naar een grote en duistere bibliotheek, waar Belzer, gezeten in een leren oorfauteuil achter een sierlijk uitgesneden bureau, op hem wachtte. Achter zijn rug hing een studie voor *La punizione di Marsia* aan de muur, verlicht door één enkele lichtbundel. Danny vermoedde dat de schets een origineel was – een van de laatste werken die Titiaan had gemaakt. Belzer gebaarde naar een stoel en Danny nam plaats.

'Dus we zijn met ons tweeën?'

Belzer knikte.

Danny keek teleurgesteld. 'Ik heb nog nooit een miljardair ontmoet en hoopte eigenlijk met de heer Zebek kennis te kunnen maken.'

De mond van de advocaat krulde zich tot een ironische grijns. 'Dat doe je nu. Dat heb je al gedaan.'

Het duurde even tot de woorden tot hem doordrongen. Onbehaaglijk – omdat hij het niet helemaal begreep – wierp Danny even een blik over zijn schouder. De gespierde bewaker stond bij de deur. Verder niemand. Alleen Belzer, hijzelf en de bewaker. En toen had hij het door. 'U maakt een geintje,' zei hij en hij lachte uitbundig.

Belzer trok zijn wenkbrauwen omhoog en tuitte zijn lippen. 'De detective, eindelijk!' merkte hij op.

Danny liet het sarcasme van zich afglijden, maar kon zijn verwarring niet verhullen. 'Ik snap 't niet. Ik bedoel, waarom? Waarom zou u dat doen?'

Belzer – Zebek – haalde zijn schouders op. 'Ik blijf graag op de achtergrond, vooral wanneer ik recht voor iemands neus sta.' Met een hand reikte hij in de bovenste la van het bureau, haalde er een dikke envelop uit en wierp deze naar Danny. 'Je dagvergoeding, bonus en onkosten. Tel maar na.'

Danny schudde zijn hoofd, opgewonden door het gewicht van de envelop. 'Dat is wel goed. Ik weet zeker…'

'Tel het.'

In verlegenheid gebracht opende Danny de envelop en haalde er een bundel van honderd-dollarbiljetten uit. Hij telde de stapel af totdat hij bij 164 was.

'Klopt 't een beetje zo?' vroeg Zebek.

Danny knikte. 'Ja, het is…'

'Geef het dan nu maar weer terug.'

Danny keek hem beteuterd aan. 'Wat?'

Zebek stak zijn hand uit en bewoog wat ongeduldig met zijn vingers. Instinctief gaf Danny hem het geld terug. 'Ik heb er een hekel aan als mensen me proberen te naaien,' bekende Zebek.

Een moment bleven de woorden tussen hen in hangen. Ze kwamen voor Danny zo plotseling uit de lucht vallen dat hij even dacht ze verkeerd te hebben verstaan. Of, dat hoopte hij. Maar nee. Zebek legde het geld weer in de la en duwde hem dicht.

'Wat doet u nu?' vroeg Danny.

Zebek negeerde de vraag, boog zich voorover en stelde er nu zelf een. 'Je lijkt erg veel op *Bruco*, wist je dat?'

'"*Bruco*"?'

'De tomatenworm. Op dit moment mijn gevaarlijkste tegenstander.'

Danny knipperde met zijn ogen. Het begon ernaar uit te zien dat hij niet betaald kreeg, en het onbehaaglijke gevoel dat hij nu kreeg, leek veel op duizeligheid. 'Waar hebben we het in godsnaam over?'

'De Palio,' antwoordde Zebek. 'Er zijn favorieten, snap je, net als bij de Kentucky Derby. Dit keer kun je je geld het beste inzetten op een van de volgende twee paarden: de Pauw of de Worm. *Pavone o Bruco*.' Met zijn rechterhand maakte hij een onzekere draaibeweging. '*Bruco o Pavone*... Ik heb *Bruco* een bod gedaan, maar... wie weet? De ruiter is van hier. De meeste jockeys komen uit de Maremmen, dus die zijn erg professioneel. Makkelijk in de omgang. Maar deze gozer... volgens mij wil hij de held uithangen bij de meiden.' Hij schudde zijn hoofd. 'Niet slim.'

Danny fronste het voorhoofd. Hij werd al aardig pissig op de miljardair. 'Moet dit een parabel voorstellen of zo?'

Zebek grinnikte. 'Ja. Maar daar gaat het niet om. Op deze manier is het leuker. De andere ruiters ontfermen zich wel over Bruco. Daar worden ze voor betaald.'

Danny knikte, maar zijn hersens maakten overuren. Hij denkt dat-ie is genaaid – en dat is-ie ook. Maar hij kán 't helemaal niet weten. Niet zeker, in elk geval. Dus dit – dit gedóé – is gewoon een test. Hij bluft. Niet opgeven, Danny!

'Dus ik neem aan dat je niet voor me komt werken?' ging Zebek verder, daarmee van onderwerp veranderend (of misschien ook niet).

Voor Danny voelde het alsof er een gloeilamp was doorgebrand. Dus dáár gaat dit allemaal over, was zijn gedachte. Hij is gewend zijn zin te krijgen, dus iedereen die nee tegen hem zegt wordt daarmee opeens zijn vijand. 'Luister,' begon Danny. 'Uw aanbod was fantastisch, maar...'

Zebek snoof minachtend en snoerde hem aldus de mond. De miljardair nam zijn zonnebril af, keek Danny met een strakke blik in de ogen aan en de stilte werd nadrukkelijker.

Er schoot Danny een vraag te binnen. 'Hoe wist u dat ik heb besloten de baan niet aan te nemen?'

Zebek drukte een knop in op een paneel aan de rand van zijn bureau. Onmiddellijk vulde Inzaghi's stem de kamer.

*Kom terug naar Rome. We moeten praten.*

Danny's hart sloeg over nu hij zijn eigen stem hoorde zeggen: '*Praten*'? *Waarover?*

*Luister*, klonk de stem van de priester. *Ik ben de hele nacht met die bestanden bezig geweest, en...*

*Welke bestanden?*

*Terio's bestanden natuurlijk, wat dacht je dan? Die op de computer staan. En het is afschuwelijk! Je kunt je niet voorstellen wat hij van plan is, deze Zebek!*

Danny zonk diep in zijn stoel weg. Dit zit fout, dit zit fout... schoot het door zijn hoofd. Ten slotte kwam er een eind aan de opname. Zebek zette het apparaat uit.

'Hoe hebt u dat gedaan?' vroeg Danny. 'Ik dacht dat mobieltjes in dit land gecodeerd waren. De gsm-standaard, of hoe noemen ze dat.'

Er verscheen een zelfgenoegzame glimlach op Zebeks gezicht. 'Klopt, ze zijn gecodeerd. Maar als je de SIM-kaart kloont, heb je daarmee een tweede gsm'etje dat als een extra toestel werkt.' Hij wachtte even om het idee te laten doordringen. 'Laat mij jóú nu iets vragen,' ging hij verder. 'Wat heb je precies gedaan? De bestanden voor hem gekopieerd? Ze weer op de computer gezet?'

Danny wendde zijn blik af.

Zebek keek bedroefd. 'En nu deze rare priester – hij noemt jou "Daniel"?'

De Amerikaan haalde zijn schouders op.

Vol ongeloof schudde Zebek het hoofd, het moment uitbuitend. 'Heb je niet eens de moeite genomen de legitimatie die ik je gaf te gebruiken?'

Danny zuchtte diep en keek hem aan. 'Ja,' zei hij, 'die heb ik wel gebruikt.' Hij zweeg even en veranderde van onderwerp. 'Luistert u iedereen af die voor u werkt?'

Zebek deed alsof hij gekwetst was, grimaste en antwoordde slechts: 'Alleen nieuwkomers.' Hij kneep zijn ogen tot spleetjes. 'Weet je, Daniel, voordat je iemand probeert te naaien, zou je eerst eens goed moeten nadenken wie je daarmee op de kast jaagt.' Hij hield zijn hoofd scheef en voegde eraan toe: 'Weet je eigenlijk wel wat ik dóé?'

Danny schudde zijn hoofd en deed zijn best achter het venijnige toontje van de miljardair te wroeten. Zijn onrust nam iets toe en hij moest zichzelf eraan herinneren dat wat hem nu overkwam gewoon een schrobbering was. Het was niet de eerste keer dat hij op zijn lazer kreeg. Hij hoefde alleen maar cool te blijven – en ervoor te zorgen dat hij betaald kreeg.

'Ik vroeg of je weet wat ik doe,' herhaalde Zebek.

'Iets met risicokapitaal?' antwoordde Danny.

Zebek perste zijn lippen op elkaar. 'Nou, het ligt iets gecompliceerder. We hebben vooral geïnvesteerd in opstartende bedrijven die bezig zijn met *protein folding*, het opvouwen van eiwitten, en MEMS-technieken – hypermodern, hightechspul. Je zou versteld staan van de toepassingen. Zoals deze.' Met zijn vinger tikte hij op een zwarte metalen doos die via een kabel met het paneel op zijn bureau was verbonden.

'Waar is dat voor?' vroeg Danny, die toch wel nieuwsgierig was geworden.

'Het is een prototype… voor het bouwen van persoonlijkheidschips.'

Danny fronste peinzend zijn voorhoofd. 'Wat?' vroeg hij even later.

'Goed, 's even kijken… je weet wat een dubbelganger is, hè?'

'Ja. Dat is iemand die zoveel op je lijkt dat-ie voor jou kan doorgaan. Je ziet je dubbelganger en je sterft.'

Zebek glimlachte. 'Dat zeggen ze, maar… dat is gewoon bijgeloof. De

125

dubbelgangers waar ik het over heb – de dubbelgangers die wij máken – zijn virtueel. Tenminste, voorlopig nog wel.' Het toontje dat hij bezigde, was irritant; het was neerbuigend, een lesje zoals een volwassene dat gaf aan een niet al te slim kind. Geleidelijk begon Danny's bloed te koken, vooral omdat hij nog steeds niet zeker wist waar de miljardair het over had.

'Het werkt als volgt,' ging Zebek verder, nu op nog vertrouwelijker toon. 'Als je ons een minuutje geluid en beeld geeft – een video-opname van thuis is goed – kunnen we dat gebruiken om een sjabloon te maken.'

'Om wat te doen?' vroeg Danny.

'Deze sjabloon heeft veel weg van een creditcard,' legde Zebek uit, de vraag negerend. 'Maar hij wordt gecodeerd met een algoritme dat is ontleend aan iemands bewegingen en uitdrukkingen. Het resultaat is wat wij "een persoonlijkheidschip" noemen. Steek ik zo'n kaart in een doos als deze, dan kunnen we die gebruiken om elke willekeurige afbeelding of stem tot leven te brengen, die ik vervolgens kan uitzenden of projecteren. Ik heb alleen maar een foto nodig. Of een bandopname.' Zebek zweeg even, duidelijk met zichzelf ingenomen. 'In de States hebben we al patent aangevraagd. We zijn nu bezig met bètatests. Het duurt nog ongeveer een jaar, maar je kunt je de gevolgen voor de filmindustrie wel voorstellen. We zullen in staat zijn met overleden acteurs nieuwe films te maken, door hun oude rollen te gebruiken om de sjablonen te maken. En dat is slechts showbizz. Wacht maar tot we de politiek in gaan, dan wordt het nog interessanter.'

'Het blijft gewoon film,' was Danny's oordeel.

'Denk je? Dat betwijfel ik. Stel dat we het principe op biologie toepassen.' Hij liet het idee even bezinken en ging verder. 'Klonen bijvoorbeeld. De biologische identiteit van een mens kunnen we weliswaar repliceren, maar niet zijn persoonlijkheid. Dat wordt voorlopig nog aan het toeval overgelaten. Dus zelfs als we een genetisch duplicaat maken, dan is het nog altijd een kopie – en het gedráágt zich ook anders. Zodra het tot leven komt, weten we dat het niet echt is. Maar als we iemands genetische erfenis samenbrengen met de persoonlijkheidschips die wij in het lab creëren, dan kunnen we dubbelgangers bouwen die in alle opzichten perfect zijn.'

Danny geloofde er geen snars van. Sterker nog, het kon hem geen bal schelen. Hij wilde alleen maar zijn geld. 'Veel succes,' zei hij.

Zebek deinsde terug voor Danny's sarcasme. 'Je bent sceptisch?'

Danny haalde zijn schouders op.

'Ik zal je laten zien wat ik bedoel,' sprak de miljardair. Hij pakte een plastic kaart uit de bovenste la van zijn bureau, schoof deze door een gleuf in de zwarte doos en klikte aan de zijkant een tuimelschakelaar om. Een groen LED-lampje floepte aan. 'Deze maakte ik van een opname,' zei hij. 'Alleen de stem, maar... je ziet wel wat ik bedoel.' Zebek verbond zijn mobieltje met het paneel, reikte Danny een koptelefoon aan en zei hem deze op te zetten. Daarna gebaarde hij naar de bewaker om achter zijn gast te gaan staan. '*Gaetano, se dice niente, l'uccide.*' Hij draaide zich naar Danny om en legde uit dat 'als je je mond opendoet, mijn vriend hier je nek zal breken'. Hij zag het verbaasde gezicht van de Amerikaan en voegde eraan toe: 'Ik meen het. Hij heeft het al vaker gedaan en zit er absoluut niet mee.'

Met een grijns toetste Zebek een nummer in op het mobieltje en leunde achterover.

Danny hoorde een telefoon overgaan, steeds weer. Eindelijk werd er opgenomen.

'*Prego?*'

Hij hoorde Inzaghi's stem en maakte aanstalten overeind te komen, maar het gewicht van een hand achter op zijn nek deed hem weer in zijn stoel zakken. Het was een grote hand, maar hij oefende bijna geen druk uit.

Zebek begon in de microfoon te spreken. 'Eerwaarde, u spreekt met Danny…'

Danny hapte naar lucht. Het was zijn eigen stem – zelfde accent, toon en timbre, hij was het precíes, en het joeg hem de stuipen op het lijf. Hij voelde hoe zijn nekharen overeind kwamen.

Door de koptelefoon hoorde hij Inzaghi opgelucht zuchten. 'Ik maakte me ongerust over je! Waar zit je nu?'

'Siena,' antwoordde Zebek.

'Zorg dat je daar wegkomt! Ik meen het, Danny – je hebt geen idee waar dit over gaat. En spreek in godsnaam niets af met die lui. Het is gevaarlijk.'

'Maak u geen zorgen,' hield Zebek vol. 'Ik kom vanavond nog naar Rome – dan kunnen we praten. Die mobieltjes – ik vertrouw ze niet.'

Al toeluisterend kon Danny slechts op zijn stoel blijven zitten. Zebeks stem was zo onmiskenbaar zíjn eigen stem dat het bijna leek alsof zijn ziel hem was ontnomen.

'Je hebt vast gelijk, wat de telefoon betreft,' zei de priester. 'Ik stond er niet bij stil. Hoe laat kom je hier aan?'

'Negen of tien uur,' ging Zebek door met Danny's stem. 'Kunnen we bij u afspreken? Ik heb nog niets gereserveerd.'

'Natuurlijk – maar je vindt het niet zo makkelijk,' antwoordde Inzaghi. 'Heb je een pen bij de hand?'

Hij kon er niet meer tegen. Hij moest Inzaghi waarschuwen. Maar de lijfwacht moest het hebben aangevoeld, want zijn hand omklemde Danny's schouder nu stevig. Zich vooroverbuigend tilde hij een van de schelpen van de koptelefoon op. 'Nee,' fluisterde hij Danny in het oor.

Terwijl Zebek Inzaghi's aanwijzingen naar zijn vertrekken in het Casa Clera van het Vaticaan herhaalde, viel Danny terug in zijn stoel. Het gesprek kwam ten einde. Er werd afscheid genomen en vervolgens werd de verbinding verbroken. Zebek wendde zijn modderkleurige ogen naar Danny en glimlachte.

'Wat nu?' vroeg Danny, met het gevoel nog nooit zo ver van huis te zijn geweest.

De miljardair schudde zijn hoofd op een manier die net zozeer spijt als onzekerheid suggereerde. Daarna duwde hij zichzelf met behulp van zijn wandelstok met zilveren handvat overeind. 'Wat moet ik nu met jou, Danny? Je bent echt een afvalprobleem, weet je dat?'

De Amerikaan fronste zijn voorhoofd. Binnen een dag was hij van goudhaantje veranderd in gevaarlijk afval. Wat vergaten de mensen toch snel...

Zebek ijsbeerde voor de boekenplanken en deed alsof hij over het probleem nadacht. 'Aan de ene kant denk ik dat we je nek zouden kunnen breken, zeggen dat je ergens van af bent gevallen...'

Danny kon zijn oren niet geloven. 'Is dat niet een beetje rigoureus – ik bedoel, alleen maar voor het maken van een back-up?'

Zebek grinnikte.

'Ik maak heus geen geintje,' zei Danny. 'U zei het zelf: ik weet niet wat er aan de hand is. En nu hebt u het erover om me te vermóórden? Ik wil alleen maar betaald worden. Wat is hier toch aan de hand?'

Met een handgebaar wuifde Zebek de vraag weg. 'Ik heb nu geen tijd om er verder op in te gaan. Dus ik zal het zo zeggen: je hebt het verkloot – einde verhaal.'

Danny haalde diep adem en boog zich voorover. 'Daarbuiten lopen heel wat mensen rond,' prevelde hij, walgend van zijn eigen schrille stem. Het kwam in hem op dat hij zich misschien op Zebek moest storten, iets omver moest werpen, herrie moest schoppen, moest schreeuwen.

'Maar aan de andere kant,' sprak Zebek, en hij stak ter overtuiging een vinger in de lucht, 'zou dat helemaal niet zo leuk zijn.' Plotseling verscheen er een vette grijns op zijn gezicht en de miljardair hield op met ijsberen. 'Weet je wat?'

Danny schudde zijn hoofd en voelde zijn spieren aanspannen. Zodra Zebek opkeek – zodra hij zijn ogen opsloeg naar de bewaker – zou Danny als een schot hagel over het bureau vliegen.

'Je staat alleen,' stelde Zebek. 'Dan is het veel leuker. Net als de race met *Bruco*, een echte wedstrijd.'

De Amerikaan knipperde met zijn ogen. 'Wat?'

'Ik geef je vijf minuten. Daarna ben je loslopend wild.'

Danny wierp een blik over zijn schouder naar de bewaker en keek Zebek toen weer aan. 'U bent gek. Ik bedoel, echt hartstikke geschift! En wel klinisch! Heb ik gelijk?'

Zebek knikte. 'Waarschijnlijk wel.' Hij keek op zijn horloge. 'Nog vierenhalve minuut.' Hij keek op en hield zijn hoofd scheef. 'Ben je d'r nu nog?' Een ongelovige grijns.

Zacht vloekend stond Danny op van de stoel en hij liep naar de deur, half in de veronderstelling te worden tegengehouden en gereed om uit te halen naar iemand die een hand naar hem zou uitsteken.

'Ik zal je vanaf het balkon in de gaten houden!' riep Zebek hem nog na.

Danny vloog de gang op, langs een kliekje NAVO-generaals, in de richting van de trap en met twee treden tegelijk naar beneden. Het feest was in volle gang, overal klonk gelach en muziek, geklets en geroezemoes van een honderdtal mensen die zich prima vermaakten. Maar hij niet. Al rennend bereikte hij de binnenplaats, om precies weer bij de deur uit te komen waar een van de bewakers zacht in een mobieltje mompelde. Ten slotte trok de man de deur met een ruk open en knikte eerbiedig. '*Ciao*.'

Hij bevond zich nu op een onverhard stuk, op ongeveer tien meter van een geïmproviseerd hek van rood-wit gestreepte versperringen. Erachter stonden vijftigduizend Italianen – en toeristen – schouder aan schouder op een plein zo groot als een heel stratenblok. Het lawaai was oorverdovend, de lucht helder en verstikkend. Een politieman kwam op hem afgestormd, greep hem bij een arm en voerde hem heftig gesticulerend weg van de renbaan om hem naar de opeengepakte meute te duwen. Zich tussen de versperringen door wurmend ging hij op in de mensenmassa, hopend dat hij zo onzichtbaar zou zijn.

Zijn intuïtie zei hem te rennen en te blíjven rennen, zo veel mogelijk meters tussen hem en Zebek te creëren. Maar de mensen stonden zo dicht opeen dat zelfs lopen al een uitdaging was. Het beste wat hij kon doen, was zich tussen twee mensen door te wringen en daarna nog eens en nog eens, om stapje voor stapje weg te komen. Het was alsof hij zich, verontschuldigend, door drijfzand bewoog. '*Scusi, scusi...*'

Plotseling begon de mensenzee te deinen en werd hij als een blad op de stroom meegevoerd, zonder nog enige controle te hebben over zijn richting. Hij was een onderdeel geworden van de massa, en meedeinen was het enige wat hij kon doen om overeind te blijven.

Nog nooit had hij in een dergelijk gedrang gestaan – zelfs niet op oudejaarsavond op Times Square. De mensen stonden dichter opeengepakt dan bij een rockconcert, meer samengepakt dan in de metro tijdens het spitsuur. De hele piazza was als een kippenren waarin mensen werden gehouden, futloos door de warmte, overstemd door kabaal, doortrokken van penetrante luchtjes van zweet, knoflook en paardenstront. Samen met de adrenaline die door zijn lichaam joeg, benam de hele aanblik hem bijkans de adem. Lichamen duwden van alle kanten tegen hem aan. Een elleboog porde hem in de ribben; een broekgesp priemde in zijn ruggengraat. De massa verplaatste zich voortdurend, een eb en vloed van mensen die door onzichtbare krachten heen en weer werden geslingerd. *Contrada*-bendes sloegen de handen boven de menigte ineen in een vergeefse poging elkaar niet uit het oog te verliezen terwijl ze lachend en giechelend naar links en naar rechts werden geduwd. Vlaggen wapperden in de lucht. Er brak gezang uit. Mensen schreeuwden naar elkaar in wel tien talen en dialecten. Iemand sloeg op een trommel, terwijl ergens rechts een of andere ceremonie plaatsvond. Er klonk trompetgeschal en de menigte brulde goedkeurend. Danny ging op zijn tenen staan en zag hoe een stuk of tien paarden naar het starthek werden geleid.

Tot nu toe gaat alles goed, dacht hij. Hij was de spreekwoordelijke speld in een hooiberg, en Zebeks bullebakken zouden een wonder nodig hebben om hem te vinden. Hij gaf zich aan de massa over en liet zichzelf meevoeren totdat hij zich midden op het Campo bevond. Dit was het oog van de orkaan, een betrekkelijk rustige plek waar mensen in kleermakerszit op de straatsteentjes zaten, uitgeput door de warmte, de herrie en het lange wachten op de race.

Het bleek natuurlijk de slechtste plek om de race te volgen. Zelfs met zijn een meter vijfentachtig moest hij op zijn tenen gaan staan om alleen al de menigte af te kunnen speuren. Was je kleiner, dan zou je niets anders zien dan achterhoofden – afgezien van de kinderen en sommige meisjes die respectievelijk bij hun vader of vriendje op de schouders zaten.

Niet dat Danny geïnteresseerd was in de paardenrace. Hij sloeg zijn ogen op naar de gebouwen rond het plein en zocht de balkons af totdat hij Zebek zag. De miljardair stond naast een pauw en keek recht door een toneelkijker naar hem, ondertussen rustig mompelend in een mobieltje.

Hun blikken kruisten elkaar (Zebek had zijn zonnebril afgezet) en er ging een schok van herkenning door hem heen. Het Campo was een valstrik, het ideale podium voor een moord, elke uitgang werd geblokkeerd en niets zou eenvoudiger zijn dan hier te sterven. Gevolgd door Zebek vanaf het moment dat hij het palazzo had verlaten, was hij slachtoffer in afwachting van zijn executie. Zo simpel was het. Te midden van het getrommel en het gezang, het gejuich en het gelach zou een Amerikaan die met een mes in zijn rug ter aarde zeeg weinig mensen opvallen.

Op het moment dat hij de miljardair zag, begreep hij plotseling wat de man met het gsm'etje deed. Hij gebruikte het om hem op afstand op te jagen en zijn handlangers in te seinen die erop uit waren gestuurd om hem te doden.

Van zijn voorsprong (als daar al sprake van was geweest) was inmiddels niets meer over en hij was nu een gemakkelijke prooi. Met een wilde blik keek hij om zich heen en zocht vergeefs naar de man die jacht op hem maakte. Vervolgens liet hij zijn hoofd zakken en dook dieper de mensenmassa in. Als op een teken klonk een kanonschot, zo hard als de donder. Een tiental paarden stoof als een golf van kleuren uit het hek, de menigte begon te brullen en het Campo werd één grote trampoline, met duizenden mensen die op hun plaats op en neer sprongen. Vlakbij stak een blondine haar vuist in de lucht, ondertussen 'Oca Oca Oca!' roepend vanaf haar hoge plaats op de schouders van haar vriendje terwijl ze haar hakken in zijn ribbenkast plantte.

Danny begaf zich naar links, hield zich daarbij zo laag mogelijk en schoof naar het hek dat het verst van het Palazzo di Pavone was. Met een beetje mazzel kon hij nog ongezien in de massa opgaan. Het idee dat iemand hem in deze menigte kon volgen, was belachelijk – of dat leek het, totdat hij iets zag wat hem als versteend deed stilstaan.

Op misschien een meter van hem vandaan knipoogde een pauwenveer vanaf een zwart T-shirt naar hem. Opkijkend keek hij recht in de ogen van Gaetano. Nog één stap en hij zou zo in zijn armen zijn gelopen. Even bleven de twee staan waar ze waren, een stilleven te midden van een woelige mensenzee. Zebeks schurk hield een mobiele telefoon in zijn linkerhand en een mes in de rechter.

Het was Danny's voetballersinstinct dat hem redde. Zonder nadenken liet hij zijn rechterschouder zakken, maakte een schijnbeweging met zijn hoofd en dook naar links. Ook Gaetano bewoog, alleen deed hij dat de verkeerde kant op en wel zo hard in opwaartse richting dat, als hij Danny had geraakt, diens ingewanden in een lus op de grond zouden zijn beland.

Danny vond een gaatje en dook op zijn hurken, het hoofd diep tussen zijn schouders gebogen, door de mensenkluwen, onzichtbaar voor de balkons rond het plein. De massa werd inmiddels gek van enthousiasme en joelde luider dan ooit, terwijl de paarden op de finish af denderden, galopperend onder een regen van zweepslagen. En opeens was het afgelopen, net zo plotseling als het was begonnen. De massa hield de adem in – en zeeg ineen, het gebrul afnemend tot een teleurgesteld gemurmel dat spoedig plaatsmaakte voor het gegil van een vrouw en een koor van boze kreten.

Hij heeft iemand neergestoken, was zijn gedachte. Toen hij naar me uithaalde, moet hij iemand hebben neergestoken.

'E Pavone,' klaagde een man. 'Pavone vince.'

Het gegil van de vrouw werd luider en hysterischer.

Danny schuifelde naar het hek. Hij hoopte dat Zebek hem kwijt was, maar kon daar onmogelijk achter komen. En hij kon ook niet zo gebukt blijven lopen. De Palio-gangers waren in de greep van hun eigen middelpuntvliedende kracht en overspoelden de circa vijf pleinuitgangen. Net als iedereen bewoog hij zich in slowmotion en met kleine stapjes voort.

Op bijna twintig meter voor hem doemde een eeuwenoude poort op en hij was ervan overtuigd dat daarachter de vrijheid lonkte. Daar kon hij in elk geval gaan rennen. Maar opeens bemerkte hij links van zich enige beroering en terwijl hij zich omdraaide, ving hij een glimp op van Gaetano die, in een wanhoopspoging om bij zijn prooi te komen, zich al worstelend een weg door de menigte baande.

In het kielzog van de moordenaar klonk een koor van protesten op, dat overging in ontzetting nu Gaetano een vrouw bij het gezicht vastgreep en haar opzij duwde. Een man, vermoedelijk haar echtgenoot, reageerde woedend maar zakte het volgende moment door zijn knieën toen de brug van zijn neus door een kopstoot werd versplinterd. Kinderen gilden, iemand deelde een klap uit en de menigte deinde in paniek. Naast Danny begon een donkerharige vrouw met zorgvuldig getekende wenkbrauwen angstig te jammeren.

Hij wist hoe ze zich voelde. Op slechts drie meter van de uitgang stond de massa nu zo opeengepakt dat paniek niet ondenkbaar was. Als dat gebeurde, dan zou de massa één grote lawine van mensenlichamen worden en zou iedereen elkaar onder de voet lopen. Onbewust de adem inhoudend zette hij zich schrap, toen de grond opeens leek te beven. Het volgende moment trok een golfbeweging door de menigte en schoot hij als een knallende champagnekurk door de poort.

Het was een Palio-variant op de oerknal, met een menigte die in alle richtingen uit het Campo spoot, waarbij de afstand tussen de mensen op dezelfde wijze als de afstand tussen de hemellichamen langzaam uitdijde. Danny's geschuifel ging over in een sukkeldraf, en de sukkeldraf werd een looppas. Kiezend voor de weg van de minste weerstand zette hij aan voor een sprint door een oud steegje dat vol hing met vlaggen. Linksaf, rechtsaf, linksaf, omhoog door een steegje, dan weer langs een zuilengang, hij rende tot hij niet meer kon. Ten slotte leunde hij, beroofd van zuurstof en adrenaline, tegen een winkelruit en hapte naar adem. Hij had geen idee waar hij was, alleen dat hij zich ergens heuvelaf van het Campo bevond.

Een donkerharige vrouw in een lavendelblauwe rok kwam de hoek om, hand in hand met een klein meisje in overall. Ze zag de zwaar ademende Danny staan, dacht dat hij dronken was en stak snel de straat over, terwijl het meisje dicht tegen haar moeders rok kroop en de stof om zich heen trok.

In een koffiebar aan de overkant stonden een stuk of tien mannen naar een herhaling op tv van de paardenrace te kijken. Op adem gekomen begon hij weer te lopen, verder heuvelaf, en probeerde te bedenken waar hij was, waar hij heen moest en wat hij moest doen. Eerst Inzaghi bellen, dacht hij. Hij had het telefoonnummer van de priester op een papiertje in zijn portemonnee en hij had het mobieltje nog dat Zebek hem had gegeven.

Hoewel hij wist dat de miljardair zijn telefoontjes kon afluisteren, deed dat er, wat Inzaghi betrof, niet toe. Zebek ondernam inmiddels al pogingen hen allebei te doden, dus de priester waarschuwen was min of meer een weggevertje. Immers, ze konden ieder van hen slechts éénmaal vermoorden.

De telefoon ging vier keer over; daarna sloeg het antwoordapparaat aan. Danny wachtte op de piep en sprak een boodschap in die nog net te begrijpen was: *Vergeet onze afspraak. Maak dat u wegkomt. Hij weet van de bestanden. Luister uw apparaat af. Ik zal om de paar uur bellen.* Zoiets, maar dan met een hoop uitroeptekens.

Volgende punt: hij moest zijn plunjezak uit het hotel weg zien te krijgen. Zijn tickets en alles zat erin, behalve zijn paspoort. (Dat had hij bij zich.) Vervolgens zou hij een taxi nemen naar een andere stad, een waar Zebek niet naar hem zou zoeken. Daarna de trein naar Rome, een hotel en morgenochtend een vlucht. Zodra hij thuis was, zou hij het een en ander uitzoeken. De diskette met Terio's bestanden eens bekijken. De FBI erbij halen. Alles wat maar nodig was.

Maar eerst die plunjezak. Terug naar het hotel kon niet. Zebek zou er de boel in de gaten laten houden. Maar hij kon wel bellen en de portier vragen een taxi te sturen met zijn plunjezak.

Hij stopte bij een café in een zijstraat van de Draak-*contrada*, bestelde een dubbele espresso en zocht in zijn portemonnee naar het kaartje van het hotel. Hij vond het, vroeg de *barista* of hij even mocht bellen, draaide het nummer van het Scacciapensieri en vroeg naar de portier.

'Ik hoopte dat u een taxi naar mij toe kunt sturen,' zei Danny.

'Als u dat wilt, signor…'

'En ik heb mijn plunjezak nodig; die ligt bij de receptie.'

De portier grinnikte. 'Volgens mij is er sprake van enige verwarring! Het personeel van signor Zebek – dat heeft een paar minuten geleden uw plunjezak opgehaald. Maar geen probleem, hoor, want ze zijn er nog. Ze staan buiten op u te wachten, dus misschien hebt u ook geen taxi nodig. Wilt u een van hen soms even spreken?'

# 11

anny wist een lift te krijgen van drie Britten die 'op vakantie' waren van hun werk in een snoepfabriek in Liverpool en die net als hij geen logeerplek hadden in Siena. Maar een auto hadden ze wel – een gehuurde Volkswagen Golf – en in tegenstelling tot Danny waren ze te dronken om te rijden.

Hij trof hen op de uitvalsweg net buiten de stad, waar ze langs de weg blikjes lagerbier stonden te drinken en ondertussen met een krik een slapstickpoging deden om een lekke band te verwisselen. '*Oy!*' schreeuwde een van hen en hij zwaaide met de krik door de lucht. '*Mate!* Kun jij ons vertellen wat we godverdomme met dit ding moeten doen?'

Het was een nieuwerwetse krik die met een soort schaarbeweging werkte en Danny kon er zowaar mee overweg. De band was snel verwisseld en zijn nieuwe vrienden waren hem zo dankbaar dat ze hem een blikje Holstein's in de handen duwden en hem een lift aanboden naar waarheen hij maar wilde – zolang híj maar reed.

Ze besloten naar San Gimignano te rijden, ruim 32 kilometer verderop. Het was een van Italiës beroemdste heuvelstadjes, met een skyline die onderbroken werd door een reeks van onwaarschijnlijke en ietwat sinistere uitkijktorens die, tegen de zon in, deden denken aan een kindertekening van Lower Manhattan.

Danny liet de '*lads*' achter bij een pensionnetje en ging op zoek naar een taxi die hem naar Rome kon brengen. Helaas, zonder succes. De taxichauffeurs van San Gimignano keken hem een voor een spijtig aan of lachten hem in zijn gezicht uit. Het was niet eens zozeer de rit náár Rome, zo legden ze uit. Het ging om de rit terúg. Ze zouden niet voor de volgende ochtend terug zijn. Een hand vol flappen zou misschien hebben gewerkt, maar die had hij niet.

Bij het busstation had hij meer geluk. Daar vernam hij dat hij over een halfuur een snelbus naar Florence kon nemen. En als hij daar een kwartiertje wachtte, zou er een volgende snelbus naar Rome gaan. Of anders kon hij in *Firenze* een taxi nemen. Hij kocht een kaartje naar Florence, stak de straat over naar een café en bestelde een flesje Peroni. Daarna haalde hij de gsm tevoorschijn en draaide het nummer van Inzaghi.

Maar ditmaal wachtte hij niet tot het antwoordapparaat aansloeg. Na de derde rinkel hing hij op. Het had toch geen zin om weer dezelfde boodschap in te spreken. En bovendien begon het mobieltje hem zorgen te baren.

Kon het worden gebruikt om hem op te sporen?

Hij herinnerde zich een nieuwsbericht over een vrouw die met haar auto was ontvoerd. Vanuit de kofferbak belde ze met haar mobiele telefoon het alarmnummer 911 en ze hield de lijn open voor de politie, die het telefoontje van de ene gsm-mast naar de andere achtervolgde. Algauw wisten ze dat de vrouw in zuidelijke richting over Route 29 (of welke het ook was) moest rijden. Uiteindelijk organiseerden ze een wegversperring en redden haar.

Volgens de kranten had de politie het telefoongesprek 'getrianguleerd', maar dat was onjuist. De auto van de vrouw had door een landelijk gebied gereden, dus het signaal was nooit binnen bereik van meer dan één zendmast. Hierdoor kon de politie alleen zeggen in welke sector ze zich bevond en hoe ver van de mast af.

Als de ontvoerders in de stad waren geweest, waar tal van gsm-masten staan, dan zou de politie een driehoeksmeting hebben kunnen verrichten door de tijd te meten die het signaal erover deed om drie verschillende punten te bereiken. In dat geval zouden ze de vrouw tot op een meter gelokaliseerd kunnen hebben.

Kon Zebek dat ook? Danny staarde naar het toestelletje in zijn hand. Waarschijnlijk niet, dacht hij. Zelfs als de miljardair over connecties bij de politie of het plaatselijke telefoonbedrijf beschikte, was Danny niet van plan de lijn open te houden of op één plek te blijven. Dus het moest wel goed zitten, tenzij…

Tenzij het een geavanceerder gsm-toestel was dan zijn Amerikaanse broertjes – wat niet ondenkbaar leek. Zebek ging er prat op de laatste snufjes van zo'n beetje alles te hebben. Wat betekende dat de telefoon heel goed uitgerust kon zijn met *enhanced 911*, een orwelliaans 'veiligheidskenmerk' dat per 2005 voor alle Amerikaanse mobiele telefoons landelijk verplicht wordt gesteld. De nieuwe toestellen, met ingebouwde geo-positioneringsapparatuur, zouden signalen uitzenden waarmee je hun positie tot binnen de vijftig meter nauwkeurig kon bepalen.

Weg ermee, dacht Danny. Hij dronk zijn glas leeg, liet het gsm'etje op weg naar buiten in een vuilnisbak vallen en liep terug naar het busstation. Een uur later was hij in Florence en nog eens twintig minuten daarna zat hij in een tweede bus naar Rome. Dit keer zat hij voorin, onontkoombaar dicht bij een tv-scherm.

De keuze voor vandaag was gevallen op een Disneyfilm – *The Incredible Journey* – en zodra de bus in beweging kwam, begon de voorstelling al.

Gedeprimeerd zag Danny hoe twee verdwaalde honden en hun maatje, een kat die nogal een druktemakertje was, zich een weg baanden door een gevaarlijke wereld om zich weer thuis bij hun baasjes te voegen. Gedurende meer dan twee uur omzeilden de schattige wolbolletjes de ene ramp na de andere, zigzaggend van de ene gevaarlijke plek naar de andere en voortdurend in het Italiaans kwekkend.

Danny wist wel dat de film voor kleuters was bedoeld, maar merkte dat hij helemaal opging in het verhaal. Misschien had het te maken met het feit dat de zwervende huisdieren, net als hij, in gevaar waren en wanhopig de weg naar huis zochten. Of misschien ging het wel dieper dan het leek – was het een hervertelling van de *Odyssee*, maar dan met huisdieren. Hij hoopte het maar, want anders zou hij moeten toegeven dat hij het emotionele niveau van een vijfjarige had.

Dat zou Ians theorie zijn geweest.

Wat Danny's voorliefde voor populaire cultuur betrof, was Ian keihard. 'Het is één ding om "open" te staan voor dingen,' had hij ooit opgemerkt, 'maar het is iets heel anders om een vuilnisbak te zijn waarvan het deksel openstaat.' Dit enkel omdat Danny basketbalde, naar de Cowboy Junkies luisterde en Krazy Kat boeiender vond dan Andy Warhol.

Het was een kant van hem die Caleigh juist charmant vond. Hij kon gelukkig zijn bij een uitvoering van Verdi in het Kennedy Center, maar net zo blij op een *Survivor*-party.

Caleigh. Nu hij aan haar dacht, gleden zijn gedachten naar Paulina, en zij deed hem weer denken aan de problemen waarin hij verzeild was geraakt – hier, daar en overal. Een zucht ontsnapte aan zijn lippen en de vrouw naast hem begon meteen krachtig naar de televisie te knikken en te glimlachen. '*Sì,*' fluisterde ze, '*è così triste.*' Haar ogen waren vochtig, zag hij, en wat erger was, de zijne ook.

Terwijl de bus door het schemerdonker reed, staarde Danny naar zijn spiegelbeeld in het raam en begon afspraken te maken met God. Het waren gecompliceerde akkoorden die huwelijk en trouw aan zijn overleven koppelden. Niet dat hij in God geloofde. Niet echt tenminste. Maar aan de andere kant: niet dat hij níét gelovig was. Het katholieke jongetje dat hij ooit was geweest, moest een onuitroeibare kiem in zich hebben gehad die zijn jeugd had overleefd, want hij betrapte zich op de gedachte dat als hij Inzaghi kon redden, dat toch iets waard zou moeten zijn. Immers, de man was priester.

Hij zag het gezicht van Zebek weer voor zich, de donkere, priemende ogen van de rijkaard, de wandelstok geheven in de lucht: *Weet je, Daniel, voordat je iemand probeert te naaien, zou je eerst eens goed moeten nadenken wie je daarmee op de kast jaagt.* Hij dacht aan Chris Terio in zijn kleine graftombe, aan Jason Patel, gekruisigd in de woestijn, aan Terio's huis dat in de as was gelegd. Wat Zebek betrof, deed je wat hij wilde óf ging je de pijp uit.

Hij dacht terug aan wat de miljardair aan de telefoon had gezegd, toen hij met Danny's stem sprak. Hij had de priester verteld dat hij rond negenen of tienen in Rome zou zijn – een uur of twee voordat hij zelf zou kunnen arriveren. Zebek wist dat hij toen meeluisterde, dus moest hij ook hebben geweten dat hij zou proberen om de priester te waarschuwen. Danny zou Inzaghi dus bellen of, als dat niet lukte, naar de flat van de priester gaan.

Het kwam hem voor dat Zebek hier wel eens op zou kunnen rekenen – een soort reserveplan voor het geval Danny ontkwam aan zijn belagers op het Campo. Een manier om twee vliegen in één klap te slaan. Hij zou het niet laten gebeuren. Zodra hij bij Inzaghi was, zou hij herrie schoppen – het brandalarm laten afgaan, de politie erbij halen, wat maar nodig was. Hij was vastbesloten om de priester te waarschuwen. Op welke manier dan ook, hij moest het proberen.

Net als Shadow hier.

Op het onontkoombare, kleine blauwe scherm gaf Shadow de hond zich inmiddels helemaal. Hij en zijn maatjes zaten vast op een spoorwegemplacement, na op een haar aan de wielen van een passerende vrachttrein te zijn ontsnapt, om daarna door wat verrotte planken te zakken en in een diepe kuil te belanden. Het was de kat en de jongere hond gelukt om langs de glibberige wand omhoog te klauteren, maar Shadow was te oud – en te verzwakt door zijn avonturen. 'Spring, Shadow! Spring dan!' smeekte Sassy de kat.

'Niet te geloven dat ik hiernaar kijk,' mompelde Danny in zichzelf. 'Een vent probeert me te doden en ik zit bijna te janken omdat een of andere straathond in een gat flikkert.'

'*Continuate senza di me*,' maande de levensmoede Shadow de andere beesten met zijn baritonstem. Danny wist wat de oude hond zei en ook dat de Disney-organisatie dit lieve beest absoluut niet in een of andere industriële kuil aan zijn lot zou overlaten. Maar toen de bus eindelijk het eindpunt in Rome bereikte, en Shadow met grote sprongen vanuit het niets in de armen van zijn jonge baasje vloog, sloeg Danny's hart driemaal over.

'*Ecco!*' kondigde de conducteur aan. De automatische deur gleed fluitend open en braakte de passagiers de warme Romeinse avond in. Het betonnen platform waarlangs de bussen stopten, stond vol wachtende mensen die hun vrienden en familie verwelkomden, terwijl andere reizigers zich langzaam naar de bussen begaven. Aankomende passagiers schaarden zich in groepjes rond mannen met petten op, die alle bagage uit de onderste compartimenten sleepten. Uit luidsprekers galmden onverstaanbare mededelingen.

Danny volgde de menigte het busgebouw in en vervolgens naar buiten de straat op. Op ogenschijnlijk willekeurige plekken langs de weg wachtten groepjes mensen op een taxi. Niets leek op een rij of een systeem te duiden. Na tien minuten lang voor anderen te zijn geweken, sprong hij snel voor een in een duur rood pakje gestoken vrouw langs, die heftig gebaarde en luidruchtig klaagde nu hij zich op de achterbank van een witte taxi liet glijden. Toen de chauffeur hem in het Italiaans aansprak, reikte hij hem het visitekaartje aan met daarop Inzaghi's adres.

De chauffeur bekeek het vluchtig, draaide zijn raampje omlaag en vloekte tegen de vrouw in het rood, omdat ze het lef had gehad een mep op de bumper van zijn auto te geven. Daarna grinnikte hij. 'Andiamo,' zei hij en de taxi spoot weg van de trottoirband.

Voorzover Danny kon inschatten, beschikte het centrum van Rome niet over hoofdwegen. De rit naar de Via della Scrofa vergde twintig minuten en telde minstens zoveel afslagen – en nóg waren ze er niet. Regendruppels spatten op de voorruit uiteen. Het wegdek schitterde. Neonlicht spoelde over de straat, net als in een film van Michael Mann of op een prent van Hiroshige.

Zelfs op dit late uur nog en in deze regen was Rome een open stad, was het druk op straat. De cafés, de barretjes en ijskarretjes kregen massa's stappers te verwerken, op de hoeken schoolden mensen samen die hun kans afwachtten de straat over te steken. De chauffeur toeterde een of twee keer om wat roekeloze voetgangers te verjagen, maar deed dat zo bescheiden dat Danny besefte dat hij hier nog nauwelijks een claxon had gehoord. Is vast verboden, dacht hij. Anders zouden die Italianen constant toeteren.

De mensen waren hier niet bedeesd, zo leek hem.

Op een hoek zag hij een jong stel uit de weg springen. Ze lachten – de man had zijn arm om de schouder van de vrouw geslagen. Ze had een ijshoorntje en Danny zag hoe ze een likje nam en vervolgens verlekkerd haar mond tot een *o* vormde. Ze had iets wat hem aan Caleigh deed denken en er ging een schok door hem heen. Wat deed hij hier eigenlijk? Alles wat hij liefhad, was in Washington. Wat had hem bezield om hiernaartoe te komen?

De chauffeur trommelde met zijn vingers op het dashboard. 'Merda,' mopperde hij, hij draaide zich om naar Danny en vuurde een vraag af.

'Sorry,' reageerde Danny met een hulpeloze blik op zijn gezicht.

'Non capisce?' De chauffeur leunde achterover in zijn stoel en zuchtte. Op slechts luttele centimeters afstand spurtte een Vespa voorbij en de chauffeur reikte naar een boekje en begon de bladzijden om te slaan. Ten slotte zette hij de meter uit, stapte uit en rukte het achterportier open.

'Camminata,' zei hij. 'U nu lopen.'

'Ikke wát?'

'Is niet ver. Accidente.'

Danny zag wat de man bedoelde. Het verkeer stond muurvast. Hij gleed van de achterbank, betaalde het tarief dat op de meter stond en deed er een paar duizend lire fooi bij. 'Welke kant op?' vroeg hij, heen en weer kijkend.

De chauffeur zuchtte en stak zijn hand uit, met de palm naar beneden. Zijn vingers en duimen tegen elkaar houdend gebaarde hij naar links en naar rechts. '*A destra, sinistra, a destra*. Is kst-kst-kst, oké?'

Danny knikte, onzeker of het nu wel of niet oké was. De chauffeur trakteerde hem op een 'je-kunt-het-wel'-glimlach en gaf hem een bemoedigend tikje op de schouder. Met een '*Ciao!*' gleed hij weer achter het stuur.

Danny deed wat hem was verteld, niet dat kst-kst-kst-gedeelte (wat dat ook mocht betekenen), maar het rechts-links-rechts. Het voerde hem steeds dieper een arbeiderswijkje in dat het brandpunt van een hardnekkige verkeersopstopping leek te zijn. Mensen stonden op hun tenen naast hun auto op straat, de portieren geopend, en probeerden reikhalzend te achterhalen wat er aan de hand was.

Hij bleef lopen totdat hij ter hoogte van de eerste verdieping van een hoekgebouw een straatnaambord zag: VIA DELLA SCROFA. Het was een grote straat, met winkels aan weerszijden, maar niet recht, zoals in Washington of New York het geval zou zijn geweest. Na ongeveer een huizenblok boog de straat scherp af naar links, alsof hij een eigen onzichtbare, demografisch bepaalde lijn volgde.

'*Che cosa è questo?*' vroeg een zilvergrijsharige man hem. Hij kon alleen maar zijn schouders ophalen en liep door, langs een kunstgalerie, een schoenreparatiezaakje, het raam van een boekenantiquariaat. Vervolgens sloeg hij een hoek om, waarna de oorzaak van de file duidelijk werd. Rode en blauwe zwaailichten flakkerden tegen de muren van de oude gebouwen en wierpen poelen van licht op het natte plaveisel. Midden op straat drong de menigte op tegen een broze versperring van een afzetlint met zuurstokstrepen. Aan weerszijden rekten mensen zich uit om te zien wat er achter de afzetting lag. '*Che cosa è?*'

'*Che è esso?*'

'Alastair?' vroeg een vrouw met een geaffecteerd accent. 'Was het een botsing?'

'Ik heb geen flauw idee, schatje. Kan 't niet goed zien.'

Danny wierp een blik over zijn schouder op de muur boven het boekenantiquariaat en zijn maag trok samen. Het huisnummer, zo zag hij, kwam al dicht bij dat van Inzaghi.

Alastair wendde zich tot de man naast zich en stelde hem de vraag in vloeiend Italiaans.

Danny haalde zijn schouders op.

'Nou?' moest de vrouw weten.

'Híj weet 't ook niet,' antwoordde haar man.

Op dat moment ging de meute uit elkaar nu een volgende politiewagen zich al claxonnerend een weg naar de versperring baande. De automobilisten begonnen hun geduld te verliezen. Achter hen klonk een kakofonie van getoeter op.

'Ik zal wel even een praatje gaan maken met de *poliziotto*, goed? Kijken of we ons erlangs kunnen persen of dat ze ons willen omleiden. Ga jij maar terug naar de auto.'

'Dit kan nog wel een eeuwigheid duren,' klaagde de vrouw.

'Maak je niet druk,' stelde Alastair haar gerust en hij baande zich met zijn ellebogen een weg door de menigte.

Danny wist niet wat hij moest doen. Overmand door angst merkte hij dat hij zich niet kon bewegen. Ten slotte dook Alastair weer op en Danny stak een hand uit om hem tegen te houden. 'Is er een ongeluk gebeurd?'

De Engelsman keek de Amerikaan matig verrast aan en schudde toen zijn zilvergrijze hoofd. 'Een springer,' zei hij. 'Een van de *padres*. Heeft zichzelf van Casa Clera geworpen.' De man zag Danny's plotselinge bedroefdheid, verwarde deze met irritatie, boog zich iets voorover en mompelde: 'Had daarbij natuurlijk geen oog voor anderen.'

Danny wilde op de vlucht slaan, maar de versperringen dwongen hem naar voren, steeds dichter naar de plek des onheils toe. Hij zag twee politiewagens, een ambulance en een paar agenten die hun best deden de pottenkijkers op afstand te houden. Achter de afzetting was een fotograaf bezig, wiens flitser de omgeving nu en dan in een felle gloed zette.

Al duwend baande Danny zich een weg naar voren en eindelijk kon hij zien wat er was gebeurd. Gekleed in een blauw overhemd en een donkere broek lag Inzaghi roerloos op het plaveisel. Hij lag op zijn zij, met een arm uitgespreid, zijn rechterhand helemaal naar de pols omgeknakt. Eén been lag verdraaid onder het andere, alsof de knie in een bankschroef vast had gezeten en het been honderdtachtig graden was gedraaid. De fotograaf flitste maar door, als in een akelige imitatie van een shooting voor een modeblad. In het kille licht van de flitser zag Danny dat het hoofd van de priester niet langer symmetrisch was. De linkerkant was op een groteske manier platgeslagen en er sijpelde vocht uit.

Zelf was hij bijna net zo versteend als de priester, niet bij machte zijn ogen los te rukken van het door bloed omkranste hoofd van Inzaghi. Iedereen zal denken dat het zelfmoord is, dacht hij. Inzaghi's vrienden en familie, de mensen die hem liefhadden – hun verdriet zou worden verergerd door een schuldgevoel, een gevoel dat ze er niet waren geweest toen hij hen nodig had.

Een brancard werd hotsend en hobbelend door een ziekenbroeder over de keitjes geduwd. De versperring werd even een stukje teruggetrokken om hem door te laten en een tweede man arriveerde met een lijkzak. Na een korte woordenwisseling met een inspecteur in burger trok het ambulancepersoneel chirurgische handschoenen aan en tilden ze de priester voorzichtig in de lijkzak, die vervolgens werd dichtgeritst.

De drukte begon zich op te lossen. Er klonk een collectieve zucht en de mensen kuierden een voor een weg. Achter de afzetting zag Danny iemand die hem bekend voorkwam. Een grote vent die de menigte afspeurde, op zoek naar iemand. Gaetano? Danny wist het niet zeker, maar het was wel degelijk mogelijk. Zebek zou hebben vermoed dat hij hierheen zou komen. Verwonderlijk was wel dat ze niet het geduld hadden betracht hem eenvoudigweg op te wachten in de flat. Of misschien hadden ze dat wel gedaan – en had Inzaghi hen tot handelen gedwongen. Misschien…

Misschien moest ik maar even een andere plek gaan zoeken om na te denken, dacht hij, hij draaide zich om en begon weg te lopen. Hij had al zijn wilskracht nodig om niet om te kijken. Een of twee keer bleef hij wat voor een winkel hangen, alsof hij de etalage bekeek, maar in werkelijkheid tuurde hij aandachtig naar het spiegelbeeld van de straat achter zijn rug. Het regende nog slechts licht, de motregen was overgegaan in mist. Even later was alles opgetrokken en leek de warmte alle vochtigheid uit de lucht op te zuigen.

Hij had geen idee of hij werd gevolgd. Er was te veel volk op straat en de waarheid was dat hij niet wist op wie hij bedacht moest zijn – Gaetano, die zeker, maar de kleerkast was niet Zebeks enige vazal.

Hij sloeg een hoek om en versnelde zijn pas totdat hij een geraas opving en vervolgens via een poort op een groot plein belandde. Kunstenaar als hij was, herkende hij direct deze plek. Bernini's *Fontana dei quattro fiumi* was een krachtige fontein midden op het plein – wat betekende dat hij nu op de Piazza Navona stond.

Ondanks het late uur was het plein bomvol mensen. En het was een echt marktplein. Hij beende langs een groepje spotprenttekenaars die aan de rand van de piazza werkten, profiterend van het licht van de straatlantaarns. Er stonden tafeltjes met souvenirs en mensen verkochten rozen en sjaaltjes en god weet wat nog meer, hun waren afgeschermd met stukken plastic. Hij passeerde een groepje tienerjongens die een groepje tienermeisjes klierden en belandde daarna opeens tussen een stel poezen die op batterijen werkten. Deze werden verpatst door een Afrikaanse man die enorme lol leek te hebben in de bewegingen van de elektronische beestjes. Met groene en oplichtende ogen wipten de poezenrobots van het ene pootje op het andere, ondertussen zacht en blikkerig miauwend.

Danny liep naar de Fontein der vier stromen, lepelde met een hand wat water op en liet het in zijn nek druppelen. Wat nu? Zijn blik rustte op het kolossale beeldhouwwerk, verlicht door schijnwerpers in het water en omringd door een stralenkrans van krioelende muggen. Ja, wat nu?

Hij had het gevoel te zijn vastgelopen, zowel wat betreft tijd als plaats. Totdat hij het lichaam van Inzaghi had gezien – het verbrijzelde hoofd en de bloedspatten – was zijn eigen hachelijke situatie eerder theoretisch van aard dan echt geweest. Hij had de verslagen over Terio's dood gelezen, de beelden van de moord op Patel gezien en Zebek horen zeggen dat hij Inzaghi ging doden. Maar nu was alles anders. Dit was bloed aan de paal. Als hij had gewild, had hij zijn vinger – zijn hele hand zelfs, verdomme – in de wonden van de priester kunnen steken.

Aan de overkant van het plein zag hij een leeg tafeltje, hij kuierde ernaartoe en nam plaats. Overal klonk gekwebbel, rinkelend glaswerk en het geblèr van Vespa's die door een nabijgelegen straat jakkerden. Bij een passerende ober bestelde hij een biertje. Hij probeerde zich voor de geest te halen wanneer hij voor het laatst iets had gegeten. Die ochtend, concludeerde hij, of de avond ervoor. Niet dat het er iets toe deed.

Iets verderop liep een Aziatische vrouw de tafeltjes af met een mand met kleine bronzen cherubijnen. Onder gefluit en gejoel demonstreerde ze het geheim van de engeltjes: drukte je op het achterhoofd, dan schoot er een bundel rood licht uit de penis van het kereltje. Normaal zou hij door de aanblik dan wel de ironie van dit tafereeltje in de schaduw van Bernini's meesterstuk misschien geamuseerd zijn. Maar de kleur van het licht kwam zo dicht in de buurt van wat hij op het wegdek van de Via della Scrofa had gezien dat het hele gedoe op hem een sinistere en obscene indruk maakte.

Misschien moest hij maar eens naar de Amerikaanse ambassade gaan en daar om hulp vragen. Maar wat konden ze voor hem doen? Ze zouden hem gewoon naar de politie verwijzen – en wat kon hij dáár zeggen? Dat Zebek zijn mannen had gestuurd om een priester te vermoorden? Hij zag de reacties al voor zich. De inspecteur zou hem er uiteraard op wijzen dat Zebek een belangrijk man was. Hij zou zijn armen over elkaar slaan en hem met een sceptische blik schuin aankijken: *Wat voor bewijzen hebt u?*

*Nou… eigenlijk geen… alleen… ik neem aan dat het zijn woord tegen het mijne is.*

*En het motief van signor Zebek?*

*Hij zat achter wat computerbestanden aan.*

*Aha! En wat stond er in die bestanden?*

*Weet ik niet.*

*Ik begrijp 't…*

Als hij de diskette met Terio's bestanden nog in zijn bezit zou hebben, zou de gang naar de politie een goede optie zijn geweest. Hij wist niet wat er in de bestanden stond – hij zou het nu vermoedelijk nóóit weten – maar hoe dan ook, het vormde het bewijs van iets belangrijks. Maar de diskette zat natuurlijk in zijn plunjezak, en die had hij bij de hotelreceptie in Siena achtergelaten, waar hij door Zebeks mannen was afgehaald. En dus had hij niets. Alleen zijn verhaal. En dat kwam wat dunnetjes over.

En stel dat de politie naar zijn eigen relatie met de priester vroeg. Wat dan? Ze zouden er vast achter komen dat hij zich als een politieman had voorgedaan. Goed, dat zou hun aandacht trekken, maar niet op de manier die hij graag zag. En als hij zich vervolgens beriep op de moorden op Terio en Patel, wat dan? De politie zou wanhopig de armen ten hemel heffen (immers, jurisdictie betekende hier nog iets) of hij zou achter de tralies belanden – en of dat in de gevangenis was of in het gekkenhuis, daar kon je slechts naar gissen.

Dus de politie was uitgesloten.

Bleef over: plan B. Landingsgestel in: Danny vliegt naar huis. Daar verlangde hij naar: terug naar Caleigh en zijn werk in de studio. Helaas was dat net zo onrealistisch als naar het politiebureau stappen, want Zebek zou zoiets verwáchten. Hij zou hem thuis opzoeken, ja, wachtte hem thuis vermoedelijk al op. Maar toch... hij zou weer op zijn eigen stek zijn. En wat er ook gebeurde, het zou in het Engels zijn. Begreep hij tenminste weer wat er aan de hand was.

Aan de andere kant had het thuisvoordeel Chris Terio of Jason Patel ook niet veel geholpen. En dan was Caleigh er ook nog. Als hij nu naar huis ging, zou hij haar direct in gevaar brengen, als ze dat al niet was. Het risico deed hem opeens rechtop zitten. Hoeveel wist Zebek eigenlijk van hem af? Hoeveel wist hij écht? Hij dacht hier even over na en kwam tot de slotsom: een hoop. Zebek wist van de expositie in de Torpedo Factory, hij had zijn sculptuur van geborsteld aluminium bij Les Yeux du Monde gezien. Dus hij wist waarschijnlijk ook van Caleigh. En misschien nog wel veel meer.

Hij moest bellen.

Hij schoof een briefje van tienduizend lire onder het lege flesje Peroni, stond op en ging op zoek naar een telefoon. Het duurde even voordat hij doorhad hoe de munttelefoon werkte. Toen hij doorkwam, was de verbinding opvallend helder, maar hij kreeg slechts zijn eigen stem te horen: *Hoi, dit is het antwoordapparaat van Caleigh en Dan. We zijn nu even niet bereikbaar...*

Hier in Rome was het iets na middernacht, dus in Washington zes uur in de avond. Ze kon overal zitten. Nog op haar werk. In de metro. Op de trap naar de flat. Hij probeerde haar kantoor en kreeg opnieuw een voicemail. Maar nu was het háár stem en het verlangen welde in hem op. Hij wilde net een boodschap inspreken, zeggen dat hij in de problemen zat, écht in de problemen, maar van het soort dat lastig uit te leggen was; hij stond op het punt haar te vertellen dat ze misschien maar een paar daagjes moest gaan logeren bij haar vriendin Michelle of bij Magda...

Maar nee. Met een dergelijk bericht zou hij niets bereiken. Ze zou zich alleen maar vreselijk zorgen maken... om hem. Ze zou blijven waar ze was en wachten tot hij terugbelde. Dus uiteindelijk luidde zijn boodschap: 'Hé, liever. Jammer dat ik je misloop. Het is hier 'n beetje een gekkenhuis, maar... ik probeer 't morgen wel weer. Vergeet niet alles af te sluiten, oké?'

Wat nu? Eerlijk gezegd was hij te moe om na te denken. Hij had behoefte aan een hotel. De meeste rond het Piazza Navona leken drie- of viersterrenhotels te zijn, maar hij had iets goedkopers nodig. Géén sterren, dat zou ideaal zijn. Een meteoriet of een halvemaan was anders ook welkom, dank u.

Al vrij snel stond hij op het kleine en bruisende Piazza della Rotonda, waar een dikke Amerikaan met een Long Island-accent lyrisch tekeerging. 'Ik heb 't over het Pantheon, ja! Heb je wel enig idee wat dat betekent?' Zijn metgezellen reageerden sprakeloos en beschaamd. 'Ik heb 't over Julius *fuckin'* Caesar. Romeinen! Met hun toges in een toga! Kun je 't je voorstellen? Precies op de plek waar ik nu sta – tweeduizend jaar geleden!'

Er waren een stuk of vijf hotels rond het plein, waarvan een het Abruzze was, een tweesterren-etablissement recht tegenover de ronde cakevorm van het Pantheon. Hij vulde een registratiekaartje in en betaalde, op verzoek van de receptionist, contant.

'Geen *bagaglio*?'

Je hoefde geen Italiaans te spreken om te begrijpen wat hij bedoelde. 'Zoekgeraakt op het vliegveld,' legde Danny uit.

De man sloeg zijn ogen even ten hemel en grinnikte meelevend. Vervolgens graaide hij een sleutel uit de brievenbakken achter zich en ging hem voor op de trap naar de eerste verdieping, waar hij even later de deur naar een kleine kamer met hoge plafonds opende. '*Caldo*,' merkte de receptionist op terwijl hij naar de ramen liep en de luiken opengooide.

Een zachte bries duwde tegen de gordijnen. De receptionist glimlachte en knikte bemoedigend. Daarna nog een glimlach. Moe als hij was, duurde het even voordat het kwartje viel. Eindelijk begon het te dagen en zoekend in zijn zakken naar wat kleingeld gaf hij de receptionist een dollarbiljet.

'*Grazie, e buona notte*,' zei de man en met een eerbiedige knik liet hij zichzelf uit.

Eindelijk alleen liet hij zich op het bed zakken, viel achterover en sloot zijn ogen. Achter de ramen klonk het zachte gejammer van een saxofoon. Een klaterende fontein. Flarden Italiaans, Frans en Engels, gelardeerd met lachsalvo's. Wat speelde die vent toch? Hij kon zich de titel van het nummer niet meer herinneren – en toen schoot het hem opeens te binnen. 'My Funny Valentine'.

Hij wist niet of hij nu moest lachen of huilen.

En hij kon zich ook niet meer herinneren dat hij in slaap was gevallen, maar ja, wie deed dat nou wel? Het ene moment lag hij nog gewoon op bed, en het volgende...

Hij voelde de zon op zijn gezicht en hoorde de eerste tonen van wat al snel uitgroeide tot een bedrijvige symfonie van vuilniswagens en motorscooters. Knipperend met zijn ogen werd hij nu goed wakker, hij wierp een blik op zijn horloge en zag dat het iets na zessen in de ochtend was.

Eigenlijk zou hij nog wat moeten slapen, vond hij. Maar nee. Hij moest nodig met Caleigh praten, en hoe eerder, hoe beter. Er was een tijdsverschil van zes uur tussen Washington en Rome, zodat het bij haar nu iets na middernacht was – hij wist dat ze dan wel thuis zou zijn.

Hij had geen telefoon op zijn kamer, dus trok hij zijn kleren aan en ging er eentje zoeken. Bij de tweede rinkel nam ze op, met een slaperige stem en een beetje terneergeslagen – alsof ze hem miste. Het weifelachtige 'Hallo?' greep hem echt aan en eventjes overwoog hij haar, hier en nu, ten huwelijk te vragen, maar hij bedacht zich. Een aanzoek was niet iets wat je over de telefoon deed.

'Hé, meisje…' De verbinding was zo helder dat nu ze niet reageerde de stilte oorverdovend was. 'Eh, Caleigh?'

'*Fuck you.*' En weg was ze.

Even dacht hij een verkeerd nummer gedraaid had. Maar dat was wishful thinking. Natuurlijk was zij het. Foute boel, dacht hij. En niet waar ik op zit te wachten – helemaal niet.

Hij draaide het nummer opnieuw. Dit keer kreeg hij de voicemail. Wat betekende dat ze met iemand anders in gesprek was (wat niet waarschijnlijk was) of dat de hoorn van de haak lag (heel waarschijnlijk). Toen hij de pieptoon hoorde, sprak hij: 'Luister Caleigh, ik zit een beetje in de penarie hier, dus…' Dus wat? 'Ik zit in het Abruzze Hotel in Rome. Bel me even.' Hij diepte het kaartje op uit zijn broekzak en gaf het nummer.

Vervolgens bleef hij wel een minuut zo staan, peinzend over de toon in haar stem. Kwaad, gekwetst, kwaad – het een meer dan het ander, maar wat precies kon hij niet zeggen. Niet uit die twee woorden. Het bracht hem in de war, en dat niet alleen: hij werd woest. Hij had al genoeg zorgen, ook zonder dat Caleigh over de zeik ging omdat hij niet elke avond had gebeld. Wat was haar probleem eigenlijk?

Hoewel het in Amerika al laat was en hij wist dat hij mensen uit hun bed zou bellen, had hij geen zin om tot de middag te wachten. Dus belde hij Preston, die niet thuis was, en Jake, die wél opnam. Helaas bleek Jake apestoned en had hij Caleigh sinds de expositie in de Petrus niet meer gezien.

'Waarvandaan bel je?'

'Rome.'

Stilte. 'Itálië?'

'Ja.'

Opnieuw stilte. 'Wat doe je in Italië? Ben je op… vakantie?'

'Nee, ik ben aan 't werk. Hoewel, ik doe vooral m'n best niet om zeep gebracht te worden.'

Jake lachte. 'Goeie vent! Dirty Harry!'

'Ik meen het!'

'Natuurlijk meen je het. Maar dat doe je nu eenmaal altijd. Het gevaar opzoeken. Net als een vliegdekschip, maar dan…' Hij dacht even na: 'Kleiner.'

'Wat rook je?' vroeg Danny.

'Wat denk je?' reageerde Jake. 'Ik ben kunstenaar, weet je.'

Dit ging zo een minuut of twee door, totdat hij vroeg naar het nummer van Michelle Peroff. Dat was Caleighs beste vriendin; met hun viertjes waren ze al een of twee keer wezen stappen. Als iemand wist wat er aan de hand was met Caleigh dan was Michelle het wel.

En dat klopte.

'Je verbaast me echt,' zei Michelle toen hij haar aan de lijn kreeg.

'O?' Zoals ze het zei, klonk dat 'verbaast' niet als een compliment.

'Je bent ook zo'n eikel, hè! Hoe kón je?'

'Hoe kon ik wát?'

'Haar dat ding toesturen.'

'Welk ding?'

'Die… attachment.'

Hij had geen flauw idee waar ze het over had. 'Welke "attachment"?'

'Die videoclip – bij je e-mail? Zoals in "nu downloaden". Nou, dat heeft ze dus gedaan.'

Danny schudde zijn hoofd alsof hij het zo weer helder kon krijgen. Vervolgens haalde hij eens diep adem en blies de lucht uit. 'Luister, Michelle…'

'Jij moet echt hartstikke ziek zijn of zo!'

'Ik heb haar niets gestuurd!' verweerde hij zich. 'Ik heb niet eens een computer bij me! Wat voor videoclip?'

'Dat weet je heus wel.'

Ze begon hem al aardig te irriteren. 'Nee, Michelle, dat weet ik echt niet. Daarom vraag ik het aan jou. Waar heb je het over?'

'Ik heb 't over jou en je vriendinnetje.'

'Mijn "vriendinnetje"? Welk vriendinnetje?'

'Hoe moet ik dat weten? Zij is je vriendinnetje! Wat was je aan het doen dan, alleen maar opscheppen of zo?'

Hij wist niet wat hij moest zeggen.

'Dacht je dat Caleigh jaloers zou zijn…'

'Nee…'

'Want dat is je niet gelukt. Je bent haar alleen… kwijtgeraakt. Hoe dronken was je eigenlijk?'

'Ik weet het niet,' moest hij bekennen. 'Ik bedoel, ik snap even niet waar we het over hebben.'

Michelle lachte hem uit. 'O nee?' Ze zweeg even. 'Luister, ik vond je altijd een aardige vent, maar… ik wil niet meer dat je me belt, oké?' En ze hing op.

Een poosje bleef hij staan waar hij stond, het gesprek in zijn hoofd telkens weer herhalend om er wijs uit te kunnen worden. Langzaam bekroop hem het gevoel dat Michelle het over Paulina moest hebben gehad, want als je erover nadacht, kón ze het alleen maar over Paulina hebben gehad. Wat zei ze ook alweer? Iets over zijn 'vriendinnetje'. Want zo noemen vrouwen andere vrouwen, dacht hij, als die andere vrouwen... die Andere Vrouw zijn. Maar een attachment bij een e-mail? Hoe kon dat nou? Dan moest er dus een camera in de kamer zijn geweest, en... Kon Zebek zoiets voor elkaar krijgen? Hij dacht erover na en kwam tot een conclusie: ja. Als hij de uitslag van de Palio kon beïnvloeden, dan kon hij ook een paar dienstmeiden omkopen om een camera in de kamer te plaatsen.

Wat ook Danny's plotselinge en toch wel tamelijk verbazingwekkende populariteit bij het andere geslacht opeens verklaarde. Wat bleek? Hij was eigenlijk niet zo onweerstaanbaar. Hij was gewoon een lul. Wat had Paulina ook alweer gezegd? *Ben jij ook supergroot?* Hij schudde zijn hoofd.

In zichzelf mompelend slenterde hij terug naar het hotel, hij kleedde zich uit en liep naar de douche, die meer een motregen dan een stortbui en meer lauw dan warm bleek te zijn. Toch bleef hij er tien minuten onder staan, terwijl hij nadacht en zich inzeepte. Niet dat hij echt een geweldige ingeving had, maar hij moest íéts doen. En dus droogde hij zich haastig af, trok wat kleren aan en beende met twee treden tegelijk de trap af naar de lobby. Hij herinnerde zich een internetcafé dat hij de avond daarvoor had gezien en liep erheen. Het was slechts een paar straten verderop, om de hoek van de Via del Corso. Ondertussen dacht hij na over wat hij ging doen.

De politie inschakelen was uitgesloten, net als naar huis gaan. Bleef over... plan C. Erachter komen wat er aan de hand was – of in elk geval genoeg, zodat wanneer hij wel naar de politie zou stappen, ze wel naar hem zouden móéten luisteren. Helaas vormden de paar telefoontjes die Terio pleegde vlak voordat hij in eenzame opsluiting ging zijn enige bruikbare aanwijzingen. Een paar telefoontjes naar Palo Alto, een paar naar Istanbul en eentje naar Oslo.

Palo Alto liep dood (letterlijk), maar de man in Istanbul kon er nog wel eens zijn. Hij deed zijn best zich diens naam te herinneren. Remy nog iets. Een B. Balzac misschien. Remy Balzac. Zoiets. En de Agence France Presse? Die had Terio ook gebeld. Wat hem wel of niet verder kon helpen, dat hing immers af van hoeveel mensen ze in Istanbul hadden werken. Twee of drie? Tien of twintig? De enige manier om dat te weten te komen, was te bellen en te informeren.

Hij sloeg de hoek om en stond opeens voor het internetcafé dat hem te binnen was geschoten. Weggestopt in een verder onopvallend barok gebouw was het koffiehuis zo'n kil etablissement met een hoop plastic en primaire kleuren. Hij bestelde een dubbele *macchiato*, betaalde voor een uurtje internetten en nam plaats in een futuristische stoel achter een van de ongeveer tien computers. Hij opende de Yahoo-pagina en begon uit gewoonte eerst zijn e-mail te checken. Het enige bericht van belang was een mailtje van Lavinia, die meldde dat iemand van *Flash Art* had beloofd bij de opening aanwezig te zijn, en hoe verliep de voorbereiding eigenlijk?

147

*Alles kits,* tikte hij, blij dat hij niet hoefde uit te leggen waar hij uithing. *Werk me te pletter!* Vervolgens klikte hij op VERZENDEN en leunde achterover om na te denken.

Caleigh...

Wat kon hij zeggen? Dat hij spijt had? Dat hij dronken was geweest? Dat hij het nooit meer zou doen? Zacht kreunend boog hij zich voorover en hij klikte op de knop NIEUW BERICHT. Een venster werd geopend en hij voerde haar adres in. Daaronder tikte hij:

*Caleigh – lieverd,*

Hij leunde weer achterover en keek naar de knipperende cursor. Een minuut verstreek; daarna nog een minuut, en nog een. Ten slotte kreeg hij een idee. Rechtop zittend boog hij zich over het toetsenbord en begon te typen:

*Je gelooft je ogen niet. Ik weet dat het gek klinkt, maar toe – lees even wat ik te zeggen heb.*

Hij wachtte weer even, herlas de woorden op het scherm. Dit is erg, dacht hij. Maar haar verliezen zou nog erger zijn. Als ik niet van haar hield, zou ik niet tegen haar liegen.

*Ik zit in de problemen.*
*Zonder al te veel in detail te treden: ik heb het aan de stok met een of andere hightech psycho-miljardair die over technologie beschikt waarmee hij films kan maken met iedere willekeurige ziel in de hoofdrol. Door oude filmopnames te gebruiken als sjablonen kan hij – en ik verzin dit niet – kan hij 'een virtuele acteur' creëren door wat hij noemt 'een persoonlijkheids-chip' te maken. Met andere woorden: hij kan een remake van* Star Wars *maken met Humphrey Bogart – of mij – als Luke Skywalker.*
*En niet alleen* Star Wars. *Ook zou hij* Deep Throat *kunnen herscheppen, en als ik Michelle zo hoor, heeft-ie dat inmiddels al gedaan ook.*
*Ze vertelde me dat je een e-mail kreeg, zogenaamd van mij, met een video-attachment. Ik zweer je, ik heb het niet gestuurd. Waarom zou ik? Ik bedoel, hoe stoned zou ik daarvoor moeten zijn? (Denk er eens over na: zou iemand zo high kunnen worden?)*
*Maar ik verwijt je niets als je denkt dat ik lieg. Zien is geloven. Dat weet ik. Het zou alleen niet zo moeten zijn – niet meer, althans.*
*Wat me op het volgende punt brengt. Deze figuur, Zebek, kan*

*met stemmen hetzelfde doen als met beelden. Dus neem geen*
*telefoontjes meer aan van 'mij'. Want ik zeg je nu: ze zullen niet*
*van mij zijn, maar van hem.*
  *Geloof vooral niets wat van mij afkomstig is totdat ik in levenden*
*lijve voor je sta. En vergeet niet dat ik van je hou, wat er ook*
*gebeurt. Ik heb altijd van je gehouden en zal dat ook altijd blijven*
*doen.*
  *D.*
  *PS: Verwijder dit e-mailtje.*

Er was nog een e-mail die hij moest versturen. Mamadou Boisseau was een 24-jarige stagiair bij Fellner Associates. Opgegroeid in Washington als zoon van een diplomaat uit Ivoorkust en diens Amerikaanse vrouw studeerde hij af aan Sidwell Friends en Rensselaer Polytechnic, hoofdvak management informatiesystemen. Mamadou, Dew voor zijn vrienden, was een behoorlijk eigenaardig figuur. Hij was een sciencefictionfanaat die doedelzak had leren spelen (en goed ook) en een databasekenner wiens werkkamer werd gedomineerd door een gigantische filmposter voor *The Matrix*. Danny mocht hem graag en wist zeker dat hij hem kon vertrouwen. Het feit dat zijn Honda was volgeplakt met vergeelde bumperstickers die mensen opriepen hun tv te slopen en vraagtekens te zetten bij Het Gezag, was voor hem een teken dat Dew niet het type was dat naar de baas zou rennen als iemand hem om een gunst vroeg.

*Dew,*
*Ik heb een groot probleem met een van onze cliënten. Namelijk*
*dat hij me probeert te vermoorden. (En nee, dit is geen grap.) Ik*
*deed er wat werk bij en nu... nou ja, het is niet zo geweldig ge-*
*lopen.*
  *Hoe dan ook: als jij voor mij een paar firma's wilt natrekken (en*
*de eigenaar), dan sta ik diep bij jou in het krijt – en daarmee*
*bedoel ik dat ik die lampjes voor je racebaan zal regelen, een*
*schilderdoek zal opspannen, je* Matrix-*poster opnieuw zal inlijsten,*
*wat je maar wilt!*
  *Het eerste bedrijf is Sistemi di Pavone, S.A., met hoofdkantoor*
*in Siena (Italië). Het tweede is Very Small Systems, Inc., in Palo*
*Alto. Beide bedrijven zijn van een man die Zerevan Zebek heet*
*(alias Jude Belzer).*
  *Wat je maar kunt vinden, maar vooral wat ze doen. Geen van*
*beide is een open NV (voorzover ik weet), maar Zebek moet iets van*
*een kredietfaciliteit hebben. Ik ben geïnteresseerd in hun*
*financiële toestand, het soort research & development dat ze doen*
*– en wat je verder nog kunt vinden over het werk dat wij voor ze*

149

*doen bij Feller. En ook wat je maar te weten kunt komen over Jason Patel – een directeur van Very Small Systems, die in Californië werd vermoord – zou me kunnen helpen.*

Na de e-mail te hebben verstuurd kuierde hij naar buiten en slenterde de Via del Corso op. Het verkeer reed weliswaar bumper aan bumper, maar snel, in een dikke nevel van ozon en koolmonoxide. Hij liep het warenhuis Rinascente in om wat nieuwe kleren te kopen. Twintig minuten later stapte hij naar buiten met een winkeltas met een paar poloshirts, wat sokken en ondergoed en een kaki broek. Terwijl hij terugwandelde naar de Piazza della Rotonda kocht hij bij een venter op straat nog een rugzak en propte deze bij zijn nieuwe kleren.

Het begon al aardig warm te worden.

Hij bleef even staan bij de ingang van een reisbureau en bestudeerde de eigenaardige display in het raam. Deze bestond uit een totempaal met kleurrijke stukken papier op elk waarvan een reisaanbieding en geheel verzorgde vakanties naar verre plaatsen werden aangeprezen. Tenerife, Praag, Mallorca, Bangkok, Orlando en – hallo? – Istanbul voor slechts 350.000 lire. Hoeveel was dat eigenlijk? Hij rekende het uit en kwam op iets minder dan tweehonderd dollar uit. Wat hem verraste. Maar waarom ook niet? Zo ver was het nu ook weer niet – niet vanuit Rome in elk geval.

Een paar minuten later stond hij in de schaduw van het Pantheon. Primitief en immens leek het bouwwerk de belichaming van de tijd zelf. Hij voelde de uren van de stenen afstralen, als de hitte die hartje zomer boven een asfaltweg zindert. Aangetrokken door de massieve deuren beklom hij de uitgesleten treden en bijna aarzelend stapte hij naar binnen.

De wanden van het gebouw hulden zich in eeuwige schaduwen, maar het hart van het bouwwerk lichtte fel op door het zonlicht dat door een ronde opening, de oculus, in het plafond ver boven hem naar binnen stroomde. Hij zag het bouwwerk nu voor het eerst vanbinnen en stond versteld van de pracht en praal. Even vergat hij al zijn zorgen.

Daarna, terwijl hij zich dieper het gebouw in waagde, verscheen er een wolk tussen de oculus en de zon, die de eeuwenoude tempel verduisterde en een grijze sluier over alle bezoekers wierp. Hij liep wat langzamer en bleef staan toen een gevoel van angst zijn hart doorboorde.

Nu leek de grote koepel opeens op een klokbeker waar het spookte. Te midden van de zich verdiepende duisternis liepen toeristen fluisterend rond. Langzaam, en met een bang voorgevoel, sloeg Danny zijn ogen op naar het plafond, half verwachtend opeens oog in oog te staan met Zerevan Zebek, die door de oculus naar beneden staarde alsof het een glazen bol was.

Ik word gek, dacht hij. Ik krijg vreselijk de kriebels. Opeens verscheen er een glimlach op zijn gezicht en net zo onverwacht als ze was gekomen, loste de donkerte weer op. Een bundel van zonlicht drong door het dak en lichtte een fresco op. Een glimp van engelen en zonnestralen verlichtte zijn hart.

Weer buiten stak hij het plein over naar het Abruzze toen hij hen zag, net het hotel uit lopend. Twee kerels, breed in de schouders en onberispelijk gekleed. Donkere pakken en zonnebrillen. Ze leken niet op toeristen. Eerder op beroepsworstelaars die net iemand hadden verbouwd.

Hij stapte in de schaduw van een parasol. De mannen stonden op de stoep voor het hotel en keken om zich heen. Een van hen nam zijn zonnebril af. Zelfs van een afstand herkende hij de Wenkbrauw, een van de mannen in de Admirals Club die tijdens zijn eerste ontmoeting met 'Belzer' aan de pinda's zaten. Het was de man met dat asymmetrische gezicht en dat kronkelende litteken dwars over zijn wenkbrauw.

Maar hoe hadden ze hem gevonden? Hoe wisten ze waar ze moesten zoeken? Hadden ze hem de avond daarvoor achtervolgd vanaf het Casa Clera, toen hij Inzaghi had willen waarschuwen? Misschien. Maar waarom hadden ze hem dan niet meteen daar te grazen genomen?

Hij draaide zich om en begon de andere kant op te lopen, weg van het hotel. Elke vezel in zijn lichaam dwong hem te rennen, maar dat zou hun aandacht trekken en kon zijn dood worden. Dus wandelde hij, voetje voor voetje, zich niet bewust van waar zijn voeten hem naartoe zouden voeren – zolang hij daar maar heelhuids aankwam.

Pas toen hij de Tiber was overgestoken, ontspande hij zich en begon zich af te vragen of hij ze misschien had zien vliegen. Aan de Via della Renella liep hij een café binnen, hij bestelde een campari-soda en gebruikte de telefoon bij de bar om het Abruzze te bellen. Toen de receptionist opnam, vroeg hij of er misschien boodschappen voor hem waren.

'Sì, signor Cray! Twee heren kwamen voor u.'

'In het hotel?'

'Zij vragen of ze in uw kamer mogen wachten, maar dit...' Een stilte. '... dit kan ik niet toestaan.'

'Dus ze zijn...'

'Buiten. Volgens mij zijn ze koffie gaan drinken.'

Hij hing op, sloeg zijn borrel achterover en wierp een paar duizend lire op de bar. Vervolgens stapte hij naar buiten en begon te lopen. Hoe hadden ze hem gevonden? Niet vanaf het Casa Clera, want dan zou hij gisteravond zijn afgemaakt. Ze konden niet alle hotels in Rome zijn afgegaan met de vraag of hij daar verbleef. Toch waren ze te weten gekomen waar hij logeerde. Maar hoe dan? Hij had niet gereserveerd. En hij had contant betaald, geen creditcard gebruikt. Wat bleef er dan over?

Zijn telefoontje naar Caleigh. Maar ze hadden niet genoeg tijd gehad om een lijst te bemachtigen van gesprekken die hij had gevoerd, zo'n zelfde overzicht als hij had gekregen van de informatiemakelaar voor Terio's telefoon. Zoiets duurde gewoon even; minimaal 48 uur.

Het kostte hem een moment om het uit te puzzelen, maar toen had hij het door. Het kon niet anders: ze moesten de voicemail hebben gehackt.

Zelf had hij nooit zoiets gedaan, maar hij wist er genoeg van om te weten dat het kon. De meeste antwoordapparaten en voicemaildiensten werkten op dezelfde manier. Om berichten van een andere telefoon te beluisteren, belde je het nummer en wachtte je tot het antwoordapparaat of de voicemail aansloeg. Op dat moment drukte je op een toets, meestal het sterretje of het pondsymbool, en vervolgens voerde je een toegangscode van twee tot vier cijfers in, afhankelijk van de dienst en de apparatuur. De helft van de mensen gebruikte een standaardnummer (zoals 1234) dat gemakkelijk te onthouden was. En, uiteraard, net zo gemakkelijk te raden. Niet dat je zo veel moeite hoefde te doen. Voor vijftig dollar kocht je via internet een toonkiezer en downloadde je een sharewareprogramma dat alle mogelijkheden voor je probeerde.

Met andere woorden: hij had het de heren wel erg gemakkelijk gemaakt. Wat had hij ook alweer gezegd? Letterlijk? *Ik zit in het Abruzze Hotel in Rome. Bel me even.* Hij had zelfs het nummer achtergelaten.

Goed gedaan, Sherlock.

Hij moest hier weg zien te komen. Want hoe dom het ook was om zo'n bericht in te spreken, het zou nog stommer zijn om ervan uit te gaan dat hij Zebek nu doorhad, dat hij wist hoe die kleerkasten van de miljardair hem hadden gevonden. Waarschijnlijk had hij gelijk, maar zo niet, dan zouden ze hem opnieuw weten te vinden. En als dat gebeurde, had hij zo het vermoeden dat hij het wel kon schudden.

# 12

En dus schudde hij zijn kaarten: hij zou Rome verlaten.

Het was niet de moeilijkste beslissing die hij ooit had moeten nemen. De vraag was alleen: Istanbul of Oslo? Istanbul leek logischer. Noorwegen zou een stuk koeler zijn geweest, maar Terio had in Turkije gewerkt, dus daar ging hij nu naartoe.

De vlucht van tien over vier landde exact op tijd om een bloedrode zonsondergang te kunnen meepikken. Al bij het passeren van de Turkse douane voelde hij direct alle spanning van zich afglijden en slaakte hij een zucht van opluchting.

Kemal Atatürk was een steriele, moderne en efficiënte luchthaven. Hij gebruikte zijn ATM-card om tweehonderd dollar uit een geldautomaat te trekken en was stomverbaasd bijna een kwart miljárd Turkse lira's te ontvangen. Hij bekeek ze aandachtig en zag dat alle knisperend nieuwe biljetten er hetzelfde uitzagen, maar dat de kleuren wel verschilden. Zolang hij de kleuren niet uit zijn hoofd kende, zo besefte hij, diende hij bij elke betaling de nullen op elk biljet te tellen.

Buiten het luchthavengebouw wachtte een rij taxi's op een vrachtje. Hij liep naar het raampje van de eerste die hij zag. 'Hoeveel naar Cankurtaran?' vroeg hij. Het was de naam van een wijk waar hij tijdens de vlucht over had gelezen. Het was vlak bij de Blauwe Moskee en de Aya Sofia, een van de oudste en grootste kerken van het christendom. Het was in elk geval een toeristentrekpleister. Daar zou hij niet al te veel opvallen.

'Tien miljoen,' liet de chauffeur hem weten.

Danny lachte. 'Geen probleem.'

Het verkeer de stad in was druk, maar de chauffeur wist wel een manier om het te omzeilen. Zo'n beetje om de anderhalve kilometer verliet hij de rijbaan en stuurde de taxi de erlangs lopende tramrails op. Zo kon hij van dertig kilometer per uur naar negentig en honderden auto's en vrachtwagens passeren – totdat in de verte de enkele koplamp van een snel naderende tram opdoemde. Dan zwenkte hij terug de rijbaan op om daarna, zodra de tram was gepasseerd, weer de trambaan op te sturen voor een spelletje 'kom maar op als je durft'.

'Is dit niet, eh, verboden?' vroeg Danny.

'O, jazeker,' zei de chauffeur opgewekt. 'Als ze me pakken, zitten we diep in de stront. Afgelopen maand zijn er zo nog twee mensen omgekomen.'

Danny liet zich achteroverzakken en zocht naar een veiligheidsgordel. Die ontbrak dus, maar het kon hem weinig schelen. Ondanks deze nogal spannende taxirit wist hij vrij zeker dat het niet zijn lot was om bij een verkeersongeluk om te komen. Niet nu. Niet onder deze omstandigheden. Dat zou te vergelijken zijn met een terminale kankerpatiënt die een piano op zijn kop zou krijgen. Zoiets gebeurde gewoon niet. Een ongeneeslijk zieke was immuun voor een dodelijk ongeval, en hij besefte dat hij zichzelf zo zag: als een 'terminale patiënt'.

Iedereen die aan 'de ziekte van Zerevan Zebek' leed, hoefde zich niet om een veiligheidsgordel te bekommeren.

Ondertussen gleed de stad buiten aan zijn raampje voorbij, een wirwar van stokoude en moderne gebouwen, gigantische woonkazernes, moskeeën en markten. In de verte naderde met gezwinde spoed een witte koplamp van een tram en de chauffeur week uit van de rails naar de weg. Opeens reden ze langs het water over een snelweg die naar president Kennedy was vernoemd. Achter het bezoedelde raam van de taxi lagen, schitterend op de gitzwarte Zee van Marmara, tientallen vrachtschepen voor anker, hun dekken felverlicht.

Het was een prachtig gezicht, maar Danny raakte er gedeprimeerd van. Dit was nu echt iets wat je graag wilde zien, wat je móést zien met iemand die je liefhad. Met iemand als Caleigh. Wat waren haar laatste woorden tegen hem ook alweer geweest?

O ja. Nu wist hij het weer. '*Fuck you.*'

Het Asian Shore-pension was een antiek houten bouwsel dat tien jaar daarvoor door de Turkse club voor automobilisten was gerenoveerd. Het lag om de hoek van het station Cankurtaran op een helling met uitzicht over de Gouden Hoorn. Het beschikte over tien kamers en een dakterras waar drankjes werden geserveerd.

De kamers waren niet slecht, een tikkeltje armoedig maar wel schoon en ruim. Het uitzicht echter was adembenemend: half Istanbul lag aan je voeten. Met het licht uit, en het geluid van de misthoorns buiten, was het een van de meest romantische kamers die Danny ooit had gehad. En dat voor 23 miljoen per nacht, ongeveer vijftien dollar. Spotgoedkoop.

Aangezien de nylon rugzak die hij in Rome had gekocht zijn enige bagage was, was hij zo gesteld. Hij nam een snelle douche, trok wat schone kleren aan en ging de stad in om iets te eten. Hoewel het al na tienen was, waren er nog zat restaurantjes open. Zijn keus viel op een rokerig tentje twee straten van het hotel, waar hij brochettes met vegetarische kebab, opgediend met rijst en een pikante auberginesalade, naar binnen schrokte.

Later, op de terugweg naar het hotel, werd hij vier keer aangeklampt door opdringerige tapijtverkopers.

En het ongelofelijke was dat hij bijna een tapijt had gekocht.

Terug in het hotel vroeg hij de jonge receptionist, die volgens zijn naamplaatje Hasan heette, of hij een telefoonboek had.

De jongeman schudde zijn hoofd. 'Er is al in geen jaren een nieuwe druk verschenen,' zei hij. 'Welke naam zoekt u? Ik kan Inlichtingen wel even bellen.'

'Barzan,' antwoordde Danny. 'Remy Barzan.'

Hasan pakte de telefoon, draaide een nummer en sprak heel even met een telefoniste. Zich omdraaiend naar Danny schakelde hij moeiteloos van het Turks over op het Engels. 'U wilt het nummer?'

'En het adres.'

Hasan mompelde weer iets in het Turks, wachtte even en krabbelde toen iets op een kladblok. Daarna hing hij op en scheurde het velletje van het blok af. 'Het is in Beyoğlu,' zei hij. 'Vlak bij de grote katholieke kerk.'

Danny bedankte hem en vroeg of hij de volgende ochtend vroeg kon worden gewekt.

Hasan glimlachte. 'Dat hoeft niet.'

'O, jawel,' liet Danny hem weten. 'Ik moet…'

'Vertrouwt u me nu maar. Dat is heus niet nodig.'

Hij keek de receptionist strak aan. 'Vertrouw míj nu maar: het is wél nodig.'

De receptionist lachte. 'Hoe laat?'

'Acht uur zou mooi zijn.'

'Ik zorg ervoor dat u dan op bent. Geen probleem.'

De jongeman zéí wel dat het geen probleem was, maar Danny wist zeker dat zijn verzoek het ene oor in en het andere uit ging. De jongen noteerde het niet eens – keek hem enkel glimlachend aan. Typisch Turks, vermoedde hij en hij sjokte de trap op naar zijn kamer. Daar draaide hij het nummer dat de receptionist hem had gegeven en luisterde hoe in Beyoğlu, aan de andere kant van de stad, de telefoon overging. Wat hij zou zeggen, wist hij nog niet helemaal, maar het belangrijkste was dat hij een afspraak maakte – en op korte termijn. Alleen, Barzan was er niet. Danny kreeg een antwoordapparaat met een boodschap in het Turks. En na wat er in Rome was gebeurd, verdomde hij het nog langer iets in te spreken. Hij legde de hoorn weer op de haak, kleedde zich uit en liet zich uitgeput achterovervallen op het bed.

Bij het krieken van de dag blies de trommelvlies teisterende oproep tot gebed hem uit zijn bed. Dit was niet een bescheiden 'Laat ons bidden', maar een weeklagend gehuil waar geen einde aan leek te komen, smekend, bevelend, manend, jammerend. In zijn oren klonk het alsof de moëddzin op een heet fornuis zat, omringd door versterkers. Dit was een geluidsniveau waar Metallica in het Yankee Stadium prima mee voor de dag zou komen. Toen het eindelijk ophield, staarde hij klaarwakker voor zich uit.

Hij liep de trap af naar de lobby, waar een stuk of tien keurig gedekte tafeltjes klaarstonden, en at een ontbijt van brood en olijven, kaas en tomaten, met daarbij een glas versgeperst sinaasappelsap en hete zwarte koffie. Net toen hij uitgegeten was, verscheen Hasan met een plagerige glimlach in de deuropening.

'Mooi!' riep hij uit. 'U bent vroeg op!'

Danny lachte. 'Ja, ik meende buiten iets te horen.'

'We zijn een erg spiritueel volk.'

'Dat geloof ik, ja.'

'Hebt u een chauffeur nodig?' vroeg Hasan. 'Ik kan wel iemand regelen, goedkoop.'

Danny schudde zijn hoofd. 'Ik denk het niet. Ik heb zin om even wat te wandelen. Maar misschien dat je me met iets anders kunt helpen. Ik ben op zoek naar de Agence France Presse.'

'Geen probleem.' Met een soepele draai verliet de jonge Turk de ontbijtzaal om een minuut later weer te verschijnen met het adres. 'Het ligt in Taksim,' legde hij uit. 'Een eind lopen, maar u kunt altijd nog een taxi nemen. Beste weg volgens mij is eerst naar de haven, waar de veerboten afvaren. Dat is Eminönü. Bij de oever linksaf naar de Galatabrug, en die oversteken naar de overkant van de Gouden Hoorn. Daarna loopt u heuvelop naar de Toren en steeds maar doorlopen. Uw adres is daar vlakbij.'

'Welke toren?'

'De Galatatoren. Rond, van steen, zeventig meter hoog, misschien wel zevenhonderd jaar oud. U kunt hem niet missen. Zodra u daar bent, kunt u beter iemand de weg vragen – want de straat… het is niet als in Amerika.' Hij schreef het adres op een stukje papier, reikte het aan en aarzelde even. 'Misschien moet u toch maar een taxi nemen,' raadde hij aan.

'Ik vind 't wel,' zei Danny en hij nam het papiertje aan.

Eigenlijk verheugde hij zich erop de stad te verkennen die op het eerste gezicht een kruising leek tussen San Francisco en Tanger.

Zonder enige moeite bereikte hij de oever en Eminönü, dat net zo druk was als Grand Central Station. Langs beide oevers van de Bosporus voeren boten af en aan, op weg naar verre en minder verre bestemmingen. Drommen voetgangers stroomden als een rivier door een nevel van rook die omhoogkringelde uit bootjes, deinend aan de kade, waarop venters hun gegrilde vis en ronde broden met sesamzaad aan de man brachten. Er was bijna geen vrouw te zien – enkel mannen, die met hun korte zwarte haar en dikke snorren elkaars evenbeeld waren. Hij manoeuvreerde zich een weg door de massa tot hij bij de Galatabrug was, waar hij zich tussen de stroom van mannen voegde die op weg naar werk of naar huis was.

Op het water was het verkeer bijna net zo druk als dat op het land. Naast blinkende cruiseschepen, zeilboten en tankers ploegden roestende vrachtschepen door de golven. Van alle kanten klonk Arabische muziek – dissonant en hysterisch. Zeemeeuwen doken en scheerden over het water. Het zonlicht fonkelde op de golven. De lucht was adembenemend blauw. Het hele tafereel deed denken aan een schilderij van een gedrogeerde Childe Hassam.

Eenmaal aan de overkant voerde de weg omhoog en bracht hem in een straatje vol eenvoudige achterafwinkeltjes die een onwaarschijnlijke mix van satellietschotels, kabeldozen en decoders verkochten. Aan de voet van de Galatatoren dronk hij in een cafeetje een kop Turkse koffie en toonde hij de kelner het papiertje dat Hasan hem had gegeven.

Het kantoor van de Agence France Presse was gevestigd op de tweede verdieping van een onopvallend, uit bakstenen opgetrokken gebouw naast de Istikal Caddessi, een overvolle winkelpromenade. Een corpulent heerschap met een geleerde uitstraling, vierkant brilmontuur plus scheiding overdwars op het reeds kalende hoofd deed de deur open. Achter hem zag Danny een paar oude houten bureaus, waarop hoge stapels kranten, boeken en rapporten lagen. Een kluwen van snoeren verbond de computers met een viertal telefoons, een faxapparaat en een printer. Achter in het vertrek tikte een vrouw op een laptop, terwijl ze geanimeerd in haar gsm praatte.

'*Oui?*' De man in het deurgat keek hem nieuwsgierig aan. Ze kregen duidelijk niet vaak bezoek.

'Spreekt u Engels?' vroeg Danny.

De man bewoog zijn rechterhand wat weifelend op en neer. '*Un peu.*'

'Ik ben op zoek naar…' Danny aarzelde. Het feit dat Chris Terio zowel naar Remy Barzans flat als naar de AFP had gebeld, wilde nog niet zeggen dat Barzan voor de AFP werkte. Misschien, maar misschien ook niet. Misschien wist Terio meer dan iemand in Istanbul. Maar toch…

'Ja?' De man in het deurgat keek nu ongeduldig.

'Ik ben op zoek naar Remy Barzan.'

De frons op het gelaat van de man ging vergezeld van een duidelijke verandering in zijn humeur. Hij kruiste zijn armen voor de borst. 'Die is er niet.'

'Maar u kent hem, nietwaar?'

'Natuurlijk.'

'Dus… hij is verslaggever voor u?'

'Hij verslaat Koerdische aangelegenheden.' De man hield zijn hoofd schuin, alsof hij Danny beter wilde bekijken. Daarna fronste hij, waarmee hij de indruk wekte dat het hem niet aanstond wat hij zag. 'Wat wilt u van hem?'

Danny aarzelde. Goeie vraag. Maar een eerlijk antwoord was uitgesloten. Waar zou hij beginnen? 'Ik kreeg de opdracht hem op te zoeken als ik in Istanbul aankwam, dus... hier ben ik. Weet u wanneer hij terug zal zijn?'

'Nee. We hebben hem al een poosje niet gezien. Om u de waarheid te zeggen, weten we niet eens of hij wel terugkómt.' Danny's teleurstelling was zo abrupt en viel zo duidelijk van zijn gezicht te lezen dat de houding van de man verzachtte. 'U hebt zijn flat al geprobeerd?'

'Er wordt niet opengedaan.'

De man knikte. 'Donata!' riep hij over zijn schouder. 'Deze man is op zoek naar Remy!'

Donata hield de gsm tegen haar oor, maar rolde sympathiek met haar ogen. Met een overdreven schouderophalen draaide ze zich om. De oudere man maakte een hulpeloos gebaar dat het gesprek moest beëindigen, maar Danny had geen zin om weer te vertrekken. Barzan was zo'n beetje zijn enige aanknopingspunt, dus hij bleef staan. Wat nu, dacht hij, Noorwegen?

De vrouw achterin klapte haar gsm dicht en kwam naar de deur. Ze was zwaargebouwd en zag er mannelijk uit, met roodachtig kroeshaar en een dikke laag make-up. 'Donata,' zei ze en ze stak een mollige hand uit.

'Danny Cray.'

'U wilt Remy spreken?'

'Klopt.'

'En, is het belangrijk?'

Danny keek even naar de oudere man en haalde zijn schouders op. 'Ja,' gaf hij toe, 'het is vrij belangrijk.'

De oudere man snoof. 'Ik dacht dat u alleen "op zoek" was?'

'Geloof me,' zei Danny, 'het is een lang verhaal. Ik kreeg de opdracht hem op te zoeken... maar het is wel degelijk belangrijk.'

Donata perste haar lippen tot een streepje, dacht even na en kwam tot een besluit. 'Volgens mij zit hij in het Oosten.'

'"Het Oosten",' herhaalde Danny, alsof het een woonadres was.

'Hij is gespecialiseerd in Koerdische kwesties,' ging Donata verder. 'Dus hij is vaak in Diyarbakır. Maar als ik u was, zou ik daar niet naartoe gaan. Het is daar gevaarlijk.'

'O.'

De man staarde naar Danny en leek te beseffen dat de Amerikaan er geen snars van begreep. Met een vluchtige blik naar Donata, alsof hij toestemming vroeg, sprak de man. 'Er zijn terroristen. Koerdische separatisten. Dus het leger is in groten getale aanwezig. Er zijn een hoop excessen, veel moeilijkheden. Goed voor een journalist, slecht voor het toerisme.'

Donata zuchtte. 'Ik weet niet wat we moeten beginnen als Remy niet terugkomt. In het begin dacht ik dat het voor hem gewoon een hobby was, dat hij een rijkeluiszoontje was dat zo nu en dan een mooi stuk schrijft.

158

Maar eigenlijk is hij behoorlijk goed. Een serieuze journalist.' Ze schudde haar hoofd. 'Hij zal moeilijk te vervangen zijn.'

'Dat klinkt alsof u niet verwacht dat-ie terugkeert,' merkte Danny op.

De twee wisselden een blik uit en leken tot een soort overeenstemming te komen. 'Het kan denk ik geen kwaad het u te vertellen,' zei Donata. 'Remy, hij is' – ze keek op naar het plafond alsof er een kalender op gedrukt stond – 'iets langer dan een week geleden verdwenen. Op de dag dat we hem niet zagen, ging zijn auto…' Ze sloeg haar handen tegen elkaar en zei: 'Boem! Niets van over.'

'Maar hij zat er niet ín?' Danny's hart bonsde in zijn keel.

De man schudde zijn hoofd. 'Hij had zijn auto uitgeleend aan de huishoudster, een studente.'

De moed zonk Danny in de schoenen. Had hij dit op zijn geweten? Waarschijnlijk wel. Hij had de lijst van Terio's telefoongesprekken immers aan Zebek gegeven. 'Dus wie…?'

De man pufte. 'Wie weet? Met de Koerden is het net alsof…' Hij zweeg even en zocht naar de juiste woorden. Na een ogenblik wendde hij zich tot de vrouw. *'Qu'est-que-c'est "un panier de crabes"?'*

'"Een mand met krabben",' antwoordde Donata. Ze draaide zich om naar Danny. 'Kent u deze uitdrukking in het Engels?'

Danny schudde van nee.

'Nou,' zei de man, 'het is erg slecht. En erg gecompliceerd. Misschien heeft Remy iets geschreven wat bepaalde mensen niet aanstaat. De PKK. Het leger. Een factie binnen een factie. Wie weet? Het resultaat blijft hetzelfde: hij is verdwenen.'

'Remy belde, na de autobom,' zei Donata, 'om te zeggen dat hij een poosje niet beschikbaar zou zijn.' Ze wendde zich tot de man. 'Hoe zei hij dat ook alweer?'

Er verscheen een bitterzoete glimlach om zijn lippen. Hij mompelde iets in het Frans en hield zijn hoofd schuin, duidelijk zoekend naar de juiste vertaling. 'Hij zegt dat hij zich gedeisd moet houden.' Ter illustratie trok hij zijn hoofd in. 'Snapt u?'

Danny knikte.

'Dus we weten dat hij het op dit moment goed maakt,' legde Donata uit. 'Misschien is-ie gewoon naar huis gegaan. Zijn volk – ze leven daar. En ze zijn close. Als een vuist.'

'U bedoelt de Jezidi's?' vroeg Danny.

Donata keek verrast. 'Precies.'

'En waar is dat?' vroeg Danny. 'Zijn thuis?'

'In Uzelyurt,' antwoordde de man.

Danny knipperde met zijn ogen en Donata moest lachen. 'Kent u Uzelyurt niet?'

Hij schudde zijn hoofd.

'Wel, dat ligt in het uiterste oosten van Turkije, dicht bij de grens,' liet ze hem weten.

'En u denkt dat hij misschien daar zit?'

Ze tuitte haar lippen. 'Ik denk 't wel, ja. Daar komt-ie vandaan. Zijn familie woont daar – oud, machtig.' Ze haalde haar schouders op. 'Dus misschien is hij daarheen.' Een frons. 'Waarschíjnlijk is hij daarheen. Maar hij kan ook in Parijs zitten. Daar heeft-ie jaren gewoond.' Ze dacht even na. 'Eerlijk gezegd kan hij overal zijn.'

'Maar als het nou belangrijk was – echt belangrijk – waar zou u dan gaan zoeken?'

Donata keek even naar haar collega en haalde haar schouders weer op. 'Ik zou beginnen in het Oosten.'

'Ik bedoel, die plaats die u net noemde – Oezeljoerd? – waar ligt dat ergens in de buurt?'

De oudere man haalde spottend zijn neus op, spelde de naam van het stadje en streek vervolgens voorzichtig de paar haren over zijn gladde hoofd plat, alsof hij zich ervan wilde vergewissen dat ze er nog zaten. 'Nergens in de buurt,' antwoordde hij. 'Het ligt echt in een uithoek.'

Op de terugweg naar het Asian Shore begon zijn gevoel dat hij iets opschoot al aardig af te nemen. Tenzij hij bereid was af te reizen naar 'een uithoek', met de kleine kans dat Remy Barzan daar was en iets nuttigs te zeggen had, had hij nu toch echt een dood punt bereikt. Aan de andere kant: hij wás al in Turkije, dus misschien was het gewoon een kwestie van 'wie A zegt, moet ook B zeggen'.

Toen hij Hasan vroeg hem de locatie van Uzelyurt aan te wijzen, haalde de jongen een zwaargehavende motorclubkaart van de Turkse republiek tevoorschijn. Hij streek de vouwen glad, raadpleegde de index en trok een vinger vanaf de P omlaag en een tweede vinger vanaf de 12 opzij. De vingers kwamen samen bij een stipje op ongeveer tweeënhalve centimeter van een plaats die Diyarbakır heette.

Hasan fronste het voorhoofd. 'U wilt dáárheen?' vroeg hij. Het idee alleen al leek hem een pijnscheut te bezorgen.

Danny haalde zijn schouders op. 'Ik weet 't niet. Is het dan zo lastig om daar te komen?'

'Het is een lange vlucht – maar er is niets te beleven daar. Controleposten. Avondklok. Het is er gevaarlijk. Waarom zou u daarheen gaan?'

Hij negeerde de vraag. 'Als je zegt dat het er gevaarlijk is…'

'Er heerst een burgeroorlog. Deze stad, Diyarbakır, alleen maar Koerden. Volgens de kranten is de oorlog afgelopen, het leger wint. Maar dat is overdag. 's Nachts hebben de criminelen het voor 't zeggen. Terroristen.'

Danny dacht even na. 'Maar als ik nu niet anders kon – als het voor zaken was – hoe zou ik het dan aanpakken?'

'Naar Uzelyurt bedoelt u?'

Danny knikte.

Hasan dacht na. 'Goed, u zou eerst naar Diyarbakır moeten vliegen, en dan... tja, ik weet het niet. De bus misschien. Of een taxi, als u die kunt krijgen.' Nu hij zag dat zijn Amerikaanse gast de mogelijkheid overwoog, uitte hij opnieuw zijn bezwaren. 'Maar ik zeg u: er is helemaal niets daar. Zelfs geen bedrijfsleven. Geen toeristische attracties. Alleen maar steppen.' De receptionist keek hem doordringend aan. 'Al in het Topkapi-paleis geweest?'

Danny schudde zijn hoofd.

'De Aya Sofia?'

'Nog niet.'

'De Blauwe Moskee?'

'Nee.'

Hasan vouwde de kaart op en plooide zijn gezicht tot een verdrietige en afkeurende blik. 'U gaat niet naar de Aya Sofia – die in de zésde eeuw is gebouwd, hier pal naast het hotel, een UNESCO-schat van de wereld – daar gaat u niet heen, maar u wilt wel naar *Uzelyurt*?'

'Het is maar een idee,' zei Danny met een glimlach. 'En ik ga echt nog wel naar het Topkapi en de rest. Maar eerst wil ik iets drinken. Is het dakterras open?'

'Natuurlijk,' antwoordde Hasan en hij maakte een sierlijk gebaar naar de trap.

Hij begaf zich naar de tweede verdieping en stapte het dak op, waar onder grote parasols een stuk of vijf tafeltjes stonden die uitzicht boden over het geweldige, woelige waterlandschap van Istanbul. Hij nam een tafeltje en verzocht de kelner om een glas gezoete appelthee. Terwijl hij plaatsnam, bedacht hij dat dit de meest 'buitenlandse' – en, onder de omstandigheden, de eenzaamste – plaats was die hij ooit had bezocht.

Vlakbij zat een groepje rugzaktoeristen in de schaduw van een groene parasol. In een plat, Midwesters accent en onderbroken door lachsalvo's praatten ze over Libanese hasj, de beste clubs in Bodrum en de goedkoopste pensions in Ephesus. Hij benijdde hun hun kameraadschap en het gevoel van onaantastbaarheid dat als de warmte van een oven van hen afstraalde.

De thee was heerlijk. Turend naar de schepen op de Gouden Hoorn voelde hij een overweldigende drang om Caleigh te bellen, maar hij wist die te weerstaan. Op een tafeltje vlakbij lag een *International Herald Tribune* en hij pakte hem op en gebaarde de kelner om een tweede glas thee. Hij zakte onderuit in zijn stoel, sloeg de krant open bij het sportkatern en nam zich voor eerst een poosje te lezen om vervolgens even naar de Aya Sofia te wandelen. Daarna zou hij naar een reisbureau gaan om voor de volgende dag een ticket naar Diyarbakır te kopen. Maar terwijl hij daar zo zat, nippend van zijn thee en lezend over Barry Bonds homeruns, brak er in de lobby, twee verdiepingen lager, ruzie uit.

Al snel groeide de ruzie uit tot een wedstrijdje schreeuwen. De rugzaktoeristen vielen stil, wisselden blikken uit en giechelden wat, terwijl hij zijn best deed op te vangen wat er werd gezegd. Maar voordat hij er iets van kon begrijpen, eindigde de ruzie alweer. Er klonk een schreeuw en een gil van pijn, gevolgd door het gestamp van voeten op de trap naar de eerste verdieping. Daarna... stilte, verbroken door een plotselinge harde klap, en hij wist – wíst gewoon – dat het de deur van zijn kamer was die nu aan gruzelementen werd getrapt. Hij vloog overeind en keek wild om zich heen, maar zag direct dat hij zich nergens kon verstoppen en ook niet kon wegrennen. De enige uitweg was via de trap of springen – wat in beide gevallen gelijkstond aan zelfmoord.

'Vaff!'

'Dove è lui?!'

'Porco mondo!'

Danny wist niet wat het betekende, maar het was in elk geval Italiaans en hij wist vrij zeker dat het uit zijn kamer kwam of uit de gang. Zijn ogen speurden het dakterras af naar iets wat hij als wapen kon gebruiken, maar hij zag niets. Een van de toeristen had een wandelstok, maar daar ging hij het niet mee redden. Niet tegen deze kerels. Hij had minstens een kettingzaag of een Glock nodig. Het liefst allebei.

Hij liep snel naar de rand van het dak en schatte de afstand naar een kastanjeboom buiten voor het hotel. Met een beetje snelheid haalde hij het misschien wel – maar of hij zich zou kunnen vastgrijpen, was nog maar de vraag. Niet dat het ertoe deed, overigens. Het dak was omrand met een laag muurtje van ongeveer vijftien centimeter hoog, dus een flinke aanloop rechtdoor was onmogelijk. Wat als een lange sprong begon, werd uiteindelijk een brede sprong – en daarmee dus onmogelijk.

Toen stonden ze opeens daar – niet op het dak maar op straat, voor het hotel. In de schaduw van de kastanjeboom leken de Wenkbrauw en zijn maat onzeker over welke kant ze op moesten of wat te doen. Tot Danny's afgrijzen stonden ze naast een bord waarop de heerlijkheden werden aangeprezen die op het dakterras te krijgen waren. Als de twee Italianen dat zagen, zouden ze ongetwijfeld een kijkje komen nemen.

Maar ze zagen het niet.

De Wenkbrauw haalde een mobieltje uit zijn zak, klapte het open en toetste een nummer in. Wachtend op de verbinding sloeg hij zijn ogen op naar de bovenste etages van het hotel en speurde langzaam de ramen af, van links naar rechts. Op dat moment moest er iemand hebben opgenomen, want hij begon opeens weer druk te gebaren. Heftig gesticulerend draaide hij om zijn as en begon een haastig gesprek dat amper twintig seconden duurde. Vervolgens schoof hij de gsm terug in zijn zak en begaf zich met zijn maat in de richting van de Blauwe Moskee.

Danny zuchtte. Jezus christus, het leek Butch Cassidy wel. Wie zíjn die kerels? vroeg hij zich af.

162

Op de trap naar de eerste verdieping zag hij in een oogwenk dat de deur naar zijn kamer uit de scharnieren hing. Hij daalde af naar de lobby en trof Hasan zittend op de vloer met zijn rug tegen de balie en een bebloede zakdoek tegen zijn neus gedrukt. Achter hem jammerde een angstige huishoudster aan de telefoon.

De receptionist sloeg zijn ogen op. 'Volgens mij zagen ze u binnenkomen.'

'Wie?' vroeg Danny.

'Die Italianen. Zij vragen naar uw kamer. Ik wil het ze niet zeggen, maar…' Hij kromp ineen van de pijn.

'Laat maar zitten.'

Over zijn zakdoek keek Hasan hem aan. 'U was op het dak?'

Danny knikte.

De jongen grinnikte, maar dat deed hem zichtbaar pijn. 'Hij sloeg me.'

'Dat zie ik, ja.'

Hasan sloeg zijn ogen op naar het plafond en hield zijn hoofd schuin naar achteren om het bloeden te stoppen. 'Volgens mij is-ie gebroken.'

Danny knikte. 'Denk ik ook. Luister, Hasan…' Hij wilde hem bedanken.

De receptionist gebaarde naar de eetzaal waar Danny die ochtend had ontbeten. 'U kunt de achterdeur nemen, door de tuin. Achter het hek is een steeg.' Terwijl Danny zich al omdraaide, voegde de jongeman eraan toe: 'Ik moet u toch even vragen…'

Danny wachtte en keek om. 'Wat dan?'

'De minibar. Hebt u iets gebruikt?'

De steeg voerde hem naar een lommerrijke straat met tapijtwinkels, cafés en kleine hotels. Hij zag dat er eigenlijk maar twee uitwegen waren. Heuvelop in de richting van de enorme koepel van de Aya Sofia of via dezelfde straat naar de hoofdweg langs het water. Als hij geluk had, zou hij misschien een taxi kunnen vinden die hem naar de luchthaven zou brengen.

Als hij geluk had… Hij woog de mogelijkheid af. Als hij gelúk had, zou hij op een straat die Yeni Sarachane Sok heette niet constant over zijn schouder kijken.

Hij liep de heuvel op langs de oude kerk en ving rechts een glimp op van het Topkapi-paleis. Daarna een parkje met een troosteloos dierentuintje, gevolgd door een paar straten met goedkope 'pansiyons', wat kebabzaken en winkeltjes, en ten slotte weer heuvelaf naar de havens bij Eminönü.

Hij sloeg een hoek om, stuitte op het Basilica internetcafé & wasserette en ging er naar binnen om te kijken of Mamadou al iets had gevonden. Hij bestelde een kop koffie, nam plaats achter een van de computers en logde in op de Yahoo-site. Vlak bij hem, naast een wasmachine, was een grijsharige oude man verdiept in een versleten Penguin-paperback, terwijl ongeveer een meter verderop een jonge vrouw poloshirts en ondergoed stond op te vouwen.

Er was weinig e-mail, voornamelijk spam met de belofte hem van zijn schulden af te helpen of hem in contact te brengen met 'de geilste chixxx op het web!' Verder nog een reeks foute grappen van zijn broer Kev, en ten slotte vond Danny wat hij zocht:

Verzonden door: *Mamdou3@fellner.com*
Onderwerp: *jouw grote probleem*

*Zebek probeert jou te VERMOORDEN? Je neemt me in de maling! Hij is een van Fellners beste cliënten. Volgens mij hebben we hem vorig jaar bijna een half miljoen gefactureerd. Wat heb je hem eigenlijk aangedaan?*

*Ervan uitgaand dat dit geen grap is, is het misschien in je opgekomen om de politie te bellen? Want ik zie niet in hoe een kredietrapport jou kan helpen. Maar als je het per se wilt... dan zorg ik ervoor. Ondertussen heb ik in een paar databases gesnuffeld en dit is wat ik heb gevonden:*

*Zerevan Khalil Zebek: geboren 6 juni 1966. Azizi, Turkse republiek. Baccalaureaatsgraad (bedrijfseconomie en management) Università di Ca'Foscari, Venetië, Italië, 1987. MBA Massuchusetts Institute of Technology, 1989. Verblijf: Palazzo di Pavone, Siena, Italië. Directeur van Zebek Holdings NV (Liechtenstein); algemeen directeur van Sistemi di Pavone, Siena. Geen strafblad in de VS of Italië.*

*Very Small Systems NV: dochteronderneming van Sistemi di Pavone. Sistemi onder controle door aandelen aan toonder, die vermoedelijk weggezet zijn bij de holding in Liechtenstein. (Niet achter te komen.)*

*Ongeveer een jaar geleden deed Kroll een rapport over VSS, maar dat kon ik niet te pakken krijgen. Een of andere Japanse zaibatsu (zijn er ook andere dan?) deed een bod, maar er gebeurde niets. Wat verrassend was, want dit is een onderneming met ernstige cashflow-problemen.*

*(Volgens een notitie van Rappaport, Reich & Green had VSS een kredietfaciliteit van 32,4 miljoen dollar – dat was in februari – geen inkomsten, en een burn rate van 4 miljoen per maand. Duidelijk is dus dat ze een financier nodig zullen hebben – en snel ook.)*

*Die toko is echt zo vaag als maar kan – en ik bedoel echt vaag,*
*want ze hebben geen cliënten, geen inkomsten en geen product.*
*Voorzover ik kan zeggen, is het enkel R & D – althans, voorlopig.*

*Zoals je waarschijnlijk al zult vermoeden, heb ik deze gegevens zo*
*van het web geplukt – dus als je denkt dat ik niet weet waar ik 't*
*over heb, heb je gelijk. Maar volgens mij zit je midden in een*
*probleem m.b.t. bedrijfsspionage.*

*Wat me terugbrengt bij mijn eerste suggestie: de politie. Misschien*
*dat je die toch maar even moet bellen.*

*Ik moet gaan. De ballen, jongen!*

*Dew*

*PS: Niets nieuws over Patel. Hij was directeur technologie bij vss.*
*Stond in hoog aanzien in de Valley. Politie vermoedt dat de moord*
*op hem 'een homoaangelegenheid' was (wat dat ook mag*
*betekenen). Maar dat stond allemaal in de kranten. Blijf je e-mail*
*checken en volgende week zal ik met iets beters komen, hoop ik.*

Hij zag de twee weer toen hij de wasserette uit liep. Ze liepen aan de overkant. De Wenkbrauw hield zijn mobieltje tegen een oor en praatte luid, terwijl zijn maat – een beer van een vent met lang haar en een zonnebril – naast
hem marcheerde.

Danny wist niet of ze hem hadden gezien. Hij dacht van niet, maar bleef
niet wachten om daarachter te komen. In een desperate poging om vooral
niet op te vallen liet hij zich, met gebogen hoofd en zijn ogen op de grond
gericht, meevoeren met een groepje toeristen die op weg waren naar de be-
zienswaardigheden van de stad. Hij besefte wel dat hij zich niet rationeel
gedroeg, maar was ervan overtuigd dat als hij de Italianen in het zicht hield
– als hij steeds maar bleef kijken of ze hem al hadden gezien – ze dat op de
een of andere manier zouden voelen.

Het was natuurlijk krankzinnig, dat wist hij best. Maar het kon hem
niets schelen.

Toevallig lag de bestemming van de toeristen slechts twintig meter van
het café annex de wasserette die hij zojuist had verlaten. Een van de gele
toeristische verwijzingsbordjes maakte duidelijk dat deze attractie de *Basilica Cisterna* betrof. Hij zag het bordje in het voorbijgaan terwijl hij en de
groep een laag en tamelijk onopvallend gebouw binnendruppelden. Vlak
achter de voordeur bevond zich een kassa. Enkele meters verder stond een
draaihek, met vlak daarachter een donkere en smalle trap, en die voerde…
naar beneden.

Danny's hartslag ging in zijn overdrive nu hij de moed verzamelde om even om te kijken. Hij kocht een kaartje, wierp een blik over zijn schouder en was opgelucht niemand te zien. Alleen toeristen. Net zoals hij. Geen Gaetano. Geen langharige handlanger. En geen Wenkbrauw.

Met een zucht van opluchting betaalde hij, hij liep door het draaihek en volgde een troep oudere Britten die een roodharige vrouw als gids toegewezen hadden gekregen. Ze hield een wandelstok vast die bekroond was met een slaphangend boeketje nepbloemen en die ze van tijd tot tijd in de lucht hield. Even vermoedde hij dat het als baken diende voor eventueel afgedwaalde pupillen, maar het groepje leek als een kleuterklasje aan haar te kleven.

Zenuwachtig en ongerust als hij was, was hij ook nieuwsgierig. Volgens hem was een cisterne een reservoir voor regenwater. Dat een gat in de grond een toeristische attractie zou zijn, leek hem onwaarschijnlijk. Het volgende moment keek hij op en zag hij waar hij zich bevond – in een ondergrondse kathedraal die voor de helft uit een bassin bestond. Er viel niets primitiefs of banaals aan deze ruimte te ontdekken. Dit was imponerend en fantastisch, minstens drie verdiepingen hoog, met een gewelfd plafond dat werd gesteund door een woud van massieve zuilen waarvan de voetstukken in een meer van zwart water stonden dat dertig tot zestig centimeter diep leek te zijn. Het meer had de afmetingen van een renbaan. Schijnwerpers doorkliefden de duisternis, wat voor een licht- en schaduwspel zorgde.

Hij hoorde klassieke muziek.

'Daar zijn we dan,' sprak de roodharige vrouw, staand op een van de houten wandelgangen die kriskras boven het ondergrondse meer liepen. 'Koel, nietwaar?' Vanuit de groep steeg een instemmend gemompel op. 'Ziet u, het water stroomde naar Constantinopel via een aquaduct uit een bron op ongeveer zeventien kilometer hiervandaan. En omdat de stad tamelijk langdurige belegeringen moest doorstaan, werd een uitgebreid stelsel van cisternen aangelegd om water op te slaan. Net zoals in andere reservoirs kon het water hier, indien nodig, helemaal tot aan het dak komen te staan. Ongelofelijk, hè?'

'O, kijk, víssen!' riep een dame met strakke grijze krullen, waarna iedereen reikhalzend de school karpers probeerde te zien die tussen de zuilen door zwom.

'Aangenomen wordt dat hij is gebouwd door onze oude vriend Constantijn,' ging de gids verder. 'En voordat hij in 425 afbrandde, stond er een basiliek bovenop, waar deze cisterne dus haar naam aan te danken heeft. Als u me dan nu wilt volgen...'

Ze stopten bij de wenspoel, waar de helft van de mensen (onder wie hijzelf) plichtsgetrouw wat muntjes in het water wierp. Toekijkend hoe ze naar de bodem zweefden, kon hij zien hoe ze steeds kleiner werden. De put bleek dieper dan hij had gedacht – misschien wel anderhalve meter. Hij wenste... dat hij het zonder kleerscheuren zou overleven... en dat Caleigh hem zou vergeven.

'Deze kant op...' De gids keek Danny even zijdelings aan, alsof ze wilde zeggen: *niet tijdrekken.* Maar hij had weinig keus. De paden waren zo smal en de toer behelsde een lus die iedereen in dezelfde richting naar de uitgang leidde. Toch liet hij tussen hem en de achterste Brit een gat vallen.

Aan het eind van het verlichte gedeelte bereikten ze een wandelgang die eerst om een paar zuilen en vervolgens naar de uitgang liep. Hij zag een paar marmeren koppen, badend in het licht. Ze oogden massief en stonden ondersteboven, waarbij elke kop een reusachtige zuil schraagde. Erachter gaapte een zwarte leegte. De gids legde uit dat slechts een klein gedeelte van de cisterne verlicht werd en via wandelpaden toegankelijk was. Het meeste was in duisternis gehuld.

'Dit zijn de hoofden van Medusa,' legde ze uit. Danny bekeek ze wat beter en zag dat elke krullenkop eigenlijk een kluwen van slangen vormde. Maar het effect was subtiel – geen kronkelend geheel, maar slechts een paar krullen die pas als je heel goed keek reptielen bleken te zijn. Ook waren deze medusahoofden niet monsterlijk om te zien, maar eerder grote, blinde, onschuldige hoofden, met brede, engelachtige gelaatstrekken. 'Justinianus herbouwde en restaureerde de cisterne in 535,' vertelde de gids, 'en naar verluidt werden deze hoofden uit heidense tempels in Libanon meegenomen – wat ook voor veel van de zuilen geldt. Justinianus was een goeie in recycling!' Hiermee oogstte ze wat waarderend gegrinnik. 'Goed,' besloot ze kordaat, 'dat was het dan. We lopen nu door naar de uitgang. Lunchen, mensen! Lunchen!'

Er steeg een enthousiast gemurmel op nu de Britten naar de uitgang en hun middagthee schuifelden. Langzaam klauterden ze via de steile trap omhoog. Danny wilde niemand opjagen en bleef daarom wat achter totdat hij opeens door een groepje Spaanse toeristen werd verzwolgen. Snel begon hij aan de lange klim naar het daglicht.

Halverwege hoorde hij de gids haar pupillen instrueren 'alstublieft linea recta naar de bus' te gaan.

Naarmate hij hoger kwam, steeg ook de temperatuur, totdat hij boven was en de warmte van de dag hem als een golf overspoelde. Na de koele, druppende duisternis van de cisterne benam de hitte van Istanbul hem de adem en deed het felle zonlicht alle kleur verbleken.

Vlak voor de uitgang bleef hij een ogenblik staan en wreef zich in de ogen. Knipperend wachtte hij nog even totdat zijn ogen gewend waren aan het licht, en op dat moment zag hij de twee weer. Of eigenlijk zág hij hen niet, niet in de letterlijke zin van het woord, want de wereld leek voor hem één grote, overbelichte foto, beroofd van elk detail. Nee, het was meer dat hij de twee mannen onderscheidde, hun vorm en omvang, leunend tegen de zijkant van een geparkeerde auto. Een van hen leek een broodje gyros te eten, waarbij hij iets vooroverboog om de saus niet op zijn revers te laten druipen.

Danny reageerde instinctief en draaide zich snel om. Zonder na te denken liep hij de trap weer af en baande zich schuifelend een weg langs de naar boven komende Spanjaarden. De trap was nog geen meter breed en om hem heen klonken allerlei protesten op.

'Hé!'

'*Que hace?*'

'*Por favor!*'

Het volgende moment was hij opeens onder aan de trap, op weg naar de medusahoofden, nog steeds tegen de stroom toeristen in worstelend. Achter hem werd geschreeuwd en uit de stortvloed van geroep en gegil begreep hij dat Zebeks team de achtervolging had ingezet – en hem zelfs al behoorlijk op de hielen zat.

Zijn plan, voor wat het waard was, was de andere uitgang zien te bereiken, maar zo te horen waren zijn achtervolgers niet zo beleefd en zachtzinnig als hij was geweest en wonnen ze terrein. Bij de medusahoofden nam zijn instinct het over. Hij schoot onder de reling van het wandelpad door, bleef even op de verhoging staan en dook het ijskoude water in. Als een elektrische schok schoot de kou door zijn lichaam. Maar zijn angst nam zelfs nog toe en dreef hem door het water naar de donkerste hoek van het waterreservoir.

De eerste dertig meter kon hij de zuilen nog wel onderscheiden. Ze stonden in rijen waar hij tussendoor zwom, ondertussen het water zo min mogelijk in beroering brengend. Er is hier geen uitgang, stelde hij vast. Om de tien of twintig meter zwom hij zo ver als hij maar kon onder water en kwam hij weer even boven voor een hap lucht. Hij was nu bij een punt waar hij niet langer kon zien waar hij naartoe ging, zwom wat langzamer en viel ten slotte stil in het water. Zijn voeten raakten de bodem en hij besefte dat het hier nog geen anderhalve meter diep was. Hij draaide zich om, keek even vlug in de richting van het verlichte gedeelte – het was griezelig en spectaculair tegelijk, een gezonken paleis – en stond versteld dat hij al zo ver was gekomen. Hij bevond zich op een paar honderd meter van de medusahoofden, ver buiten het bereik van de lampen. Op de plek waar hij zo-even het water in was gedoken, was nog steeds beroering – een vreemde kakofonie van geschreeuw die door de weerkaatsing tegen de stenen vlakken en het gewelfde plafond nog eens werd versterkt. Zijn duik had het vredige wateroppervlak verstoord en het licht ketste ervan af, klotste tegen de zuilen en schoof over het plafond. Nu drong het ook tot hem door dat hij niet de enige in het water was. Ergens links van hem hoorde hij iemand op hem afkomen.

Hij begon te klappertanden en perste zijn lippen opeen. Lichtbundels van zaklampen speelden langs de zuilen, dansten over het water en doorboorden ten slotte wat rustiger de duisternis. Er gleed een vis langs zijn been, en het scheelde maar weinig of hij had geschreeuwd.

Hij kon niet veel langer in het water blijven. Het was gewoon te koud. Zijn tanden klapperden en zijn lichaam rilde. Nog even en de kou zou zijn rillingen bevriezen en hem doen verstenen. Er was een grens aan hoe lang hij dit kon volhouden.

Maar voorlopig hield hij zich gedeisd, tuurde en luisterde hij gespannen in de duisternis. Het tumult rond de medusastenen loste zich op op een manier die te verwachten viel. Een aantal beambten – bewakers, vermoedde hij – was erbij gehaald. De grot werd nu ontruimd. Door langs de wandelgangen lopend met zaklampen te schijnen probeerden ze hem te vinden. Danny begreep daaruit dat ze vreesden dat hij verdronken was.

Vroeg of laat zouden ze hem vinden. Daar was hij van overtuigd. En dan zou zijn lot in de handen liggen van bewakers die een cisterne moesten beschermen – een vooruitzicht dat hem geen vertrouwen inboezemde. Waarschijnlijk zouden ze hem in de boeien slaan en aan de politie overdragen – wat hij wel best vond. Alleen zou de overdracht waarschijnlijk niet soepeltjes verlopen. Zijn achtervolgers zouden er ook nog zijn. Die zouden hem buiten opwachten. En zodra hij verscheen, zouden ze hem uitschakelen – hardhandig. De handboeien zouden dat alleen maar eenvoudiger maken.

Dus begon hij naar het licht te zwemmen.

Met al zijn onderwater-spotlights was de wenspoel – halverwege tussen de uitgang en de ingang – de felst verlichte plaats in de grot. Zodra hij er in de buurt kwam, verschool hij zich achter een pilaar en keek eens om zich heen. Links van hem zag hij nog steeds bewakers op de wandelgang vlak bij de medusahoofden. Nog eens twee man zaten in een klein rubberen reddingsvlot. Ze peddelden tussen de zuilen door en zochten de donkerte af met hun zaklampen.

De meeste bezoekers waren inmiddels verdwenen. De rest – misschien twintig man – werd door de bewakers de trap op naar de uitgang geloodst. Hij zag dat de andere trap, die van de ingang naar beneden, leeg was.

Hij zwom naar het brede platform onder aan de trap, waar reisgezelschappen altijd even halthielden om hun ogen aan de duisternis te laten wennen. Hij klauterde op het platform en maakte daarbij meer geluid dan hij wilde. Stijf en onhandig vanwege de kou beende hij met twee treden tegelijk de trap op en zijn lichaam werd al iets meer ontspannen.

Boven gekomen sprong hij over de tourniquet en vloog de straat op, waar hij, druppend, hijgend, verblind door het zonlicht, even bleef staan. Het volgende moment dook, bijna vijf meter rechts van hem, de Wenkbrauw op, druk pratend in zijn mobieltje. Er waren slechts twee manieren om uit de cisterne te komen. De Wenkbrauw hield dus duidelijk de ingang in de gaten en zijn maat de uitgang. Nu de reus zich omdraaide, had hij nog net een seconde om de verrassing tot zijn hersenpan door te laten dringen nu Danny als een stormram tegen hem op botste en hem vijf of zes stappen naar achteren dreef. D'r op en d'r over, zou zijn vader hebben gezegd.

Het was een goede uitval – vooral voor iemand die nog geen 73 kilo woog en bovendien drijfnat was. Hij gebruikte de mond van de Wenkbrauw als startblok om weg te sprinten. Het laatste wat hij wilde, was verwikkeld raken in een knokpartij met een vent die slechts uit spiermassa en botten leek te bestaan.

Hij had een menigte nodig om in op te gaan en hij wist waar hij die kon vinden: aan de voet van de Galatabrug, waar de veerboten lagen. Met soppende schoenen sloeg hij een steeg in, daarna een zijstraat, en hij rende verder zonder enig doel, zolang het maar heuvelafwaarts was. Af en toe keek hij even over zijn schouder om te zien of iemand achter hem aan zat, maar nee – kleerkasten waren blijkbaar niet gebouwd voor snelheid.

Hij herinnerde zich een kaart die hij in het magazine van Turkish Airlines had gezien. Deze toonde de routes van de veerboten, met paraboolvormige bogen van de ene oever van de Bosporus en de Gouden Hoorn naar de andere. Vanuit Eminönü kon je zo'n beetje overal komen in Istanbul of helemaal naar de Zwarte Zee varen. Net als New York werd Istanbul begrensd door de wateren die op zijn kusten klotsten.

Uiteindelijk kostte het hem slechts enkele minuten om de havens te bereiken, die zoals altijd werden verstikt door rook en waar het krioelde van bedrijvigheid. Nat genoeg om starende blikken te trekken maar niet langer druppend stelde hij zich op in de rij voor het loket om een kaartje te kopen voor de eerst vertrekkende boot.

Üsküdar. Steiger 4. Over twee minuten.

Snel liep hij naar de veerboot, nog even een paar maal omkijkend om te zien of iemand hem op de hielen zat. Maar nee, hij zag niemand – of althans, niemand die hij herkende. Enkel een samengedromde massa lookalikes: Turken met kort zwart haar en een snor. Hij liep over de loopplank en vervolgens de trap op naar het bovendek, waar hij met zijn rug naar de scheidingswand, onzichtbaar voor iemand op de kade, plaatsnam op een versleten houten bank. Er verstreek een minuut, zestig seconden die zich tot een eeuwigheid uitrekten, en eindelijk klonk het hoornsignaal. Het dek trilde, en langzaam gleed de veerboot weg van de oever.

Een zucht van opluchting ontsnapte aan zijn lippen en de spanning gleed van zijn schouders. Voorlopig was hij veilig, maar daar was ook alles mee gezegd. Op de een of andere manier wisten ze hem steeds weer te vinden. Maar hóé dan?

Hij had zijn creditcards niet gebruikt, alleen contant geld. Dus zo traceerden ze hem niet, als ze die mogelijkheid al hadden. En ze hadden hem niet een of twee keer gevonden, nee, maar liefst drie keer. Eerst het Abruzze Hotel in Rome, vermoedelijk door de voicemail op Caleighs telefoon te hacken; daarna in het Asian Shore in Istanbul. Maar hoe dan? Hij had slechts één keer gebeld – naar Remy Barzan – en (door schade en schande wijs geworden) geen boodschap ingesproken. Dus hoe hadden ze hem die tweede keer gevonden?

Hij had even nodig om het uit te vogelen, maar twee mogelijkheden dienden zich aan. De eerste was Sterretje-69. Iemand die Barzans telefoon afluisterde. Hadden ze dat eigenlijk wel in Turkije? Kon je gewoon een bepaald nummer draaien om achter het laatste nummer te komen dat naar jouw toestel had gebeld? En het dan opzoeken in een retrograde telefoongids. Hadden ze die voor Istanbul? Hij had geen idee. Het was in elk geval wel mogelijk. Turkije was een door modernisering geobsedeerd land.

De derde mogelijkheid was de registratiekaart die hij in het hotel had ingevuld. Die kaarten werden elke ochtend door de plaatselijke politie opgehaald om te vergelijken met een lijst van namen van mensen die werden ze gezocht. Dat gold voor alle steden. Londen, Parijs, New York. Je moest je laten registreren.

Maar beschikte Zebek dan over zulke goede connecties? En ging de politie wel zo efficiënt te werk? Misschien wel, dacht hij. Kennelijk.

Een roestend containerschip – de *Kodama Maru* – voer zijn gezichtsveld binnen en doorbrak de skyline van Istanbul.

Aan de andere kant, hoe had Zebek zelfs maar kunnen weten dat hij in Istanbul was?

Die vraag had hij snel beantwoord. Zebek had het geraden, stelde hij vast. Het zou niet zo moeilijk zijn uit te zoeken waar hij naartoe ging. Zebek beschikte over dezelfde namen als hij. Want hij had die immers aan hem gegeven. Het waren de namen op Chris Terio's telefoonrekening. Barzan in Istanbul en hoe-heet-ie-ook-alweer in Oslo. O ja, Rolvaag. Dus misschien had Zebek een team van zijn druiloren naar Turkije gestuurd en een tweede naar Noorwegen. En voor het geval Danny naar huis ging? Een derde team daar dus.

Dat klonk logisch.

Behalve… dat het niet verklaarde hoe ze hem naar de straat buiten de cisterne hadden weten te vinden. Toen hij uit het hotel vluchtte, had hij zelf niet eens geweten waar hij naartoe ging. Dus hoe wist de Wenkbrauw het dan? Was het geluk? Niet echt, was zijn conclusie. Er liepen niet veel wegen uit Cankurtaran. De wijk lag op een landtong, die uitkeek over de Zee van Marmara. Tenzij je een kano had, moest je langs de Aya Sofia of de Blauwe Moskee. Heuvelop of heuvelaf. En nu hij erover nadacht: met wie was de Wenkbrauw in gesprek geweest toen hij zijn mobieltje tegen zijn oor had? Met Zebek? Misschien. Of wellicht hadden de Wenkbrauw en zijn maat nog handlangers. Zo ja, dan zou het dus niet zo moeilijk zijn geweest om hem te vinden.

Een stel kwekkende schoolmeisjes perste zich al giechelend langs hem en wierp hem verlegen blikken toe. Hij besefte dat hij in zichzelf had zitten mompelen en merkte dat de jongelui er iets van hadden opgevangen. Hij hoefde geen Turks te kennen om te weten dat ze dachten: Moet je die vent zien! Hij is drijfnat! Wat een lijpo!

Hij schudde zijn hoofd en lachte in zichzelf. Dit is een nachtmerrie. En waarom getroost die Zebek zich zoveel moeite? Wat wist hij nu eigenlijk? Niet veel – niet echt – en wat hij wel wist, kon hij niet bewijzen.

Uiteraard kon Zebek dat onmogelijk weten. Het enige wat die wist, was dat Danny de bestanden op Terio's computer had gekopieerd en ze daarna aan Inzaghi had gegeven. Of Danny ook de moeite had genomen ze te lezen, was op zich een open vraag. Zebek zou de diskette in de plunjezak inmiddels hebben gevonden, maar zelfs dat zou niets veranderen. Voor de miljardair was de jacht op Danny gewoon een soort 'kwaliteitscontrole'. Hij beschikte over de middelen, dus waarom zou hij ze niet gebruiken?

Het enorme gevaarte van het containerschip gleed uit Danny's gezichtsveld en het leek alsof er een gordijn werd opengetrokken. Aan de overkant stonden wolkenkrabbers in een slalompatroon van de heuvels tot aan de oever. Hun brede, witte schouders schitterden in het zonlicht.

Maar stel dat het allemaal heel anders in elkaar zat, schoot het door zijn hoofd. Stel dat het niet het antwoordapparaat of de registratiekaart was geweest, maar iets anders. Wat dan?

Een afschuwelijke gedachte drong zich nu op. Stel dat… stel dat ik met een transponder rondloop. Een piepklein zendertje in de kraag van mijn overhemd of verstopt in de hak van een van mijn schoenen.

Maar nee, het overhemd kon het niet zijn. Dat was nieuw. Al zijn kleren waren nieuw – in Rome gekocht. Behalve de schoenen. Dat waren dezelfde die hij had gedragen toen hij op de dag van de Palio bij Zebek op bezoek ging. Zijn 'goeie' schoenen, zijn instappers van Cole-Haan.

Hij staarde naar zijn voeten en voelde zich als een jong kalf met een oormerk. Vervolgens bukte hij zich en trok zijn schoenen uit. Hij probeerde de hakken heen en weer te bewegen, maar er was geen beweging in te krijgen. Niets aan de hand, zo leek het. Maar ja, wat dacht je dán? Zebeks mannen waren professionals. Eersteklas boeven. In de gevangenis hadden ze vast schoenen leren lappen.

Conclusie: hij tastte volledig in het duister over de vraag hoe ze hem hadden weten te vinden. Er waren te veel mogelijkheden. En de waarheid was dat hij zich nergens kon verstoppen, zeker niet in de eenentwintigste eeuw. Tussen voicemail en Sterretje-69, registratiekaartjes en transponders, hackers en *enhanced 911* was het recht van de aardbol te verdwijnen iets uit het verleden.

Met zijn schoenen in de hand stapte hij naar de reling van de veerboot en liet de instappers een voor een in het groene water vallen dat langs de romp gleed. Van nu af aan, nam hij zich voor, draag ik alleen nog teenslippers.

Achter hem klonk het opgetogen gegiechel van de schoolmeisjes.

# 13

Üsküdar bleek een aangename buitenwijk op zekere afstand van de hectischer buurten van de stad. Eenmaal van boord kuierde Danny over een lommerrijke boulevard langs de Bosporus. Onzeker over wat hij ging doen of waar hij naartoe ging, kocht hij bij de eerste de beste schoenenzaak die hij zag een paar tennisschoenen. Kort daarna stond hij opeens voor een kapperszaak en zag achter het raam een gesigneerde foto hangen van een jonge Turkse voetballer. Het hoofd van de jongen was zo geschoren dat het leek alsof er een schaduw overheen lag.

Hij betrad de zaak, wees enthousiast naar de foto en daarna naar zichzelf. De kapper wilde maar al te graag aan het verzoek voldoen en had het karweitje met behulp van een tondeuse binnen ongeveer drie minuten geklaard. Terwijl de winkelhulp de blondgepunte lokken van de Amerikaan bij elkaar veegde, staarde Danny met een mengeling van verbijstering en tevredenheid naar zijn spiegelbeeld.

Hij leek totaal niet op zichzelf.

Hij liep naar buiten, keerde terug naar de haven en kocht een kaartje naar Besiktas, dat aan de overkant van de Bosporus lag. De oversteek was spectaculair, met de veerboot die ploegend door de golven op een soort Versailles afstevende, een kasteel aan de kust, met daarachter een zee van koopflats en kantoorgebouwen. Graag zou hij de naam van het kasteel hebben geweten, maar er was niemand aan wie hij het kon vragen, en bovendien...

Van boord gestapt ging hij op zoek naar een reisbureau en al vrij gauw vond hij er een – alleen leek niemand er Engels te spreken. Uiteindelijk stak een jongeman een vinger in de lucht en Danny begreep dat hij even moest wachten. Wat hij dus maar deed, totdat er een veel oudere kerel verscheen. De oude Turk staarde hem door een dun brilletje aan en vroeg: 'En u wilt naar...?'

'Uzelyurt,' antwoordde Danny.

De man knipperde met zijn ogen en haalde een hand door zijn staalgrijze haar. Vervolgens boog hij zich iets voo, alsof hij het niet goed had verstaan. 'Pardon?'

'Ik hoor dat het vlak bij Diyarbakır ligt,' legde Danny uit.

Met een frons liet hij Danny's uitspraak even tot zich doordringen en toen begreep hij het. 'Deeyarbakeer!' riep hij uit. 'Dat is nog eens een boeiende bestemming!'

'O ja?'

'Absoluut! Van de luchthaven tot de stad – kunt u gegarandeerd op minstens één messengevecht rekenen. En in de stad, wie weet?'

Als hij op de luchthaven van Istanbul moest wachten, zou hij liever het niet-rokersrestaurant hebben gekozen. Maar hij zag onmiddellijk dat hij dan de enige zou zijn, en lelijk uit de toon vallen was wel het laatste wat hij wilde. Beter was het om op te gaan in de rokerige sfeer van dat andere restaurant, waar roken niet alleen werd toegestaan maar zelfs enthousiast werd omarmd.

Hij vond een tafeltje en nam plaats met zijn rug naar de muur en zicht op de ingang. In deze kleren en met zijn verse kale kop kon hij zo doorgaan voor een Turk, een indruk die nog eens werd versterkt door het uitspreiden van de *Cumhuriet*, een plaatselijk dagblad, op de tafel voor hem.

In tegenstelling tot de mensen om hem heen leek de tijd wel stil te staan. Een kop soep. Een kop koffie. Een glas appelthee. Vervolgens een vrouwenstem die omriep dat de vlucht naar Diyarbakır tot kwart voor tien was vertraagd.

Toen zijn vlucht dan eindelijk werd omgeroepen, was het buiten al pikdonker. Hij wachtte nog eens tien minuten, in de hoop zo de massa te ontlopen, en haastte zich toen naar de gate die op de instapkaart was aangegeven.

Hij verwachtte half Gaetano en de Wenkbrauw aan te treffen, maar ze waren in geen velden of wegen te bekennen. Een opluchting, maar feit bleef dat ze hem steeds wisten te vinden en hij alleen maar kon gissen hoe ze dat deden. Hij wíst niet of het een transponder in zijn schoenen was. Of iemand die antwoordapparaten hackte. Of hotelregistraties naspeurde. Tenzij je in bovennatuurlijke krachten geloofde, zo zei hij tegen zichzelf, moest het wel een combinatie van die factoren zijn.

Wisten Zebeks mannetjesputters dat hij naar de AFP was gestapt om Remy Barzan te zoeken? Wisten ze dat hij onderweg was naar Uzelyurt? Misschien wel. Vermóédelijk wel. Het zou niet zo'n briljante ingeving zijn.

Het geluid van Turkse stemmen spoelde over hem heen en hij voelde zich alleen. Hij schuifelde naar voren in de rij en bedacht dat zelfs als op zijn gangen kon worden geanticipeerd, hij toch niet veel anders kon doen dan hij deed. Volgens hem stond er nog steeds iets op het spel; Zebek had iets te verbergen, want nog steeds waren er mensen die klappen opliepen. Danny moest erachter komen wat het was en voorzover hij wist, waren er slechts twee manieren om het te weten te komen. De ene liep naar Barzan, de andere via Rolvaag. En ook al waren zijn acties misschien voorspelbaar, hij had geen keus.

Op weg naar de gate vonden de gebruikelijke veiligheidscontroles plaats. Hij stapte door de metaaldetector en verwachtte aan de andere kant te worden gefouilleerd, maar merkte in plaats daarvan dat de vrouwen, en dan met name de vrouwen in traditionele kledij, door de norse bewakers werden betast.

Bij de gate zelf moest iedere passagier langs de bagagekarretjes lopen en zijn of haar koffer aanwijzen. De veiligheidsbeambten merkten ze vervolgens met een krijtje. Dit leidde tot een onaangenaam moment, waarbij Danny gebaarde dat hij geen koffer had en een beambte hem woest aankeek, alsof hij zijn tijd verspilde. Ten slotte begon een vrouw met een hoofddoek te lachen: 'Hij weet niet wat u zegt. Hij denkt dat u hem voor de gek houdt.' Grinnikend wendde ze zich tot de beambte en zei iets in het Turks. Met een chagrijnige blik gebaarde hij Danny door te lopen.

Het vliegtuig zat bomvol – elke stoel was bezet. Geen eersteklas, geen business class. Gewoon mensen. Hij vond een plekje aan het raam naast een olijfbruine man met een rij gouden tanden. De man glimlachte naar hem en bood hem een handje pistachenootjes aan. Het was het tweede aardige gebaar waar hij door een Turk op was getrakteerd – het eerste was Hasans beslissing om voor zijn gast een dreun op de kin te incasseren – en het gaf hem een goed gevoel over de mensen om hem heen.

Na een halfuur vliegen werd het avondeten langsgebracht. Op het bakje stond een rood silhouet van een varken waar een kringetje omheen was getrokken, in tweeën gesneden door een diagonale lijn.

*Bij de bereiding van deze maaltijd*
*werd geen varkensvlees gebruikt.*

Als vegetariër zou hij de voorkeur hebben gegeven aan een vleesloze maaltijd, maar dit was Turkije, en vegetariërs waren hier net zo dun gezaaid als ooievaars. Hij liet het plastic zakje met ijskoud bestek openploffen, scheidde geduldig de groenten en de rijst van het vlees en lepelde het bergje kip in yoghurtsaus op de rand van zijn blad.

Al etend dacht hij na over wat hij van Mamadous e-mail had geleerd – weinig dus. Hij geloofde niet dat Jason Patels dood 'een homoaangelegenheid' was. Helemaal niet. Maar de suggestie over bedrijfsspionage was interessant geweest. Misschien draaide het daar allemaal om.

Zebek had een hoop moeite gedaan om Terio's computer op te sporen, zodat hij de bestanden erop kon wissen. De enige reden waarom iemand zoiets zou doen, was als die bestanden compromitterend materiaal zouden bevatten. Dus wie weet was dat het wel. Misschien bestonden Terio's bestanden uit blauwdrukken en plannen, of correspondentie en rapporten tussen Zebek of zijn tussenpersonen en wetenschappers bij een andere onderneming.

Terio was geen bètawetenschapper geweest, maar zijn belangstelling voor wat een zeer esoterische technologie leek, was duidelijk gewekt geweest. Dat bleek wel uit de boeken op zijn planken. Niet die over religie – religie was zijn vak – nee, die andere titels, over 'proteïnecomputers' en zo.

Hij had geen idee wat dat waren – de term was een oxymoron, zoiets als *koude warmte*. Wanneer hij erover nadacht, was het enige wat hem te binnen schoot een T-bonesteak met een tandenstoker waaraan een klein vlaggetje hing met de tekst INTEL INSIDE. Toch moest het over iets met een hoog hightechgehalte gaan, want Terio onderhield contacten met Patel en Patel was het technische opperhoofd bij Very Small Systems. Dus...

Hij keek uit het raampje naar de allengs roder wordende lucht. Dus, wat? dacht hij. Het had met technologie te maken – maar ja, wat niet? Hij zat hier in een plastic stoel, op vijfendertigduizend voet, en at genetisch gemodificeerde rijst die in een magnetron was bereid door een stewardess die waarschijnlijk gekloond was. Alles had met technologie te maken.

Het enige dat zeker was, honderd procent zeker, was dat Zebek mensen om zeep bracht. Inzaghi was vermoord omdat hij computerbestanden had gezien. Dat was een feit en daar kon hij van getuigen. Het leek redelijk te stellen dat Terio was vermoord vanwege de inhoud van die bestanden, dat ze stonden voor kennis die Terio in handen had, kennis die Zebek in een lastig parket kon brengen. Wat Jason Patel betrof, die was in dezelfde nesten verstrikt geraakt, waar hij zich niet uit had weten te redden. Tot het moment dat Danny zich tegenover Zebek had uitgelaten over Terio's telefoontjes naar Patel was de wetenschapper gezond en wel geweest. Daarna restte er van hem slechts een overlijdensbericht.

Wat Danny zelf betrof: zijn eigen situatie was net zo naargeestig als die van de overleden mannen. Hij had de bestanden in zijn bezit gehad en had ze dus kunnen lezen – reden genoeg, zo leek het, om hem een kopje kleiner te maken. En dan was er ook nog wraak in het spel: hij was Zebek te slim af geweest door de bestanden voor Inzaghi te kopiëren, wat de miljardair een tweede reden gaf om hem dood te wensen.

Dus het draaide allemaal om informatie en technologie – maar wélke informatie en wélke technologie? *Je kunt je niet voorstellen wat hij van plan is, deze Zebek!* had Inzaghi gezegd. Gefrustreerd zonk Danny weg in zijn stoel. Dat was het probleem: Inzaghi had gelijk. Hij kón zich niet voorstellen wat Zebek van plan was, omdat...

Het vliegtuig zakte opeens als een baksteen omlaag. Zijn eetservies vloog omhoog van het uitklaptafeltje voor hem en kletterde weer neer nu de Airbus zijn laagste punt had bereikt en nog even natrilde. Luchtzak, was zijn vermoeden, terwijl de stem van de piloot over de intercom knetterde, eerst in het Turks, daarna in het Engels. Danny begreep er geen woord van, in beide talen niet, maar niemand stopte zijn hoofd tussen de knieën of begon te gillen, dus het moest wel goed zitten. Het lampje van de veiligheidsgordels floepte aan nu het toestel voor de tweede keer schokte en trillend een wolkendek in vloog op een manier die Danny deed denken aan zijn vaders Volvo, stuiterend over de wasbordweg in Maine. Aan de andere kant van het gangpad kletterde het dienblad van een vrouw op de vloer en de man naast hem glimlachte zenuwachtig naar hem en trok zijn wenkbrauwen op.

Tot zijn grote verbazing deed het hem allemaal niets, hoewel hij normaal wel nerveus was in een vliegtuig. Ondanks de turbulentie waar ze op stuitten, ondanks de windschering die hen zou kunnen treffen, wist hij dat het vliegtuig veilig zou zijn. Zebeks verwoede pogingen hem te vermoorden maakten dat Danny zich weer net zo voelde als tijdens die krankzinnige taxirit door Istanbul. Hij was immuun voor de alledaagse rampen die andere stervelingen zouden kunnen treffen. Hún dood lag voor het grijpen, terwijl die van hem – tja, die van hem was al gereserveerd.

De luchthaven bij Diyarbakır bleek niet echt 'een gewapend kamp', maar het scheelde weinig. Overal liepen soldaten in paren, met machinepistolen in de armen. Wat zelfs nog alarmerender was: ze hadden niet de verveelde houding van patrouilles op routinewerk. Deze kerels leken erg waakzaam, en hun alerte ongedurigheid maakte dat de doorgaans eentonige aankomst met een zekere spanning omgeven werd.

De bagageafhaalruimte was alleen toegankelijk voor passagiers, waardoor veel van hen door het glas van de automatische deuren koekeloerden en opgewonden naar wachtende kennissen en familieleden zwaaiden. Uit gewoonte wachtte Danny een moment bij de bagagecarrousel totdat zijn koffer op de band zou tuimelen, maar toen schoot hem te binnen dat hij helemaal geen koffer had. En zo was hij als eerste door de deuren om zich een weg te banen door de wachtende menigte. Bij de balie van Turkish Air vroeg hij de receptionist of deze ook Engels sprak.

'Uiteraard.'

'Ik moet naar Uzelyurt,' vertelde Danny hem. 'Is er…'

De man keek bedenkelijk. 'Wat is "Uzelyurt"?'

Danny schreef het op een papiertje en overhandigde het. 'Het is een stad,' zei hij. 'Of stadje. Een dorp.'

De receptionist keek nog steeds bedenkelijk, keek even op en ving de aandacht van een geüniformeerde jonge vrouw, die met een verlegen glimlach naast hem kwam staan. Na een blik op het papiertje te hebben geworpen, nam ze Danny taxerend op en zei: 'Het ligt vlak bij Sivas. U kunt met een *dolmus* naar het busstation en daar een bus nemen. Of…' Ze bekeek hem van top tot teen, alsof ze wilde vaststellen of hij het zich al dan niet kon permitteren. 'U kunt ook een taxi nemen.'

'Wat is een *dolmus*?'

'Het lijkt op een busje – een minibus. Vanaf het vliegveld rijden die overal naartoe. Eentje gaat naar de *otogar* – dat is het busstation. Hier in

Diyarbakır ligt het busstation helemaal aan de andere kant van de stad.' Ze aarzelde even. 'Maar zodra u daar bent, moet u misschien wel uren op een bus wachten.'

'Wat zou een taxi kosten?'

Ze dacht na en schudde wat met haar hoofd. 'Naar Uzelyurt? Misschien wel vijftig of zestig dollar.'

Hij kwam even in de verleiding. Maar omdat hij niet wist hoe lang hij nog zou doen met zijn geld, werd het dus... nee. Hij nam de gok met de *otogar*. 'De bus... denk ik toch maar,' zei hij.

Op een papiertje schreef de vrouw de woorden *Diyarbakır Otogar*. 'Laat dit aan een van de *dolmus*-chauffeurs zien,' liet ze hem weten. 'Hij zorgt er wel voor dat u de juiste bus neemt.'

Hij verliet het felverlichte luchthavengebouw en stuitte buiten op een hele stoet bussen en busjes die af en aan reden. De avond was warm. Hij toonde zijn papiertje aan een man met een enorme snor en werd verwezen naar een witte minibus waarin al een aantal reizigers plaats had genomen. Hij ging op de middelste stoel zitten en toen een man hem vervolgens aansprak, verontschuldigde Danny zich schouderophalend en zei: 'Amerikaan.' Dit leverde hem zowaar heel wat glimlachjes op.

De mensen om hem heen, net terug van een trip, praatten opgewonden. Hij vond hun enthousiasme innemend – zo anders dan de mensen die hij doorgaans in vliegtuigen tegenkwam: wezenloos voor zich uit kijkend, verveeld en bekaf, mompelend in hun mobieltjes aan boord van de shuttlebus op Dulles. Hier was iedereen vriendelijk – hoewel dit misschien wel kwam doordat hij hun taal niet sprak. Ze behandelden hem met een innemendheid die meestal aan kinderen voorbehouden was. Toch kreeg hij een opkikker van hun geglimlach en bemoedigende blikken. En er was nog iets positiefs: geen spoor van Gaetano of de kleerkasten.

Na vijf minuten moest de *dolmus* stoppen bij een controlepost van het leger. De soldaten die naar het busje kwamen, waren humorloze tieners in camouflage-uniform en ze droegen wapens die volgens hem uzi's of kalasjnikovs waren. Hij was geen kenner van automatische wapens, maar wist genoeg om op zijn hoede te zijn voor lui die dingen droegen. Iedereen moest uitstappen en langs de weg werden legitimatiebewijzen gecontroleerd en werd in bagage geprikt. Danny's paspoort, nog nat van de cisterne, ontlokte enig gegrom en enkele vragen die hij niet begreep.

'Wasmachine,' zei hij en hij maakte een gebaar met zijn handen dat, zo moest hij toegeven, in niets op een wasmachine leek. De bewakers staarden hem aan en fronsten het voorhoofd.

Ten slotte begon een van hen te glimlachen. '*Maytag*,' zei hij en hij legde de situatie uit aan zijn maatje, die zich aan een medelijdende blik waagde. Met een vriendelijk saluut gaven de soldaten Danny's paspoort terug en hij zwaaiden met hun wapens naar de *dolmus* ten teken dat iedereen weer mocht instappen.

Twintig minuten later bereikten ze de rand van Diyarbakır en volgden ze een soort ringweg dicht langs het oude stadsdeel.

Hij kon niet zeggen wat hij precies had verwacht, maar Diyarbakır bleek een verrassing. Het was modern en dijde flink uit, met enorme flatgebouwen waarvan de gordijnen achter de ramen opgloeiden met wat Danny als 'derdewereldlicht' was gaan beschouwen – een nachtmix van neonlicht en CNN. Het moderne karakter van de stad had hem eigenlijk niet hoeven verrassen. Wat had hij anders gedacht? Dat buiten Istanbul iedereen in een tent leefde?

Niet echt. Eigenlijk had hij zich er niets van voorgesteld. Dat was het 'm nu juist. Tot voor kort had Turkije hem weinig meer gezegd dan Bulgarije of Kirgizië. En nu was hij hier, met deze vrolijke vreemdelingen, niet gewoon in Turkije, maar onderweg naar een dorp zo afgelegen dat zelfs Turken het moesten opzoeken.

Even na middernacht kwamen ze aan op het busstation. Bij het betreden van het gebouw trof Danny een verbijsterende rits loketten, waarvan elk van een andere buslijn leek te zijn. Niet dat het er iets toe deed: ze waren namelijk allemaal gesloten.

Hij bedacht dat hij nu naar een hotel kon gaan zoeken of een taxichauffeur kon vragen hem er naar een te brengen. Maar buiten het gebouw stonden geen taxi's – althans, niets wat daarop leek – dus dat was uitgesloten. Net als het idee om om een uur in de nacht door de stad te kuieren, op zoek naar een slaapplaats. Met een zucht liep hij weer het gebouw in, zag een plastic bank en vlijde zich erop neer onder de waakzame blik van een foto van de 'stichter van het moderne Turkije', Kemal Atatürk. Al snel viel hij als een blok in slaap.

De dageraad kondigde zich aan met het uiteinde van een politieknuppel die zachtjes in zijn ribben porde. Met knipperende ogen werd hij wakker en zag een geërgerde agent over hem gebogen staan, iets herhalend wat als '*Uyanmak!*' klonk.

'Sorry…'

Verward en beteuterd deed de politieman een stap naar achteren. '*Amerik?*'

Danny ging zitten, wreef de slaap uit zijn ogen en kwam overeind. 'Ja. Luister, het spijt me…'

'Is goed,' zei de agent en met een kordate knik draaide hij zich om.

Danny keek om zich heen en zag dat het busgebouw al tot leven kwam. Door de groezelige ramen boven hem stroomde licht in de hal en passagiers begonnen binnen te druppelen, sleurend met supergrote plastic koffers en op barsten staande knapzakken. Bij een rolwagentje kocht hij een kop koffie en dacht na over hoe hij van A naar B moest komen.

Meer dan de helft van de loketten leek nu open en hij liep ze een voor

een langs, steeds 'Uzelyurt?' herhalend, alsof het een snack was die hij verkocht. Maar zijn uitspraak moest niet goed zijn geweest, want meer dan
een reeks schouderophalen zat er niet in voor hem. Ten slotte schreef hij de
plaatsnaam op een papiertje en liet het zien aan een oudere man in een ha-
veloos blauw uniform. De man ontleedde de naam en knikte tegen zichzelf. Vervolgens nam hij Danny bij de elleboog en leidde hem naar een loket achter in het gebouw. Er volgde een korte woordenwisseling tussen de
oude man en de gapende lokettist, waarna de laatste begrijpend knikte.
Wijzend naar zijn horloge beschreef hij met zijn wijsvinger een cirkeltje,
keek Danny weer aan en maakte een V-teken. Over twee uur. De Amerikaan knikte en kocht een kaartje.

Tijdens het lange wachten kocht hij een soort Turkse pizza, met groenten en kaas, en spoelde deze weg met een liter mineraalwater. Daarna kuierde hij naar buiten, denkend aan Caleigh.

Hoewel hij haar had gewaarschuwd niet met hem te praten, hield niets
hem tegen haar te bellen. Hij zou in elk geval haar stem weer even horen
– zij zou zijn aanwezigheid voelen – en mocht ze bereid zijn tegen hem te
praten, dan zou hij zijn waarschuwing zo herhalen dat ze deze wel serieus
moest nemen. Dus hij belde niet helemaal zonder reden. Tenminste, zo
verdedigde hij zichzelf.

Wat de mogelijkheid betrof dat Zebek alle binnenkomende telefoontjes
van Caleigh afluisterde, was Danny, nu hij wat meer tijd had gehad om
erover na te denken, tot de slotsom gekomen dat ze hem in Rome of Istanbul niet op deze wijze hadden opgespoord. Ook al luisterden ze haar telefoon af, ze konden er niet achter komen waar hij vandaan belde – tenzij hij
zijn locatie prijsgaf of veel langer aan de lijn bleef dan hij wilde. Hij was er
vrij zeker van dat Sterretje-69 op een munttelefoon in Turkije niet zou
werken. De enige andere manier om de herkomst van een telefoontje te
achterhalen, was uit de gegevens van het telefoonbedrijf, maar het duurde
even voordat die werden bijgewerkt en ze zouden ook de eerste 48 uur niet
voor iedereen beschikbaar zijn, zelfs niet voor het bedrijf zelf.

Bij een kiosk in het busgebouw kocht hij een telefoonkaart met honderd tikken en hij ging op zoek naar een telefooncel. Hij vond er een aan
de overkant, aan de rand van een parkje. Terwijl hij de kaart in de gleuf
stak, merkte hij tot zijn vreugde dat het apparaat op dezelfde manier werkte als in de States. Hij draaide het nummer en zijn hart bonkte in zijn keel
nu de telefoon in Amerika overging.

Een keer. Twee keer. Drie keer. En toen sloeg het antwoordapparaat
aan. Alleen klonk nu niet de vertrouwde boodschap – niet de boodschap
die híj had opgenomen, de boodschap die begon met 'Hoi, dit is het antwoordapparaat van Caleigh en Dan…' Het was een nieuwe boodschap, dit
keer met Caleighs stem, en die klonk zo: 'Hé! Dit is Caleigh. Spreek een bericht in en ik bel je terug.'

Jezus christus! Ik ben gewist, was zijn gedachte.

# 14

Het landschap voorbij Diyarbakır was honingblond – de kleur van tarwevelden, van bouwzand, van Caleighs haar. De enige afwisseling werd gevormd door windhagen van populieren die strak in het gelid stonden en door een incidentele wijngaard. Anders dan in Amerika hingen de wijnstokken hier niet aan latwerken, maar spreidden ze zich gewoon over de aarde uit.

Anatolië. De steppen. Onafzienbare vlakten, een hemel met de kleur van geelzucht.

Om de vijftien of twintig minuten slingerde het busje zich om een heuvel naar een volgend dorp of stadje. Gunesli, Urkelet, Sarioglan. De volwassen populatie leek louter uit mannen te bestaan. Er waren namelijk geen vrouwen te zien, of heel weinig. En de vrouwen die hij zag, deden hem denken aan nonnen. Hun kleding was geheel zwart of geheel wit en bedekte hen van top tot teen.

Op het eerste gezicht leken alle stadjes in aanbouw, want overal lagen hopen stenen en verrezen hijskranen hoog in de lucht. De degelijke, vierkante huizen wemelden van de dubbele zonnepanelen en heetwaterreservoirs op de daken. Maar naarmate het busje dieper het platteland binnendrong, werden de plaatsen gaandeweg kleiner en lagen ze ook verder uit elkaar. Het landschap werd landelijker en hier en daar ving hij een glimp op van een herder te midden van zijn kudde schapen. Boeren bewerkten de aarde met primitieve ploegen, en bij gebrek aan machines vertrouwden ze daarbij op dieren.

Daarna begon alles weer te veranderen. Het busje reed nu langs woeste, conisch uitgesleten rotsformaties. Ze hadden dezelfde honingblonde kleur als de grond en deden hem denken aan eendenmossels die zich aan de romp van een boot hechten. De rotsen waren duidelijk van een zachte steensoort, want er waren complete woningen in uitgehakt. Het leek alsof de vensters en deurgaten volmaakt 'echt' waren, onder een hoek van negentig graden uitgehouwen in de rotsen. Hij tuurde door het raampje en zag dat boven een aantal grotwoningen satellietschotels met bouten tegen het gesteente waren bevestigd en dat aan de voorzijde auto's geparkeerd stonden. Elektriciteitskabels hingen als penseelstreken in de lucht.

Het was de vreemdste plek die hij ooit had gezien of zich had voorgesteld. Alles kwam hem onbekend voor, en niet alleen onbekend – vreemd zelfs. Naarmate de kilometers en minuten voorbijgleden, leek de kans dat hij op zo'n afgelegen plek iets wijzer zou worden steeds kleiner. Om te beginnen leek niemand hier Engels te spreken, en zijn Turks bleef beperkt tot vier woorden: *evet, yok, tuvalet* en *merhaba*. Hij was blij dat hij ze had opgepikt, maar met *ja, nee, toilet* en *hallo* kwam hij vast niet dichter bij een oplossing voor zijn problemen.

Behalve de paar woorden die hij kende, was er de plaatsnaam waarvoor hij de hele ochtend zijn oren gespitst hield: Uzelyurt. Bij elke halte verwachtte hij het te horen, maar het begon nu wel heel lang te duren.

Opnieuw veranderde het landschap. De weg voerde kilometers lang langs een diep ravijn, uitgesleten door een brede stroom die miljoenen jaren geleden de dorst van dinosauriërs had gelest. De weg draaide naar het zuiden en de heuvels vlakten af. De blonde aarde kreeg een diepere gouden kleur en leek vervolgens vlam te vatten nu de *dolmus* onstuimig afdaalde langs velden met felrode klaprozen die zinderden in de hitte. In de verte, dwars op een lage heuvel, baadde een mediterrane villa in het zonlicht. Daarna sloeg de minibus weer een andere bocht om en was de villa verdwenen, net als de klaprozen.

Hij was benieuwd naar de bewoners van zo'n huis op zo'n afgelegen plek – maar dat duurde niet lang. Een paar kilometer verder kwam de bus op een soort parkeerterrein aan de rand van een dorp tot stilstand. Een roestend bord gaf aan waar ze waren: UZELYURT. Het was net twaalf uur geweest.

Danny klauterde de *dolmus* uit en zag een stuk of vijf bussen onder een luifel van golfplaten geparkeerd staan, met daaromheen wat kluitjes reizigers die verveeld voor zich uit keken of zich verdrongen om in te stappen. Arbeiders in lange broek en strak gebreide mutsen hingen tegen een muurtje, rookten een sigaretje en richtten hun ogen op de Amerikaan. Zijn busje zette zich alweer in beweging en ronkte weg in de richting van de zon. Zonder het te willen ademde hij de dieseldampen in terwijl hij met zijn ogen de *dolmus* volgde en het verlangen om erachteraan te rennen weerstond.

Het dorp bestond uit een enkele verharde weg, met misschien een stuk of tien zijstraten. Aan weerszijden van de hoofdstraat was een rij winkeltjes waar men van alles verkocht, van kruidenierswaren tot landbouwwerktuigen. Er was een benzinestation met één pomp, een ijzerhandel die naar olie stonk en een laswerkplaats waar aan het kabaal te horen hard werd gewerkt. Het enige restaurant dat hij zag, bleek gesloten, maar er was een verrassend leuke patisserie. Hij wipte naar binnen voor een glas appelthee en vervolgens nog een tweede glas om een punt baklava mee weg te spoelen.

Weer buiten zag hij een bord voor OTELI HITTITE en hij liep heuvelop in de richting van een gebouw met twee verdiepingen. Halverwege hield hij halt bij een winkeltje, waar aan weerskanten van de ingang opengeslagen jutezakken stonden die tot barstens toe gevuld waren met pistachenoten, dadels en andere vruchten. Binnen zag hij planken met Pepsi, bier, water, cornflakes en wasmiddelen. Naast de toonbank stond een ronddraaiend rek met videobanden. Hij keek wat er zoal tussen stond, vooral Amerikaanse films die opnieuw waren verpakt in Turkse dozen. Hij herkende *Swordfish*, *Pulp Fiction* en *The Matrix*.

Hij kocht een tandenborstel en een fles mineraalwater, twee flesjes Efes Pilsen en een papieren puntzakje met gedroogde abrikozen. De winkelier glimlachte naar hem terwijl hij teruggaf van een briefje van tien miljoen lira's.

'Canadees?'

Danny schudde zijn hoofd. 'Amerikaan.'

De glimlach werd breder. 'Mijn zoon! Hij was Columbia University. Nu hij is aan Morgan-Stanley!' Hij gebaarde naar een Columbia-sticker achter op de kassa en wees vervolgens naar een replica van de rotsformaties rond het dorp, gemaakt van kunsthars. 'De ene dag hij is in grotten. Dan Ivy League. En dan... ik weet 't niet!' Een bulderende lach.

Danny lachte. 'Nou, hij moet wel knap zijn. Columbia is moeilijk.'

De man knikte en glimlachte, maar Danny wist al dat de Engelse woordenschat van de winkelier niet veel groter was dan zijn eigen kennis van het Turks.

'Goed,' besloot hij. 'Ik zie u nog wel.'

'O ja!' reageerde de kruidenier. 'Zeker wel!'

Het Oteli Hittite bleek een sterloze bedoening, wat inhield dat het erg eenvoudig was. De 'lobby' bestond uit een kleine kamer met hoge plafonds en een balie die eigenlijk gewoon een bureau was. De oude man achter het bureau sprak geen Engels, maar een bordje op de muur gaf aan dat een kamer zes miljoen lira – ongeveer vijf dollar – per nacht kostte.

Danny overhandigde de man zijn paspoort. De oude baas bekeek de staat ervan, maakte een klokkend geluid en gaf het vervolgens, samen met een registratiekaartje, terug. Daarna reikte hij een pen aan en wachtte glimlachend, terwijl Danny het kaartje invulde. Toen hij klaar was, keek de oude man er even vluchtig naar en legde het boven op een half dozijn andere kaartjes. Ten slotte stond hij op en gebaarde Danny met wapperende handen om hem te volgen. Wat hij deed – maar niet voordat hij het registratiekaartje had weggegrist en snel in zijn zak had geprop.

Ze liepen door een donkere gang naar een binnenplaats met plastic tafeltjes onder grote, rode parasols. Tegen de betonnen muren, die met glasscherven waren afgezet, groeide een bonte bloemenpracht. Met een rukje aan Danny's mouw bracht de oude man de palm van zijn hand onder zijn kin en deed net alsof hij iets in zijn mond schepte.

Danny glimlachte. 'Ik snap het. Misschien straks.'

Met een eerbiedige knik overhandigde de man hem een sleutel met het kamernummer 7 erop en gebaarde naar een trap.

In Danny's kamer stond een groot veldbed met een dun matras, een metalen tafel met stoelen die er niet bij pasten en een oud houten dressoir. Op de tegelvloer onder een rij ramen met uitzicht op straat lag een rafelige *kilim*, een handgeweven tapijt. Verder geen schermen voor de ramen, maar zware, blauwgeverfde luiken. Boven zijn hoofd hing een enkele tl-lamp, omgeven door een geplooide lampenkap. Met nog een blikje Raid dat naast het bed stond, was dat alles. Het insecticide stemde tot nadenken, maar slechts eventjes. Hoewel het een erg sobere kamer was, was hij kraakhelder, waren de sneeuwwitte lakens op het bed tintelfris en erg uitnodigend. Hij weerstond de verleiding, schreef Barzans naam achter op het buskaartje en liep de trap weer af.

De oude receptionist staarde naar de naam, dacht even na en schudde toen zijn hoofd. Hij keek op en gaf het papiertje met een lieve glimlach aan de Amerikaan terug.

Vanuit het hotel liep hij regelrecht de snikhete middag in en deinsde even terug voor het licht. Het blonde gesteente en boomloze landschap, de gebleekte lucht en warme bries, alles was even adembenemend. Een vrouw van onbepaalde leeftijd, van top tot teen gehuld in het wit, ontblootte haar gouden tanden in een geluidloos 'hallo'. Aan de overkant zwoegde een jongetje van een jaar of tien heuvelop met een dood lam over zijn schouder geslagen, het witte oog starend in het niets. Het was allemaal zo desoriënterend – alsof je door een toneeldecor strompelde.

Halverwege de heuvel begon hij hier en daar te vragen naar Remy Barzan en toonde de ene na de andere winkelier het papiertje. Eerst deed hij navraag bij de kruidenier, liep daarna door naar een winkel waar ze bier en arak verkochten en vervolgens naar de overkant naar een stoffige tapijtzaak. Binnen zaten drie jonge mannen vlak om de deur over een backgammonbord gebogen, lachend en theedrinkend. De grootste van het drietal, die een nieuw T-shirt van Nike droeg, zag Danny, sprong overeind en verwelkomde hem (letterlijk) met open armen. '*Willkommen! Hereingekommen, bitte!*'

Danny's blik was zowel verward als verontschuldigend. 'Eigenlijk,' begon hij, 'ben ik Amerikaan.'

De jonge Turk grijnsde. 'Nog beter. Mijn Duits is waardeloos. Waar komt u vandaan?'

'Washington,' antwoordde hij, verbaasd hier zijn moedertaal te horen.

Het gezicht van de Turk vertrok van gepijnigd mededogen. '*Buhhh-ddy, buhhh-ddy,*' zei hij en mimede een schot uit stand, 'jullie gaan die play-offs nóóit halen.' Hij draaide zich om naar zijn vrienden en legde even uit wat hij had gezegd. Samen met Danny begonnen ze te lachen.

'Michael speelt ook mee,' liet Danny hem weten. 'Dat zou toch moeten helpen.'

'Ik hoorde dat-ie geblesseerd is geraakt,' zei de Turk. 'Misschien dus toch geen comeback.'

Danny haalde zijn schouders op. 'We blijven hopen,' zei hij. 'Maar goed, op dit moment…'

'U bent op zoek naar een tapijt?' Voordat Danny kon antwoorden, voegde de Turk eraan toe: 'Nou, dan zit u hier goed.'

'Luister…'

'Ik bied u de beste prijs.'

'Dank u, maar…'

'*Buhhh-ddy, buhhh-ddy* – ik verkoop geen bullshit. Beste prijs!'

Danny schudde zijn hoofd. 'Misschien een andere keer, maar op dit moment ben ik op zoek naar een persoon. Niet naar een tapijt.'

De Turk keek hem verdwaasd aan.

'Een vriend,' zei Danny. 'Misschien kent u hem?' Hij gaf het papiertje aan de Turk, die het even bekeek en aan zijn vrienden liet zien. Een van hen mompelde iets wat Danny niet opving. Ten slotte maakte zijn *Buhhh-ddy* een zacht klakkend geluid en trok zijn hoofd met een ruk naar achteren.

Danny had het gebaar eerder gezien: het was een Turkse manier om nee te zeggen – zoals in *Nee, nooit van gehoord.*

'Ik denk niet dat deze vent van hier is,' sprak de man. Hij keek naar zijn vrienden. 'Anders zouden we hem wel kennen.' Hij liep terug naar zijn zitplaats op een stapel tapijten, nam een slokje thee en zweeg verder.

Opeens klonk er geen *buhhh-ddy, buhhh-ddy* meer in de winkel. Een beetje opgelaten stond Danny bij de deur. 'Oké,' zei hij, 'in elk geval bedankt.' Zonder op te kijken, knikten de anderen.

Niemand had gezegd dat het een makkie zou worden.

Hij stak de straat over naar het busstation en liep naar het loket waar achter een traliewerk een keurige kleine man klanten hielp. Er stond een korte rij en Danny wachtte op zijn beurt. Hij gaf het papiertje aan de lokettist, die er door een gouden bril naar tuurde. Na een paar tellen schoof hij het papiertje terug, hield zijn hoofd scheef, sloot zijn ogen en zwaaide zijn wijsvinger heen en weer alsof deze een ruitenwisser was. Daarna stopte hij ermee en opende zijn ogen weer.

'Kent u hem?' vroeg Danny.

De lokettist doorliep dezelfde procedure een tweede keer en begon vervolgens overdreven over Danny's schouder naar de volgende in de rij te kijken.

Het begon hem te dagen. Hij liep het busstation weer uit en vond een taxichauffeur die bereid leek te helpen, maar vervolgens wegreed toen hem duidelijk werd dat de Amerikaan niet in een rit was geïnteresseerd. Het politiebureau (een betonnen kubus aan de rand van het dorp) lag slechts één straat verderop, maar bleek te zijn 'gesloten'. Hoe kan een politiebureau in vredesnaam gesloten zijn? vroeg Danny zich af.

Iets verderop zaten een paar soldaten in een jeep, met hun M-16 in de hand. Danny liep glimlachend op hen af en liet het papiertje waarop hij Barzans naam had geschreven voor hun neus, maar er kwam geen reactie. Een verveelde blik, een schouderophalen en ze keken de andere kant op.

Op dat moment ving hij de geur van geroosterde paprika's, knoflook en uien op, die over de straat zijn kant op kwam gedreven, en hij besefte hoe hongerig hij was. Met zijn neus als kompas volgde hij het spoor naar een op de bovenverdieping gelegen restaurant, waarvan het uithangbord lang geleden van zijn hoge plek boven de deur was gekletterd. Hij ging naar binnen en belandde in een grote eetzaal, waar een paar ventilatoren voor koeling zorgden. Boven zijn hoofd wemelde het geluiddempende tegelplafond van tientallen kleine, knobbelige tl-buizen, aangesloten op fittingen die, naar hij vermoedde, eigenlijk bedoeld waren voor peperdure sierlampen.

Een al wat oudere ober verwelkomde hem met een buiging en bracht hem vervolgens naar een gekoelde vitrinekast waarin een verscheidenheid van gerechten onder glas stond. De *mezze*, of voorgerechten. Danny wees naar wat donkergroene, met rijst gevulde *dolmas*, een salade van tomaten en aubergine, *hummus* (een puree van kikkererwten) en *pide*, en een schaaltje sla. De ober knikte goedkeurend en stuurde hem door naar een lange grill.

Een blonde man met een blauw T-shirt stond aan een piramide van kebabs die met plastic waren afgedekt. Danny wees een van de kleinere aan, maar de chef reageerde met een afkeurende blik en gebaarde naar de kebabs met lam, kip en worstjes.

Danny schudde zijn hoofd. 'Alleen groente,' legde hij uit.

De kok keek verrast. 'vs?'

Danny knikte.

'Hé, ik heb daar een neef,' zei de chef.

'U meent 't.'

'Rehoboth Beach, Delaware. Hij heeft een schoonmaakbedrijf.'

'Dat is niet zo ver van dc, waar ik vandaan kom.'

'Echt? Rehoboth – is dat mooi?'

'Ja,' zei Danny. 'Geweldig. Ziet u – zon, strand, de oceaan.' Hij haalde zijn schouders op. 'Maar wel heel anders dan hier.'

De man stak zijn hand uit. 'Ik ben Attila,' zei hij met een brede glimlach. 'Net als de Hun.'

Hij moest even lachen. 'Danny Cray.'

Attila gebaarde naar de kebabs. 'Dus alleen groente, hè?'

'Anders niet.'

'Tjonge, zit u even in het verkeerde land!' Hij draaide een knop om en de vlammen schoten uit de grill omhoog; hij stelde ze bij en ze zakten in. 'Behalve dan pistachenootjes. Wij hebben de lekkerste ter wereld.'

'Uw Engels is goed. Waar hebt u dat geleerd?'

'Op school.'

'Hebben jullie goed onderwijs hier?'

Attila pakte een paar vegetarische kebabs, bestreek ze met wat olie en sprenkelde er wat sap over uit een citroen. Daarna strooide hij er nog wat zout en peper over en legde ze op de grill.

'Ja,' zei hij, 'het onderwijssysteem is vrij goed. Iedereen gaat tot z'n twaalfde naar school. Daarna moet je je kwalificeren. Middelbare school, technische school – universiteit, als je knap bent. We hebben er dertig.'

'En iedereen kan ernaartoe?'

Attila schudde zijn hoofd. 'Geen sprake van! Dat is heel moeilijk. Je moet een test afleggen. Heel competitief allemaal.'

Meelevend tuitte Danny zijn lippen.

Attila grinnikte. 'Ik weet wat u nu denkt – ik sta hier een beetje kebabs te grillen. Maar eigenlijk deed ik het helemaal niet zo slecht. Ik bezocht Bogazici, een universiteit in Istanbul. Studeerde economie.' Hij keek op van de grill.

'Waarom ging u economie studeren?'

'Omdat ze me dat gáven. Je krijgt hier de keus niet. Ik wilde dierenarts worden, maar het is Vadertje Staat die beslist wat nodig is. Maar ik vind 't niet erg, want daar heb ik wel Engels geleerd. Eenmaal op de universiteit merk je dat bijna alles in het Engels gaat.' Hij keerde de kebabs om.

'Dus…'

'Wat ik hier dan doe?'

Danny knikte.

Attila glimlachte even boosaardig. 'Mijn vriend, ik maak kebabs voor u, wat dacht u dan?' Hij zweeg even. 'Ik kom hier vandáán,' voegde hij er toen aan toe. 'Deze zaak is van mijn vader, maar… Die kan nu niet hier zijn. Dus ik help hem.'

'Ik snap het.'

'O ja? Geloof ik niks van.'

'Waarom niet?'

'Omdat hij in de gevangenis zit.' Hij zag de verrassing op Danny's gezicht. 'We zijn Koerden,' legde hij uit. 'Iedereen hier. Op het leger na – dat zijn… laat maar. Er zijn dus vaak problemen, ziet u?'

'Ik heb erover gehoord.'

'Ze willen onze cultuur vernietigen, dus azen ze op de taal. Tot tien jaar geleden mochten we die niet leren, niet spreken, niet uitzenden. Mijn kinderen kan ik niet eens de naam geven die ik wil. Ik moet ze Turkse namen geven.'

'Dus nu is het beter?'

Hij keerde de kebabs weer om. 'Niet veel. Zodra ik een visum heb verhuis ik naar de States en begin daar iets met mijn neef. Andere mensen geven het op. Of gaan bij de PKK.'

Hij wist niet waar de afkorting voor stond, en dat viel vast van zijn gezicht af te lezen.

'Dat zijn Koerdische separatisten,' legde Attila uit. 'Ze voeren een harde lijn. Ankara noemt ze "terroristen".'

'En zijn ze dat ook?'

Attila glimlachte. 'Ja, eersterangs terroristen zijn het. Alleen de laatste tijd zijn ze wat rustiger.' Hij zweeg even en lachte.

'Hoezo dat?'

'Hun leider werd opgepakt.'

'Daar lijkt u anders niet zo rouwig om.'

Hij haalde zijn schouders op. 'In kleine plaatsjes als deze zitten de mensen tussen twee vuren. De PKK en het leger denken op dezelfde manier: of je maakt deel uit van de oplossing of je bent deel van het probleem. Dus wat je ook doet, je bent altijd de lul.'

Danny fronste het voorhoofd. 'U bedoelt…'

'Die gasten komen hier binnenzetten – ik heb het nu over de PKK – ze komen binnen en willen een beetje hulp. Wat voedsel, wat geld, een slaapplaats. Als je ze niet geeft wat ze willen dan slaan ze je in elkaar. En behoorlijk ook. Dan nemen ze wat ze willen. Omdat ze dat kúnnen. Ze hebben wapens. Dus natuurlijk geef je ze wat ze willen en na een tijdje trekken ze verder. Net als sprinkhanen. Daarna verschijnt het leger. En die zeggen: "We horen dat u de rebellen helpt." Poef!' Hij grinnikte bitter. 'Zo belanden mannen als mijn vader in de bak. En daarom, mijn vriend, sta ík hier kebabs te grillen.' Met een grijns pakte hij de sissende pennen van de grill en liet ze op een bord glijden. Vervolgens schepte hij wat rijst op met een kwak yoghurtsaus en gebaarde naar de eetzaal.

Danny liep met zijn bord naar een tafeltje waar de voorgerechten klaarstonden.

'Wat wilt u erbij drinken?' vroeg Attila. 'Limonade? Komt niet uit blik.'

'Ja, graag,' zei hij terwijl hij plaatsnam.

Attila riep naar de ober. Dichtbij zaten vier oude mannen in de hoek te kaarten. De ober haastte zich terug met twee glazen limonade. Attila wees naar de stoel tegenover Danny. 'Mag ik?'

'Natuurlijk.' Afgezien van het groepje kaartspelers was Danny de enige klant.

Attila nam plaats en nipte van zijn limonade. 'U bent geen toerist,' zei hij.

Danny lachte. 'Ziet u dat meteen?'

'Ja.'

'Hoezo?'

'Omdat we hier nooit toeristen hébben. We zitten hier op ruim vijftien kilometer van de Syrische grens, 35 kilometer van Irak. Dus wat we hier krijgen, zijn drugdealers. Spionnen. Mensen die een tapijt willen kopen. Of schildpadbloemen. En zo nu en dan een geleerde. Wat bent u?'

Danny schudde zijn hoofd. 'Eigenlijk… ben ik beeldhouwer.' De *hummus* was verrukkelijk.

'Een beeldhouwer,' herhaalde Attila, alsof Danny zojuist had bekend dat hij een ooievaar was.

'Inderdaad,' zei Danny, 'maar daarom ben ik hier niet. Ik ben op zoek naar iemand.'

'In Uzelyurt?' De Turk keek ongelovig.

'Hm-hm.'

'Nou, dat zou niet zo moeilijk moeten zijn. Hoe heet hij?'

'Barzan,' antwoordde Danny.

Het gezicht van de Turk vertrok.

'Remy Barzan,' verduidelijkte Danny.

Attila knikte bedachtzaam, sloeg zijn limonade achterover en stond op. 'Ik moet weer aan het werk.'

'Wacht even!' Voor de tweede keer binnen een uur was alle hartelijkheid van een plaatselijke inwoner als sneeuw voor de zon verdwenen. 'U weet over wie ik het heb, hè?'

De Turk haalde zijn schouders op. 'Misschien. Nou en?'

'Hoe vind ik hem?'

'Vraag maar rond.' Hij draaide zich om, aarzelde en keek hem weer aan. 'Hoewel dat misschien niet zo'n goed idee is.'

Danny begreep het niet. 'Waarom niet?'

'Omdat hij volgens mij helemaal niet gevonden wil worden.'

De Amerikaan knikte. 'Dat dacht ik al, maar…'

Attila plaatste zijn handen op tafel en boog zich voorover. 'Luister,' zei hij. 'Dit is geen dorp waar je zomaar aan iedereen alles kunt vragen. Remy komt uit een grote familie, een grote clan. De Barzans zijn familie van iedereen en zijn betrokken bij een hoop dingen.'

'Wat voor dingen?'

Met een spottend gesnuif richtte Attila zich weer op. 'Er is een burgeroorlog aan de gang – al meer dan honderd jaar. Ze doen wat ze moeten doen.'

'Zoals?'

'Wat maar nodig is. En dat doen ze allemaal voor ons.'

Danny wist niet waar hij over praatte en dat moest van zijn gezicht zijn af te lezen.

'De oude man – de grootvader – heeft veel verantwoordelijkheden,' legde Attila uit. 'Hij is een Ouderling.'

Er ging een lampje branden. 'U bedoelt… de Jezidi's.'

Nu was het Attila's beurt om verrast te zijn. 'Juist.'

'Maar dan…'

'Luister, u zoekt Remy? Misschien moet u eens met Mounir praten.'

'Wie is Mounir?'

'De oude man. Sjeik Mounir. Dat is Remy's opa. Ik denk niet dat-ie veel zal loslaten, maar als u zo van deur tot deur blijft gaan…' Hij schudde zijn hoofd. 'Dat zou wel eens slecht voor u kunnen uitpakken.'

Met een quasi-hulpeloos gebaar hief hij zijn handen op. 'Dus waar moet ik dan naartoe?'

De kok zuchtte. 'Hebt u de klaprozen gezien?'

Danny dacht na. De rit in de *dolmus* naar het dorp. De velden die met hun bloemenpracht in lichterlaaie leken te staan. 'U bedoelt… onderweg hiernaartoe?'

Attila knikte. 'En het huis? Het grote huis…'

'Op de heuvel? Die villa?'

Om de een of andere reden wilde de taxichauffeur hem niet naar de gewenste bestemming brengen, dus liftte hij mee met een joviale boer in een oude truck. In de cabine hing een vreselijke boerenlucht, maar het was slechts een paar kilometer naar de villa. Na tien minuten ging de truck een bocht om en daar stond het huis: op een heuvel in een zee van klaprozen.

'Tot hier is wel goed,' gaf hij aan en hij glimlachte dankbaar.

De boer keek even naar het huis, rolde met zijn ogen en vloekte binnensmonds. Vervolgens gaf hij plankgas.

'Hé! Wacht even! We zijn er!'

De boer klakte met zijn tong en wierp zijn hoofd in zijn nek. Danny snapte het, maar wist niet wat hij nu moest doen. De truck denderde nog zeker een kilometer door terwijl hij moed verzamelde om de sleutel uit het contact te rukken. Het huis en de klaprozen waren uit zicht verdwenen toen de boer de truck midden op de weg schokkend tot stilstand bracht. Abrupt boog hij zich over de voorbank en gooide het portier open. *'Ayril!'* beval hij. *'Ayril!'*

Dus nu kende Danny een vijfde woord in het Turks. In dit tempo spreek ik over honderd jaar vloeiend Turks, dacht hij.

Het was tien minuten lopen naar het landgoed van de Barzans. Een landweg voerde in een boog door de klaproosvelden naar het huis. Omhooglopend zag hij dat de villa schuilging achter een stenen muur waarvan de borstwering glinsterde van de glasscherven. Niet het soort huis dat je zonder te worden lastiggevallen kon benaderen en ja hoor, hij begon al het gevoel te krijgen dat hij niet alleen was. Hij draaide zich om en zag twee jongemannen op ongeveer twintig meter rustig achter hem aan lopen. Allebei rookten ze een sigaretje en droegen een automatisch wapen bij zich alsof het een lunchtrommeltje was. Danny glimlachte nerveus en zwaaide met een slap handje – 'Hé' – maar op zijn begroeting werd niet gereageerd. Zijn metgezellen bleven op afstand, hun gezichten uitdrukkingsloos.

Even later stond hij bij de muur voor het huis, liep onder een stenen boog door, waarvan de massieve houten deuren naar de zon open waren geduwd en betrad een kale binnenplaats waar slechts een zilvergrijze Jaguar en een borrelende fontein, glad van de algen, stonden.

Op dat moment verschenen de *young guns* opeens naast hem.

Na te hebben vastgesteld dat hun bezoeker geen Turks sprak, bewoog de oudere van de twee zijn vlakke linkerhand op en neer, ten teken dat Danny moest blijven waar hij was. Vervolgens mompelde hij iets tegen zijn vriend en ging het huis binnen.

De minuten kropen voorbij. Ondertussen leunde hij tegen de fontein en bewonderde, onder de standvastige blik van de jongeman met de AK, of wat het ook was, het huis. Het was een reusachtige villa in mediterrane stijl, met grote rechthoekige ramen en gepleisterde muren. Alle ramen, zo viel hem op, waren door een strak dichtgetrokken gordijn afgesloten.

Na een paar minuten kwam de eerste bewaker weer naar buiten, gebaarde Danny zijn handen omhoog te steken en zijn benen te spreiden, gaf zijn wapen aan de tweede bewaker en begon de Amerikaan te fouilleren. Dit was wel even wat anders dan wat een man zich zou moeten laten welgevallen bij de gate op Heathrow of LaGuardia. Deze bewaker ging langzaam en uiterst nauwkeurig te werk. Hij leek wel een masseur en had bijna een volle minuut nodig. Toen hij klaar was, nam hij zijn AK weer aan en gebaarde Danny de woning binnen te gaan.

Hij had zich het interieur van de villa heel anders voorgesteld. Hij had een pagina verwacht uit een van de catalogi die Caleigh altijd ontving – *French Country Living* of zoiets. In plaats daarvan stond hij nu in een vertrek dat net zogoed de lobby van een Four Seasons-hotel had kunnen zijn. Gedimd licht. Airconditioning. Houten lambrisering. Kostbare, van goede smaak getuigende meubels van onduidelijke herkomst. In een belendend vertrek klonk zacht klassieke muziek. Dit zou overal kunnen zijn, was Danny's gedachte. De enige hint van de omgeving was een collectie oude reproducties in onopgesmukte gouden lijsten aan de muur. Danny bekeek ze aandachtig en zag dat het negentiende-eeuwse staalgravures met Ottomaanse onderwerpen waren: de overdekte soek in Istanbul, een aantal vrachtzeilschepen op de Gouden Hoorn…

'*Desidera vedermi?*'

Met een ruk draaide Danny zich om naar waar de stem vandaan kwam en hij zag een oudere man in een donker kostuum, die hem door een bril met gouden montuur gadesloeg. Ondanks zijn leeftijd had hij een volle bos staalgrijs haar en een puntbaardje van dezelfde kleur. Hoewel hij van ouderdom iets vooroverliep en op een wandelstok leunde, was hij even lang als Danny. 'Neemt u me niet kwalijk,' zei Danny, 'maar…'

'U begrijpt het niet.' De oude man glimlachte. 'Mijn vriend hier denkt dat u Italiaan bent.'

Opgelucht dat de man Engels sprak, stelde Danny zichzelf voor en vroeg of hij de grootvader was van Remy Barzan.

'Ja, ik ben sjeik Mounir Barzan.'

'Ik hoop dat u me kunt helpen. Het is belangrijk dat ik hem zo snel mogelijk vind.'

De oude man keek hem fronsend aan. 'U bent een vriend van Remy?'

Danny schudde van nee. 'Niet echt, ik bedoel, we hebben elkaar eigenlijk nog niet ontmoet.'

'En toch… bent u helemaal hiernaartoe gekomen?'

Danny haalde zijn schouders op. 'Ik was in Rome. Dat is niet zo ver, en… het is belangrijk dat ik hem spreek.'

De oude man keek hem nu sceptisch aan. 'Volgens mij is Remy nu liever alleen.'

'Dat begrijp ik,' legde Danny uit. 'Maar we hebben een probleem, een gemeenschappelijk probleem. En nu dacht ik dat we elkaar misschien konden helpen.'

Langzaam liep de oude man naar het raam en hij keek uit over de binnenplaats. 'Ik vrees dat ik Remy al in geen weken heb gezien.'

'Maar u weet waar hij is,' raadde Danny.

'Wie weet,' klonk het.

Danny zuchtte, wist niet zeker hoeveel hij moest vertellen. 'Remy zit behoorlijk in de nesten,' zei hij eindelijk.

Mounir Barzan knikte tegen zichzelf. 'Weet ik. Daarom is hij thuisgekomen. En u, meneer Cray?'

'Ik zit ook in de nesten.'

Een meelevende blik viel hem ten deel. 'Het spijt me dat te moeten horen. Misschien moet ú ook maar naar huis gaan.'

Danny schudde zijn hoofd. 'Zo eenvoudig is het niet. Ik moet echt even met uw kleinzoon praten.'

De schouders van de oude man bewogen op en neer, alsof hij wilde zeggen: *Het spijt me, maar ik kan niets doen.*

'Luister, ik weet niet hoeveel u hierover weet…'

'Ik weet hier níéts van, meneer Cray. Remy heeft me niets verteld.'

'Goed, ik weet dat dit nogal melodramatisch klinkt, maar… het punt is: er is een man die hem wil ombrengen.'

Het gezicht van de oude man vertrok tot een frons, die vervolgens langzaam weer verdween. 'Die dingen gebeuren. Jongelui komen wel eens in de problemen. Waar hij nu zit, is hij veilig.'

Danny keek hem sceptisch aan. 'De man die hem zoekt, beschikt over vele middelen.'

Mounir Barzan glimlachte minzaam zijn tanden bloot. 'We zijn een grote familie,' zei hij. 'Als Remy hulp nodig heeft, weet hij ons wel te vinden.'

'Meneer Barzan, ik geloof niet dat u het begrijpt…'

'Ik wel. U zei dat Remy en u een probleem gemeen hebben. Dat betekent dat de man die op zoek is naar Remy ook naar u op zoek is. Klopt dat?'

Danny knikte.

'Dan weet ik zeker dat u me zult begrijpen wanneer ik zeg dat een bezoek van een vreemde wel het laatste is wat Remy wil of nodig heeft.' Hij liet de woorden even bezinken, draaide zich om naar de jonge bewaker en gaf een bevel. 'Yusuf zal u nu naar uw hotel terugbrengen. Wanneer ik Remy zie, zal ik hem over uw bezoek vertellen. Als u het nu niet erg vindt, ik moet morgen op reis.'

Danny klauterde de trap op naar zijn kamer, zette de ventilator aan, schopte zijn schoenen uit en liet zich op het bed vallen, uitgeput door de warmte en ontmoedigd door zijn bezoek aan de villa. Hij nam zich voor even, hooguit een halfuurtje misschien, weg te doezelen, maar alles werkte tegen: de frisse lakens, de koele bries van de fan, de kunstmatige schemering die werd opgeroepen door de gesloten houten luiken.

Tegen zijn zin sliep hij urenlang, en toen hij wakker werd, verkeerde hij een poos in diepe verwarring. De hotelkamer leek gevangen in een vreemde, bijna surreële gloed, en hij had het gevoel alsof hij de hele nacht had doorgeslapen. Maar nee. Hij was laat in de middag in slaap gevallen en sindsdien had het schemerlicht achter de luiken plaatsgemaakt voor een indringende duisternis. Turend op zijn horloge zag hij dat het bijna tien uur in de avond was. Hoewel hij geen honger had, wist hij dat hij iets moest eten – en trouwens, hij kon nu toch niet weer meteen slapen. Dan kon hij net zo goed ergens een biertje gaan drinken.

Even later liep hij heuvelaf naar het restaurant en werd hij zich bewust van de kou. Dat had je op de steppe – zodra de avond viel, zakte het kwik in hoog tempo. Volgens hem kwam dat doordat er niets was om de warmte van de zon vast te houden. Het landschap was Marilyn-Monroeblond, de macadamweg van een typisch grijs. De meeste gebouwen hadden een cementkleur, de rest was gewit. Ook het dorp was niet groot genoeg om zijn eigen microklimaat te scheppen. Er waren slechts enkele auto's en trucks, met hier en daar een straatlantaarn en wat tl-verlichting in de huizen – meer was het niet. Dus verdween met de zon ook meteen alle warmte.

Algauw vond hij een buitencafé dat hij nog niet eerder had gezien. Het stond op een binnenplaats langs een van de zijstraten. In een hoek stond een houtskoolbarbecue, met daarin de nog nagloeiende stukjes in witte as, terwijl aan de muur een beeldbuis opgloeide. Aan stevige houten tafels zaten grijze arbeiders sigaretten te roken en te kaarten. Danny herkende een paar mensen – een van de knapen uit de tapijtwinkel, de ober van het restaurant, een paar mannen die hij had staande gehouden om naar Remy Barzan te vragen.

Met een knik naar de stamgasten nam hij een tafeltje vlak bij de barbecue en bestelde een flesje Efes Pilsen. Vervolgens leunde hij achterover in zijn stoel en staarde omhoog in de verwachting overweldigend te worden door een sterrenhemel zoals je die alleen in de diepste rimboe ziet. Maar nee. De avond was nevelig van het stof, de sterren waren bleek en vlekkerig.

En zo voelde hij zich ook min of meer. Bijna de hele dag had hij zijn hoofd bij mensen om de deur gestoken en was hij vooral lastig geweest. Het bezoek aan de villa was op een fiasco uitgelopen, en nu... als Remy Barzan zich in Uzelyurt bevond, was het een groter geheim dan het Manhattan Project.

Dus wat nu? Eerst de ochtendbus naar Diyarbakır. Daarna een korte vlucht naar Istanbul. Maar wat had het voor zin? In Turkije was hij niets wijzer geworden – behalve dat hij nu blut was. Istanbul was niet beter dan Uzelyurt of Washington. Hij zou het nog proberen in Oslo, natuurlijk, maar hij was niet optimistisch gestemd. Daarna waren er geen aanknopingspunten meer, dus het enige wat overbleef, was...

... vluchten.

Meer kon hij niet doen. Maar hoe lang kon hij dat volhouden? Vroeg of laat – eerder vroeg dan laat – zou hij platzak zijn en zou Zebek dichterbij komen. Zo moeilijk zou dat niet zijn. Waarschijnlijk zou hij Fellner Associates daarbij gebruiken. Danny wist dat ze bij Fellner goed waren in het vinden van mensen die niet gevonden wilden worden. Hij had zelf ook een paar van die zaken bij de hand gehad: een accountant die activa van zijn cliënten had geplunderd, een man die zijn kinderen naar Paraguay had ontvoerd. Dus het zou niet lang duren. En Zebeks instructies zouden kort en voorkomend zijn: *Laat ons weten waar hij zit, dan nemen wij het wel over.*

Ik ben er geweest, concludeerde hij.

Uiteindelijk had hij drie biertjes gedronken in plaats van één en verliet het café een paar minuten voor middernacht. Hoewel hij zich er niet van bewust was dat hij knopen had doorgehakt, merkte hij dat dit wél het geval was. Vergeet Oslo maar. Hij kon die Rolvaag wel via de telefoon internet Net opsporen – niet dat hij geloofde dat het iets zou opleveren. Rolvaag was waarschijnlijk toch al dood.

Zijn plan was om in de ochtend de bus te nemen, naar Istanbul te vliegen en het eerste vliegtuig naar Washington te pakken. Daar zou hij zich tenminste op eigen terrein bevinden. En wie weet? Als hij naar de politie stapte en flinke stennis trapte, zou Zebek misschien wel terugkrabbelen.

Hij fleurde weer een beetje op. Dat kwam natuurlijk door het bier, maar ook door het vooruitzicht Caleigh weer te zien. Lopend langs een verwaarloosd parkje met onvolgroeide pijnbomen besefte hij opeens hoe donker het was. Het meeste licht was afkomstig van de maan, die maar halfvol was. De weinige straatlantaarns die het deden, stonden ver uit elkaar. De meeste leken door vandalen te zijn vernield: bovenin waaierde de bedrading als een boeketje uit de kap. Naar alle waarschijnlijkheid zat de gemeente erachter. In Turkije was stroom een duur goed – je zag het aan de grote hoeveelheid zonnepanelen, tl-lampen en de... duisternis.

Er denderde een tractor voorbij en vervolgens een kiepkar met een kapotte knalpot. Hij passeerde een groepje tieners die een spelletje speelden, krijgertje of zo. Hij bleef even staan om te kijken, maar ze waren moeilijk te zien, zo op en neer rennend, roepend en jouwend, giechelend in het donker.

Aan de voet van de heuvel die naar het hotel voerde, kwam hij langs een winkel waar ze droge waren verkochten. De zaak was, net als alle andere in het dorp, gesloten, maar wekte toch een open indruk. De waren stonden nog buiten: ketels en wasborden, vergieten en toiletborstels, kaarsen en fietsbanden – en nog veel meer – hingen in een lus aan een lange ketting boven de deuropening.

Het lijkt wel een spookstadje, dacht Danny, maar dan met mij als spook.

Aan de overkant kwam een zwarte Mercedes van de heuvel af gereden; het flauwe licht van een straatlantaarn gleed over de motorkap. In het voorbijgaan leek de wagen vaart te minderen. Danny aarzelde even, dacht dat hij abusievelijk voor een plaatselijke bewoner werd aangezien en dat de bestuurder elk moment het raampje omlaag zou kunnen draaien om hem de weg te vragen. Hij maakte zich al op om schouderophalend een excuus te mompelen toen de Mercedes opeens vooruitschoot, en hij besefte dat hij een enorme inschattingsfout had gemaakt.

# 15

Hij had het al ontelbare malen gehoord. Zoals iedereen. Of je nu werd afgesneden op de snelweg of dat midden op straat je zakken werden gerold, iedereen was het over één ding eens: het gebeurde zo snel! Dat hoorde je mensen dan zeggen. En ze hadden gelijk. Ze hadden altijd gelijk.

In een oogwenk accelereerde de Mercedes, van stapvoets tot plankgas, zwenkte met gierende banden in een U-bocht die voortijdig in een J eindigde en blokkeerde de straat pal voor Danny's neus. Hij had niet eens tijd om te reageren, draaide zich om en zag al meteen een andere auto vlak achter hem tot stilstand komen. Portieren vlogen open. Mannen sprongen naar buiten. In een reflex deed hij een stap naar achteren en had zich omgedraaid om weg te rennen toen hij opeens een arm om zijn keel voelde en met een ruk werd opgetild. Terwijl hij naar de Mercedes werd meegesleurd, haalde hij uit met een voet, raakte iets zachts en hoorde iemand het uitschreeuwen van de pijn. Hij werd op de achterbank gedrukt en vervolgens op de vloer geduwd. Een knie drukte hard in zijn rug en hield hem daar.

De auto brulde heuvelop het dorp uit en accelereerde weg in de duisternis. Kwaad en bang tegelijk probeerde hij op handen en knieën overeind te krabbelen, maar klapte terug tegen het vloerkleedje nu een vuist hard zijn oor trof. Hij zag sterretjes. Achter zijn oogkassen zwol de pijn aan.

'Eén beweging en ik snij je strot af,' fluisterde een stem. Hij voelde het puntje van een mes tegen de huid onder zijn kaak. Hij was machteloos.

Alle lucht ontsnapte uit zijn longen en hij zakte onderuit tegen de vloer. Iemand dwong zijn armen met een ruk achter zijn rug en sloeg zijn handen in plastic handboeien. Daarna, niets. Hij lag op de vloer, luisterend naar het bonzen van zijn hart, terwijl de synthetische lucht van de tapijtstof zijn neusgaten vulde. Hij had geen idee waar ze hem naartoe brachten. Misschien naar een grot of naar een van de ravijnen die hij op de heenweg naar Uzelyurt had gezien. Naar een of andere donkere plek waar ze hem konden vermoorden en zonder omhaal konden dumpen.

Een hele tijd, zo leek het, hoorde hij niets – enkel het gezoem van de banden en het gedempte geloei van de motor. Een tekstregel van een oud Dylan-nummer maalde door zijn hoofd, als een rouletteballetje dat maar bleef rollen:

196

*There must be some way outta here,*
*Said the Joker to the Priest...*

Als hij niet zo bang was, zou het best grappig zijn geweest. Maar hij was bang – zo vréselijk bang. En niet alleen om dood te gaan. Zebek had zo zijn manieren om mensen te vermoorden, manieren die doodgaan een slechte naam bezorgden.

Plotseling zwenkte de wagen naar rechts, hobbelde voort over een was-bordachtige ondergrond en vervolgens over een lang stuk kiezelweg. Hij hoorde de steentjes tegen het chassis tikken. Daarna remde de bestuurder en kwam de auto slippend tot stilstand. De adrenaline joeg door Danny's hart. Dit is het dus, dacht hij. Hier eindig ik. Midden in de nacht, in de kou, langs de kant van de weg. Nog even en ik ben er geweest.

Hij werd zich bewust van een zweem van knoflook en de adem van zijn ontvoerder, warm tegen zijn oor. 'Geen kik,' fluisterde de man. Danny bleef waar hij was, ineengedoken op de vloer met het koele lemmet van een mes tegen zijn keel. Als minuten zo traag kropen de seconden voorbij.

Het portier aan de bestuurderskant werd geopend. Een golf koude lucht en een kort salvo Turkse woorden. De man met het mes greep de kraag van Danny's overhemd en trok hem omhoog tot een zitpositie. Er was slechts tijd voor een glimp: de achterkant van een hoofd, een licht-bundel die door de voorruit naar binnen scheen, silhouetten. 'Wa...' sta-melde hij, en vervolgens plakte iemand een stuk tape over zijn mond en trok een kussensloop over zijn hoofd. Ten slotte werd een koord rond zijn hals strakgetrokken en werd hij uit de wagen gesleept.

De kussensloop rook naar zeep.

Een arm kwam rond zijn schouders en trok hem dichterbij. 'Luister goed – *buhhh-ddy.*'

Danny herkende de stem en verstijfde. Het was die vent uit de tapijt-winkel! Hij wist het zeker.

'Hou je vooral koest,' beval de man met kalme stem. 'Niet tegenstribbe-len, oké? Doe je dat wel, dan zal ik je een shot moeten geven. Dat wil ik niet, snap je? Van ketamine word je misselijk, je begint te braken en daar zou je in kunnen stikken. Dus hou je koest, oké?'

Danny knikte. Mompelde iets. Wankelde wat op zijn benen.

'Jij gaat zo meteen de truck in. Dus de rit wordt misschien wat hobbe-lig, snap je?'

Danny's maag legde zich in een knoop.

Toen hij nog klein was, treiterden zijn oudere broers hem geregeld op de goedaardige manier zoals broers en zussen dat doen. Zo stopten ze hem ooit in een kartonnen doos, plakten hem dicht en duwden hem van een steile helling af. (Daarbij had hij een hersenschudding opgelopen.) Een andere keer, toen het gezin in Maine een fort uit de Burgeroorlog bezocht, lieten zijn broers hem over de rand van de borstwering bungelen, terwijl beneden hem de oceaan zich schuimend op de rotsen wierp. Kev hield één been vast, Sean het andere, en ze vielen bijna om van het lachen toen ze net deden alsof ze hem niet meer konden houden. 'Oeps, daar ging-ie bijna!'

Toegegeven, ze beschermden hem wel altijd tegen het gepest van anderen. Maar hun kwellingen leerden hem een les: met toegeven kom je nergens. Door toe te geven, maak je het iemand alleen maar gemakkelijker om jou te zieken. En daarom had hij die bewuste avond Kevin beslopen en hem met een rol kwartjes zo hard geslagen dat het gewoon eng was. En dat terwijl hij wist dat hij daarvoor op zijn lazer zou krijgen. Mensen die het op jou gemunt hadden, moest je hard aanpakken. Zodat ze zich nog wel eens zouden bedenken voordat je je iets aandeden.

Hij hield zijn broers in het achterhoofd terwijl Buddy-Buddy zei hoe belangrijk het was dat hij zich koest hield. Maar zoals Danny het bekeek, was het helemaal niet belangrijk. Hij was zogoed als dood. Of hij nu in zijn eigen braaksel stikte of in *the middle of nowhere* dood werd geslagen, was lood om oud ijzer. Hij had dus niets te verliezen, concentreerde zich op waar de stem van Buddy-Buddy vandaan kwam, deed een stap naar voren en plaatste een kopstoot op wat hij hoopte dat de brug van de neus van de man was.

Er klonk een tevredenstemmend gekraak, een blaffende kreet en... in zijn eigen hoofd ontplofte een bommetje. Hij zag de flits, voelde zijn hoofd exploderen en alles werd zwart.

Toen hij bijkwam, een minuut, een uur of een dag later, wist hij niet waar hij was – of kón zijn. Het was warm en hij was drijfnat van het zweet. Bovendien hoorde hij iets ruisen. Het leek wel ín zijn hoofd. Zijn handen waren achter zijn rug gebonden en hij zag niets. De kussensloop zat nog op zijn plek, net als de tape. Toch voelde hij dat hij ergens in opgesloten zat. Een doos of...

Opeens besefte hij wat er aan de hand was en de doodsangst schoot als een geiser door zijn borst omhoog. Zijn lichaam kromde zich. Als een vis op het droge begon hij te spartelen, en gevangen in een paniekaanval schokte zijn lichaam op en neer: ik ben levend begraven!

Maar dat was hij niet. Het kon gewoon niet. Dat geluid. Het kwam niet uit zijn hoofd. Het was afkomstig van een motor. Lawaai van een weg, en waar hij ook was, ze reden. Hij lag dus in een auto, of in een truck. In de kofferbak of onder het chassis.

Langzaam kalmeerde hij, en ook zijn andere zintuigen gingen weer normaal functioneren. Hij rook warm metaal, olie, dieseldampen. Zo nu en dan ketste er een steentje af tegen het metaal onder hem. Wanneer de bestuurder remde of een bocht nam, wat niet zo vaak gebeurde, rolde of gleed zijn lichaam mee op de genade van de newtoniaanse krachten die hij niet kon voorzien of weerstaan. Een paar keer raakte de truck – het moest wel een truck zijn – een hobbel en werd hij hard tegen de wanden van zijn cel gekwakt. Op deze manier kon hij in elk geval de afmetingen ervan achterhalen. Ongeveer zo groot als een doodkist, zo leek het.

Maar het was geen doodkist, zei hij tegen zichzelf. Om te beginnen was het ding van metaal, en het leek ergens onder de truck te hangen. Wat het ook was, het was er verstikkend heet – zo heet dat het al zijn wilskracht vergde om de paniek in zijn lichaam te bedwingen. Ik krijg geen adem. Er is niet genoeg lucht.

Hij knaagde aan de tape over zijn mond, hopend er een gaatje in te kunnen bijten, maar het was een onmogelijke opgave. Hij proefde een rubberachtige, chemische smaak in zijn mond. Misselijk en hard door zijn neus ademend voelde Danny hoe hij bijna flauwviel. De donkerte nam toe en toen...

Toen kwam de truck tot stilstand. Of misschien stond hij al stil. Hij wist het niet, kon niet zeggen of hij had gemerkt dat de truck was gestopt of dat hij wakker was geworden omdat de cel waarin hij gevangen zat plotseling niet meer bewoog. Hoe dan ook, de stilte die hij nu ervoer, voelde als een vrije val, alsof de grond onder hem was weggevallen. Het geloei van de motor was zijn enige referentiepunt geweest. Nu was hij alleen en kalm.

Zijn hart sloeg een slag over.

Daarna hoorde hij de portieren van de truck opengaan. Stemmen. De motor tikte nu deze afkoelde. Even dacht hij dat ze nu op de plaats van bestemming waren, dat ze hem elk moment konden komen halen. Maar opeens begreep hij (hoe precies wist hij niet) dat ze bij een controlepost stonden. Hij probeerde te roepen, maar het geluid bleef in zijn hoofd steken. Hij rolde tegen de wanden van zijn cel, maar er was gewoon niet genoeg ruimte om geluid te maken. Het volgende moment kwam de motor net zo plotseling als hij was uitgezet weer brullend tot leven. De versnelling knarste en ze reden weer.

Hij was misselijk. Meegevoerd door de motor begon zijn lichaam onbeheerst te rillen. Zijn hoofd bonsde en zijn maag speelde op. De paniek trok in golven door hem heen. Hij was bang dat er niet genoeg lucht zou zijn, dat hij zou overgeven en in zijn eigen braaksel zou stikken – precies waar Buddy-Buddy uit de tapijtwinkel voor had gewaarschuwd. Had hij maar geluisterd! Het zweet rolde van zijn slapen en prikte in zijn ogen. Hij was compleet uitgedroogd. Hij was drijfnat.

Hij bedacht dat hij vermoedelijk al zou sterven voordat zijn ontvoerders hem konden doden.

Vroeg of laat, was zijn gedachte, moeten ze me hieruit laten – zodat ze me kunnen vermoorden. Op dát moment zal ik mijn slag slaan, besloot hij. Zodra ze me uit de truck sleuren, sla ik mijn slag.

Hij wiegde nog een tijdje door, zich aan die gedachte vastklampend. Maar wat is mijn 'slag' eigenlijk? vroeg hij zich even later af. Ik ben geboeid en geblinddoekt. Ik kan hooguit over mijn nek gaan en vallen – wat je niet echt een 'slag' kunt noemen. Dus misschien is mijn slag wel dat ik helemaal geen slag meer heb.

Hij dacht na over wat hun bestemming kon zijn en waarom ze hem nog niet om zeep hadden gebracht. Hij kwam er niet uit – of ze moesten iets 'bijzonders' in gedachten hebben. Niet aan denken, maande hij zichzelf. Zet het uit je hoofd. Denk maar aan... Washington. Aan je vrienden en collega's.

Hij kon zich de galerie wel voorstellen, met Ian in verrukte conversatie met juffrouw Oorbel. Hoe heette ze ook alweer? Ze droeg altijd van die gigantische oorbellen. Wat irritant toch dat hij haar naam niet meer wist. In gedachten zag hij haar al naar hem informeren: *Wat is er toch met Danny Cray gebeurd? Zo'n aardige knul!*

En Ian, met een gepijnigde blik: *Heb je dat niet gehoord dan? Ze vonden hem – jezusmina, lévend gevild! In Turkije of zoiets! Zijn vriendin was er kapot van – wat dacht je! Ik bedoel, je kunt het je wel voorstellen. Maar ze is verder gegaan met haar leven.*

Hij giechelde. Snikte. Was even de draad kwijt. In de voortrazende duisternis van de container haperde zijn denkvermogen, alsof ergens in zijn hoofd een draadje loszat. De tijd verstreek – in brokken – totdat een regen van kiezelstenen met kletterend kabaal tegen het chassis omhoogketste. Hij voelde dat de bestuurder remde en de truck knerpend tot stilstand kwam.

Dit is het dan!

Hij hoorde hoe een ketting door de sluiting van een slot werd getrokken, en verstijfde vervolgens nu hij onder de armen werd gegrepen en de koele nachtlucht in werd gesleurd. Daar stond hij dan, geblinddoekt en onvast op zijn benen. Dit was duidelijk het moment om zijn slag te slaan, maar hij had moeite overeind te blijven. Hij verloor de strijd, zijn benen werden slap en als een priester in gebed ging hij op zijn knieën.

Ik zal het schot niet horen, dacht hij, ik zal het niet eens voelen. Hij stelde zich de uitgaande wond voor, de kogel die door zijn oogkas naar buiten vloog. Opeens greep iemand hem bij de arm en trok hem met een ruk overeind. Strompelend over het ruige terrein liet hij zich voortduwen. Een deur ging knarsend open, en hij werd naar een stoel met rechte rugleuning geleid. Iemand klikte de plastic handboeien los en gebruikte vervolgens een rol tape om zijn armen stevig langs de stoel vast te binden. Een tweede man bond met hetzelfde materiaal zijn enkels vast aan de stoelpoten.

Daarna werd de kap van zijn hoofd gerukt en de tape van zijn mond getrokken. De koude, zuurstofrijke lucht joeg een scheut van euforie door zijn lijf. Maar het genot was van korte duur. Hoe lastig die kap ook was geweest, hij had een doel gediend dat zelfs als een hoopvol teken kon worden opgevat. Zolang zijn belagers ervoor zorgden dat ze niet werden herkend, had hij in elk geval hoop dat ze hem zouden vrijlaten.

Nu niet meer.

Met tegenzin keek hij op. Er waren twee mannen. Zoals hij al had verwacht, bleek de een zijn oude kameraad uit de tapijtwinkel – Buddy-Buddy, mét een beurse wang. Danny keek toe en zag hoe de man met een uitdrukkingsloos gezicht aan zijn wang voelde.

Zijn kompaan was een jaar of dertig en de grootste van de twee. Hij was gladgeschoren en knap, en droeg een gebreid petje, een verschoten T-shirt van de Chicago Bulls, een kaki broek en hardloopschoenen. Toen hij zich omdraaide, zag Danny tot zijn verrassing dat de naam achter op het shirt Kukoc was, en niet Jordan.

De kamer was klein en had een betonnen vloer en gemetselde muren. Verder een kaal veldbed, een paar stoelen en een versleten *kilim*, of wandtapijt, aan de muur tegenover hem. Boven zijn hoofd zoemde een tl-buis. Meer was er niet, behalve nog een werkbank in de hoek en kleverige vliegenvangers, bezaaid met dode insecten.

'Heftig ritje, hè?'

Het was de vent in het ooit rode Chicago Bulls-shirt. De glimlach om zijn mond zag er niet bepaald vriendelijk uit.

Danny reageerde niet en 'Kukoc' werd wat mededeelzamer. 'Normaal vervoeren we mensen niet op deze manier. Het is meer voor… goederen, snap je? Voor mensen hebben we een speciale truck – compleet met toilet en alles erop en eraan. Maar die staat nu in Boekarest.' Hij haalde zijn schouders op. 'Je moet roeien met de riemen die je hebt, nietwaar?'

Het was een retorische vraag en Danny negeerde hem. Hij spande zijn spieren om te voelen of er wat speling zat in de tape die hem aan de stoel gebonden hield. Niet dus.

Kukoc boog zich vorover. 'Hé! Dappere dodo – word 's wakker.' Zijn bruine ogen waren ondoorgrondelijk. 'Ik stel een vraag, jij geeft antwoord. Op die manier is iedereen tevreden!' Nu Danny nog steeds niet reageerde, schudde Kukoc ongelovig zijn hoofd. 'Je probeert me toch niet te naaien?'

Danny slaakte een zucht. Wat hij ook antwoordde, hij zou geheid klappen oplopen. (En dat in het gunstigste geval.) Het was slechts een kwestie van tijd. En dus gaf hij toe – niet aan Kukoc, maar aan dat deel in hem dat voor eeuwig op de lagere school gevangenzat. Wanneer iemand je uitdaagde, rechtte je je rug. Zo werkte dat gewoon. Dat was wat je deed als je niet over je heen wilde laten lopen en niet wilde wegrennen. En dus antwoordde hij: 'Ik weet 't niet. Waarom zuig je m'n lul niet even…' Hij wilde er nog 'dan komen we er wel achter' aan toevoegen, maar zover kwam hij niet. Hij hoorde het harde, verbijsterde gesnuif van Buddy-Buddy. Vervolgens haalde Kukoc hard uit en plaatste een voltreffer die Danny's voortanden recht door zijn lip joeg.

Voor hij wist wat er gebeurde, lag hij languit op de vloer, nog altijd vastgebonden aan de stoel en met een zoutige bloedsmaak in zijn mond. Kukoc en Buddy-Buddy hesen hem omhoog en zetten hem met stoel en al weer overeind.

Daarna tilden ze de stoel gewoon van de grond, hielden hem schuin naar voren en lieten hem op zijn gezicht neerkomen. Het was 'slechts' een dikke meter, maar hij smakte als een pannenkoek plat op de vloer. Een van zijn voortanden brak bij het tandvlees af. De pijn was niet te beschrijven, het geluid misselijkmakend.

Die Turken hadden dus echt geen gevoel voor humor...

Zo lieten ze hem liggen, totaal verbijsterd en bloed kwijlend, waarna de twee een sigaretje opstaken. Leunend tegen de werkbank keuvelden ze zacht in het Turks, terwijl Danny naar hun schoenen staarde: Asics en Tevas. Kukocs neuzen wezen behoorlijk naar binnen.

De vloer was stoffig en stonk naar urine – geen goed teken. Hij was duidelijk niet de eerste die in dit kamertje was ondervraagd.

Er verstreek een minuut, waarna zijn stoel andermaal overeind werd gezet. Buddy-Buddy bukte zich tot vlak voor Danny's gezicht en schudde zijn hoofd op een manier die bijna van bewondering getuigde. 'Dat was zó grappig,' zei hij. 'Ik moest echt even lachen. Maar nu serieus, oké? Ik zal je dit vergeven,' en hij bracht een vinger naar zijn opgezette wang, 'ik neem het je niet kwalijk – je bent als een dier in een hoek gedreven. Maar kom op, man. Wees slim. Maak je mijn vriend pissig, dan verlies je meer dan een tand.'

Maar Danny kon het niet laten. Hij had moeite met gezag, met mensen die hem zeiden wat hij moest doen. Iedereen met oudere broers zou het begrijpen. Gaf je te gemakkelijk toe – keerde je hun een wang toe – dan vlogen ze je meteen naar je strot. En dus zuchtte hij, zette zich schrap en zei: 'Krijg de klere.' Wat vanwege de ontbrekende tand klonk als 'Kwijg de kwere.'

Opnieuw ging de stoel omhoog – hoger dit keer – en weer omlaag. Andermaal werd de val gebroken door zijn gezicht. En andermaal tilden ze hem overeind. Zijn probleem met gezag begon zich vanzelf op te lossen.

'*Buhhh-ddy, buhhddy*, doe dit jezelf nou niet aan. Een ezel stoot zich toch niet twee keer aan dezelfde steen?' Hij grinnikte. 'Ik bedoel, jezus, man! We zijn nog niet eens aan de vragen toegekomen. Voorlopig maken we nog gewoon een gezellig praatje!'

Danny beet op de binnenkant van zijn wang om het trillen van zijn lichaam te stoppen. De tranen vertroebelden zijn gezichtsvermogen, en hij wist dat hij dit niet kon volhouden – niet lang meer. Hij was beeldend kunstenaar, geen commando. En trouwens, wat had het voor zin? Wat hij ook zei of verzweeg, Zebek zou hem hoe dan ook vermoorden.

'En?' vroeg Kukoc, nu op formele toon, 'Hoe was je rit? Leuk?'

Danny schudde zijn hoofd. 'Nee.'

'Da's een stuk beter.' Kukoc zweeg even en Danny kon de radertjes in zijn hoofd bijna horen. 'Dus wat had jij in Uzelyurt te zoeken?'

Danny kon zijn oren niet geloven. Wat dáchten ze dan dat hij in Uzelyurt deed?! Alsof dat zo geheim was geweest. Hij was immers van deur tot deur gegaan om naar Remy Barzan te informeren. Maar hij had het gevoel (door het bloed, de pijn en de zwelling) dat een sarcastisch antwoord zijn zaak geen goed zou doen. Dus antwoordde hij: 'Ik was op zoek naar Remy Barzan.' Terwijl hij sprak, viel het hem op dat zijn kaak een klikkend geluid produceerde. Klinkt niet best, dacht hij.

'Voortreffelijk,' complimenteerde Kukoc hem. 'Ik stel jou eenvoudige vragen, jij geeft mij eenvoudige antwoorden. Goed: waarom was je naar hem op zoek?'

Danny schudde zijn hoofd. 'Dat is een lang verhaal,' zei hij.

Buddy-Buddy zwaaide een vinger heen en weer, alsof deze een pendule was.

'We hebben alle tijd,' zei Kukoc.

Het viel Danny op dat zijn Amerikaanse accent bijna perfect was, hoewel hij de *v*-klank nog niet helemaal onder de knie had. *Give* klonk als *gif*, *have* als *haf* en *we've* als *weef*. Danny onderdrukte de dwaze impuls om hem te corrigeren en begon aan zijn verhaal: 'Een week of drie geleden ben ik benaderd door een man die Belzer heet. Jude Belzer. Tenminste, hij zei dat-ie zo heette.'

'En toen?' vroeg Kukoc.

'We troffen elkaar.'

'Waar?'

'Op de luchthaven.'

'In Istanbul?'

Danny schudde van nee. 'Washington.'

'En wat wilde hij?'

'Hij wilde me inhuren,' zei Danny.

'Om Remy op te sporen?' raadde Kukoc.

'Nee. Hij zei dat iemand hem zwartmaakte in de pers.'

Kukoc en Buddy-Buddy wisselden een paar woorden in het Turks. 'Je bedoelt, leugens verzinnen?' vroeg Kukoc.

'Ja, zoiets. En ze dan in de krant zetten.'

Met een sceptische blik hield Kukoc zijn hoofd wat naar links en daarna naar rechts. 'En hij komt naar jou toe, omdat... jij een grote spion bent, ja?'

'Nee.'

'Ben je van de CIA? Ben jij MacGyver, *my man*?'

Hij vroeg zich af wat Kukoc nu eigenlijk bedoelde. 'Nee,' antwoordde hij eindelijk.

'Is dat je definitieve antwoord?' vroeg Kukoc op dwingende toon.

Eindelijk had hij de grap door, maar hij zag de humor er niet van in. 'Wie is MacGyver?' vroeg hij.

Buddy-Buddy lachte. 'We hebben hier veel herhalingen,' legde hij uit.

'O,' zei Danny, 'je bedoelt van de tv.'

Kukoc knikte.

'Ik ben kunstenaar,' liet Danny hem weten. 'Soms doe ik wat onderzoekswerk. Voor advocatenbureaus en zo. Parttime. Ik leg vooral bezoekjes af aan de rechtbank. Stukken nakijken, dat soort dingen. Maar… luister, jullie weten dit allemaal al, dus…'

Kukoc schudde zijn hoofd. 'Ik weet hier helemaal niks van, hoor.'

'Nou, Zebek wel. Die weet er alles van.'

Opeens waren Kukoc en Buddy-Buddy weer helemaal bij de les. 'Zebek?'

'Ja,' reageerde Danny, in de war door de verandering in het gedrag van zijn ondervragers.

'Zerevan Zebek?'

'Klopt.'

'Wat weet jij van Zerevan Zebek?' wilde Kukoc weten.

'Ik werkte voor hem. Daarom ben ik hier!'

Kukoc werd rood en vloekte binnensmonds. Hij kookte van woede en sloeg met beide handen hard tegen Danny's oren. Het had niet eens zoveel pijn hoeven doen, maar Danny werd er compleet door verrast en opnieuw vulden zijn ogen zich met tranen.

'Je probeert me te naaien?!' schreeuwde Kukoc.

'Nee!'

'Je zei net dat je voor deze… deze jóód werkte. Die Belzer!'

'Nee,' antwoordde Danny. 'Hij is geen jood. Ik bedoel, hoe moet ik nu weten…'

'Je zei nét dat-ie een jood was!' hield Kukoc op hoge toon vol.

'Nee, ik zei dat hij "Jude" heette. Dat is wat anders!'

'Jood? Joods? Ik vraag je nog één keer: probeer je me te naaien?'

'Nee!'

'Oké.' Kukoc haalde diep adem, alsof hij wilde laten zien dat hij echt zijn best deed zijn woede in bedwang te houden. 'En?' ging hij verder. 'Deze jood? Hij huurde jou in?'

'Ja, maar…' antwoordde Danny.

'Of was het Zebek?'

'Ja, dat klopt! Het wás Zebek, maar…'

*Baf!*

Hij zag het niet eens aankomen. Opeens klapte zijn kaak dicht op zijn tong, achter zijn ogen flitste iets op – en hij was buiten westen. Hoe lang, dat wist hij niet. Een paar seconden? Een minuut? Een halfuur? Hij had geen idee.

Toen hij weer bijkwam, lag hij met zijn gezicht tegen het voeteneind van het veldbed gedrukt en zag hoe een vlieg over de betonnen vloer danste. Een dodenspiraal, dacht hij. Hij vliegt uit de bocht. Van dichtbij klonk het gesis van lucht, gevolgd door het onmiskenbare geluid van een lucifer die werd afgestreken. Daarna niets. Kukoc vloekte. Danny keek opzij om te zien wat ze van plan waren en wat hij zag, deed zijn gezicht verbleken.

Kukoc en Buddy-Buddy stonden bij de werkbank en probeerden een propaanbrander aan te steken. 'Hé,' hoorde Danny zichzelf zeggen, op dezelfde toon als waarmee Rodney King in de nasleep van de LA-rellen sprak. *Kunnen we niet gewoon als vrienden met elkaar omgaan?*

Vervolgens een tweede lucifer, en een derde. Kukoc werd allengs geïrriteerder. Er zat geen gas meer in de brander. Dank u, Lieveheer! Al vloekend smeet Kukoc het ding op de bank en hij zei iets tegen Buddy-Buddy. De laatste verscheen naast Danny, schudde ongelovig het hoofd en zei: 'Volgens mij is dit je geluksdag. Dat kutding doet het niet.' Hij trok Danny's schoenen en sokken uit en bond zijn enkels vast met tape. De lucht voelde koel en weldadig aan op zijn voetzolen.

'Wat.. wat doe je?' vroeg Danny.

Kukoc verscheen aan het voeteneind van het bed met een stuk verroeste pijp in zijn handen. 'Geen onzin meer, jochie. Ik zei al: eerst stel ik een vraag, daarna geef jij antwoord.'

'Ja maar...'

Kukoc zakte door zijn knieën en sloeg nu een vriendelijke, vertrouwelijke toon aan. 'Luister, beste vriend, ik zal eerlijk met je zijn: na dit blijft me niets over.'

Dit? vroeg Danny zich af. Wat dit?

'Na dit volgt een acetonbad en dumpen we je op de weg met een briefje in je mond. Dus werk even mee als je wilt...'

'Doe ik! Wil ik!' Een acetonbad? dacht hij. Wat is aceton ook alweer?

Kukoc kwam weer overeind en Buddy-Buddy hield Danny stevig bij de enkels vast. In het lange ogenblik dat nu volgde, hoorde Danny hoe Kukoc diep inademde. Een oplosmiddel, besefte hij opeens. Zoals nagellakverwijderaar. Het lost dingen op. Op dat moment raakte de pijp zijn voetzolen en sloeg alle zenuwen kapot. Zijn mond vloog open met een snik die van zo ver kwam dat hij niet tot een schreeuw kon aanzwellen. Daarna sloeg Kukoc hem nog eens en nog eens, timmerde op de voetholte en verbrijzelde de zenuwen in zijn voeten tot pulp.

'Falakka,' legde Buddy-Buddy uit, alsof hij een toergids was. 'Zo noemen ze dat.'

'Wie is die jood?!' schreeuwde Kukoc.

Dit was gekkenwerk. En zodra dit afgelopen was, werd hij opgeruimd.

De pijn kent zijn eigen grillige landschap, doorspekt met spelonken waarin het slachtoffer beschutting vindt, in de momenten dat hij denkt aan de marteling te zijn ontsnapt, dat de beproeving achter de rug is, dat het wel voorbij moet zijn, dat het lichaam het niet langer kan verdragen. Maar dat kan het wel. Het lichaam weerstaat de pijn, en de pijn gaat door.

Voor wat het waard was – niets, zo bleek later – was het niet Buddy-Buddy's pakkie-an. Danny ving een glimp op van zijn gezicht en zag direct dat het geweld de man angst inboezemde. Zijn mond verstrakte tot een grimas, en hij leek elk moment te kunnen gaan kotsen. En dit beangstigde Danny zelfs nog meer, want hij was immers degene die in elkaar werd geslagen.

Het duurde even, maar het verhaal kwam eruit. Alles van de Admirals Club tot de achtervolging door de cisterne, Terio's zelfmoord en pater Inzaghi's val uit het raam. De informatie stroomde in golven en gepunctueerd door gegil en geschreeuw naar buiten, de fragmenten werden door elkaar gegooid met de onredelijke, niet goed te beantwoorden vragen van Kukoc. Hoeveel van wat Danny zei ook echt verstaanbaar was, dat wist hij niet – vermoedelijk minder dan de helft. Maar nadat hij het verhaal een stuk of vijf keer had herhaald, begon Kukoc het eindelijk te begrijpen. 'Jood Belzer' was een alias dat Zebek had gebruikt in zijn omgang met Danny – en Danny was Zebek een paar dagen daarvoor ontvlucht om Remy Barzan te waarschuwen in de hoop hun beider levens te redden.

Danny verloor het bewustzijn en toen hij weer een beetje bijkwam, hoorde hij Kukoc en Buddy-Buddy even ruziën in het Turks – of misschien was het wel Koerdisch, dat kon hij niet zeggen. 'O-ooo...' reageerde Kukoc op een opmerking van Buddy. Het klonk als een bewustwordingssirene waarin ook enige spijt doorklonk. 'Ga weg... Denk je?'

Danny hoorde hoe het stuk pijp tegen het beton kletterde. Daarna verdwenen zijn folteraars en was hij alleen, liggend op het bed met zijn kwijldraden en zijn pijn.

Ondanks alles kwam er een grapje in hem op, namelijk dat voetreflextherapie toch wel iets had, want de pijn die hij voelde, zat overal. Niet alleen in zijn voeten, maar hij trok als een oud variétéliedje door zijn hele lichaam, tapdanste op en neer langs zijn ruggengraat en maakte elke zenuw die hij raakte week. Hij voelde hoe zijn voeten als overrijpe tomaten opzwollen, hoe zijn huid openbarstte en de sappen naar buiten vloeiden. Zijn mond voelde aan alsof hij op scheermesjes had gekauwd en zijn hart trok korte sprintjes, racend van start naar finish, en weer opnieuw.

Opkijkend ontwaarde hij achter het wandtapijt een rechthoek van licht. Even dacht hij te hallucineren, maar toen besefte hij dat de *kilim* voor een raam moest hangen. Het was dus ochtend. En hij was sufgeslagen.

Op den duur week de pijn voor een verdoofd gevoel en maakte hij plaats voor het emotionele besef dat hij nu echt doodsbang moest worden. Klaar met hun debriefing waren zijn belagers immers weggegaan om het acetonbad te bereiden dat ze hem hadden beloofd. Even een vat zoeken, de chemicaliën mengen...

Dat het een debriefing was geweest (en niet een ondervraging) was overduidelijk. Kennelijk wilde Zebek weten hoeveel Danny wist – waarna de Amerikaan kon worden opgeruimd.

Wakker geschud door het vooruitzicht worstelde hij met de banden die hem ketenden en uiteindelijk lukte het hem zijn handen te bevrijden. Hijgend zat hij overeind en trok de tape van zijn enkels. Tijd om op te stappen. Met een diepe zucht zwaaide hij zijn voeten naar de vloer en...

*Jezus christus!* Zijn voeten waren zo groot als een paar kussens en hadden de structuur van aardbeienjam. Zelfs de lichtste aanraking was een marteling. Naar adem snakkend trok hij zijn voeten terug van de vloer, viel achterover op het veldbed en dacht: dat was het dan. Ik ben er geweest. Geen ontkomen meer aan.

Hij moest in slaap zijn gevallen – of misschien gewoon het bewustzijn hebben verloren – want het volgende moment hurkte Buddy-Buddy opeens naast hem met een plastic emmertje. Danny bekeek het en vroeg zich af wat erin zat. Een zuur? Aceton? Zijn lichaam verstijfde, maar ontspande zich weer nu Buddy-Buddy een spons in het emmertje doopte en deze uitkneep. Hij droeg geen handschoenen of een veiligheidsbril.

'*Buhhh-ddy, buhhh-ddy,*' klonk het half neuriënd, 'je zou toch eens wat voorzichtiger moeten zijn.' Voorzichtig waste hij het bloed uit Danny's gezicht. Daarna volgden zijn voeten. Buddy-Buddy haalde de spons tussen elk van de tenen door. Het voelde zacht en pijnlijk tegelijk, en Danny vroeg zich af of dit soms een soort Koerdisch ritueel was, voorafgaand aan een begrafenis.

Ten slotte rolde Buddy-Buddy zijn sokken over zijn voeten en probeerde hem zijn schoenen aan te doen. Vergeet het maar. Buddy-Buddy verdween even en keerde terug met een groot paar rubberen sandalen die hij over zijn voeten schoof. Daarna gespte hij ze vast zoals een ouder dat voor een peuter zou kunnen doen. Hij hielp Danny overeind en leidde hem met een bemoedigende glimlach naar de deur. Het ging langzaam, waarbij Danny als een Chinees vrouwtje met ingebonden voeten stapje voor stapje voortschuifelde.

De deur sloeg open en de fel brandende zon verwelkomde hem. Nadat zijn ogen aan het licht waren gewend, zag hij dat hij opgesloten had gezeten in een stenen schuur naast een omheind stuk land voor boerderijdieren. Buddy-Buddy ging hem voor naar de zijkant van het gebouw en gebaarde naar de passagiersstoel van een heldergroene John Deere Gator. Ondanks de pijn kon Danny nog verrast grinniken. De Gator was het identieke tweelingbroertje van de kleine truck die Caleighs ouders op hun ranch in South Dakota gebruikten. Bij het zien van zijn reactie grijnsde Buddy-Buddy en het leek er zowaar op dat ze hem misschien toch niet gingen vermoorden.

De Gator reed over een oprit van kiezelsteentjes, aan weerszijden omzoomd door een rij knotwilgen. Een lichte bries bracht de zilverachtige bladeren in beweging en deed ze binnenstebuiten keren, waardoor ze in het zonlicht leken te schitteren. Hoe lieflijk het er ook uitzag, bij elke geul in de weg kromp hij ineen van de pijn. Hij hield zijn voeten bij de enkels gekruist en de voetzolen haaks op de vloer. Buddy-Buddy wierp hem een meelevende blik toe, maar hield de vaart erin.

Het weggetje liep nu heuvelop naar een poort in een lange stenen muur die was afgezet met de gebruikelijke glasscherven. Een bewaker hing uit het raam van een klein poorthuis. Hij groette Buddy-Buddy en verdween naar binnen. Een ogenblik later gleed een elektrisch hek open en kon de Gator langzaam verder rijden, de poort door, om te belanden op een uitgestrekte binnenplaats met bloemen en bomen. Te midden van de bomen stond een statige villa, opgetrokken uit honingkleurige stenen.

In een oogopslag zag Danny dat de villa één bovenverdieping telde, waarbij het hoofdverblijf boven op een zuilengang rustte, met erachter een aantal dienstvertrekken, zo leek het – keuken, wasserij, dienstbodekamers, enzovoort. Geholpen door Buddy-Buddy klauterde Danny uit de Gator en beklom een trap naar de eerste verdieping. Daar toetste zijn escort een code in op een toetsenpaneeltje, waarna een paar antieke houten deuren geruisloos openzwaaiden. Zijn ogen waren nog niet gewend aan de verandering in het licht, maar hij hoorde al de geluiden van een piano en vervolgens een laag gegrom dat hem als bevroren deed staan. Hij stond stokstijf stil en ving nu een tweede gegrom op – een iets 'natter' geluid, op misschien zeven of tien centimeter van zijn ballen. Hij sloeg zijn ogen neer en ving de woeste blik van een gespierde Rhodesische draadhaar en zijn grauwende tweelingbroer.

Buddy-Buddy grinnikte binnensmonds en lispelde de namen van de honden. 'Castor... Pollux...' Ogenblikkelijk ging het gegrom over in gegaap. Een van de honden trippelde weg. De andere ging liggen en begon zich te likken.

Vergezeld door zijn ex-folteraar liep hij verder het huis in en belandde al snel in de meest opzienbarende woonkamer die hij ooit had gezien. De ruimte was van reusachtige afmetingen, met een tongewelfd plafond van minstens zeven meter hoog. Twee van de wanden en het plafond waren uit massieve blokken honingkleurig gesteente gehouwen. De overige twee wanden waren van glas. De ene bood uitzicht op de tuin, de andere op een weelderig atrium in het midden van de woning. Op de marmeren vloer lagen oosterse tapijten als sieraden te schitteren. De noten van de *Goldbergvariaties* dansten in de lucht.

Haaks op een van de muren stond een stenen bank waarvan het harde oppervlak door met *kilim* bedekte kussens werd verzacht. Erboven hingen schilderijen en schetsen van Duitse expressionisten. Danny herkende onmiddellijk werken van Otto Dix, Emil Nolde en Oskar Kokoschka.

Een derde muur werd in beslag genomen door een lang, rechthoekig wandmeubel van gepolitoerd kastanjehout, dat plaats bood aan een computer, een Bose stereo-installatie en een viertal platte monitors. Een man, gezeten in een Aeron-stoel, tikte driftig op een, naar Microsoft-maatstaven ergonomisch verantwoord, toetsenbord. In de broeksband op zijn rug zat een ontegenzeglijk onergonomisch .45-pistool gepropt. Buddy-Buddy tikte Danny op de schouder en gebaarde hem te wachten. Vervolgens liep hij naar de man achter de computer.

Met een schuin oog keek Danny naar de batterij beeldschermen die door diverse bewakingscamera's werden gevoed en een blik boden op alle hekken en deuren, de weg naar de villa en het interieur van de schuur waarin ze hem hadden afgetuigd. Huiverend richtte hij zijn aandacht op de schilderijen, en met name op het doek dat wel heel erg verschilde van de andere. Het was een impressionistisch werk, een van de blauw-met-groene uitsneden van palmbladeren die Matisse tijdens zijn reizen door Marokko had gemaakt. De uitgelezen plek aan de muur maakte dat het werk de heldere kleuren weerspiegelde die door het raam op het atrium te zien waren. Danny was zo overdonderd om op zo'n onwaarschijnlijke plaats een Matisse aan te treffen dat hij niet in de gaten had dat de man van de computer naast hem was komen staan.

Te uitgeput om overeind te springen, bracht hij het niet verder dan een vertraagde schrikreactie.

De man naast hem was een paar jaar ouder dan hij en ongeveer even lang. Hij had gitzwart haar, dat nodig geknipt moest worden, en een schaduwbaard. Hij reikte Danny de hand. Danny's oog viel op een gouden horloge dat om zijn pols blonk. 'Remy Barzan,' sprak de man en hij gebaarde naar de met *kilim* overdekte canapé. 'Wilt u iets gebruiken?'

Danny reageerde niet meteen, maar aanvaardde de zitplek die hem werd aangeboden. Ondertussen probeerde hij te begrijpen hoe iemand die een Matisse bezat voor een tv-scherm kon zitten toekijken hoe een ander werd gemarteld. En dat terwijl de *Goldbergvariaties* zachtjes op de achtergrond klonken. Hij had een minuutje nodig om weer de draad op te pakken en antwoordde: 'Ja, een pijnstiller zou wel fijn zijn. En een fles champagne.'

Zijn gastheer keek verrast. 'Champagne?'

'Ik heb iets te vieren,' legde Danny uit.

'O ja?! Wat dan?'

'Eventjes dacht ik dat ik op een acetonbad kon rekenen.'

Op het gezicht van Barzan stonden schaamte en spijt te lezen. Vervolgens slaakte hij een zucht en zei: 'Ach, de avond is nog jong.'

# 16

Een pijnstiller bleek Barzan niet in huis te hebben, maar hij kwam met het op één na beste middel: kruidnagelolie. Danny liet het extract op een prop watten druppelen en drukte het uiterst voorzichtig tegen de puntige rand van zijn tand. Het tandvlees prikte even, maar tot zijn verrassing nam de pijn bijna onmiddellijk af.

'Het spijt me wat er gebeurd is,' liet Barzan hem weten.

'Geen probleem,' mompelde Danny, hoewel hij het niet meende. Barzans vluchtige excuus woog bij lange na niet op tegen wat hij had moeten doorstaan. Maar voorlopig wist hij wel beter dan vanuit een zwakke positie iemands gezag te tarten. Deze man was zijn gastheer. Zelf kon hij nauwelijks lopen. Dus maar beter afwachten en kijken wat er gebeurt.

'Weet je, ik wist het niet van Chris,' begon Barzan. 'Hoewel ik wel vermoedde dat hem iets was overkomen.'

'Hij was je vriend?'

'Ja.' Barzan haalde een hand door zijn haar. 'Luister. Waarom ga je niet een poosje rusten? Ik zorg dat je wat schone kleren krijgt, en dan kunnen we later wel praten.'

Het was eigenlijk geen voorstel, en bovendien had Danny toch geen zin om te praten – niet op dat moment, althans. Steeds wanneer hij zijn mond opendeed, knakte er iets in zijn linkeroor en trok er een pijnscheut door zijn kaak. Een van Barzans bedienden werd geroepen en keerde terug met een antieke rolstoel. Zelf had hij liever gelopen, maar zijn voeten waren gezwollen en klopten hevig. Het voelde alsof ze elk moment konden openbarsten, als overrijpe tomaten, en zo zagen ze er ook uit. Met een zucht liet hij zich voorzichtig in de stoel zakken en leunde achterover.

'Tot het avondeten dan,' zei Barzan.

In een leren fauteuil naast het raam in een slaapkamer met uitzicht op de binnenplaats viel hij in slaap. Zijn voeten weekten in een verzachtend badje ijskoud water. Het was een diepe en droomloze slaap die urenlang duurde en plotsklaps eindigde in een spiercontractie die hem rechtovereind deed zitten. Hij wist niet waar hij was en hij was bang.

Toen wist hij het weer.

Buiten, achter de muren van de binnenplaats, restte van de zon nog slechts een zweem van een roze gloed. Het water waar zijn voeten in stonden, was inmiddels lauw. Vanuit de hal beneden dreef de stem van Billie Holiday omhoog.

Voorzichtig ging hij staan en vervolgens liep hij moeizaam over de stenen vloer naar de badkamer. Hij draaide de kranen van het bad open en stelde de watertemperatuur bij. Daarna liep hij naar de wastafel en zocht steun. Hij voelde zich licht in het hoofd, gekneusd en misselijk. Voorzichtig sloeg hij zijn ogen op naar de spiegel en hij kreunde bij het aanschouwen van zijn eigen gezicht. Zijn overhemd zat onder de bloedvlekken, alsof hij met modderig water was besproeid. Zijn onderlip was gescheurd, zijn wang zag er bont en blauw uit en zijn rechteroog zat potdicht van de zwelling. Grimassend zag hij tot zijn grote ontsteltenis een gat waar een tand had moeten zitten.

Door het bad voelde hij zich al wat beter – maar nog niet boven Jan. Dat kon met één klap worden bewerkstelligd met de Percocet die, samen met een koud flesje St. Pauli Girl, op een zilveren dienblad in zijn kamer werd bezorgd. Twee van de pillen spoelde hij weg, waarna hij de schone kleren aantrok die Barzan voor hem had geregeld: een donkere linnen broek, een wit overhemd en leren sandalen. Gróte leren sandalen. Zich afvragend wanneer de pillen zouden gaan werken, strompelde hij achter een bediende aan naar een zitkamer waar Remy Barzan zich naast het knapperende haardvuur had geïnstalleerd.

Een bediende verscheen met een tweede rondje bier. Barzan hief zijn glas als een soort toast. 'Proost,' zei hij. 'En vertel me nu maar eens over jou en Zebek.'

Aanvankelijk viel het nog niet mee om te praten, maar toen de Percocet eenmaal aansloeg en de pijn afnam, werd Danny bijna praatziek. Hij had bijna een uur nodig, maar wist zijn verhaal toch in grove lijnen te vertellen – van de ontmoeting in de Admirals Club tot de zoektocht naar Terio's computer, de moord op Inzaghi en zijn eigen vlucht naar Istanbul. Barzan luisterde aandachtig, zoals een goede journalist zou doen, en stelde slechts een paar vragen. Op een gegeven moment verscheen een bediende met dampende kommen knoflooksoep en een bord met brood en kaas. Danny schrokte het naar binnen, verrast te merken dat hij zo'n enorme honger had. Toen hij uitgepraat was, nam Barzan het verhaal nog eens met hem door en verkreeg aldus nog meer details die Danny eerst had weggelaten – Terio's telefoontjes naar Patel, hoe Zebek hem steeds wist op te sporen, het verlies van de back-updiskette die Danny had gemaakt.

'Dus je gaf hem de namen van de mensen die Chris belde,' zei Barzan.

Danny knikte.

'Hoeveel namen?'

'Een paar maar. Nou ja, drie.'

'Deze man, Patel...'

'... een man die Rolvaag heet...'

'De Noor,' sprak Barzan, bijna tot zichzelf. 'Dus zo heette hij.'

'Ole Gunnar Rolvaag.'

Barzan knikte. 'Dus er stonden drie namen op die lijst.' Hij telde ze af op zijn vingers. 'Patel, Rolvaag en...?'

'De jouwe,' gaf Danny toe.

Barzan liet het even bezinken. 'En zo wist Zebek dus van mij en Chris. Dat wij contact hadden.'

'Ik denk het wel. Ik bedoel: ja. Zeker weten.'

De Koerd schudde zijn hoofd en slaakte een zucht.

'Hoe kon ik weten dat dit zou gebeuren?' verweerde Danny zich. 'Die interlokale telefoongesprekken achterhalen is routinewerk. Dat hoort gewoon bij het werk van een privé-detective.'

'Tja, maar in dit geval heeft het wel een paar levens geëist, nietwaar?'

'Ik weet het.'

Barzan keek spijtig voor zich uit. 'Patel en daarna...' Zijn hand ging naar zijn gezicht, een bedroefd gebaar. 'Mijn huishoudster – ze wilde de auto alleen maar even lenen.'

'Ze vertelden het me – in Istanbul. Donata – op je werk – zij vertelde me van de autobom. Nog gecondoleerd.'

'De politie zei dat er wel een kilo C-4 moest zijn gebruikt,' ging Barzan verder. 'Verbonden met het contact. Toen die bom afging, was het alsof de hele straat ontplofte. Overal lagen glassplinters, lichaamsdelen.'

'Dus je ging hierheen,' zei Danny.

Barzan knikte en veranderde van onderwerp – min of meer. 'Enig idee waar Zebek naar op zoek was?'

'Wanneer?' vroeg Danny.

'In Italië.'

Danny dacht na. 'Je bedoelt, op de laptop...? Nee. Heeft-ie nooit gezegd. Ik vroeg er ook niet naar.' Een korte stilte. 'Bedrijfsgeheimen?' Weer even stilte. 'Weet jíj het?'

Tot Danny's verrassing knikte zijn gastheer haast onmerkbaar. 'Ik denk van wel...'

Hij wachtte even om te kijken of Barzan nog zou uitweiden, maar toen dat niet gebeurde, sprong hij bijna uit zijn vel. 'Nou?! Wat dan?'

'Jaarringen.'

Danny dacht dat hij het niet goed had verstaan. 'Pardon?'

'Volgens mij was hij op zoek naar jaarringen. Het waren JPEG-bestanden die jaarringen lieten zien.'

Het kwam zeker door de Percocet, dacht hij. 'Nee,' zei hij. En vervolgens: 'Hoe bedoel je, jaarringen?'

Barzan negeerde zijn vraag. 'Dáárom zat Chris met Rolvaag in Noorwegen aan de telefoon. Heb je overigens nog geprobeerd hem te bellen?'

'Nog niet.'

'Dan wordt het misschien eens tijd. Weet je in welke stad hij zit?'

'In Oslo – het Oslo-instituut.'

'Wie weet kunnen we hem nog waarschuwen,' sprak Barzan op neutrale toon. Zijn gezicht klaarde op. 'En misschien het rapport bemachtigen!'

'Welk rapport?'

Maar hij keek weer bedrukt. 'Ik sla Rolvaags kansen niet hoog aan.' Hij stond op, liep naar een antiek bureau met daarop een hypermodern telefoontoestel, nam plaats en begon aan een reeks telefoontjes naar Noorwegen om aldaar bij Inlichtingen het nummer te krijgen. Dat viel niet mee. Danny voelde zich doezelig worden als gevolg van de medicijnen en staarde in het flakkerende vuur. Bijna was hij in slaap gevallen toen hij opeens het versterkte geluid van een rinkelende telefoon hoorde. Barzan had de speaker aangezet.

Een antwoordapparaat sloeg aan, daarna klonk een vrouwenstem die in het Noors begon te ratelen.

'Natuurlijk,' zei Barzan. 'Het is nu nacht in Noorwegen – waar ben ik mee bezig? Ze zijn gesloten.' Hij boog zich iets voorover en wilde net ophangen toen iemand de telefoon opnam.

'*Hallo! Vaersa snill.*' Dit was bijna iedereen wel eens overkomen. Ze wilde duidelijk dat de beller even bleef hangen totdat het bericht was afgelopen. Barzan wachtte. Het duurde ongeveer twintig seconden.

'*Hallo,*' zei de vrouw opnieuw. '*Taak.*'

Barzan nam de hoorn op, maar het geluid klonk nog steeds door de kamer. 'Spreekt u ook Engels?' vroeg hij.

'O, ja,' antwoordde ze.

'Ik ben op zoek naar Ole, Ole Rolvaag.'

'Ole?' zei ze verrast. 'Het spijt me, dat is niet mogelijk.'

'Kan ik een boodschap achterlaten?'

'Het spijt me, dat is ook niet mogelijk.'

'Maar…'

Ze ratelde door. 'Ik bedoel – hij is… eh, overleden?' Zoals ze het zei, klonk het als een vraag. 'Hij is – op 11 augustus – hij is vermoord.'

'O,' zei Barzan. Er klonk wat ruis op de lijn en vervolgens begonnen ze allebei tegelijk te praten.

'Ik…'

'Hij…'

'Ga uw gang,' zei Barzan.

'Het is een ongeluk?' zei de vrouw. 'Ole vertrekt van zijn werk op de fiets en een auto – hoe zeg je dat – rijdt door en raakt hem.'

'Hij rijdt 'm aan en rijdt door,' verduidelijkte Barzan op vlakke toon.

'Ja, dat is het. Hij is ter plekke dood. Deze auto vinden ze niet terug.'

Barzan schraapte zijn keel. 'Meneer Rolvaag…'

'Doctor Rolvaag, ja?'

'Hij deed wat werk voor een vriend van mij, ene Christian Terio.'

'O ja?'

'Een analyse van een artefact. Kan ik met iemand spreken die mij een kopie van dat rapport kan bezorgen?'

'U kunt met mij spreken,' antwoordde ze op haar Scandinavische zangerige toontje. 'Ze komen allemaal in de database, ziet u. Alle rapporten zijn tegen betaling opvraagbaar.'

Barzan begon informatie te spuien: Terio's naam, de geschatte datum van voorlegging, maar de vrouw onderbrak hem.

'We catalogiseren alfabetisch op naam van de aanvrager. Dat is het eerste criterium. Spelt u de naam, alstublieft.'

Dat deed hij.

'Oooo-ké,' klonk het langgerekt. 'Momentje…'

Ze vingen het getik van een toetsenbord op, wat ongeveer een minuut duurde. 'Nee?' klonk het toen. 'Ik vind dit niet? Maar onlangs hebben wij problemen met het computersysteem. Misschien dat ik even kijk naar de uitdraaien, die samen met de artefacten worden bewaard. U wilt wachten? Of terugbellen?'

'Nee, ik wacht wel,' zei Barzan. 'Ik wacht.' Danny wist niet waarom dat gedoe met de 'jaarringen' zo belangrijk was, maar uit Barzans ongeduldige en bezorgde lichaamstaal maakte hij op dat het wel degelijk belangrijk was.

Eindelijk kwam ze weer aan de lijn. 'Sorry,' zei ze. 'Ik vind niets – dit bestand ontbreekt! Zelfs het artefact is niet hier – maar het was er wel, zie ik. Ik zie hier zelfs de plexiglazen monsterdoos waar het in zat. Degene die het heeft meegenomen heeft dus verzuimd ervoor te tekenen.' Ze kookte duidelijk van woede. 'Dit kán niet, niet in het Oslo-instituut. Er zijn procedures…' Haar woorden stierven weg.

'Nou…' begon Barzan.

'Misschien dat ik morgen eens wat rondvraag?' opperde ze, 'en dat u terugbelt?'

'Dat zou fantastisch zijn,' antwoordde Barzan teleurgesteld. 'Dank u wel.'

'Geen dank. En u bent…?'

'Remy Barzan.'

Ze vroeg hem zijn naam te spellen en schreef deze op. 'Oké,' zei ze. 'Ik zal een boodschap voor u achterlaten?'

'Dank u.'

'*Ha det*,' zei ze opgewekt. 'Dag dan.'

Barzan hing op.

'Wat is dat voor rapport? Welk artefact? Waar had ze het over?' vroeg

Danny, hoewel het zelfs in zijn oren klonk alsof hij maar half wakker was.

Barzan keek hem schuin aan, wierp een blik op zijn horloge en stond op. 'Morgen kunnen we verder praten. Ik moet wat telefoontjes plegen en jij zult naar een tandarts moeten. Probeer wat te slapen.'

De volgende ochtend werd Danny's lip gehecht door een verlegen jonge vrouw die wel eens Barzans vriendin kon zijn, of misschien ook niet. Toen ze klaar was, leidde ze hem naar buiten naar een gereedstaande jeep. In de jeep zat een brede gozer. Hij had een M-16 naast zich en was in een stripboek verdiept. Toen hij Danny zag, glimlachte hij en wierp het stripboek op de achterbank. Zwijgend reden ze naar een stadje, ongeveer 45 kilometer ver, om ten slotte te stoppen bij een winkelpui waar boven de voordeur een groot bord hing dat duidelijk maakte welk vak hier werd uitgeoefend. Het was een afbeelding van een reusachtige premolaar, een tweepuntige kies, met een stralenkrans van kleine vreugdelijntjes. Het bord deed Danny denken aan een Britse pub – de *Happy Tooth* of zoiets. Het idee van een tandartsenpraktijk op een plek als deze deed Danny even aarzelen, maar tandarts Cirlik ging zowel pijnloos als efficiënt te werk. Binnen een uur had hij een roestvrijstalen kroon en werd hij met een doordrukstrip antibiotica weer heengezonden. De tandarts hield eerst nog een handspiegeltje omhoog, zodat Danny even zelf kon kijken. Wat hem betrof zag de blinkende metalen kroon op zijn tand er bijna net zo lelijk uit als het gat.

Terug in de villa trof hij op de binnenplaats Barzan, zittend aan een lange houten tafel. Hij las de krant. Als twee beige aanhalingstekens lagen de twee honden aan weerszijden van hem duttend op de grond. Barzan gebaarde naar een stoel tegenover hem. Voorzichtig nam Danny plaats.

'Je huis straalt een aangename sfeer uit.'

Barzan glimlachte. 'Het is niet van mij.' Hij zag het verraste gezicht van Danny en voegde eraan toe: 'Het is van een vriend in Ankara. Hij is parlementslid. Als ik in een van de huizen van mijn familie verbleef, zou Zebek me in een dag of twee hebben gevonden. Op deze manier zal het wat langer duren.'

'Hm.'

'En op dit moment ligt er voor hem een bonus in het verschiet. Vindtie mij, dan vindt-ie jou ook.'

'Dus misschien kan ik maar beter…'

Al voordat hij zijn zin kon afmaken, onderbrak Barzan hem. 'Je bent geheel vrij om te gaan.'

Maar de waarheid was natuurlijk dat Danny helemaal nergens naartoe kon en geen schuilplaats had. Hij herinnerde zichzelf er nog maar eens aan dat Danny Cray met stip was gestegen op Zebeks zwarte lijst, net als Remy Barzan. Die had hem trouwens niet opgespoord en laten ontvoeren. Nee. Danny was naar deze villa gebracht, omdat zijn bedoelingen verkeerd waren begrepen. Hij was degene die naar Uzelyurt was gereisd, op zoek naar de man die nu tegenover hem zat. Omdat Remy Barzan een van zijn twee resterende aanknopingspunten was. Ole Gunnar Rolvaag was de andere geweest.

'Misschien vindt-ie ons helemaal niet,' wierp Danny op.

Barzan schudde zijn hoofd. 'O, hij vindt ons heus wel. Hij is een Jezidi. Ook al houdt slechts de helft van de wachten bij de controleposten míj op de hoogte… is het slechts een kwestie van tijd.'

'Dus eigenlijk zeg je: we zijn er geweest.'

Barzan glimlachte. 'Misschien niet. Misschien verkassen we voordat hij ons vindt. Of wie weet vinden we een uitweg voordat hij ons te pakken krijgt. Laten we het maar hopen.'

Ondanks het feit dat deze man had zitten toekijken terwijl hij werd gemarteld, moest Danny onwillekeurig bekennen dat hij Barzan wel mocht. Hij had gevoel voor humor en een bescheiden manier van doen. Danny merkte dat hij meer wilde weten over zijn gastheer.

'Hoe ziet je familie eruit?'

'Groot,' antwoordde Barzan. 'Zes zoons, drie dochters, vier ooms, vijf tantes, twintig neefjes en nichtjes, grootouders. Twee broers van me zijn soldaat – een in het leger, die de andere in de PKK achternazit. Twee zitten in zaken – de ene legaal, de andere niet. De anderen – eentje in de politiek, eentje niet. En dat ben ik. Ik heb een wijngaard vlak bij Cappadocia, waar we een serie interessante wijnen produceren, en dan heb ik me als correspondent Koerdische aangelegenheden een plekje verworven in de Franse pers. Ik ben de amateur van de familie.' Hij lachte en schonk voor hen beiden een glas single malt whisky in, zonder ijs. 'En jij?'

Danny haalde zijn schouders op. 'Niet zo'n grote familie. Twee broers en ik. Geen generaals of senators.'

'Dan ben je beter af dan ik,' grapte zijn gastheer.

Toen de espresso's arriveerden, samen met een bord pistachebaklava, vroeg Danny hem naar de jaarringen.

Barzan tuitte zijn lippen. 'Daar kom ik later wel op terug. Vertel eens – hoeveel weet je over ons?'

'Wie zijn "ons"?'

'De Jezidi's,' antwoordde Barzan. 'Of, nu we het er toch over hebben, over de Koerden.'

Danny dacht terug aan het gesprek dat hij had gehad met pater Inzaghi. 'Inzaghi had het erover,' zei hij, 'maar… ik was meer bezig met die laptop.' Hij zweeg even en probeerde het zich te herinneren. 'Ik weet nog dat-ie zei dat ze de duivel vereren – de Jezidi's, bedoel ik.'

Barzan grinnikte. 'Dat herinneren de meeste mensen zich, ja,' zei hij, 'maar er is nog veel meer.'

De Koerden, legde hij uit, waren een volk zonder land – zoals de joden dat waren vóór de stichting van Israël. Het thuisland van de Koerden omvatte de regio die historici kennen als Mesopotamië, een lappendeken van kleine stukjes – en ook hele stroken – van Turkije, Irak, Syrië, Iran en Azerbeidzjan. 'We zijn met dertig miljoen,' liet Barzan hem weten, 'in een gebied zo groot als Texas. Als we ons eigen land zouden hebben – als er echt een Koerdistan was – dan zou het meer inwoners tellen dan elk ander land in de Arabische Liga, op Egypte na. Wat de reden is waarom dat nooit zal gebeuren.'

Hoewel ze hun eigen taal en gebruiken kenden, achtte Barzan het onwaarschijnlijk dat de Koerden ooit in een eigen soevereine staat zouden leven – hoe hard ze er ook voor streden. Ze waren verscheurd door stamtradities, en de realpolitik van de regio spande samen om het zo te houden.

De Jezidi's vormden een van verscheidene Koerdische subetnische groepen. Een aantal Koerden was christen, sommigen waren moslim, sommigen volgelingen van Zarathoestra, sommigen Jezidi's en nog weer anderen waren eenvoudigweg nergens bij onder te brengen. Maar allemaal kenden ze een lange geschiedenis van gezamenlijke opstanden tegen hun overheersers. Niet verrassend dus dat hun opstanden met overtreffend geweld de kop in werden gedrukt, waarbij hele dorpen volledig werden verwoest en de Koerdische taal en cultuur werden onderdrukt. In Irak werden de Koerden met chemische en biologische wapens aangevallen. In Turkije woedde tientallen jaren lang een guerrillaoorlog. Die duurde nog steeds voort, zij het wat minder hevig dan voorheen.

Danny huiverde. 'Klinkt heftig.'

Barzan haalde zijn schouders op. 'Ik had geluk,' zei hij. 'Voor Zebek was het moeilijker – veel moeilijker.'

'Hoezo dat?'

'Toen zijn ouders werden omgebracht, brachten ze hem naar de ondergrondse stad...'

'Is er een "ondergrondse stad"?'

'O ja, er zijn er zelfs heel veel,' antwoordde Barzan. 'In heel Oost-Anatolië barst 't ervan. In Cappadocia alleen moeten er al een stuk of tien zijn. De toeristen staan in de rij om ze te bezoeken.' Weer haalde hij zijn schouders op. 'Zo oostelijk als hier zie je ze niet zoveel, hoewel Syrië een paar beroemde telt.'

'Maar als je "stad" zegt...'

'Ze lijken meer op mierenkolonies. Zijn uitgehakt in tufsteen, dat makkelijk te bewerken is. En ze zijn eeuwenoud. Archeologen schatten dat ze teruggaan tot 9000 voor Christus – bijna zo oud als de Sfinx.'

'En zijn ze groot?' vroeg Danny. 'Zo groot als de cisterne in Istanbul?'

'O, veel groter. Nevazir, de stad buiten Uzelyurt, meet een kilometer overdwars, is zes verdiepingen diep en heeft zijn eigen ventilatiesysteem, valdeuren en opslagruimtes voor voedsel en water,' vertelde Barzan. 'Duizenden mensen kunnen er wekenlang in leven.'

'Maar waarom? Waar zijn ze voor? Waarvoor zijn ze gebouwd?'

'Niemand die het echt weet. Het waren vermoedelijk schuilplaatsen, snap je, eeuwenoude atoomschuilkelders, zeg maar, schuilplekken voor als een volgende veroveraar weer eens het land geselde. Maar goed, naar zo'n plek werd Zebek als kind dus meegenomen – naar Nevazir, onder de grond. Het leek de veiligste plek, en in een aantal opzichten was dat ook zo. Maar het liep niet zoals het had moeten lopen. De mensen die hem daar achterlieten, werden de volgende dag gedood.'

'En…?'

'En toen was hij alleen. Hij was zes jaar. De kaars brandde op – en daar zat hij dan, in het donker, dertig meter onder de grond.'

'Jezus – hoe lang zat-ie daar?' vroeg Danny.

Barzan haalde zijn schouders op. 'Een paar dagen. Misschien vier of vijf.'

'Goeiegod!'

'Ze zeggen dat hij behoorlijk verknipt was toen hij eruitkwam.'

'Tja, wat wil je,' merkte Danny vol sarcasme op.

'Daarna werd het beter voor hem.'

'Kon het nog slechter dan?'

'Tijdens zulke periodieke… onderdrukkingen worden sommige Koerden gewoonweg afgeslacht. Maar als je familie geld heeft, kunnen ze hun huizen afsluiten en weggaan. Dan wachten ze net zo lang tot de situatie zich wijzigt. Toen ik vijf was, namen mijn ouders me mee naar Parijs. Rond diezelfde tijd nam Zebeks familie hem mee naar Rome. Ik kwam pas een jaar of vijf, zes geleden terug.'

'Dus je hele familie vertrok?'

Barzan schudde zijn hoofd. 'Bijna m'n hele familie. Mijn opa bleef om op de boel te passen.'

'Je hebt het nu over sjeik Mounir?'

Barzan knikte.

'Het verrast je niet dat ik hem ken?' vroeg Danny.

'Natuurlijk niet. Hoe denk je anders dat je hier kwam?'

'Ik weet 't niet,' mompelde Danny. 'Ik dacht, misschien door die vent met dat Kukoc-shirt of die andere die steeds "Buddy, Buddy" zegt.'

'Tja, natuurlijk, die bráchten je, maar…'

'Werken ze voor Mounir?'

Barzan fronste zijn voorhoofd. '"Werken" is niet helemaal het goede woord. Ze zijn meer… belangenbehartigers. Ze doen wat hij vraagt, maar ze handelen ook uit zijn naam. Soms zonder dat hij het weet.'

'Dus Mounir is wat? De burgemeester?'

Barzan lachte. 'Hij is een van de Ouderlingen.'

Zoals hij dat zei, wist Danny dat dit met een hoofdletter geschreven moest worden, en het fascineerde hem.

Barzan zag de blik op zijn gezicht. 'Jou is een hele eer bewezen.' Hij ging verder met uit te leggen dat de Jezidi's werden geleid door een imam, die door een raad van negen Ouderlingen uit verschillende geografische regio's voor het leven werd gekozen.

'Zoiets als de paus?' opperde Danny.

'Min of meer.'

'Dus als je grootvader een Jezidi is, moet jij er ook een zijn.'

Barzan knikte. 'Weet je, de Jezidi's zijn een eeuwenoud volk. Een van de vroegste mythen van de vloed – die later als de zondvloed van Noach werd beschouwd – stamt oorspronkelijk uit de mythen van de Jezidi's van Koerdistan.'

Danny fronste de wenkbrauwen. 'Oké, dus jij bent een Jezidi. Aanbid je de duivel?' Barzan leek hem er niet het type naar.

Barzan glimlachte. 'Ik ben niet godsdienstig.'

'Dus wat ben je dan – een afvallige Jezidi of zoiets?'

'Precies.'

'En sjeik Mounir?' vroeg Danny.

'Aha, goed, dat is een ander verhaal. Mijn opa is heel erg van de oude school.'

'En dat houdt in…'

'Dat hij de Pauw Engel, *Malik Tawus*, vereert. "Lucifer" voor jou.'

Danny knipperde met zijn ogen.

'Noem het duivelverering als je wilt,' vervolgde Barzan, 'maar dan mis je waar het om draait. Wat de Jezidi's geloven, is dat de Tawus de machtigste en de prachtigste aller engelen was. Gods lieveling.'

'Hetzelfde als Lucifer dus,' merkte Danny op.

'Maar in de Jezidi-traditie,' legde Barzan uit, 'is er geen zondeval, geen strijd om de ziel van de mens. De *Zwarte Schrift* leert ons dat God de aarde in zes dagen schiep en dat hij rustte op de zevende. En daarna, op de achtste dag, verloor hij zijn belangstelling en richtte zich op andere zaken, waarna de Tawus zijn opzichter werd. Op een dag, zo wordt ons verteld, zal de Tawus op aarde terugkeren. En dan zal de wereld aan de Jezidi's toebehoren – want wij zullen zijn enige volgelingen zijn geweest.'

Danny begreep niet wat dit te maken kon hebben met wat hem of Terio of Patel was overkomen. En dus bracht hij het gesprek terug op het begin. Althans, dat probeerde hij. 'Gisteravond zei je dat Terio je een aantal bestanden stuurde.'

'E-mail attachments. Ze zijn nooit aangekomen.'

'Je zei dat ze met jaarringen te maken hadden,' friste hij zijn geheugen op.

Barzan knikte. 'Ik ontmoette Chris toen hij in Istanbul onderzoek verrichtte. We konden het goed met elkaar vinden, en ik kon hem helpen met wat contacten in Diyarbakır. Hij was daar toen de imam werd vermoord.'

Danny reageerde verrast en Barzan legde uit dat de imam de geestelijk leider of gids was van de Jezidi's. Met zijn 87 jaar had hij die positie bijna vijftig jaar bekleed.

'Hoe gebeurde dat?'

Barzan wuifde de vraag weg. 'Twee mannen op één motor. De ene reed, de andere schoot.'

'En ze ontkwamen?'

Barzan knikte.

'Maar waarom?' vroeg Danny. 'Als die goeie man al 87 jaar was…'

'Wat je bedoelt is: wie?' Barzan zweeg even. 'De politie gaf de schuld aan de Koerdische Arbeiderspartij.'

'En jíj?'

'Ik wéét wie 't was: Zebek.'

'Maar als deze imam 87 was, waarom…'

Met een vlakke hand sloeg Barzan zacht in de lucht, alsof hij wilde zeggen: *Geduld*. 'Nadat het gebeurde, kwam Chris naar Uzelyurt. Hij wilde schrijven over de Jezidi-troonopvolging. Zei dat het "een unieke kans" was. En uiteraard wilde hij de Sanjak zien. Hij móést de Sanjak zien.'

Dat laatste woord zei Danny niets, dat was wel duidelijk.

'Het is een religieus beeld,' legde Barzan uit. 'Er zijn een stuk of tien Jezidi-stammen, en elke stam heeft zijn eigen Sanjak – en sommige hebben er zelfs een paar. De onze staat in Nevazir, die ondergrondse stad waarover ik je vertelde.' Een van de honden naast Barzan stak zijn kop op. Zijn oren spitsten zich en zijn snuit draaide heen en weer. *Woef!* Een laag, peinzend geblaf, alsof het dier zich iets afvroeg. Wat was dat? Barzan krabde de hond achter zijn oren en vertelde verder. 'Chris werd geboeid door die ondergrondse steden. Hij zéí dat ze het enige voorbeeld ter wereld waren van "collectief begraven".'

'En er staat dus een beeld?'

'De Sanjak.'

'Zal wel moeilijk te zien zijn. Ik bedoel, hoe doe je dat – met een zaklamp? Kaarsen?'

Barzan grinnikte. 'Eigenlijk heeft het bijna vijftig jaar geduurd voor iemand 't zag. En ik… tja… ik schond de regels door het aan Chris te laten zien. Maar…' Hij haalde zijn schouders op. 'Zoals ik al zei: ik ben niet godsdienstig. Voor mij is het een cultureel artefact.'

'Waarom is het vijftig jaar lang door niemand gezien?'

'Nou, om te beginnen zou het zijn vernietigd als het niet verborgen was geweest.' Bij het zien van Danny's vragende blik legde Barzan verder uit: 'Dit land is zelfs na Atatürk nog steeds een islamitische samenleving. En je weet vermoedelijk wel dat het in de islam verboden is afbeeldingen te maken van alles wat een ziel heeft. Daarom worden de fresco's in de oude kerken toegetakeld en daarom pleisterden de moslims de mozaïeken in de Aya

Sofia dicht. Wanneer de soennieten afbeeldingen of heiligenbeelden vinden, vernietigen ze die – net als de Taliban deden met die boeddhabeelden in Afghanistan.' Voor het eerst liet Barzans Engels hem even in de steek. 'Hoe noem je die mensen ook alweer – die beelden vernielen?'

'Iconoclasten,' antwoordde Danny, zelf enigszins verrast.

'Precies!' riep Barzan uit. 'Overal in Turkije worden schilderijen en muurschilderingen beschadigd. De gezichten worden bekrast, de beelden vernield. Ook die van dieren. Zelfs voordat de islam de overheersende godsdienst werd, waren er al christelijke beeldenstormers – al rond 800 of daaromtrent. Eeuwenlang was het jachtseizoen geopend op elk kunstwerk dat een gezicht uitbeeldde. Vandaar dat de Sanjak werd verborgen! Zelfs in Nevazir wordt het beeld nog altijd bedekt, behalve wanneer de Ouderlingen bijeenkomen om een nieuwe imam te kiezen. Dan wordt het onthuld zodat het op de handelingen kan toezien en ze misschien kan beïnvloeden.'

'Ze beïnvloeden?'

Barzan haalde zijn schouders op. 'Misschien geeft het een teken. Wat ik ervan vind? Voor mij zijn het rituelen zonder betekenis. De Sanjak is een beeld, niets meer en niets minder. Voor mijn grootvader is het vervuld van betekenis en een heilig object.'

Interessant, dacht Danny, maar hij zag niet in hoe dit alles zijn leven ging redden. Hij stond net op het punt weer over de jaarringen te beginnen toen de honden overeind krabbelden en furieus blaffend naar de zijkant van het huis renden. Opeens begon ook Barzans mobieltje te tjirpen en hij klapte het open. Na een paar woorden kwam hij overeind. 'Ben zo terug,' zei hij.

'Problemen?' vroeg Danny.

Barzan schudde zijn hoofd. 'Een paar soldaten van de controlepost staan aan de poort. Om de zoveel dagen komen ze even langs.'

Terwijl zijn gastheer zich met de soldaten onderhield, probeerde Danny wijs te worden uit wat hem allemaal was verteld. Maar eigenlijk zag hij nog geen verband. Als Barzan gelijk had, was de geestelijk leider van de Jezidi's door Zebek vermoord – maar waarom? En wat was het verband met een godsdienstig beeld in een ondergrondse stad?

Toen Barzan enkele minuten later terugkeerde, stilletjes gevolgd door de honden, herinnerde Danny hem aan de jaarringen. 'Je zei dat het daar allemaal om draait?'

'Ja, dat klopt,' beaamde Barzan. 'Maar je moet eerst het een en ander over de Sanjak weten – anders snijdt het nog geen hout. Chris wilde hem zien, of eigenlijk wilde hij er een foto van, en ik sprak af hem te helpen.' Hij zweeg even. 'Wil je 'm zien? De foto?'

'Zeker weten.'

Barzan stond op en liep het huis in. Even later kwam hij terug met een fotootje in zijn hand. Er speelde een flauwe glimlach om zijn lippen. 'Ik wil graag weten wat je ervan vindt,' zei hij en hij reikte Danny de foto aan.

In een oogopslag zag hij dat de foto met een flitser was genomen. Een verblindend wit licht overgoot een grotachtige kapel die uit het honing-kleurige tufsteen was uitgehouwen. In het midden van de foto, rustend op een altaar, stond een uit hout gesneden, prachtige buste van... Zerevan Zebek.

Danny's mond viel open. Hij had weliswaar weinig nekharen, maar wat hij bezat, stond rechtovereind. Het was gewoon griezelig. 'Je houdt me voor de gek.' De gelijkenis was perfect.

'Chris reageerde ook al zo.'

Danny kon zijn ogen niet geloven. De zware oogleden en hoge juk-beenderen, het kuiltje in de kin en de V-vormige haarlok in het midden van het voorhoofd. Wat er ook gaande was, het was geen toeval. De Sanjak was Zebek. 'Hoe wist Terio wie het was?'

'Hij wist het niet. Het enige wat hij wist, was dat hij in Diyarbakır het-zelfde gezicht had gezien. Van een man die uit een Bentley stapte.'

'En dat herínnerde hij zich nog?'

Barzan knikte. 'Hier, zo ver van Ankara, zie je niet zoveel Bentleys. En áls je er dan een ziet, is het logisch dat je even kijkt wie er uitstapt.'

Danny herinnerde zich zijn lunch met Inzaghi en het grapje van de priester. *Je zou toch denken dat de duivel eerder een Rolls zou hebben...* Ook zag hij zijn ontmoeting met 'Belzer' in de Admirals Club weer voor zich. *Ze zeggen dat hij het houdt met de maffia... ze zéggen dat hij de duivel in eigen persoon is.* De zinnetjes buitelden door Danny's hoofd. 'Dus wat worden we geacht te denken?' vroeg hij. 'Dat Zebek de Tawus is?'

Voordat Barzan kon antwoorden, ging zijn mobieltje voor de tweede keer en met een ongeduldige zucht nam hij op. Na een korte woordenwis-seling in een taal die Danny niet kon thuisbrengen, klapte zijn gastheer het toestelletje dicht en kwam overeind. 'We moeten dit later afmaken,' zei hij. 'Er staat een auto voor me klaar.'

'Een auto?'

'Ik moet naar mijn grootvader.'

'Mounir? Maar wanneer ben je weer terug?'

'Over een dag. Misschien twee dagen. De oude man vertrekt morgen-ochtend naar Diyarbakır – en daarna naar Zürich. Ik kan hem niet laten gaan zonder eerst met hem te praten.'

'En als je nu wordt gezien?'

'Dat gebeurt niet.'

'Maar stel dat de soldaten komen?' vroeg Danny. 'Wat moet ik dan doen?'

'Dat kan Layla wel af. Dat is de vrouw die je lip heeft gehecht. Zorg dat ze je niet zien en er zal niets gebeuren.'

Hij bracht de avond door in de bibliotheek van de villa. Zijn voeten baadden in het epsomzout en zijn hersenen in de Percocet. Op het bureau trof hij een friseertang en een spoel met koperdraad aan. Voor het avondeten doodde hij de tijd met het maken van een masker van Zerevan Zebek. Toen hij ten slotte tevreden was met de beeltenis die hij had gecreëerd, drukte hij het draad tot een bal samen en gooide deze in de prullenbak.

De friseertang was wel cool, vond hij. Je kon er leuke dingen mee doen. Misschien zou hij iets voor Barzan maken – als een bedankje omdat hij hem niet had afgemaakt.

De eigenaar van de villa had een eclectische smaak, bezat een enorme verzameling jazzmuziek en een wand gevuld met kunstboeken die Danny nog nooit had gezien. Luisterend naar een cd van Lisa Ekdahl bladerde hij juist een catalogus van Caillebots werken door toen een bediende hem het avondeten op een koperen dienblad bracht. *Hummus* met brood, tabbouleh, rijst en groentekebabs. Plus een gekoelde fles witte wijn.

Op zich was het perfect. Het enige waar hij nu echt naar verlangde, was Caleigh. Maar hij weerstond de verleiding om haar te bellen – ze zou vermoedelijk toch ophangen, en zo niet, wat moest hij dan zeggen?

De volgende ochtend hadden zijn voeten bijna weer hun normale omvang – maatje 43, in plaats van 45. Hij kon weer in zijn schoenen, hoewel hij ze niet aan liet. Na het ontbijt op de binnenplaats haalde hij de friseertang uit de bibliotheek, nam plaats onder een abrikozenboom en begon wat met de tang te spelen. Een uur verstreek, daarna nog een. De vrouw die zijn lip had dichtgenaaid, kwam langs, zag de kleine voorwerpen die hij had gemaakt, giechelde vrolijk en klapte in haar handen.

'Voor sjaak, neem ik aan – ja?'

Danny knikte. 'Voor sjaak,' gaf hij toe. Wat is in vredesnaam sjaak?

'Deze,' vroeg ze, terwijl ze de grootste tegen de zon omhooghield, 'is konink?'

Even stond hij met de mond vol tanden. Opeens begon het hem te dagen. Hij had een scháákspel gemaakt – althans, het begin ervan. 'Heel goed!' riep hij uit. 'Dat is de koning – en deze is de toren. En de loper.'

'Zo mooi!' zei ze. 'Misschien… ja, ik denk… hij is kunstenaar!'

'Dank u,' zei Danny. Het was het aardigste compliment dat hij sinds lange tijd had gekregen. Zijn handen waren inmiddels vermoeid geraakt en zijn vingers deden zeer. Hij legde de tang opzij, liep de bibliotheek in en nam plaats voor de computer op het bureau. Terwijl het ding de opstartprocedure doorliep, staarde hij naar de rits tv-monitors op de muur achter het bureau. Eentje gaf beelden door van het hek voor het huis, waar de honden als tweeling-sfinxen op de grond lagen te doezelen. Een tweede monitor wisselde om de zoveel seconden van beeld, floepte van de woonkamer naar de keuken naar de hal. Een derde toonde het landschap achter de poort, terwijl een vierde gericht was op de kamer waarin Danny onder handen was genomen. Hoe lang had Barzan zitten kijken, vroeg hij zich af.

Hij wilde zijn e-mail checken, maar toen hij zijn naam wilde intikken, bedacht hij zich. Met wat Zebek allemaal tot zijn beschikking had, zou het hem niets verbazen als de miljardair zich tevens op slinkse wijze een weg in de servers van AOL en Yahoo had gekocht. En bovendien wist hij dat je een bericht helemaal terug kon volgen naar de computer – dus niet alleen naar de internetprovider, maar echt naar de computer zelf – vanwaar uit een e-mailtje was verzonden.

Dus liet hij de pc met rust en begon de boekenkast te inspecteren. Hij vond een Engelse uitgave van Orhan Pamuks *The White Castle*, strekte zich languit op de bank naast het raam en begon te lezen.

Het volgende dat hij nog wist, was dat Layla hem wekte. 'Nu is het eten,' liet ze hem weten. 'Is avond, oké?' Met een glimlach knipte ze het licht achter de bank aan en ze gebaarde naar een dienblad naast de computer. 'Lekker,' beloofde ze en ze zwaaide verlegen terwijl ze de kamer verliet.

Danny zwaaide zijn voeten van de bank en bekeek het blad: een kom dampende linzensoep, een bord druivenbladeren gevuld met rijst, pitabrood en een koud flesje bier. Het was allemaal even heerlijk en hij viel aan terwijl hij naar een voetbalwedstrijd op tv keek. Galatasaray tegen Fenerbahce. Een goeie pot. Een lekkere avond. Hij voelde zich helemaal opleven.

De volgende avond laat – te laat om elkaar nog te spreken – keerde Barzan terug. Wel wilde hij Danny graag de volgende ochtend vroeg zien en daarom wekte hij hem om zeven uur voor een kopje koffie in de bibliotheek. De koffie stond al ingeschonken en ze namen plaats, maar voordat ze een woord konden wisselen, klonk er een harde klap uit de richting van de glazen wand. Beide mannen sprongen op en draaiden zich naar het grasgroen van het atrium. Barzan beende naar het raam en tuurde omlaag. 'Een vogel,' zei hij. 'Ze zien de weerspiegeling van de bomen in het glas en vliegen er zo tegenaan.' Hij schudde zijn hoofd. 'Maandelijks gaan er zo een paar verloren, hoor ik van de tuinman. Het atrium is niet zozeer een oase – zoals de architect het zag – als wel een val.'

Danny tuurde naar beneden en zag de vogel liggen, naast een bloeiende struik. 'Misschien is-ie alleen een beetje dizzy.' Heimelijk tikte hij zichzelf driemaal op het hoofd, een soort toverformule die hij van zijn tante Martha had geleerd. Dode vogels brachten ongeluk.

Barzan roerde wat suiker door zijn koffie. 'Ik heb geprobeerd Mounir over te halen om de bijeenkomst uit te stellen, maar hij weigerde.' Hij schudde zijn hoofd.

'Welke bijeenkomst?'

'Die van de Ouderlingen. Met Zebek. Ze komen in Zürich bijeen,' vertelde Barzan. 'Morgen over een week. In het Baur au Lac in Zürich.'

'Met Zebek? Maar die vent is een psychopaat!' protesteerde Danny.

Barzan trok gegeneerd zijn schouders op. 'Het is erg moeilijk om mijn grootvader ervan te weerhouden naar Zürich te gaan.'

'O, en waarom?'

Barzan rolde even met zijn ogen. 'Tja, om de waarheid te zeggen: opa heeft een… hoe moet ik dat zeggen? Een Zwitserse jongedame?'

'Een wat?'

'Ze hebben daar een escortservice,' legde Barzan uit. 'Daar gaat hij elk jaar naartoe.'

'Je bedoelt – hoertjes?'

Barzan knikte.

'Maar hij moet al in de tachtig zijn!' riep Danny.

'Dichter bij de vijfenzeventig, maar het is niet alleen Heidi die hem naar Zürich lokt. Het is voor zaken én voor plezier. Alle *ulema* zullen er zijn. Er is een *shura* – die vindt jaarlijks plaats, zelfde tijd, zelfde plek. Maar dit jaar is die zelfs nog belangrijker.'

Danny kon het even niet meer volgen – *Ulema? Shura?* – en dat moest van zijn gezicht af te lezen zijn, want de journalist begon het uit te leggen.

'De *ulema* zijn de Ouderlingen,' zei hij. 'Zodra ze samenkomen, noemen ze dat een *shura*. Het is zoiets als een stammenraad, maar in dit geval is het eigenlijk een vergadering van de raad van bestuur voor Tawus Holdings.'

Danny schudde licht met zijn hoofd. 'Volgens mij mis ik iets,' zei hij.

'Weet je nog wat ik zei over de Sanjak?' vroeg Barzan.

Danny knikte.

'Nou, ik weet niet door wie Zebek de buste heeft laten maken, maar…'

'Denk je dat het een vervalsing is? Dat hij het originele werk verving?'

'Natuurlijk,' antwoordde Barzan.

'Maar waarom?'

'In de hoop dat hij tot nieuwe imam werd benoemd. Wanneer de Ouderlingen bijeenkomen om de opvolging te bespreken, wordt de Sanjak volgens het ritueel naar buiten gebracht. Om toe te zien op de handelingen, zo je wilt. In dit geval werd de oude imam gekozen toen hij nog maar veertig was en hij bereikte een zeer hoge leeftijd. Met andere woorden, bijna vijftig jaar lang had niemand dat ding gezien. Toen het eenmaal werd onthuld…'

'Ik snap het.'

'Zodra de imam sterft, verblijven de Ouderlingen in de ondergrondse stad Nevazir totdat ze het eens kunnen worden over een opvolger. Ze beraadslagen in een zaal waar ook de Sanjak staat. Dat kan dagenlang, zelfs wekenlang duren. Het is te vergelijken met het kiezen van een paus. Er staat een hoop op het spel.'

'En hoe lang hadden ze nodig om Zebek te kiezen?'

'Ik schat ongeveer een minuut,' antwoordde Barzan. 'Toen het borstbeeld werd onthuld, werd het direct als een teken gezien.'

Danny schudde zijn hoofd. 'Maar hoe wisten ze wie dat beeld voorstelde? Ik bedoel, als Zebek als kind al naar Italië verhuisde...'

Barzan knikte. 'Er is een Turkse tv-show – net zoiets als *60 Minutes*. Heel populair. Profielen, onderzoeken, consumentenonderwerpen – je kent het wel.' Barzan opende zijn hand, alsof hij een gevangen motje vrijliet. 'De meeste mensen die ze in de schijnwerpers zetten, zijn beroemdheden of politici. Maar zo nu en dan doen ze ook een item over een Turkse kunstenaar of een ondernemer die het helemaal gemaakt heeft in Londen of New York. Het idee hierachter is om mensen erop te wijzen dat Turkije een westerse democratie is, een modern land dat gereed is om zich bij de NAVO aan te sluiten.'

'En Zebek zat in dat programma?'

'Een paar maanden voordat de imam werd vermoord.'

Danny dacht na. 'Dus jij zegt: eerst werd hij geportretteerd in dat programma...'

Barzan schudde zijn hoofd. 'Nee. Eérst liet hij het borstbeeld maken. Daarna verwisselde hij het met het oude beeld. En dáárna was hij op tv te zien.'

'Een aantal van de Ouderlingen zag het...'

'Iederéén zag het. Het is het populairste actualiteitenprogramma van het land,' verbeterde Barzan hem.

'Oké, dus iedereen zag het en... wat dachten ze?'

'Ze konden het niet geloven!' zei Barzan schouderophalend. 'Wanneer was de laatste keer dat er een Koerd werd geportretteerd? Al sla je me dood. En nu opeens zagen ze deze gesoigneerde, innemende zakenman – wist je trouwens dat hij aan het MIT heeft gestudeerd?'

'Ja.' Danny zweeg even en probeerde alles op een rijtje te zetten. 'Dus volgens jou hebben die tv-lui het feit dat hij Koerdische wortels heeft flink benadrukt...'

'Nee,' reageerde Barzan. 'Dat zeg ik niet. Het is veel subtieler. De "tv-lui" hoefden dat helemaal niet te doen. In Turkije is "Zerevan Zebek" net zo'n begrip als "Menachem Goldberg". Als je die naam hoort, hoef je heus niet naar zijn religie of etnische achtergrond te vragen – je wéét 't gewoon. Sterker, als hij hier had gewoond, zou hij waarschijnlijk een andere naam, een Turkse, hebben aangenomen – hoewel daar eindelijk verandering in begint te komen.'

'Dus de Ouderlingen zien dat tv-programma...'

'En ze herinneren het zich,' zei Barzan. 'Het stelt niet veel voor, maar ze herinneren het zich wel. Ook ík wist het nog.'

'En de imam...'

'Niets mee aan de hand. Maar niet voor lang. Er verstrijkt een maand, dan nog een – en hij wordt vermoord in Diyarbakır. Twee dagen later wordt er in Nevazir een *shura* belegd. De Sanjak wordt onthuld en... *baf!* Ze weten níét wat ze zien. Ze herinneren het zich.'

'Zebek wordt de nieuwe imam.'

Barzan knikte.

'Heb je je grootvader hierover verteld?' wilde Danny nu weten.

'Natuurlijk.'

'En?'

'Niets "en". Zonder bewijzen kan hij niets doen. Hij kan niet eens met een beschuldiging komen. Je moet goed begrijpen...' Hij boog zich voorover naar Danny. 'Veel van de Ouderlingen geloven écht dat Zebek de vervulling is van de voorspelling in de Schrift, dat hij de wedergekeerde Pauw Engel is en dat zij nu de aarde zullen beërven.' Hij schudde zijn hoofd. 'Niet alleen zullen ze niet snel aan hem twijfelen, ze beschouwen hem zelfs als een godheid, de levende god. Daarom was dat rapport van Rolvaag juist zo belangrijk.'

Danny zuchtte. 'De jaarringen zeker? Waar gaat dat dan over? Ik zie het verband niet.'

Barzan plaatste zijn vingers tegen elkaar en liet zijn kin even op de toppen rusten. 'Toen Chris de foto van de Sanjak onder ogen kreeg, herinnerde hij zich de man die hij een paar dagen daarvoor uit een Bentley had zien stappen.'

'En hij wist dat het Zebek was?'

'Nee,' zei Barzan hoofdschuddend. 'Hij wist alleen dat de man in de Bentley een dubbelganger was van de Sanjak. Maar ík wist wel wie het was. Ik had hem op televisie gezien – net als iedereen.'

'En je vertelde het aan Terio?'

'Natuurlijk. Het punt is dat Chris er meer verbolgen over was dan ik. Hij maakte zich kwaad over wat hij beschouwde als het moedwillig perverteren van een eeuwenoude traditie. Hij was vastbesloten ervoor te zorgen dat Zebek hier niet mee zou wegkomen.'

'En toen?' vroeg Danny. 'Wat deden jullie?'

'Het idee was om aan te tonen dat de Sanjak een vervalsing was,' zei Barzan. 'Dat Zebek de borstbeelden had verwisseld om zijn verkiezing tot imam te bewerkstelligen.'

'En hoe dachten jullie dat te kunnen bewijzen?'

'Met de jaarringen. Het was een idee van Chris. Houten voorwerpen – scheepsmasten, de balken in een gebouw – kun je dateren door de nerven in het hout te vergelijken met een dwarsdoorsnede van bomen waarvan de leeftijd bekend is – zolang ze maar uit hetzelfde gebied komen. Wat de vergelijking mogelijk maakt, is de manier waarop de regenval in verschillende delen van de wereld en in verschillende jaren varieert.'

'En Terio wist hoe je dat deed?'

Barzan schudde zijn hoofd. 'Chris was een geleerde. Snap je, theologen werken vaak samen met archeologen. En archeologen werken voortdurend met dendrologen – dat zijn mensen die jaarringenonderzoek doen.

Maar goed, de techniek wordt gebruikt om de ouderdom van houten artefacten vast te stellen, die soms in verband staan met de religieuze chrono-
logie. Dus Chris was bekend met deze methode en zocht contact met Rolvaag in Noorwegen.'

'Rolvaag was een dendroloog?'

'Precies. En er bestaat een gigantische database die betrekking heeft op
dit gebied, omdat – tja, dit hier is Mesopotamië. Archeologen graven hier
al een paar eeuwen en hebben alles gedateerd. Ze hanteren een aantal verschillende tijdlijnen – maar de belangrijkste zijn die met betrekking tot ke-
ramische en houten voorwerpen.'

Danny peinsde. 'Dus het idee was... wat? Om de ouderdom van die kop
vast te stellen?'

Barzan knikte. 'De buste zou ongeveer acht-, negenhonderd jaar oud
moeten zijn. Sjeik Adi zou hem persoonlijk hebben uitgesneden.'

Danny keek verward. 'Maar hoe...'

'We ondernamen een tweede reis naar Nevazir en kochten de toezicht-
houder om om ons even alleen te laten met de Sanjak. We schaafden een
deel van het voetstuk af – als een laagje fineerhout – en stuurden het op
naar onze man in Noorwegen.'

'Rolvaag,' bromde Danny.

'Ja. Tussen haakjes, ik heb die jongedame in Oslo weer gebeld,' zei Barzan, 'om te zien of ze dat rapport of het monster nog had gevonden.' Hij
stak zijn duim omlaag.

'Maar...' begon Danny.

'Hm?'

'We zouden het nog eens kunnen doen. We zouden een ander monster
van het beeld kunnen nemen...'

Barzan schudde zijn hoofd. 'Nee.'

'Waarom niet? Je hebt het al eens gedaan!'

'Ik weet zeker dat het al lang weggehaald is. Tot de volgende *shura* is er
geen enkele reden om het te bekijken. Met andere woorden, pas als Zebek
overlijdt. Bovendien kreeg de man die ons in Nevazir binnenliet later een
ongeluk,' vervolgde Barzan. 'Een van Zebeks mannen heeft daarna zijn
plaats ingenomen. Zoals het borstbeeld nu wordt bewaakt, is het onmogelijk er zonder toestemming bij te komen.'

'Dan vrágen we toch toestemming. Je grootvader...'

Barzan schudde zijn hoofd. 'Alleen de imam kan toestemming verlenen
– of de Ouderlingen. En dan bedoel ik álle Ouderlingen.'

'En die zullen dat weigeren?'

'Wat denk je? Ze achten Zebek de levende god.'

Voor wat een lange poos leek, zeiden de twee mannen geen woord. Ten
slotte verbrak Danny de stilte. 'Weet je wat ik niet snap? Waarom? Wat
schiet Zebek er precies mee op? Waarom al die moeite? Hij is al een soort

god; hij is immers miljardair. Hij is een *Master of the Universe!*'

Barzan grinnikte.

'Ik meen het,' hield Danny vol. 'Hij heeft z'n eigen jet...'

'Het draait allemaal om geld,' legde Barzan uit. 'Hij heeft het geld nodig.'

'Welk geld?'

'Het geld van de stam,' glimlachte Barzan zwak. 'Ze beschikken over een behoorlijke smak geld.'

'O ja?' Danny wist zijn ongeloof niet te verbergen.

'Ik weet wel wat je denkt. Ik weet hoe het overkomt,' zei Barzan. 'De paar toeristen die het gebied rond Uzelyurt bezoeken, zien enkel herders, boeren die abrikozen planten en vrouwen die tapijten weven. Ze zien de stoffige stadjes en kleine winkeltjes met goedkope tl-verlichting. Ze kijken binnen – en er valt eigenlijk niets te zien. Dus denken ze dat de Jezidi's arm zijn, maar dat zijn we niet. Het is om gek van te worden.'

'Wat bedoel je?' vroeg Danny.

'Dat ik aanvankelijk blij was dat de oude imam heenging. Er zijn dorpen waar niet eens een betrouwbare watervoorziening is. Steden waar de mensen niet over de middelen beschikken om hun waren naar de markt te brengen. Daar had de imam iets aan kunnen doen, maar dat deed hij niet. In zevenenveertig jaar tijd waren de enige cheques die hij uitschreef voor "Koerdistan" – dat wil zeggen, voor C-4, wapens en semtex. Met andere woorden, vooral voor de PKK. Wat de bevolking nodig heeft, is een opstapje naar de eenentwintigste eeuw. En het geld is er gewoon.'

Danny keek hem vragend aan. 'En waar komt dat dan vandaan?'

'Guano.'

Danny had het woord nooit eerder gehoord. 'Wat is "guano"?' vroeg hij.

'Vleermuizenstront,' vertelde Barzan. 'Tenminste, vroeger kwam het geld daarvandaan. Nu wordt het door beleggingen gegenereerd. Maar het is nog niet eens zo lang geleden dat de Jezidi-karavanen vanuit Uzelyurt af en aan reden en via de zijderoute naar China reisden. Een aantal handelaren keerde terug over zee. En op een van die zeetochten ruilde een Jezidi die Derai heette een kilo saffraan voor een paar onbewoonde eilanden in de Suluzee.'

'Saffraan,' herhaalde Danny.

Barzan knikte. 'Die eilanden waren bezaaid met grotten, en die grotten zaten vol vleermuizen. Dus eeuwenlang was de guano in het donker opgestapeld en opgedroogd. Een goudmijn was er niets bij. Guano is namelijk de vruchtbaarste meststof ter wereld. Het was licht van gewicht, makkelijk te winnen en eenvoudig te vervoeren. En deze eilandjes stikten er bijna in.'

'En de man die het ontdekte...'

'Derai.'

'... die werd rijk?' vroeg Danny.

'Nee, hij werd ziek. Kreeg cholera en stierf op weg naar huis. Dus de eilanden kwamen in handen van de stam en brachten bijna een eeuw lang meststof op. Uiteindelijk raakte de mijn uitgeput, en trouwens, kunstmest deed zijn intrede. Tegen die tijd hadden we onze belangen uiteraard gespreid.'

'Via de holding,' opperde Danny. 'Tawus Holdings.'

'Juist.'

Layla trad binnen met een zilveren dienblad met verse espresso's, en Danny zag dat ze inderdaad Barzans meisje was. De Koerd sloeg zijn arm om haar middel en trok haar tegen zich aan. Ze bloosde en maakte zich met een heimelijke glimlach uit de voeten.

'Aardige meid,' zei Danny.

Barzan grijnsde. 'Ze is de beste. En heeft een hart van goud.'

Danny nam een slokje van zijn volmaakte espresso.

'Eerst dacht ik precies hetzelfde als jij,' zei Barzan.

'Wat bedoel je?'

'Zebek, dat hij in feite al een *Master of the Universe* is! Hij heeft z'n eigen Boeing. Waar heeft-ie óns geld dan nog voor nodig?'

Danny haalde zijn schouders op. 'Precies. Het snijdt geen hout.'

'Nou... hij heeft 't nodig.' Barzan stond op, rekte zich uit en wiegde achteruit op zijn hielen. 'En niet zo'n beetje ook. Wat hij daar bij VSS ook uitspookt – en ze hebben nog niet eens een product – het is in elk geval vreselijk kostbaar. Ik sprak een vriend van me bij Morgan-Stanley en vertelde hem dat ik overwoog er wat risicodragend kapitaal aan te wagen. Twee dagen later belt-ie me op. Zegt dat VSS driehonderd miljoen in het rood staat, twintig miljoen cash heeft en maandelijks ongeveer vier miljoen uitgeeft.'

'Wanneer was dit?'

'Een paar maanden geleden.'

'Dus hij gaat failliet,' stelde Danny.

'Dat gíng hij. En dat zóú hij. Maar zodra hij Tawus Holdings in handen krijgt – zodra de Ouderlingen hem zeggenschap geven – zal hij uit de zorgen zijn.'

'Ligt er zoveel geld voor het oprapen?'

'Ja.'

Danny knikte. En fronste het voorhoofd. Dus daar draaide het allemaal om? De 'tech-wreck'? Hij was een tikkeltje teleurgesteld. En geloofde het eigenlijk niet. Er was nog iets. Hij kon nog wel begrijpen dat iemand in staat was voor geld een moord te plegen, maar wat Zebek had gedaan, ging wel even wat verder. Er school een vervaarlijke wreedheid in de moorden die hij had gepleegd. 'Je gaat toch niet iemand levend begraven,' mijmerde hij hardop, 'om een kredietfaciliteit te krijgen?' En terwijl hij dit zei, besefte hij dat zijn argwaan over wat er in de kelder van Terio's boerderij was gebeurd nu een onomstotelijke zekerheid was: Chris Terio had géén zelfmoord gepleegd.

'Maar waardoor ging Zebek achter Terio aan?' vroeg Danny. 'Ik bedoel, hoe kwam hij erachter dat Terio belangstelling voor hem had?'

'Weet je nog hoe je aan mijn naam kwam? De telefoongegevens?'

'Die ik aan Zebek overdroeg.'

'Ja. Nou, Chris en ik spraken elkaar niet vaak. Helemaal niet, eigenlijk. Mijn naam kwam op die shortlist terecht omdat Chris met groot nieuws belde. Hij was opgewonden, verguld zelfs. Hij had nieuws gekregen uit Noorwegen. De tests waren afgerond, vertelde hij me, en we bleken gelijk te hebben. Natuurlijk hadden we gelijk! Chris wachtte op het geschreven rapport, maar over de telefoon vertelde Rolvaag hem al dat het houtmonster dat we van de Sanjak hadden afgeschaafd niet meer dan honderd jaar oud was, vermoedelijk nog minder, en dat het uit Jemen kwam. Dus dit was het bewijs: de Sanjak was vals. Chris vertelde me dat hij de Ouderlingen per direct een brief had gestuurd, geadresseerd aan Tawus Holdings, waarin hij de authenticiteit van het borstbeeld formeel in twijfel trok. Ik vermoed dat dit zijn dood is geworden.'

'Maar waarom?'

'Omdat Tawus slechts één werkneemster telt – ene Pastorini. Ze is nieuw, en je kunt er vergif op innemen dat ze voor Zebek werkt.'

Danny kreunde licht.

Barzan keek hem bedenkelijk aan. 'Ken je haar?'

'We hebben kennisgemaakt…' Danny sloeg zijn ogen op naar de rij tv-monitors. 'Je vrienden zijn er,' merkte hij op.

Barzan keek op van de computer naar de blauwige schermen aan de muur. Op de meeste was geen activiteit te zien, maar bij het poorthuis stapten net twee mannen in uniform uit een jeep. Een van hen schikte zijn baret en klopte vervolgens op de deur van het huisje. De honden op de binnenplaats begonnen te blaffen.

Barzan duwde zijn stoel van het bureau af. 'Uitstekend,' zei hij. 'Ik wil ze toch even spreken. 's Kijken of iemand naar ons heeft geïnformeerd.'

Op dat moment, net toen Barzan opstond, hoorden ze het – een enkel schot en daarna nog twee, alsof in de verte een klappertjespistool afging. Terwijl ze zich snel weer naar de monitors omdraaiden, zagen ze de soldaten naast elkaar met getrokken pistolen onder de camera staan.

Vloekend rukte Barzan de .45 uit zijn riem en rende naar de deur. 'Hou je gedekt!' beval hij en hij vloog de kamer uit.

Overrompeld kon Danny zijn ogen niet van de monitors afhouden. De honden werden nu helemaal gek, wierpen zich tegen het hek, vielen terug en sprongen weer op. Op een van de monitors stormde Layla over de binnenplaats terwijl op een andere Barzan de voordeur uit kwam rennen. Dezelfde jongen die Danny naar de tandarts had gebracht, rende met een machinepistool in de aanslag langs de fontein. Het volgende moment vloog de poort open. De honden sprongen erop af. De hel brak los.

# 17

Terwijl op de binnenplaats het geknetter van geweerschoten weerklonk, schoten Danny's ogen van monitor naar monitor. Op het ene scherm viel naast de fontein een soldaat met een zwarte vlek op zijn borst en een verbaasde blik op zijn gelaat op zijn knieën. Op een tweede monitor kwam een open truck hevig schommelend de heuvel naar het huis op gereden, een stofwolk achter zich opwerpend. Achterin zaten een stuk of vijf soldaten met hun geweren recht voor zich, de lopen naar de hemel gericht. Andere monitors leken te knipperen terwijl mensen en honden langs de camera's renden en in verschillende ruimtes van het huis en de tuin in en uit het beeld schoten.

Hij wist dat hij iets moest doen in plaats van een beetje toe te kijken. Een stem in zijn hoofd schreeuwde het uit, maar zijn lichaam leek als verlamd; ook kon hij zijn ogen niet van de beeldschermen afhouden. Het was een slachting in soft focus, waarbij het onderwaterblauw van de monitors alles tot een waas maakte. Geschreeuw en gegil doorkliefde de middag, onafhankelijk van de tv-schermpjes aanzwellend en weer wegstervend, terwijl geweren en pistolen elkaar bestookten. Danny zag hoe een soldaat wankelde en neerzeeg naar de grond terwijl een van de jachthonden hem bij de keel greep. Het volgende ogenblik zat de tweede hond al boven op hem en drukte zijn snuit in het kruis van de man. Een tweede soldaat kwam aangerend om de eerste te helpen, ondertussen wild om zich heen vurend. Opeens knalde zijn hoofd uit elkaar terwijl de jongen met de M-16 schietend vanuit de heup in beeld verscheen.

Plotseling verscheen Barzan weer naast hem. 'Kom mee,' beval hij en hij drukte een pistool van hetzelfde type als het zijne in Danny's handen. Een moment staarde Danny hulpeloos naar het wapen. Op de monitors kwamen intussen twee trucks schokkend tot stilstand voor het huis. Er sprongen soldaten uit. Danny kwam overeind en zag Layla aan de andere kant van het atrium de kamer in rennen. Eventjes keken ze elkaar recht in de ogen – het volgende moment werd ze al lopend door een geweersalvo getroffen. Als een danseres die haar evenwicht verloor, zweefde ze door de lucht en ging neer. Er klonk nog een salvo en het raam van het atrium verpulverde tot een waterval van glas.

Danny hobbelde zo goed en zo kwaad als hij kon achter Barzan aan, zag de gele trui van de Koerd door de hal verdwijnen en een hoek omslaan. Met z'n hoevelen zijn ze? vroeg hij zich af. Minimaal met twee trucks. Een stuk of twaalf soldaten, vermoedelijk meer. Nee, dan hij, met zijn zere voeten en een pistool waarmee hij niet overweg kon. Meer Dumbo dan Rambo.

Plotseling verscheen Barzan weer voor hem, achteruitlopend met de handen in de lucht, kalm pratend tegen iemand die Danny niet kon zien. Hij voelde de adrenaline door zijn lijf jagen en bracht met beide handen het pistool omhoog, net zoals op de televisie. Hij wachtte totdat degene die Barzan onder schot hield om de hoek verscheen.

Maar er verscheen niemand. Ze openden gewoon het vuur met een of ander automatisch wapen en Barzan werd van zijn buik tot boven zijn borstkas opengereten. Achteruitkrabbelend stootte hij tegen een tafel, waardoor een vaas met rozen door de lucht vloog en naar de vloer zeilde. Daarna kwam de soldaat die hém had neergeschoten in beeld en zag met een verraste blik Danny staan.

Die had het geluk van een beginner: zijn eerste schot blies de zijkant van het hoofd van de soldaat weg. Het tweede en derde schot verbrijzelden het raam dat op het atrium uitkeek.

Danny rende naar Barzan, gleed uit in een plas bloed, ving zichzelf op tegen de muur en haalde diep adem. Zijn vriend was dood. Hij zag het in de ogen die, open en bewegingloos, op heldere, marmeren knikkers leken. Nog steeds hoorde hij schoten op de binnenplaats, maar niet meer zoveel als zo-even, en nu hoorde hij ook het geluid van soldaten die van kamer naar kamer gingen, de deuren intrappend.

Hij kon geen kant op. Zat als een rat in de val. Vanuit beide richtingen naderden ze door de gang en sloten hem in een soort tangbeweging in. Zodra een van de twee eenheden om de hoek verscheen...

Instinctief graaide hij een kussen van de bank langs de muur en liep naar het raam dat hij zo-even nog aan gruzelementen had geschoten. Met het kussen als bescherming voor zijn handen duwde hij de grotere stukken glas die uit het kozijn staken weg en keek omlaag.

Het was zeker drie meter naar beneden – ook onder de beste omstandigheden nog een pijnlijke sprong, maar zoals zijn voeten er nu uitzagen... Hij legde het kussen over de achtergebleven glasscherven in het kozijn en probeerde de benodigde moed bijeen te schrapen, of misschien gewoon te wachten totdat de moed hém bijeen zou schrapen.

Hij hoorde soldaten door de gang rennen, wierp een blik op de in zijn bloed badende Barzan, klauterde door het gebroken raam, hurkte op de rand en... sprong.

Hij landde plat op zijn voeten, en even zou hij hebben gezworen dat hij op een spijkerbed was geland. De pijn spoot vanuit zijn voetzolen omhoog en explodeerde als een spervuur van Romeinse kaarsen achter zijn ogen. In een reflex balde hij zijn vuisten en beet zijn kaken opeen in een geluid- loze schreeuw. Vervolgens strompelde hij over het atrium naar de omrin- gende zuilengang.

Deze bestond uit een reeks bogen die de eerste verdieping van het huis – de woonvertrekken – schraagden en behelsde zelf een serie dienstruim- ten die alle met een doorgangetje op de binnenplaats uitkwamen. Rechts van hem stond een rij wasmachines langs de muur, waar een dikke vrouw in een witte jurk en met een hoofddoek om naast een mand wasgoed doodsbang op haar benen stond te trillen. Achter haar zag hij plastic droogrekken, met daaroverheen drogend beddengoed, en een bak flessen, bestemd om te worden gerecycled.

Hij bracht een vinger naar zijn lippen, stapte langs de vrouw en sloop voorzichtig verder tot aan de rand van de binnenplaats. Overal zag hij li- chamen: vier soldaten, een vrouw die hij niet herkende, de jongen die hem naar de tandarts had gereden, één van de honden. En achter de lijken de muur van honingkleurige steen, die rond de villa en het stuk grond was opgetrokken.

De bovenkant van de muur schitterde van de glasscherven. Een deur zag hij niet. De enige uitweg was erop en eroverheen, of anders via de poort aan de andere kant van het huis – waar het natuurlijk wemelde van de soldaten. Vlak bij de drogende beddenlakens lag een lapjeskat in de zon te soezen. Het dier rolde op zijn rug nu Danny naderde.

De muur was een meter tachtig hoog, met het gebroken glas erbij nog een centimeter of vijf hoger. Het is te doen, sprak Danny zichzelf moed in. Op de middelbare school had hij als hoogspringer bij regionale wedstrij- den ooit de een meter vijfentachtig gehaald. Maar dat was toen. Hij had er drie pogingen voor nodig gehad. Daarvoor maar ook daarna was het hem nooit meer gelukt. Dus echt te doen was het nu ook weer niet – niet door hem in elk geval. Niet zonder zijn rug aan repen te scheuren. Hij draaide weg van de muur en precies op dat moment werd de stilte in het huis ver- broken door een pistoolschot.

Een ogenblik dacht hij dat hij was gezien, dat iemand op hem richtte en dat anderen nu snel zouden komen aanrennen. Maar nee. Het eerste schot werd gevolgd door een lange stilte. Daarna een tweede schot en weer stil- te. Een derde schot. De kat schrok op en sloop laag langs de grond naar de muur. Dit klonk niet als een vuurgevecht. Het leek meer alsof iemand aan het schijfschieten was. Toen drong het tot hem door. Iemand liep van li- chaam naar lichaam en zorgde er met een genadeschot voor dat iedereen echt dood was.

Ik ben weg, was zijn besluit. Hij stak de binnenplaats over naar de muur en probeerde ertegenop te springen om te zien wat er aan de andere kant was, maar met deze voeten kon hij nauwelijks opspringen. Meer dan een huppelsprongetje zat er niet in. (Daar ging zijn plan om de muur te slechten met een fosburyflop.) Het enige wat hij zag, was de schemerachtige hemel en, verder naar rechts, de toppen van de knotwilgen langs de grindoprit.

Hij liep terug naar de wasmachines en rukte het matras van het veldbed, wat een jammerend protest ontlokte aan de vrouw met de hoofddoek. Sliep ze hier soms? Het zachte geluid was genoeg om zijn hart te breken. 'Kom mee,' zei hij en hij gebaarde haar hem te volgen. Maar nee. Dat zat er echt niet in. Deze doodsbange vrouw kreeg hij nooit mee over die muur.

'Ze zullen u doden,' fluisterde hij.

Heftig schudde ze niet-begrijpend haar hoofd.

Bij wijze van uitleg haalde hij een vinger langs zijn keel en wees naar het huis. Het gebaar maakte haar zelfs nog banger en ze kneep haar ogen stijfdicht, alsof hij zo vanzelf zou verdwijnen. Hij kon niets uitrichten.

En dus greep hij een stoel met rechte rug en beende, het matras achter zich aan slepend, de binnenplaats weer op. Hij voelde de rillingen over zijn rug lopen en beeldde zich al in dat een kogel in zijn ruggengraat sloeg, dat de botsplinters door zijn borst joegen en dat de kogel zijn longen doorboorde. Hij beeldde zich al in...

Hou... je... bek.

Hij duwde de stoel tegen de muur, stapte erop en nam een kijkje.

De oprit met de kiezelsteentjes was rechts. Hoewel hij de legertruck niet zag (die moest door de poort zijn gereden nadat de bewaker was neergemaaid), stond er wel een jeep voor het poorthuis, misschien dertig meter verderop. Voldoende dichtbij om de ruis van de radio op te vangen. Achter het stuur zat een soldaat met een walkietalkie tegen zijn oor. Nog eens twee anderen leunden tegen het poorthuis, rokend, onverschillig jegens het lijk dat aan hun voeten lag.

Links zag hij de schuur waarin ze hem hadden geslagen. Erachter stonden nog meer schuren, kralen en dierenkooien. Misschien dat hij er eentje kon bereiken.

Hij legde het matras over het glas en wierp een been over de rand van de muur. Zo zacht als hij maar kon, liet hij zich van het matras glijden en hij landde voorzichtig op zijn tenen. Daarna duwde hij het matras terug over de muur en maakte zich ineengedoken uit de voeten.

Instinctief begaf hij zich naar de schuur waar ze hem hadden vastgehouden – op dat moment schoot hem te binnen dat de plek door een van de bewakingscamera's werd bestreken. Hij boog af naar rechts en schuifelde moeizaam voort door een schaapskooi die sponzig was van half opgedroogde mest. Aan de andere kant stond een kleine stal waarvan de schuifdeur op een kier stond.

Het eerste wat hem bij binnenkomst opviel, was de geur – het rook er fruitig, wat hier totaal niet op zijn plaats leek. Staand in de duisternis luisterde hij naar het bonzen van zijn hart, terwijl zijn ogen aan de duisternis wenden. Al snel zag hij de contouren van een keurige rij schoppen en harken, die tegen de muur stonden. Een kist met vodden, een roerpen, een lege trog en een stapel plastic jerrycans. Op elk van deze stond in keurige blokletters het woord ACETON.

Hij leunde met zijn rug tegen de muur en liet zich langzaam op de vloer zakken. Hier wil ik dus niet worden gevonden, dacht hij. Niet hier. Als ze me in een open veld vinden – dan is het in een seconde voorbij: één schot in het hoofd, en... dat was het dan. Ik ben er geweest. Leuk is anders, maar tenminste geen... langzame dood. Maar vinden ze me hier, en ze zien de aceton – wie weet zeggen ze dan: hé, laten we wat lol maken!

Tijd om te gaan.

Hij krabbelde overeind, stapte naar de deur, gluurde even naar buiten en zag een auto de oprit naar het huis op draaien. Chique wagen, dacht hij nog even, waarop hij opeens ijskoud werd nu hij besefte wat voor auto het was: een Bentley. De grote, zwarte wagen was inmiddels dichter naar het huis gereden en kwam tot stilstand.

Vanuit de richting van het huis kwam een soldaat de oprit afgerend. Zijn geweer bonkte tegen zijn zij. Hij hield stil naast de auto, plaatste een hand op het dak, boog zich voorover en wachtte tot het achterraampje omlaaggleed. Er volgde een korte woordenwisseling, waarbij de soldaat lachte en naar het huis gebaarde. Vervolgens stapte hij naar achteren en salueerde kordaat.

De Bentley bleef met zacht draaiende motor staan. Even later zwaaide het achterportier open en Zerevan Zebek stapte uit. Na snel even naar links en naar rechts te hebben gekeken, ritste hij zijn gulp open en begon in Danny's richting te plassen. Eventjes dacht hij dat ze hem hadden gevonden en dat deze handeling als een opzettelijke belediging was bedoeld. Maar nee. Na zijn blaas te hebben geledigd ritste Zebek zijn broek weer dicht, stapte in de wagen en reed verder naar de villa.

Op hetzelfde moment zag Danny de soldaten door de velden lopen. Met hun geweren in de aanslag speurden ze de grond af. Zoekend naar iemand, naar hém.

Hij draaide zich om en wierp een panische blik door de stal, op zoek naar een plek om zich te verbergen. Er stond een primitief gemaakte ladder tegen een overstek. Hij klauterde omhoog naar een zolder waar balen hooi opgestapeld lagen. Terwijl hij de ladder op de hooizolder trok, zag hij in een ooghoek iets wegschieten en in het hooi verdwijnen. Een muis, hoopte hij, maar gezien de manier waarop het bewoog vast een slang.

Hij hield niet van slangen.

Zittend waar hij zat, ruim van de rand van de vliering af, zag hij dat zijn been nat was. De mooie linnen broek die Barzan hem had geleend, plakte iets onder de rechterknie tegen zijn huid. Hij trok de pijp bij de omslag omhoog en zag dat zijn kuit helemaal onder het bloed zat. Met een handvol stro veegde hij het bloed weg en ontblootte zo een diepe jaap.

Wanneer is dát gebeurd? vroeg hij zich af. Misschien op de muur, misschien ook niet. Het was belangrijk om de wond te dichten en het bloeden te stelpen. Hij trok zijn gevlochten broekriem los, sloeg deze vlak boven de snee rond zijn kuit en haalde hem strak aan. Het bloeden stopte.

Bijna tien minuten lag hij daar, bang voor de soldaten, ongerust over de slang, doodsbenauwd voor Zebek. Om de zoveel minuten verminderde hij eventjes de druk van de tourniquet die hij had gemaakt om deze daarna weer strak aan te trekken. Hij moest zich hebben opengehaald toen hij door het atriumraam was geklauterd. Of aan de muur. Hoe dan ook, hij moest al een poosje hebben gebloed. Er lag vermoedelijk bloed op de grond, het zat op de muur – een spóór van bloed.

Hij kreunde bedroefd, rolde op zijn zij en keek naar de vloer onder de hooizolder. In tegenstelling tot de stal was de vloer van beton en, ja hoor, van de deur tot waar de ladder had gestaan, zag hij bloedvlekken. Hij had net zogoed een bord kunnen neerzetten met een pijl erop die naar de zolder wees.

Zijn ogen waren inmiddels helemaal gewend aan het schemerdonker van de stal. Over de rand van de hooizolder leunend speurde hij de ruimte af naar water. Een opgerolde tuinslang zat vast aan een tapkraan in de wand. Hij liet de ladder zakken, klauterde naar beneden, liep naar de kraan en draaide hem open. Het water spoot er met zoveel kracht uit dat het uiteinde van de slang opsprong en tegen het beton klapte.

Met een snelle beweging van zijn pols draaide hij de kraan iets dicht en spoelde het bloed weg. Had iemand het gehoord? Dat moest wel. De slang leek wel een tinnen trommel. En nu hij erover nadacht – te laat – wat zouden die soldaten denken van deze natte vloer, als ze binnenkwamen?

Ik ben niet geschikt voor dit soort toestanden, was zijn gedachte, en hij draaide de kraan dicht en rolde de slang op. Vervolgens klom hij weer naar boven en trok de ladder op de vliering. Zodra het donker is, beloofde hij zichzelf, ben ik hier weg.

Er schoot iets langs de muur.

De tijd vertraagde, drentelde voorbij alsof ze etalages bekeek. Om nu te zeggen dat hij zich op zijn gemak voelde, was ver bezijden de waarheid. Nee, hij was uitgehongerd, gewond en doodsbang. De geur van de aceton – vermengd met die van hooi en mest – was ondraaglijk. Vliegen voerden snoekduiken uit naar zijn gezicht. Steekmuggen zogen zijn bloed. Hij wist niet meer wat hij met het pistool had gedaan en vervloekte zichzelf dat hij het op de een of andere manier had verloren. Met een pistool zou hij misschien nog een kans hebben…

De aceton deed hem denken aan Caleigh, die haar nagels altijd met heldere nagellak lakte, een gewoonte die hij heel sterk met South Dakota associeerde – tot die keer dat ze hem liet kennismaken met het uitgaansleven in Pierre, waar de overheersende trend een glitterige cowgirlversie van Vampira leek te zijn.

De gedachte aan Caleigh maakte hem nog ongelukkiger en dompelde hem onder in een poel van verlangen en zelfmedelijden. Hoe win ik haar terug? Eerste stap: zorg dat je in leven blijft.

Maar hoe? Wacht tot het donker is. Steel een wagen of lift naar… de grens. Net als in de films; ze staken de grens over en waren veilig – de goeden waren altijd veilig. Maar wat had het voor zin om naar de grens te rijden, ook al had hij een auto, ook al wist hij waar hij heen moest? Zijn paspoort en portefeuille lagen immers in het huis, met al die doden. En al die soldaten.

Van wie hij er net een had doodgeschoten.

Daar wilde hij liever niet aan denken, maar de beelden bleven door zijn hoofd spoken. Barzan die aangeschoten en wankelend tegen de tafel stootte. De vaas met de rozen die door de lucht vloog. De soldaat die plotseling opdoemde en de verbaasde blik op diens gezicht, de snelle beweging van zijn ogen naar het pistool vlak voordat Danny de trekker overhaalde. En vervolgens het uiteenspattende hoofd van de soldaat, het bloed en de smurrie.

Dus naar de grens rijden kon je niet echt een briljant idee noemen. Hij zou immers nooit langs een controlepost komen, en zelfs als hem dat wel lukte, zou hij zonder rijbewijs nooit Syrië of Irak in komen. Daar had je immers een visum voor nodig, en hij had zo de indruk dat ze daar bij de douane behoorlijk streng in waren.

Bleef over: de ambassade in Ankara. Ook hier hetzelfde probleem, maar in elk geval geen grenzen om over te steken. Slechts een kleine 1300 kilometer aan bergen en steppen. Als hij mazzel had…

Met zijn akelige kop gleed de dikke bruine slang door het stro naar Danny's been. Het gespleten tongetje trilde opgewonden door de geur van bloed. Hij bespeurde het dier eerst vanuit een ooghoek, zag het vervolgens pal voor zich en verstijfde. De slang bleef stil liggen, met zijn kraaloogjes gericht op de ruimte tussen Danny's sandalen en de bloederige omslag van zijn broekspijp.

Het beest was van plan – Danny wist het zeker – die aantrekkelijke holte binnen te dringen, terwijl hij overwoog zich dan maar vanaf de hooizolder naar beneden te werpen. Wat maakte het uit als hij zijn nek brak? Dan zou hij tenminste…

Op hun tenen kwamen de soldaten de stal in; hun ogen schoten van links naar rechts, met de uzi's of AK's (of wat het ook waren) in de aanslag.

Zijn hart sloeg een slag over.

De soldaten overlegden zacht met elkaar terwijl ze zich langzaam door de stal bewogen, zoekend naar iemand of iets – waarschijnlijk naar hem. Net als deze slang, die nu zijn kop opstak en ermee zwaaide, eerst naar links en toen naar rechts en omlaag. Bijna op zijn gemak kroop hij centimeter voor centimeter dichter naar zijn voet. Ondertussen kwam er iets omhoog in Danny's keel.

Eerst wist hij niet wat het was, maar het moment daarop wel degelijk. Het was een schreeuw...

... die hij inslikte.

Maar vervolgens kwam een tweede schreeuw opzetten – recht uit het hart – en het viel nog te bezien of hij deze ook kon onderdrukken. Hij voelde hem al opkomen, een hoge angstkreet, zo intens dat hij ervan overtuigd was dat de soldaten hem gewaar moesten worden, net zo gemakkelijk als de slang zijn bloed gewaar was geworden.

Vervolgens draaide de slang zich om en een ogenblik later zei een van de soldaten iets waardoor de ander in de lach schoot. En ze beenden naar buiten.

Jezus weende.

Hetzelfde gold voor Danny.

# 18

Plotseling werd hij wakker in het donker. De stank van aceton herinnerde hem eraan waar hij zich bevond. Het verbaasde hem dat hij had kunnen slapen; het gevolg, zo vermoedde hij, van het bloedverlies en de adrenaline. Op de tast zocht hij naar de ladder en toen hij deze eindelijk vond, liet hij hem op de grond zakken en klauterde omlaag. Schuifelend door het verstilde aardedonker van de stal hield hij als een net tot leven gewekt monster van Frankenstein die in het lab zijn eerste stappen uitprobeert zijn handen voor zich uitgestoken.

Buiten was de maan een opalen vlek achter een koepelgewelf van wolkenslierten. Binnen, vlak achter de staldeur, luisterde hij naar wat er mogelijk te horen viel. Hij ving het blikkerige geklets op uit een radio of misschien een tv in de verte. Verder niets. Geen echte stemmen. Geen stampende laarzen. Geen verkeer. Hij probeerde na te denken. Welke kant op? Waar was de weg?

Hij had geen idee.

Op dat moment gleed de maan van achter de bewolking vandaan en hij zag de toppen van de knotwilgen. Hun bladeren glinsterden zilverachtig in het maanlicht. De bomen flankeerden de grindoprit, een soort laan. Hij herinnerde zich deze bomen van zijn rit naar de tandarts. De rit met die jongen. Die gespierde jongen die nu dood was.

Hij liep in de richting van de knotwilgen, vond de oprit en over de samengepakte aarde naast de kiezelsteentjes liep hij verder langs de berm. Verlicht door de maan was de oprit gemakkelijk te volgen. Als hij het had gekund, zou hij hebben gerend – maar hij kon het niet.

Het einde van de oprit werd gemarkeerd door stenen zuilen, met boven op elke zuil een ronde bal. Hij stond meteen als bevroren, denkend dat het schildwachten waren. Zoals het licht door de bomen speelde, leken de zuilen wel te bewegen – te wiegen. Maar nu hij besefte dat het licht een spelletje met hem speelde, haastte hij zich naar de weg.

Welke kant moest hij nu op? De lijnen ontbraken op het asfalt, dat naar links en naar rechts afboog en in de duisternis verdween. Hij sloeg zijn ogen op naar de nachtelijke hemel, vond het steelpannetje – de Grote Beer – en herinnerde zich dat het handvat altijd naar het noorden wees.

Of was het toch het zuiden? Of misschien wel het oosten of het westen? Hij sloeg links af.

Het geluid van verkeer droeg ver, maar hij hoorde helemaal niets terwijl hij langs de kant van de weg voortsjokte. Toen hij eindelijk het geluid van een auto opving – het op en neer gaande geloei van een motor die zich een weg door het heuvelachtige terrein zwoegde, op ruim anderhalve kilometer, schatte hij – raakte hij in paniek. Wat als het een legervoertuig was? Of Zebek? Hij stapte van de weg af, verschool zich achter een paar bosjes en luisterde naar de naderende auto. Maar opeens, toen de auto bijna bij hem was, bedacht hij zich en holde zwaaiend als een gek de helling af.

Te laat – hij vervloekte zichzelf nu een BMW, met in de duisternis priemende koplampen, voorbijschoot. Hij was kwaad op zichzelf, want hij had eigenlijk geen keus. Hij kon moeilijk naar Ankara gaan lópen. Hij had een lift nodig, en kon natuurlijk niet eerst elk voertuig inschatten dat de heuvel afkwam. Hij moest het erop wagen.

Maar… hij had wel een soldaat gedood. Weliswaar uit zelfverdediging, maar toch. Hij had niet zoveel verstand van het Turkse rechtssysteem – kende alleen wat hij in de film *Midnight Express* had gezien. Die weg wilde hij niet bewandelen – vooral niet met Zebek in de buurt.

Aan de andere kant… hij kon er niet zeker van zijn of de mannen bij de villa wel echt soldaten waren. Goed, ze droegen een uniform, maar dat bewees niets. Niet echt althans. En nu hij erover nadacht: wie weet hadden die aanvallers helemaal niet geweten dat hij zich in dat huis bevond. Ze waren duidelijk op zoek geweest naar Barzan. Hij was degene die ze te grazen wilden nemen en die ze hadden verwacht aan te treffen. Wat Danny Cray betrof, tja… slechts een handjevol mensen wist dat hij daar zat, en voorzover hij wist, waren ze trouw aan Barzan. Of dood.

Hoe meer hij over dit scenario nadacht, en hoe langer hij doorliep zonder dat iemand hem leek te volgen, hoe waarschijnlijker het leek. De verwarring in de villa was zo groot geweest, met Barzan en de jongen die terugschoten, met overal rennende mensen… dat zijn aanwezigheid vermoedelijk niet eens was opgemerkt. Was dat wel het geval geweest, zo leek hem, dan zouden ze nu naar hem op zoek zijn. En voorzover hij wist, was dat niet het geval. Het was uiteraard een kwestie van tijd voordat ze zijn paspoort vonden – dan zou bij die lui wel een lichtje opgaan.

Een uur verstreek, of twee (wie kon het zeggen?) voordat hij opnieuw een voertuig hoorde. Het klonk nog ver, aan het geluid te horen was het een vrachtwagen met te weinig power voor dit heuvellandschap. Hij staarde in de verte, wachtend tot het voertuig in zicht zou komen. Toen het eindelijk zover was, zag hij dat slechts één koplamp het deed – en dit gaf hem hoop dat het geen legertruck was. Hij stapte de weg op, stak zijn armen in de lucht, met de handpalmen naar buiten, en bad.

Ongeveer tien meter voor hem kwam de vrachtwagen rammelend tot stilstand, maar de bestuurder liet de motor draaien. Uit de radio blèrde Turkse jengelmuziek. Hij baadde in het verblindende licht van de ene koplamp, zijn hart bonkte in zijn keel. Een zoete geur dreef zijn neusgaten in… *kanteloepen*. De open laadbak van de vrachtwagen, waarvan de zijkanten met platen triplex waren afgesloten, was volgeladen met deze wratmeloenen. De man die uit de cabine klauterde, was achter in de twintig, begin dertig. Hij droeg een spijkerbroek, een T-shirt en een baseballpet achterstevoren, die hij nu afnam om een donkere haarbos te onthullen. Hij bewaarde afstand en schreeuwde iets in het Turks.

'Kunt u me een handje helpen?' riep Danny met een ongelukkige grijns op zijn gezicht. 'Ik heb een groot *problemo*!'

De man nam hem van top tot teen op en draaide zijn pet rond. '*What the fuck?*' klonk het.

'Ik zit in de nesten,' legde Danny uit, terwijl hij zijn uiterste best deed het juiste smekende toontje aan te slaan. 'Ik moet…' En pas toen drong het tot hem door dat de man Engels sprak. Hij was met stomheid geslagen, wankelde op zijn zere voeten en staarde de man aan.

'Hoe ben je hier terechtgekomen, man? Waar is je auto? Ongeluk gehad?'

'Je spreekt Engels!' zei Danny op verblufte toon.

'Ja. En Duits ook. Wat is er met jou gebeurd?'

Danny lachte en liep op de vrachtwagen af. 'Over mazzel gesproken!'

'Weet je dan niet dat het hier gevaarlijk is? Hoe ben je hier trouwens beland?' De man keek eens om zich heen of hij een auto of een motor zag.

'Ik, eh…' Over een heuvel in de verte verschenen uit de richting van de villa een paar koplampen. 'Vind je het goed als ik instap?'

Hij hield zijn adem in totdat het duidelijk werd dat de auto de andere kant op was gereden. Tenminste, achter hen zag hij geen lichten. De lucht klaarde op tot een vroege, grijze ochtend terwijl hij een eind breide aan een kletsverhaal over hoe hij met bloed op zijn sandalen en zonder legitimatie hier in deze uithoek verzeild was geraakt. Het was in wezen een verhaal dat hij ooit in een Lonely Planet-gids had gelezen: een jonge vent reist in zijn eentje en ontmoet in de trein een paar aardige buitenlanders. Ze kunnen het prima met elkaar vinden en drinken samen een biertje in de restauratiewagen. Twee dagen later wordt hij wakker langs de kant van de weg. Zonder portefeuille, zonder paspoort, zonder bagage en zonder hoop.

Salim, de vrachtwagenchauffeur, knikte ernstig. 'Ik heb dit verhaal al zo vaak gehoord,' zei hij. '"De Turkse knock-out", noemen ze dat. Maar meestal zijn het vrouwen waar ze achteraangaan – en die worden verkracht.' Hij keek Danny vluchtig aan. 'Je bent niet verkracht?'

'Nee,' antwoordde hij. 'Maar wel genaaid.'

Salim lachte. 'Soms gebruiken ze gas. Heel slecht. Je hebt geluk dat je nog leeft.'

Danny knikte. Hij vond het niet leuk om te liegen, maar wat moest hij anders zeggen? Dat hij net te midden van een razzia een soldaat had doodgeschoten?

'Dit gebied,' vervolgde Salim met een knik naar het landschap, 'is tegenwoordig niet zo goed om te bezoeken. Tot vorig jaar was het zelfs verboden voor toeristen. Zelfs nu komt er niemand. Te gevaarlijk. Dit deel van Turkije – wordt afgeraden.' Met een gezicht alsof hij Danny een standje gaf, keek hij hem aan.

'Vertel mij wat.'

Salim keek hem verbaasd aan. 'Dat doe ik toch?'

Danny glimlachte. 'Dat is een uitdrukking. "Vertel míj wat."'

De verwarring op het gezicht van Salim maakte plaats voor een frons.

'Het is net zoiets als dit,' legde Danny uit. 'Een man hangt aan een steile rots – ik bedoel, hij hangt nog nét aan zijn vingertoppen, oké? Komt er een andere vent voorbijlopen en die zegt: "Jij zit goed in de penarie." En die eerste, de vent die aan die rots hangt, zegt…'

'… "vertel mij wat!"' Salims gezicht brak open in één grote glimlach. Hij lachte, herhaalde de zin alsof het een taalkundige schat was en knikte tevreden. Daarna werd hij serieus. 'Dus ze hebben je paspoort? Geld?'

'Alles.'

'Wat jammer.'

Danny knikte. 'Ik denk dat de ambassade me wel zal helpen. Die staat toch in Ankara?'

'Ja, jij hebt gelijk.'

'En deze meloenen – die gaan naar Ankara?'

Salim lachte. 'Nee. Deze meloenen gaan naar Dogubeyazit.'

'Naar wat?'

'Toen er nog toeristen kwamen,' legde Salim uit, 'noemden ze het "Doggie Biscuit". Het ligt op de vlakte onder de berg Ararat, vlak bij de grens met Iran.'

'Iran?'

'Ja, zeker. Daar woon ik – dat is mijn stad. Maar ik zal proberen voor jou een lift naar Ankara te vinden.'

Danny's gezicht klaarde op. 'Denk je dat je dat lukt?'

Salim haalde zijn schouders op. 'Misschien.'

'Ik…' Danny wist niet wat hij moest zeggen, hoe hij zijn dankbaarheid moest uiten. Even dacht hij erover om hem te beloven geld te sturen, maar hij had het gevoel dat hij met zo'n aanbod Salim zou beledigen. 'Ik zal je voor altijd dankbaar zijn.'

'Er komt een dag dat ík hulp nodig zal hebben,' zei Salim.

Met veel kabaal stuiterden ze verder, de cabine gevuld met de geur van rijpe meloenen. Terwijl Salim zijn eigen droevige verhaal vertelde, vocht Danny tegen de slaap. De vrachtwagenchauffeur was vroeger gids geweest en had groepen klimmers naar de top van de berg Ararat geleid, maar met de 'problemen' – de PKK-opstand – bleven toeristen en wandelaars weg uit Oost-Turkije en waren de zaken achteruitgegaan. Onlangs nog had hij door de valutacrisis een smak geld verloren en zijn gsm-bedrijf was op de fles gegaan. Hij was getrouwd, had twee kinderen en nu reed hij vrachtwagens voor zijn schoonvader en wachtte tot de economie weer aantrok.

'Nou, dat is klote,' sprak Danny.

Salim trok zijn schouders op en glimlachte. 'Vertel mij wat.' Hij grinnikte en zette zijn baseballpet goed. 'Volgens mij wordt het beter. Op een goeie dag zullen we zien hoe onze kansen liggen.'

De dag diende zich aan en daarmee het verbluffende uitzicht op de Ararat, een volmaakt kegelvormige berg met een besneeuwde top. Hij leek op Japanse prentjes van de berg Fuji, maar was gigantisch. De grootste berg die Danny ooit had gezien. Hij kon zijn ogen niet geloven, wat een omvang. Salim legde uit dat hij meer dan vijfduizend meter hoog was, maar zelfs nog hoger leek omdat er geen uitlopers waren – hij stak gewoon recht uit de vlakte omhoog. Danny maakte in zijn hoofd een rekensommetje: 17000 voet.

Voordat ze Dogubeyazit bereikten, passeerden ze twee controleposten van het leger. Beide keren maande Salim hem om net te doen alsof hij sliep. Vol spanning luisterde hij naar de onbegrijpelijke woordenwisselingen tussen Salim en de wachten, maar niemand nam de moeite hem aan te spreken.

Terwijl de zon aan kracht won, manoeuvreerde Salim de vrachtwagen behendig achteruit een pakhuis in tot het laad- en losplatform en liet het verdere werk over aan een team hardwerkende mannen die de meloenen in rap tempo in reusachtige manden wegsjouwden. Danny volgde Salim naar een krap kantoor, waar de Turk een paar vrachtbrieven tekende. Daarna liepen ze een paar straten verder en wachtten op een hoek totdat de *dolmus* arriveerde.

Salim woonde in een tweekamerflat in een klein betonnen flatgebouw aan de rand van de stad. De flat bevond zich op de bovenste verdieping en voor de ramen hingen zware gordijnen om de warmte buiten te houden – zelfs om zeven uur in de ochtend was het al ruim 26 graden. Salims verlegen, knappe echtgenote begroette haar man, boog even naar Danny en schonk voor ieder een glas appelthee in. Terwijl hij van zijn glas nipte, brandde het paar los in een soort snelvuurdiscussie die over het bloed op zijn broekspijp leek te gaan.

'Ayala zegt dat je die wond moet laten verzorgen,' deelde Salim hem mee. 'En ze heeft gelijk.'

Ayala pakte een schaar, een kom water en een wit washandje. Eerst maakte ze de broekspijp nat, daarna trok ze de stof voorzichtig los van zijn huid. Met het washandje veegde ze het opgedroogde bloed weg.

Het zag er eigenlijk niet zo erg uit – een mooie snee, ongeveer zevenenhalve centimeter lang. Ayala liep de badkamer in en keerde terug met een fles. Er bleek waterstofperoxide in te zitten. 'Laat maar,' begon Danny, 'ik hoef geen…'

Ze zwaaide haar wijsvinger als de slinger van een klok voor zijn ogen, opende de fles en goot langzaam ongeveer de helft van de inhoud in de wond. Het begon te schuimen en Danny had het gevoel alsof zijn been met een brander werd dichtgeschroeid. Hij moest zijn uiterste best doen om het niet uit te schreeuwen.

Salim grinnikte. 'Vertel mij wat…'

Toen Ayala klaar was met het verbinden van de wond zette ze nog wat thee en trok zich terug in de slaapkamer. Terwijl hij en Salim van hun warme drank genoten, hoorde Danny haar troostend tegen een huilende baby mompelen, en nu en dan hoorde hij de hoge, zangerige stem van een kind. Na een paar minuten verscheen ze weer met de twee kleintjes, die duidelijk nog maar net wakker waren. Salim speelde een ingewikkeld spelletje handjeklap met het oudere kind, terwijl Ayala met onverholen plezier naar haar man keek en de baby op haar heup hupte. Het jongetje deed zijn mond open en trok aan een van zijn tanden. Hij sprak opgewekt tegen zijn vader en wees naar Danny.

'Hij wil weten van je zilveren tand.' Er verscheen een peinzende blik op Salims gezicht, maar vervolgens haalde hij zijn schouders op.

Danny werd in verlegenheid gebracht. Kennelijk vond zijn gastheer een Turkse knock-out en dan ook nog een twééde rampspoed een beetje ongeloofwaardig worden.

'Mijn kroon is afgebroken,' zei hij, zich opeens herinnerend dat zijn moeder dit ooit was overkomen. 'Zie je, ik had een porseleinen kroon, maar daar zat een barst in of zo. Deze is tijdelijk.' Hij huiverde even. 'Ziet er mooi uit, hè?'

'Mijn zoon vindt 'm prachtig,' zei Salim. 'Hij denkt dat het een extrasterke tand is. Een supertand.'

Danny glimlachte breeduit, zodat de blinkende tand goed te zien was, en het jongetje begon te schateren. Ayala tilde de kinderen op, zei iets in het Turks en wierp Salim een kushandje toe.

'Ze gaan naar haar ouders,' zei Salim, 'zodat ik kan slapen. Bovendien hebben ze daar airco. Wil je misschien in bad? Ayala zegt dat het je goed zal doen.'

Tien minuten later stond hij in het kleine badkamertje voor een dampende badkuip. Terwijl hij zich langzaam in het water liet zakken, begon alles te branden. Even deden de diverse schaafwonden de pijn in zijn voeten, kaak en schouder verdwijnen. Hij keek niet graag naar zijn voeten, waarvan de auberginekleur pas nu een beetje begon weg te trekken.

Het was precies de kleur van een van Caleighs lievelingsjasjes, een besef dat hem zich deed afvragen waar ze, precies op dat moment, aan dacht. In de States was het nu middernacht, dus waarschijnlijk lag ze te slapen, maar… ze droomde vast van hem. In bed met Paulina.

Hij liet een plastic speelgoedbootje te water en keek hoe het naast zijn verkleurde voeten dobberde. Door zijn handen in een draaiende beweging door het badwater te halen, lukte het hem om voldoende stroming te maken om het bootje rond de kuip te laten varen. Het was een leuke manier om de tijd te doden.

'Wil je nu wat slapen?'

Danny kwam de badkamer uit en droeg de kleren die Salim voor hem had klaargelegd. Een kaki broek, die net niet tot zijn enkels reikte, en een T-shirt met op de voorkant de woorden I'M WITH STUPID.

'Dat zou heerlijk zijn,' antwoordde hij.

De Turk gebaarde naar een geïmproviseerd bed dat hij op een van de met *kilim* bedekte banken had opgemaakt. Vervolgens excuseerde hij zich en liep de slaapkamer in.

Danny vlijde zich neer op de bank, sloot zijn ogen en dommelde langzaam weg, luisterend naar de huiselijke geluiden om hem heen. Gedempte stemmen en Arabische muziek, het ruisende verkeer, autoclaxons in de verte. En om de zoveel tijd het bekende deuntje van de ouverture van *Wilhelm Tell*, ten teken dat Salim op zijn mobieltje werd gebeld.

'Ben je wakker?'

Danny opende zijn ogen, knipperde even en kwam overeind. Salim stond breed glimlachend in de deuropening naar de keuken. Het was avond. En nog steeds warm. 'Dat was fijn,' zei Danny. 'Dat had ik nou echt nodig.'

'Mooi,' reageerde Salim. 'Oké, nu eens kijken wie er naar Ankara gaat.'

De Turk liep in een voortvarend en efficiënt tempo, en Danny had moeite hem bij te houden. Hij kwam tot een soort snelwandelaarsloopje dat slechts lukte als hij zijn voeten naar binnen draaide, zodat hij in feite op de buitenrand liep. Na zo'n achthonderd meter doken ze een koffiehuis in dat vol zat met mannen die theedronken, kaartten, kranten lazen en met elkaar praatten. Op een tv-scherm aan de muur was Christiane Amanpour aan het woord. Niemand lette op haar.

Met Danny naast zich liep Salim van tafel naar tafel, waar hij met verscheidene mannen lachte en geintjes maakte – zo nu en dan knikte hij naar Danny, die onhandig glimlachte en vaak zijn schouders optrok.

'Ik… eh… tjonge,' zei hij, terwijl hij Salim naar het zoveelste tafeltje volgde. 'Je hebt vast spijt dat je voor me stopte.'

De Turk keek hem beledigd aan. 'Maar dit is mijn kans om jou te helpen,' zei hij. 'Mohammed had een reden om jou op mijn pad te brengen.'

Ten slotte namen ze plaats aan een tafel met een aantal andere mannen en ze aanvaardden een glas appelthee. Iedereen was aardig en glimlachte, maar het resultaat was steevast hetzelfde. Salim schudde treurig het hoofd en sloeg zijn handpalmen op naar het plafond, waarmee hij wilde zeggen: *Hij is blut. Hij heeft geen cent meer.*

Het leek een hopeloze opgave, en Danny had zich al min of meer neergelegd bij het vooruitzicht te gaan liften. Maar Salim riep op tot geduld, en na een tweede rondje appelthee hadden ze geluk. Een oudere man verscheen bij hun tafel. Hij en Salim wisselden wat woorden uit en Salims gezicht klaarde op. 'We moeten gaan,' deelde hij mee en hij sprong overeind uit zijn stoel. Hij ging Danny voor naar een ander koffiehuis en legde ondertussen uit dat 'Hakan Gultepe vanavond nog naar het westen moet! Pistachenoten. Ik ga zijn baas vragen jou een lift te geven.'

Eenmaal binnen stevende Salim regelrecht af op een tafeltje achterin en hield een korte smeekbede bij een sceptisch kijkende man die elk argument dat Salim maar kon aandragen, leek te verwerpen. Maar uiteindelijk werd de zaak beslecht met een glimlach en handen schudden.

'Je hebt een lift,' kondigde Salim aan, 'maar we moeten ons haasten.'

Op een drafje liepen ze naar de markt waar Salim zijn meloenen had afgeleverd en waar Danny nu aan Hakan Gultepe werd voorgesteld. Hakan was een grote vent van in de dertig met een dikke zwarte snor en een mondvol gouden tanden. Hij tikte Danny geruststellend op de arm, alsof de Amerikaan een paard of een hond was.

'Hij spreekt geen Engels,' verduidelijkte Salim, 'maar neemt je mee naar Bingöl. Ik geef je geld – nee, nee, ik vind dat ik dit moet doen – genoeg geld om vandaar uit naar Ankara te gaan. Maak je geen zorgen – het is niet veel. Maar zorg dat je de weg niet kwijtraakt. Hakan zet jou af bij de *otogar* in Bingöl, waar je een bus naar Kayseri neemt. In Kayseri stap je over naar Ankara.' Hij schreef het achter op zijn visitekaartje en drukte het, samen met een briefje van tien miljoen lira, in Danny's hand.

Hij wist niet wat hij moest zeggen. 'Ik zal je terugbetalen.'

Salim haalde zijn schouders op. 'Zie maar. Het is een van de vijf pijlers waarop de islam is gebouwd,' zei hij. 'De armen een aalmoes geven… is je plicht. Ik wil alleen dat je niet vergeet dat er in Turkije inderdaad slechte dingen kunnen gebeuren – maar ook goeie.'

'Salim…'

'Ik gaf je mijn kaartje,' zei Salim. 'Zodra je thuiskomt, wil ik een e-mailtje, oké?'

'Ja, oké. Doe ik.'

Een *abrazo* – 'Ciao!' – en Salim beende weg in de richting van het dorpscentrum. Danny keek hem na terwijl de ouverture van *Wilhelm Tell* weer opklonk: *tuh-duh-duh, tuh-duh-duh, tuh-duh-duh-duh-duh…* Daarna klom hij op de bijrijdersstoel van een vrachtwagen die het tweelingbroertje leek van die van Salim, alleen was deze volgeladen met jutezakken vol pistachenootjes. Hakan Gultepe ontblootte zijn tanden in een goudgerande glimlach, terwijl de motor kuchte en de vrachtwagen op de klanken van een flauw Arabisch deuntje op de radio wegreed, de avond in.

# 19

Het was een flink eind lopen van de *otogar* in Ankara naar de Amerikaanse ambassade aan de Atatürk Boulevard, maar Danny had geen andere manier om er te komen. Van Salims gulle gift had hij ongeveer een miljoen lira over, genoeg om een broodje gyros te kopen maar niet genoeg voor een taxi. Dus at hij al lopend en op het moment dat het versterkte gejammer van de moëddzin opriep tot het twaalfuurgebed verslikte hij zich bijna in een stukje groene paprika.

Het was een uur later dat Danny hem zag, slap hangend in de verschroeiende hitte: de vlag. Of zoals hij het noemde: *the flaaag!* Zijn hart maakte een jubelsprongetje. Zijn adamsappel leek van trots te zwellen. En hij was zogoed als thuis, al was het maar voor even.

Maar niet heus.

Hij had altijd verondersteld dat een van de hoofdtaken van de Amerikaanse ambassade – élke Amerikaanse ambassade – was om Amerikanen in den vreemde te helpen: medeburgers die het in een vreemd land zwaar te verduren hadden gehad.

Maar nee.

De *foreign service officer* die hij sprak, was een jongeman van ongeveer zijn leeftijd. Maar daar hield de gelijkenis dan ook direct op. Waar Danny gekleed was in een geleende kaki broek en een dom T-shirt, droeg de FSO een donkerblauw pak met onberispelijke vouw en een smetteloos wit overhemd met een roodbruine stropdas. Op zijn bureau lag een exemplaar van de Princeton *Tory*.

Dat laatste ontlokte een heimelijk lachje aan Danny's lippen, waardoor zijn opvallende metalen tand zichtbaar werd. Natuurlijk trok hij aan het kortste eind. Hij wist heus wel dat hij het deze consulaire functionaris niet kon aanrekenen dat hij zelf in deze geleende kleren rondliep, met bloed op zijn sandalen, en er als een dolleman uitzag, maar toch… het universiteitsblad van Princeton?

De ambtenaar leunde achterover in zijn stoel, draaide wat heen en weer en hoorde Danny's verhaal aan met een air alsof hij een stuk ouder was. Zijn houding was een mix van ongeduldige verveling en onverholen min-

248

achting. Ten slotte zuchtte hij en zei: 'U hebt vast wel de reisgidsen gelezen en op internet gesurft of zo, neem ik aan? Ik bedoel, waarom zou iemand in vredesnaam naar het gebied rond Lake Van gaan?'

'Nou…'

'Dan vráág je toch om problemen.'

'Juist,' zei Danny. 'Dat is dus het punt. Ik zít in de problemen.'

'Dat zie ik zo ook wel,' grinnikte de ambtenaar hoofdschuddend. 'Maar ik zie even niet wat u van mij verwacht.'

De opmerking kwam als een schok en even wist hij niet wat hij moest zeggen. Na een korte stilte begon hij uit te leggen. 'Ik ging er min of meer wel van uit dat u zou kunnen helpen. Ik bedoel, daar zijn jullie toch voor, of niet soms? Om Amerikanen te helpen?'

Opnieuw een zucht. 'Om de waarheid te zeggen,' sprak de ambtenaar, 'is dat waarschijnlijk mijn minst belangrijke taak.'

'O, meent u dat?!'

'Ja, eigenlijk wel.'

Danny wilde hem een oplawaai geven, maar net als deze fat tegenover hem had ook hij een belangrijker missie – namelijk thuis zien te komen. Bij voorkeur zónder handboeien om. Hij zette zijn trots opzij. 'Goed, dat spijt me dan, maar… wat stelt u voor dat ik doe? Hoe kom ik thuis?' *Zodat ik je salaris kan betalen*, overwoog hij eraan toe te voegen, maar hij hield zich in, en dat sierde hem.

De Princeton-alumnus wierp hem een geërgerde blik toe en draaide de dop van een Mont Blanc-vulpen los. 'U zei dat u uw paspoort bent verloren…'

'Ik zei dat het werd gestolen.'

'Juist. Het werd "gestolen". Wanneer?'

'Drie dagen geleden.'

'En waar gebeurde dit?'

'*Dog Biscuit*,' antwoordde Danny.

'Wáár?'

'Het klinkt als "*Dog Biscuit*". Ik weet niet hoe je het spelt.'

De ambtenaar spuwde elke lettergreep uit, krabbelde wat op papier en sloeg zijn ogen op. 'En uw bagage?'

'Mijn bagage?'

'Ja. Uw kleren en spullen. Koffers.'

'Ik had enkel een rugzak,' liet Danny hem weten. 'Ik weet niet wat ermee is gebeurd.'

'En hebt u geld?' vroeg de ambtenaar.

Danny schudde zijn hoofd. 'Ook mijn portefeuille hebben ze meegenomen.'

'Dus u hebt zelfs geen rijbewijs?'

Danny knikte. 'Klopt. Geen kleren. Geen geld of legitimatie. Niets. Ik ben een tabula rasa.'

Een minachtend gegniffel. 'Wat zei de politie?'

'Welke politie?'

'Toen u de beroving ging aangeven.'

'Maar dat heb ik niet gedaan.'

'Waarom niet?'

Danny haalde zijn schouders op. 'Ik was behoorlijk in de war.'

De ambtenaar legde zijn pen neer en leunde achterover. Hij vouwde zijn handen in zijn schoot, nam Danny met een priemende blik op en wierp even een blik op de klok aan de muur – vier voor halfeen – zuchtte en schoof een formulier over zijn bureau. 'Vul dit maar even in,' zei hij. 'We bellen wat rond – op uw kosten – om het een en ander te verifiëren en verstrekken u een tijdelijk paspoort. Ik zal een enkele reis naar Washington regelen…'

'Dank u.'

De man haalde zijn neus op. 'O, u hoeft mij niet te bedanken, hoor. Dit gaat behoorlijk in de papieren lopen voor u. Ik ben uw reisagent niet, en trouwens, er is geen sprake van een reservering vooraf. U krijgt wat u krijgt. En binnen dertig dagen zult u ons moeten terugbetalen. Doet u dat niet, dan wordt u gedaagd en zal er beslag worden gelegd op uw inkomsten.' Er verscheen een gemene glimlach op zijn gezicht nu hem een nieuwe gedachte bekroop. 'Hebt u eigenlijk wel werk?'

Danny glimlachte in dezelfde geest terug. 'Nee,' antwoordde hij. 'Ik ben kúnstenaar.'

Drie uur later beschikte hij over een spiksplinternieuw paspoort, een kleine envelop met vier twintigdollarbiljetten en een enkeltje luchthaven Dulles. Hij tekende een formulier waarmee hij overeenkwam de Amerikaanse staatskas een bedrag van $1751,40 te retourneren. Op zijn paspoortfoto, achter de regenboogkleurige arenden en pijlen, zag hij er afgeleefd uit, als zo'n model in Calvin Klein-advertenties zoals die in de beste dagen van junkiechic zo populair waren.

De nacht bracht hij door in het Hotel Spar, wat hem $8,25 kostte. Een eenvoudig maar schoon hotel, een soort vagevuur eigenlijk – ergens tussen hemel en hel in. Liggend op zijn rug op het harde, dunne bed staarde hij naar het plafond en dacht terug aan het bloedvergieten van de dag daarvoor. Of was het de dag dáárvoor? Zonder kranten of televisie – of verantwoordelijkheden (anders dan de behoefte om te overleven) – begon hij zijn greep op de tijd te verliezen. En zelf veranderde hij ook, werd hij in bepaalde opzichten ouder. Hij voelde het.

Layla en Barzan. De wasvrouw. De honden. Het hoofd van de soldaat, dat in de lucht uit elkaar klapte. Er schoot hem iets te binnen – iets over dat pistool. Hij had het doelbewust naast het lichaam van Remy Barzan gelegd, alsof hij een geleend boek terug had gebracht.

Uiteindelijk viel hij in slaap.

De volgende morgen nam hij een taxi naar de luchthaven, waar hij bij de controle een halfuur lang allerlei vragen moest beantwoorden. Het kwam niet als een verrassing. Hij had een ticket voor een enkele reis, die hij contant had betaald, en had geen bagage. De kleren die hij aanhad, waren duidelijk niet de zijne, de broek was te kort, het shirt te… Turks. Ook zijn haar zag er eigenaardig uit: te kort om te kammen, te lang om naar achteren te borstelen. En dan nog die schaafwonden en blauwe plekken en die tand.

Was hij een smeris geweest dan zou hij zichzelf hebben aangehouden.

Maar toch, er waait geen wind of hij is iemand gedienstig. Hoewel er genoeg lege stoelen aan boord waren, had de ambassade geen moeite gedaan om voor hem een zitplaats langs het pad of naast een raampje te regelen – dus belandde hij op een stoel ingeklemd tussen een achtjarig jongetje en een getrouwde dame met een hoofddoek. Hij had nog maar net plaatsgenomen of de vrouw drukte al op het knopje voor een stewardess. Er volgde koortsachtig overleg en in no time had Danny drie plaatsen voor zichzelf.

Wat hem alleen liet met zijn gedachten – dit keer waren die niet bij Barzan, maar bij Caleigh. Wat moest hij doen? Wat kón hij doen? Hij kon gewoon bij haar voor de deur verschijnen, met een gekwetste en pathetische blik op zijn gezicht – maar nee. Met medelijden redde hij het niet, noch met een bos bloemen. Caleigh terugwinnen vereiste een plan de campagne. Hij zou haar moeten heroveren, en zelfs dan nog was de uitkomst… onzeker.

Tot aan zijn bezoek aan de ambassade in Ankara kon Zebek absoluut niet weten waar hij uithing (hoewel hij er wel naar had kunnen gissen dat hij zich nog steeds in Turkije bevond). Hoe ver reikte het net van Zebek? Had hij toegang tot de douane- en immigratiegegevens? Misschien, misschien ook niet. Maar vroeg of laat, eerder vroeg, zou Zebek weten dat hij weer terug in de vs was.

En wat ging Danny daaraan doen? Hij kon niet eeuwig vluchten. Daar was hij niet geschikt voor. Dat was niemand. Hij kon zich bijvoorbeeld niet voorstellen dat hij voorgoed uit het leven van zijn ouders en vrienden zou verdwijnen. Om maar te zwijgen van Caleigh. Hij had dus eigenlijk geen keus. Niet echt: hij moest Zebek ontmaskeren. Als moordenaar en als oplichter.

Meer niet. Maar… hoe?

Onder de buik van het vliegtuig gleed de Atlantische Oceaan voorbij. De gin-tonics die de stewardess hem serveerde, waren precies wat hij nodig had. Al vrij snel raakte hij zo volkomen uitgeput dat het meer op een coma leek dan op gewoon slapen. Toen de stewardess hem wekte, was het inmiddels donker en had het toestel de landing ingezet in de richting van de nevelige zee van lichtjes die zich onder hem uitstrekte: Washington.

Zijn ouders woonden nog altijd in het huis waar hij was opgegroeid, aan de overkant van de Potomac in de wijk Rosemont van Alexandria, een lommerrijke buurt op slechts een kwartier rijden van National Airport. Het koloniale huis van rond de voorlaatste eeuwwisseling, gebouwd op een perceel van eentiende hectare groot, was hem net zo vertrouwd als zijn eigen hartslag – die min of meer stopte op het moment dat hij naast de bloempot knielde om op de tast de sleutel van de voordeur te pakken en een batterij anti-inbraaklampen hem met een spervuur van verblindend licht op de korrel nam. Hij werd gevangen in een felle lichtkegel die op zich zou hebben volstaan om een uitbraak uit Attica te verijdelen.

Jezus! Wanneer hadden ze dát laten installeren?

Hij schudde zijn hoofd en wachtte tot het gebonk in zijn borst wat tot rust was gekomen. Pa was sinds zijn pensionering vreselijk aan het doe-het-zelven geslagen. Door tijdgebrek jarenlang in toom gehouden was hij nu uitgegroeid tot een ware klussenkoning, die altijd wel met een project-je bezig was. Danny stak de sleutel in het deurslot en liet zichzelf binnen, dankbaar dat zijn ouweheer nog niet aan een alarmsysteem was toegekomen.

In de keuken zette hij de airconditioning aan en pakte een biertje uit de koelkast. Rustig liep hij door het huis naar de badkamer op de eerste verdieping en trok zijn kleren uit. Daarna nam hij een lange, warme douche en liet hij, met zijn gezicht naar het plafond gericht en zijn ogen gesloten, de waterstraal zijn rug en schouders masseren. Als hij niet beter had geweten, zou hij hebben gedacht: het leven is mooi.

Toen de boiler dreigde leeg te raken, sloeg hij een dikke handdoek om zijn middel en liep naar zijn oude slaapkamer op de tweede verdieping. Zoals het de jongste zoon betaamde, was zijn kamer de kleinste in het huis – een zolderruimte met schuin aflopende wanden en een paar dakkapellen.

Tussen twee daarvan bevond zich een dressoir met kleren die hij al jaren niet had gedragen, maar die zijn moeder bewaarde – kennelijk voor dagen als deze. Hij liet de handdoek vallen, koos een spijkerbroek, een rode trui, fris ondergoed en sokken uit, en genoot ten volle van het pretti-ge gevoel dat zijn eigen schone kleren hem gaven.

De kamer was min of meer zoals hij hem had achtergelaten: plompe houten meubelen en muffe plaids. Een Phish-poster aan de ene muur, een 'vroege Cray' aan de andere. Op een kleine boekenplank in de hoek prijk-te een prullige verzameling stoffige voetbaltrofeeën en een plaque ter her-denking van zijn tweede plaats op de achthonderd meter bij de Wood-bridge Invitational.

Op het bureau lag een klein stapeltje post – niet-dringende zaken die nog steeds op zijn ouderlijk adres werden bezorgd. Zijn moeder bewaar-de alles voor hem, en wanneer hij om de paar weken langswipte, nam hij altijd even de post door. En het was altijd hetzelfde: oproepen aan oud-studenten van T.C. Williams en William & Mary ('het Kenniscollege'); een aantal kunstcatalogi en aanbiedingen voor creditcards – met andere woorden, de bekende reclamezooi. Dit keer zat er echter een envelop bij die zijn aandacht trok. En hij hoefde hem niet te openen om te weten wat erin zat: de stijfheid en het gewicht, in combinatie met het afgedrukte gebod dat hij niet mocht worden verstuurd, duidden erop dat het een creditcard was.

Het bleek een Platinum Visa-card – met een William & Mary-reliëfmotief. Het was vermoedelijk zijn allereerste rekening, die hij vanwege de debetrente had willen annuleren. Maar nu was de verlenging automatisch doorgegaan, en daar was hij toch wel blij om. De vervaldatum lag ergens in 2004 en hij beschikte over een bestedingslimiet van tienduizend dollar: een geschenk uit de hemel dus.

Het papieren mapje waarin de creditcard zat, vermeldde dat hij deze vanaf het telefoonnummer thuis moest activeren – in dit geval dus kennelijk de telefoon van zijn ouders. Hij slofte door de gang naar de oude kamer van Kev en toetste het nummer in. Hij wachtte op de verbinding en bekeek intussen de rest van de post. Een hele rits ansichtkaarten van galerieën (die leken ook nooit hun adressenlijst bij te werken), waaronder een van Neon. Op de voorzijde prijkte een foto van *Forest and Threes*. Op de achterkant de aankondiging:

*Vrijdag 5 oktober, 19:00 uur*
WERKEN VAN DANIEL CRAY

Zag er tof uit; Lavinia behandelde hem goed. Maar god allemachtig! Die opening! Hoe moest hij alles nog georganiseerd krijgen? En waarmee?

Eindelijk kreeg hij iemand van vlees en bloed aan de lijn en hij activeerde de creditcard. Na een verkooppraatje voor een 'kredietverzekering' te hebben afgewimpeld, hing hij op en pelde de beschermingstape op de achterkant van de kaart eraf. Vervolgens liep hij naar zijn kamer, want met de vondst van de creditcard gleden zijn gedachten naar geld, en geld deed hem weer denken aan...

... de kast in zijn kamer. Het was zo'n jaren-twintiggeval, geschikt voor iemand die drie overhemden, twee broeken, een riem, een das en een jasje bezat. Danny's vader had de behoefte aan meer opslagruimte erkend en zich op een van zijn eerste huisverbeteringsprojecten gestort: een kist achter in de kast, van 75 centimeter hoog, breed en diep. In Danny's jeugd had het ding gediend als opbergplek voor spulletjes die zijn achtereenvolgende passies waren geweest, zoals Star Wars-speeltjes, Nintendo-games, beschermers voor het ijshockey, een Fender Stratocaster plus Sidekick-versterker, een wetsuit en zwemvliezen. Maar dat was nog maar de bóvenkant van de kist. Langgeleden had Danny zijn eigen 'renovatie'-project opgezet en had hij een dubbele bodem van ongeveer tweeënhalve centimeter diep gemaakt. Op deze geheime plek, onder de Nintendo-games en de ijshockeyspullen, had hij zijn nummers van *Playboy* en *Penthouse* bewaard, plus zijn pakjes Marlboro, vloeipapier van Zig-Zag en zo nu en dan een plastic boterhamzakje met marihuana.

Maar zijn bergplaats was niet alleen een vergaarbak voor voorbijgaande ondeugden. Ze bevatte ook wat zijn broer Kev 'de geheime kluis' noemde. Dit was een spaarrekening waaraan iedere broer zijn steentje had bijgedragen en waarin elk ongebruikt muntje werd opgepot. Het doel: de aankoop van een renpaard; meer in het bijzonder: een Arabische volbloed. En niet zomaar een Arabische volbloed, nee, het moest een hengst zijn. En niet zomaar een hengst, nee, een zwarte.

Kevin, befaamd om zijn vurige enthousiasme, zat hierachter, maar dat deed er niet toe. De droom was maanden achtereen door de drie broers nagejaagd. In het begin werd er wel vijftien dollar per week in de geheime kluis gestort – geld dat was verdiend met grasmaaien of, volgens de overlevering, door tussen de kussens van de bank en de kieren van de autostoelen te zoeken naar verloren kleingeld. De beperkte afmetingen van de kluis maakten het noodzakelijk dat het kleingeld regelmatig werd gewisseld voor dollarbiljetten, wat Danny dan ook wekelijks deed. En daarna om de week. En daarna maandelijks… of om de maand. Dan stopte hij de muntjes in een Tupperware-bakje en ging ermee naar de plaatselijke Safeway, waar een telmachine stond.

Kev had een keer wat zitten rekenen en had onthuld dat het ongeveer driehonderd jaar zou duren voordat ze Yankee Pasha (ja, hij had het beest al een naam gegeven) konden kopen. En dus bleef het geld liggen waar het lag, het moment afwachtend waarop ze het er alledrie over eens zouden worden waaraan het moest worden besteed. Waar ze dus nooit aan toe waren gekomen.

Danny knielde in de kast, reikte in de bewaarkist die zijn vader had gemaakt en verwijderde de bodemplaat. Daarna graaide hij over de dubbele bodem totdat hij er twee vuisten vol harde contanten uit haalde. Met het geld liep hij naar het bed, hij nam plaats en sorteerde het. Toen hij klaar was, had hij twee stapeltjes biljetten, in totaal 126 stuks. Telling wees uit dat het 182 dollar was.

Als geld om 'op zak' te hebben, was de dikke rol bankbiljetten op z'n best onhandig te noemen, veel te dik voor zijn portefeuille. Hij liep naar de keuken, vond in de 'rommella' naast het fornuis een elastiek en bond het geld tot een dikke koker. Maar toen hij deze vervolgens in zijn zak stak, zag hij dat de rol hem het uiterlijk bezorgde van een plebejer en hij gromde afkeurend.

Maar goed, daar kon hij verder ook niets aan doen. Kuierend door het huis overwoog hij beneden in het grote bed van zijn ouders te gaan slapen, maar eenmaal in hun slaapkamer leek zoiets niet gepast. Hoewel zijn eigen bed nogal kort was en de ruimte krap bemeten, was het kamertje boven aan de trap gedurende zijn hele jeugd een toevluchtsoord geweest. En ook nu was dat niet anders.

Om zes uur werd hij gewekt door de vogels. Zijn moeder voerde ze altijd en betaalde zelfs een van de buurkinderen om ze tijdens haar afwezigheid 'aan de praat te houden'. De hulst buiten zijn raam klonk als een vogelgetto. Hij liep de trap af, zette een kop koffie, nam plaats bij het raam dat uitkeek op de tuin en krabbelde wat op een van zijn vaders gele blocnotes.

Hij had zin om iemand te bellen – vooral Caleigh – in elk geval íémand. Zijn broers. Zijn ouders. Maar nee. Het zou hen enkel in gevaar brengen en er viel niets mee te winnen – behalve troost. En zo egoïstisch was hij niet. Bovendien was hij er niet klaar voor om die ijskoude 'High Plains'-blik onder ogen te komen, die Caleigh altijd kreeg als ze kwaad werd of het gevoel had te zijn geslachtofferd. Nee, het was beter – veiliger – om Zebek te laten denken dat het uit was (wat, bij ontstentenis van een wonder, nog waar was ook).

Het geelgelijnde papier was inmiddels doortrokken van stervormige lijnen en constellaties van punten. Danny dacht even na en schreef toen:

*1) Dew*
*2) Zaak-Patel*

Hij pakte de telefoon en draaide een nummer dat hij uit zijn hoofd kende: Fellner Associates. Bij het eerste signaal tikte hij de code in voor Mamadous toestel.

'Boisseau,' klonk een zachte stem verstoord.

'Dew? Met...'

*Klik.*

Verbijsterd staarde hij naar de telefoon, draaide een tweede keer en kreeg de voicemail. Hij is vast niet alleen op zijn kamer, veronderstelde hij, en hij ging een tweede kop koffie zetten. Hij zou Dew later wel thuis bellen.

Alleen, dat hoefde niet, want een paar minuten later ging de telefoon en bleek het Mamadou te zijn, die hijgend ergens buiten stond. Danny hoorde geruis van verkeer op de achtergrond.

'Wat was je verdomme van plan dan?' ontplofte Dew. 'Ben je gek geworden of zo?'

'Ik geloof van niet,' reageerde Danny. 'Waar heb je het over?'

'Eerst steek je de firma de loef af met werk voor een van onze grootste klanten. Dus Fellner is pissig, maar goed, dat is nog niet zo erg want de cliënt kwam naar jou, toch?'

255

'Klopt.'

'Maar dan vraag je míj – je arme, zwarte vriendje – om voor jou een dossier samen te stellen over die vent, wat mij dus medeplichtig maakt.'

'Medeplichtig aan wat?'

'Wat denk je?'

'Ik weet het niet. Ik weet niet waar we hier over praten.'

'Bedrijfsspionage!' brieste Dew.

'Wat?!'

'Dat is hun definitie. Dat wordt de zaak die ze nu aan het onderbouwen zijn,' legde Dew uit. 'Je accepteert een baan bij die vent, smeert 'm met allerlei intellectuele eigendom…'

'O, wat een onzin…'

'Laat me je eens wat vragen,' stelde Dew voor.

'Oké,' reageerde Danny, die zich steeds ongemakkelijker voelde.

'Heb jij toevallig voor iemand een computer opgehaald? In Italië?'

'Ja.'

'En je deed je daarbij voor als smeris, nietwaar?'

'Nou…'

'Jezus christus, man! Je draait de bak in!'

'Dew…'

'Dit is geen onzin – deze vent, die Zebek, heeft de firma in de arm genomen om jou op te sporen!'

'Doe nou even rustig,' sprak Danny. 'Het zit heel anders.'

'Ik zeg je: jij bent onze grootste zaak! Ik sta nu aan de telefoon met onze grootste zaak!'

Hmm… Danny haalde eens diep adem en hoopte dat Mamadou even een moment zou nemen om zijn voorbeeld te volgen. 'Wie zit er op deze zaak?'

'Pisarcik.'

Oef. Tot een jaar geleden was Pisarcik directeur Operaties van de CIA geweest.

'Als ik jou was,' zei Dew, 'dan zou ik de plekken waar je vaak komt maar mijden. Eigenlijk zou ik overwegen af te taaien naar… Yokohama. Of de Straat Bering, of zoiets.'

'Bedoel je dat…'

'Ik bedoel dat je flat vierentwintig uur per dag in de gaten wordt gehouden.' Hij liet het even tot Danny doordringen. 'Weet je wel wat dat kost? Drie teams van elk twee man, vierentwintig uur per dag, zeven dagen in de week?'

Danny kreunde. 'Waar nog meer?'

'Overal! Pisarcik heeft een kaart aan de muur hangen met punaises erin: de galerie, je studio, je ouderlijk huis, Caleighs werk…'

'Mijn ouderlijk huis, hm?'

'Ik zeg je – overal. Pisarcik heeft zelfs een bewoner in Maine ingehuurd om bij het huisje van je ouders een oogje in het zeil te houden. Dus zet dat ook maar uit je hoofd. Maar de flat in Adams-Morgan is het enige adres dat constant in de gaten wordt gehouden. Bij de rest gebeurt het onregelmatig. Jongens die wat surveilleren en van het ene adres naar het andere rijden.'

Danny kreeg een inval. 'Hoe wist jij dan waar ik zat?'

'Het wonder der techniek! Nummerweergave.'

Danny zuchtte. Hij hoorde hoe het verkeer langs zijn vriend raasde. 'Goed,' zei hij ten slotte, 'ik sta bij je in het krijt.'

'Wacht, er is nog meer!'

'Waarover dan?' vroeg Danny.

'Zebeks firma.'

'Sistema...'

'Nee, niet die,' onderbrak Dew hem. 'Die aan de kust! vss.'

'Wat is ermee?'

'Het is een nanotech-bedrijf.'

'En wat is dat?'

'"De toekomst". Snap je?'

'Nee.'

'Nanotechnologie. Very Small Systems! De toekomst!'

'Ik weet niet waar je het over hebt.'

'Het is zoiets als... een van die nieuwe ontwikkelingen die zeg maar vlak om de hoek liggen. Die de wereld zullen veranderen.'

'Je meent 't...'

'Hm-hm.'

'En hoe moet ik dat dan zien?' vroeg Danny zich af.

'Ik weet 't niet. Maar het hele punt is: het is vooral kléín. Héél klein, vat je 'm? Een manier om dingen vanaf de grond op te bouwen – net als de natuur. Behalve dan dat we het nu over robots hebben met de omvang van een molecuul. En deze robots zijn eigenlijk... proteïnen, eiwitten dus. En daar houdt die Zebek zich mee bezig. Officieel is vss een dochterbedrijf van de Italiaanse onderneming, maar geloof mij, het is de staart die het hondje doet kwispelen, als je begrijpt wat ik bedoel.'

Danny wilde net *hm-hm* mompelen toen de deurbel als een clusterbom in zijn hoofd leek af te gaan – en zijn hart zocht dekking. 'Iemand aan de deur,' fluisterde hij.

'Nou, vooral niet opendoen.'

Danny controleerde zijn uitzicht. Vanwaar hij zat, kon hij niet worden gezien. En er brandde geen licht in huis. Het was ochtend en de keuken was het lichtste vertrek.

Met de telefoon tegen zijn oor liep hij de eetkamer in, waar de luiken voor de ramen nog gesloten waren. Door een kier zag hij twee keurig in het pak gestoken mannen voor de voordeur staan. De deurbel klonk een tweede keer.

'Kerels in nette pakken,' fluisterde Danny.

'Herken je ze?'

'Nee.'

'Dan zijn het waarschijnlijk onderknuppels.'

'Waarschijnlijk wel,' was Danny het met hem eens.

Een van de mannen drukte zijn neus tegen het glas van het zijvenster, schermde zijn rechteroog af tegen de zon en tuurde naar binnen. Na een paar seconden zei hij iets tegen de tweede man, waarop ze terugliepen naar de auto, een grijze Camry, die aan de overkant voor de deur van de Lanmans geparkeerd stond. Danny wachtte tot ze wegreden, maar... dat deden ze niet. 'Ze zitten daar gewoon maar,' zei hij.

'Waar?'

'In de auto.'

'Nou, wacht dan maar gewoon tot ze weggaan,' adviseerde Dew. 'Ze hebben een hele checklist met adressen. Over een halfuur zijn ze weg.'

'En dan?'

Dew grinnikte. 'Landingsgestel in – en vol gas. En ga een vreemde taal leren.'

In de bijkeuken vond hij een oude rugzak van het merk L.L. Bean. Hij liep ermee naar zijn kamer en trok wat schone kleren, een paar extra T-shirts, een tandenborstel en een scheerapparaat uit de ladekast. Daarna controleerde hij of hij zijn paspoort, de nieuwe creditcard en de Yankee Pasha-rol bankbiljetten bij zich had. Vervolgens plofte hij met een nummer van *Harper's* op een stoel en wachtte.

Dew wist kennelijk waar hij het over had. Na vijfentwintig minuten kwam de Camry brullend tot leven en trok op van de stoeprand. Danny wachtte nog eens tien minuten, voor het geval ze terugkwamen, en liet zichzelf via de oude garagedeur, waarvan het bestaan werd geheimgehouden door een enorme, verwilderde camelia, naar buiten. Hij wurmde zich door het dichte gebladerte en dacht even terug aan de vele malen dat hij als kind stiekem naar buiten was geglipt. Terwijl hij door de tuin van de Whitestones liep, voelde hij zich een beetje dom en aanstellerig. Maar vervolgens herinnerde hij zich Remy Barzan. Inzaghi. Chris Terio.

Het metrostation van King Street lag slechts een paar straten verderop. Eenmaal daar voerde hij de kaartjesautomaat een paar dollarbiljetten, nam vervolgens de blauwe metrolijn en reed naar Rosslyn, een vreselijk hoogbouwcomplex tegenover de universiteit van Georgetown aan de Virginia-oever van de Potomac.

Hij dacht na over nanotechnologie. Het beetje dat hij ervan wist, had hij meer te danken aan een halfvergeten radioprogramma dan aan wat

Dew hem had verteld. Het was de *Diane Rehm Show*, waarnaar hij had geluisterd toen hij met Caleigh in de auto op weg was naar Harpers Ferry.

Mamadou had gelijk: de grondgedachte was om machines te creëren die op atomair niveau konden werken. Op die manier kon je dingen van de grond af opbouwen. In plaats van je een weg door gesteente te boren om diamanten uit een mijn te halen, zou je ze atoom voor atoom zélf fabriceren – net als in de natuur. In theorie kon je uit alledaagse stoffen als zeewater, lucht en zand dus bijna alles maken – een diamantnaald of een volmaakte roos. En het was niet enkel wat je kon máken waardoor nanotechnologie zo'n grote belofte inhield: het was ook wat je met deze techniek in de toekomst zou kunnen dóén. Op atomair niveau zou men de ozonlaag kunnen herstellen, specifieke verontreinigende stoffen uit de watervoorziening kunnen identificeren en wegfilteren, en nog veel meer.

De metrotrein rolde verder: Crystal City, Pentagon City, het Pentagon. Danny dacht aan het huis van Chris Terio en met name aan de boekenplanken in diens studeerkamer. Hij had natuurlijk al die boeken over religie, maar er stonden andere exemplaren die er niet tussen hoorden. De titels herinnerde hij zich niet meer, maar een boek ging over 'proteïnecomputers' en een ander – ten mínste één – had 'nanotechnologie' in de titel.

Terio was dus iets op het spoor, wist genoeg om contact te zoeken met Patel. En wie was Patel? Hij was de belangrijkste techneut bij Very Small Systems. En wat was vss? Volgens Remy Barzan was het Zebeks kindje. En dat kindje smeet met geld. Alsof het dacht: het zal mijn tijd wel duren.

Georgetown beschikt zelf niet over een metrostation. Toen de ondergrondse werd aangelegd, kwamen de meer welgestelde bewoners in opstand tegen de plannen, bezorgd als ze waren over 'het slag mensen' dat gebruikmaakte van dit massavervoermiddel.

In Rosslyn nam Danny de roltrap naar boven en opeens stond hij in de warme ochtendzon, omringd door gebouwen van twintig en dertig verdiepingen hoog. Rosslyn maakte op hem altijd een wat vreemde indruk. Buiten het bereik van de in het District geldende, hoogtebeperkende bepalingen leek Rosslyn als het bouwkundig equivalent van Ayer's Rock echt vanuit het niets te verrijzen. De twee zilveren torenflats van het Gannettgebouw schitterden in het zonlicht terwijl Danny lopend over de Key Bridge de universiteit van Georgetown naderde.

De universiteitscampus bevond zich op veilige afstand van het commerciële hart van de stad en was georganiseerd rond een ouderwetse, vierhoekige binnenplaats. Hij betrad de bibliotheek en koesterde zich in de ijzige lucht die hem omhulde.

Door zijn werk voor Fellner was hij er lang geleden al achter gekomen dat de meeste universiteiten genereus waren met hun voorzieningen. Hoewel je een kaart nodig had om boeken te lenen, leek niemand erop te letten wie de computers of naslagwerken gebruikte. Men ging er gewoon van uit dat je student of faculteitsmedewerker was.

Hij koos een plaatsje aan het uiteinde van een lange tafel, logde in op de database van Lexis/Nexis en zocht naar kranten- en tijdschriftartikelen waarin Jason Patel werd genoemd.

In tegenstelling tot Chris Terio's 'zelfmoord' was Patels overlijden te wijten aan een brute en onopgeloste moord, een zaak die een enorme publiciteit had gekregen. Binnen een minuut had hij 126 hits – alles van transcripties van MSNBC-uitzendingen tot krantenverslagen en necrologieën in de *San Jose Mercury* en andere, kleinere dagbladen.

Hij zocht vooral naar namen. Vrienden, familie, collega's – iedereen die Patel kende en die bereid zou kunnen zijn om over hem te praten. Hij drukte een selectie van de gevonden artikelen af en klikte op de knop NIEUWE ZOEKOPDRACHT.

Hij wilde zien hoeveel er over 'Very Small Systems of VSS of V.S.S.' te vinden was op het net. Niet veel, zo bleek: slechts 27 hits, wat niets voorstelde wanneer je bedacht dat Nexis zelfs de meest obscure technische en zakelijke uitgaven doorzocht.

Danny bekeek elk van de citaten en merkte dat de meeste stamden uit een conferentie over eiwitmodificatie van drie jaar geleden in Philadelphia. Very Small Systems was er als gastheer opgetreden, wat door de organisatie van de conferentie in een persverklaring was vermeld.

Een zoekopdracht naar 'Zerevan Zebek' leverde amper iets op. Het verbaasde hem dat iemand met zoveel geld zo onopvallend kon blijven.

Ten slotte verliet hij de Nexis-site en liep naar een andere computer om over het web te surfen naar artikelen over nanotechnologie. Hij gebruikte de Google-zoekmachine, tikte 'nanotechnologie' in en werd ogenblikkelijk beloond met bijna een half miljoen hits. Gedurende meer dan een uur bekeek hij diverse sites, om uiteindelijk een stuk of tien artikelen over het onderwerp uit te printen.

Daarna schikte hij zijn uitdraaien tot een net stapeltje en verdween naar buiten om iets te gaan eten. Bij Staples op M Street kocht hij een bruine harmonicamap om de uitdraaien in op te bergen. Hij stak de straat over naar een pizzatent, nam een tafeltje in de hoek, weg van de ramen, en bestelde. Wachtend op zijn eten bekeek hij nog eens enkele uitdraaien.

Een uurtje later, met de pizza achter de kiezen en een tweede kop koffie voor zijn neus, wist hij al heel wat meer over Jason Patel en de moord op hem. De officiële necrologie stond in de *Cupertino Courier*. Hij las dat Patel had gestudeerd aan UC Berkeley en Caltech, en was gepromoveerd in computerwetenschap en moleculaire biologie. Aan het MIT had hij postdoctoraal werk verricht, hij had op brede schaal gepubliceerd en ontving de Sidran Prize voor zijn onderzoek naar micro-elektromechanische systemen (MEMS). Hij stierf op zijn tweeënveertigste en liet een zus, Indira uit

Delhi, en een 'levenspartner', Glenn Unger uit Cupertino, achter.

De eerste verhalen over zijn dood lieten doorschemeren dat er kwade opzet werd vermoed. Op de tweede dag bleek het echter moord te zijn, en was het voorpaginanieuws. Vage verklaringen van politiewoordvoerders over 'directe aanwijzingen' en toespelingen op een 'crime passionnel' werden bedolven onder gruwelijke details, waarvan de meeste werden aangedragen door geschokte leden van het team van Binnenlandse Zaken dat in de woestijn op Patels lichaam was gestuit.

Verder was er nog een boeiend vraaggesprek met een archeoloog die erop speculeerde dat de manier waarop Patel was achtergelaten een perfecte nabootsing was van de aloude begrafenisrituelen van bepaalde indianenstammen. De methode werd 'excarnatie' genoemd: lichamen werden achtergelaten voor de vogels die zich met het vlees zouden voeden. De professor vervolgde zijn relaas over hoe eeuwenoud het gebruik was, over dat het nog steeds door sekten in delen van het Midden-Oosten werd nagevolgd en over het verband met de mythe van Prometheus. Volgens de professor vertoonde de moord op Patel ook overeenkomsten met de belangrijkste gebeurtenis van het christelijk geloof. De stammen en sekten die excarnatie praktiseerden, gebruikten het als een ritueel na de dood en legden begraafplaatsen of platforms aan waar lichamen werden neergelegd voor de vogels. Maar Patel was nog in leven toen zijn lichaam door tientallen cactusnaalden werd doorboord; hij was nog in leven toen hij aan de kruisvormige yucca werd vastgebonden.

Gekrúísigd…

# 20

Terug in de bibliotheek reisde Danny al muisklikkend door cyberspace, op zoek naar goedkope vliegtickets naar San Francisco. Hij moest immers maken dat hij uit Washington wegkwam, en Californië lonkte. Want hoe meer hij te weten kwam, hoe duidelijker het werd dat Very Small Systems de sleutel tot alles was.

Niet dat hij op een rondleiding door het gebouw aasde. Het idee was om eerst eens te beginnen met een huisbezoekje aan Patels vriend, Glenn Unger.

Een popup-advertentie van Hertz bracht hem op een pijnlijke gedachte. In Californië móést je haast wel over eigen vervoer beschikken, en hij had zich voorgenomen om op de luchthaven een auto te huren. Maar nu hij het gele logo van Hertz op zijn scherm zag knipperen, besefte hij dat er een probleem was: hij had geen rijbewijs meer.

Kon hij met de taxi naar Glenn Unger? Hoe ver lag dat Cupertino eigenlijk van de luchthaven af? Ergens bij San Jose? Kon hij daarheen vliegen? Tegen de tijd dat hij via MapQuest het antwoord kreeg, besloot hij dat een auto onontbeerlijk was. Hij moest bij het *Department of Motor Vehicles* langs voor een nieuw rijbewijs.

Maar hij had slechts een uur om de goedkope vlucht die hij op Hotwire had gevonden te reserveren, dus dat kon hij net zo goed eerst doen. Halverwege de bevestigingsprocedure bedacht hij zich. Als het even kon, wilde hij liever niet zijn creditcard gebruiken om de vlucht te boeken. Misschien dat Zebek geen toegang tot creditcardtransacties had, maar je kon nooit weten. Hij had geen zin om dat risico te lopen. Er was geen reden om met zijn reisplan te wapperen. Het Yankee Pasha-rolletje zou hem niet erg ver brengen, maar hij kon nog altijd zijn Platinum-card gebruiken om bij een bank een contant voorschot te krijgen.

Voordat hij de computer uitzette, keek hij nog even op de website van de DMV van Virginia. Hij had altijd zijn door de staat Virginia uitgevaardigde rijbewijs aangehouden en dat stond nog geregistreerd voor de Oldsmobile op het adres van zijn ouders. Op die manier was de verzekering goedkoper. De website vermeldde een filiaal in Rosslyn, aan de andere kant van de rivier. Hij verliet de bibliotheek en waadde door een poel van warmte naar de Riggs-bank aan Wisconsin Avenue en M Street, en stond een paar minuten later weer buiten met 2500 dollar op zak, het maximale bedrag dat hij meekreeg.

Na een wandeling van twintig minuten stond hij bij de DMV in de rij voor een nummer. Zijn beurt afwachtend probeerde hij de talen te raden die hij om zich heen hoorde – Spaans natuurlijk, maar ook Arabisch, Duits, Chinees, Vietnamees of Thai – hij kende het verschil niet. En nog een andere taal. Russisch of Tsjechisch.

Wat een land...

Eindelijk werd zijn nummer afgeroepen. Aan de vrouw achter de balie legde hij uit dat hij tijdens het zeilen zijn portefeuille was kwijtgeraakt.

'Hoe kreeg u dat voor elkaar?' vroeg ze.

'Ik hing in de trapeze.'

'In de trapeze?' Ze trok een gezicht. 'Ik dacht dat u aan het zéílen was.'

'Zo noemen ze dat als je buiten boord hangt,' legde hij uit, 'zodat de boot sneller gaat.'

'Waarom pak je dan niet gewoon een motor?' vroeg ze met een glimlachje.

'Omdat het dán geen zeilen meer zou zijn,' antwoordde hij.

Goedhartig schudde ze haar hoofd, ze tikte iets in haar computer en stuurde hem door. Al vrij vlot belandde hij op een kruk tegenover een vrouw met uitpuilende ogen en roofvogelachtige klauwnagels. 'Zeg "queso"!' beval ze.

Hij glimlachte flauw.

Ze wachtte, met een oog op hem gericht en het andere op de volgende man in de rij.

'Queso,' zei hij tien seconden later.

Ze glimlachte en de camera flitste verblindend.

Ten slotte werd hij ontboden bij de balie, waar voor hem een gelamineerd rijbewijs klaarlag. Hij wilde niet kijken, maar... godnogantoe! Het was nog erger dan het fotootje in zijn paspoort. Hij had een blik van iemand die gestoord, bezopen en verbluft is, zo iemand die je wel eens op politiefoto's ziet – de ogen open noch gesloten, maar al knipperend tijdens de flits, zijn mond verstard op de rand van een glimlach die nog net breed genoeg was om de blinkende roestvrijstalen kroon te onthullen. Het gaf zijn algehele verschijning iets krankzinnigs. En dit alles tegen een helderblauwe achtergrond.

Maar toch! Zijn haar zat tenminste naar achteren (min of meer).

De vlucht ging via Salt Lake City. Hij zat bijna achterin, ingeklemd tussen twee oudere golfvriendjes die terugkeerden van een toer door de Schotse Hooglanden. Ze waren nog maar net opgestegen of een van hen kreeg van de stewardess een paar plastic glazen die hij vervolgens volschonk met goudkleurige single malt whisky uit een verzilverde heupfles.

'Golft u?' vroeg iemand.

Danny schudde zijn hoofd. 'Nee, ik...'

'Nou, dat komt nog wel, hoor,' zei een tweede man. 'Vroeg of laat begint iedereen ermee.'

Ze vertelden hele verhalen over hun trip, waarbij Danny zijn hoofd bewoog alsof hij naar een tenniswedstrijd zat te kijken. Uiteindelijk bracht de whisky de twee golfers aan het knikkebollen en dat bood Danny de gelegenheid de artikelen te lezen die hij in de universiteitsbibliotheek van Georgetown had uitgeprint.

Hij had geen rationele selectie gemaakt maar gewoon op trefwoorden geklikt die interessant leken, met als gevolg dat hij nu een mengelmoes voor zich had. Sommige artikelen waren niet te volgen zo technisch, terwijl andere juist weer zo hemelfietserig en De Toekomst omhelzend waren dat hij er niets aan had. Maar tegen de tijd dat de continentale waterscheiding in het Rotsgebergte onder hem voorbijgleed, had hij toch genoeg gelezen om te weten wat nanotechnologie behelsde en wat haar beloften waren.

De nestor van het vakgebied was ene Eric Drexler, die in de jaren tachtig van de vorige eeuw een boek had geschreven met de titel *Engines of Creation*. Als onderzoeksassistent aan het MIT werd Drexler door sommigen gezien als een scherpzinnig visionair en door anderen als een misleidende dromer. Voorstanders verklaarden dat Drexler de sleutel tot het Beloofde Land had gevonden, terwijl tegenstanders volhielden dat wat hij een wetenschap noemde, een hypothese was die onmogelijk kon werken.

Zoals Danny het begreep, draaide het om het met atomaire precisie herschikken van materie, zodat je van alles kon vervaardigen. Het herschikkingsproces zou worden bewerkstelligd door proteïne-ingenieurs (!) die met computergeleerden samenwerkten om zichzelf voortplantende robots te maken, niet groter dan moleculen, en deze te programmeren. Door afzonderlijke atomen te ordenen, konden deze nano-bots of '*assemblers*' een hele reeks taken uitvoeren en alles vervaardigen, van microndunne diamantlaagjes tot submicroscopische sprays die wonden in een oogwenk konden genezen. Binnen het lichaam zouden andere kleine bots kankercellen kunnen aanvallen en ze een voor een vernietigen, of dichtgeslibde aderen kunnen schoonvegen. De assemblers konden worden geprogrammeerd om verontreinigende stoffen af te breken, om de lucht en het water – ja álles – te zuiveren, zonder onderbreking en mondiaal. Uiteindelijk zou alles uiterst efficiënt verlopen, met een optimale productiviteit en een wereld van absolute overvloed als gevolg. Armoede zou tot het verleden behoren, het milieu zou worden hersteld en het leven verlengd.

'Bots', dacht Danny. Zoiets als 'robots', maar dan anders – want deze zouden van DNA zijn gemaakt. Wat betekende dat het lévende dingen zouden zijn. Kleine monstertjes van Frankenstein dus.

Bij de tussenlanding in Salt Lake taaiden zijn twee medepassagiers af. Hij las een beschrijving van iets hypothetisch dat *utility fog* of 'nutsnevel' werd genoemd. Dit was een soort 'oerstof', een wolk van assemblers die in staat waren alles – létterlijk alles – te worden. Gemanipuleerd om bijvoorbeeld de vorm en kenmerken van een huis aan te nemen, kon een nutsnevel worden geprogrammeerd om niet alleen de structuur en de kleur van het huis te veranderen, maar ook de staat waarin het verkeerde – en alles op commando. Met andere woorden, de nutsnevel kon het ene moment zo hard als een baksteen en het volgende moment zo poreus als lucht zijn. Met een handgebaar kon de bewoner van zo'n huis dwars door muren lopen en naar behoefte meubels uit de vloer laten oprijzen, in welke gewenste vorm of van welk materiaal dan ook.

Kortom, nanotechnologie beloofde (of dreigde) een wereld te scheppen die zoveel mogelijkheden in zich had die zo flexibel waren dat zelfs de meest alledaagse bezigheden niet van tovenarij te onderscheiden zouden zijn.

Weer in de lucht nipte Danny van een gin-tonic en las verder. Maar het kostte hem wel de nodige inspanning. Een paar artikelen telden meer dan vijftig pagina's en waren, voor hem althans, volstrekt onbegrijpelijk. Bij het lezen van verwijzingen naar dingen als 'petaflops', 'extropianen' en 'de pijlnotatie van Knuth' raakte hij de draad volledig kwijt. Eerlijk gezegd had hij niet de juiste achtergrond om er al te veel van te begrijpen.

Maar toch, toen de landing naar San Francisco werd ingezet, begreep hij min of meer genoeg om te weten dat de nanotechnologie belangrijk, controversieel en, voor het grootste deel, nog altijd theorie was. Het was allemaal zo veelbelovend dat er heel veel geld in werd gepompt dat door een aantal grote namen weer werd uitgegeven: Hewlett-Packard, IBM, dat soort ondernemingen. Tijdens de regering Clinton werden de overheidsinvesteringen in nanotechnologie verdubbeld tot een half miljard dollar.

Hetgeen op de volgende manier door de *National Science and Technology Council* werd onderbouwd:

*De nanotechnologie kan wellicht een enorme invloed uitoefenen op de productie van vrijwel elk door de mens gemaakt voorwerp – van auto's, banden en computercircuits tot geavanceerde medicijnen en weefselvervangers – en kan leiden tot de uitvinding van dingen die nog moeten worden bedacht… nu de eenentwintigste eeuw zich ontvouwt, wordt verwacht dat de invloed van nanotechnologie op de gezondheid, rijkdom en veiligheid van de wereldbevolking minstens zo groot zal zijn als de gezamenlijke invloed in de afgelopen eeuw van de antibiotica, de geïntegreerde schakeling en kunstmatige polymeren.*

En dat zei toch wel iets. De heersende opvatting leek te zijn dat de meeste toepassingen nog minstens tien jaar op zich zouden laten wachten. Bepaalde innovaties (zoals het maken van vaccins, enzovoort) zouden sneller realiteit worden, en onlangs had men een doorbraak geboekt met de bouw van een nanotransistor. Die beloofde de micro-elektronica te gaan veranderen, waardoor het mogelijk werd geïntegreerde schakelingen op een onvoorstelbaar klein formaat te fabriceren, materiaal dat op kamertemperatuur zou werken en een stuk minder gevoelig zou zijn voor stof en verontreiniging dan silicium en andere elementen.

Tot op heden leken de belangrijkste vorderingen echter vooral 'leuk voor tussen de schuifdeuren'. Eén geleerde had een nanogitaar gebouwd; een ander had een pincet gemaakt dat klein genoeg was om afzonderlijke moleculen op te pakken. Er was een moleculaire schakelaar geconstrueerd, en ook een 'kwantumomheining'. Deze bescheiden prestaties hadden enorme inspanningen gevergd van teams van knappe bollen. Veel wetenschappers bleven volhouden dat het maken van assemblers met 'bruikbare' armen, die in staat zouden zijn materie op een atomair niveau te manipuleren, op technisch onoverkomelijke problemen zou stuiten.

Dit vormde dan ook het hoofdpunt van de bezwaren van de anti-Dexlerianen: de bots die nodig waren voor het slagen van de nanotechnologie werden (vooral) door computergeleerden beloofd, maar de feitelijke vervaardiging was aan biochemici, microbiologen en moleculaire ingenieurs, en die wisten net zo vaak wel als niet hoe ze dat moesten doen.

Zo luidde bijvoorbeeld de gangbare gedachte dat de assemblers de elementen lucht, water en aarde als ruwe grondstoffen zouden gebruiken. Deze zouden op het moleculaire niveau worden gedeconstrueerd en volgens bepaalde specificaties opnieuw worden samengevoegd. Maar hoe zouden de assemblers worden gevoed? Met zonne-energie? Misschien. Maar zelfs als dat mogelijk was, zou het scheiden en weer samenvoegen van moleculen warmte genereren – en niet zo'n klein beetje ook, waarschijnlijk. Wat deden we daar dan mee?

En waar vooruitziende geesten grappige tekeningetjes maakten van kleine wezentjes met nano-armpjes waarmee ze moleculaire verbindingen konden splitsen en laten fuseren, vroegen sceptici zich toch af hoe je instrumenten kon maken die klein genoeg waren om afzonderlijke atomen te manipuleren. Hoe zat het met de 'armen' op de assemblers? Hoe konden die de afzonderlijke atomen 'vasthouden', zodat ze volgens plan konden worden geordend? Op de suggestie dat er chemische verbindingen konden worden gebruikt zodat de verschillende fragmenten aan elkaar 'plakten', reageerden de sceptici met de opmerking dat dergelijke verbindingen vaak vrij sterk waren. Hoe konden de assemblers de atomen of fragmenten die ze vasthielden dus loslaten?

Een aantal van deze vragen zou uiteindelijk wel worden beantwoord. Wie weet allemaal. Maar dat ging nog wel een tijdje duren – waarschijnlijk heel lang. Maar waarom, zo vroeg Danny zich af, vallen er dan nu doden?

Iets na achten in de avond landde zijn toestel op de luchthaven van San Francisco. Een shuttlebus bracht hem naar de Alamo-vestiging een paar kilometer verderop langs de weg, waar een witte Prism voor hem gereedstond. Hij wilde contant betalen, maar vanwege verzekeringsvoorwaarden gaf Alamo de auto niet mee zonder het kaartnummer op het huurcontract te zetten. Ach, dacht hij, het is immers een áúto, een bewegend doelwit. En hoewel de creditcard ter autorisatie werd nagetrokken, was er bovendien nog geen sprake van een transactie. Met een beetje geluk zou zijn rekening ook pas worden bijgewerkt nadat hij de auto had teruggebracht. Hij zette een krabbel.

Hij verloor bijna een uur omdat hij de verkeerde kant op was gereden en verdwaalde. Eenmaal weer op de goede weg leek het een slecht idee om die avond nog door te rijden naar Cupertino. Om rond een uur of elf, halftwaalf bij Glenn Unger aan te bellen, was al net zo'n slecht idee. Op het moment dat hij in Burlingame een Doubletree-motel passeerde, dacht hij dan ook: barst ook maar, hij maakte een U-bocht en stopte voor de deur. Een halfuur later sliep hij al als een os, te moe om het licht op het nachtkastje naast het bed uit te knippen.

Omdat zijn biologische klok inmiddels geen idee meer had in welke tijdzone hij zich bevond, had hij verwacht vroeg wakker te worden, maar hij sliep veertien uur door. Toch nam hij alle tijd om te ontbijten en wachtend op zijn Belgische wafel las hij wat in het tijdschrift dat hij uit het vliegtuig had meegenomen.

Toen hij tijdens de vlucht even zijn lange worsteling met de nanotechnologiedocumenten had onderbroken, had hij het blad, de *National Geographic Traveler*, in het vakje van de stoel voor hem gevonden. Al bladerend was hij op een artikel over Paaseiland gestuit, vandaar dat hij het had meegekaapt. Toen hij de foto's bekeek, zag hij de kolossale stenen hoofden voor het eerst niet zozeer als overblijfselen van een raadselachtige beschaving maar als beeldhouwwerken. En als zodanig trokken ze zijn belangstelling.

De geschiedenis van Paaseiland bleek een verhaal dat als waarschuwing bedoeld was. De oorspronkelijke Polynesische reizigers waren door toeval in het paradijs beland. Het eiland was een paradijs, zo rijk aan natuurlijke rijkdommen – water, hout, vis en zwermen vogels – dat de bevolking snel groeide. Het complexe hiëroglifische schrift en de honderden massieve stenen beelden duidden op een eilandbevolking die een verfijnde beschaving had ontwikkeld. Het uithakken, vervoeren en oprichten van de reusachtige stenen figuren zou volgens deskundigen zelfs vandaag de dag nog niet meevallen. Over de technieken die de 'primitieve' eilanders aanwendden om tot dit staaltje te komen, werd nog altijd getwist.

Na duizend jaar was het gedaan met de overvloed en Paaseiland verwerd tot een ecologische ramp. De bossen waren volledig verdwenen, zodat de eilandbewoners opeens zonder hout kwamen te zitten om boten te bouwen die ze nodig hadden om te kunnen vluchten of voor de kust te vissen (geen geweldige planners dus, oordeelde Danny). Ook de bodembegroeiing was voltooid verleden tijd, vermoedelijk opgevreten. Zonder bomen om vocht te genereren, droogden de bronnen op; de enorme aantallen vogels hadden geen plek meer om te nestelen, geen voedsel of drinken, en vlogen ervandoor om niet meer terug te keren. Rond 1600 woedden er stammenoorlogen. Toen de Nederlandse ontdekkingsreiziger Jacob Roggeveen op Paaszondag 1722 het eiland 'ontdekte' en het tot Paaseiland doopte, waren de eilanders letterlijk bezig hun nageslacht op te eten. Kannibalisme was uitgegroeid tot de belangrijkste bron van eiwitten. Vrouwen en kinderen werden het smakelijkst gevonden, vingers en tenen een traktatie. Lekker, dacht Danny, blij dat hij vegetariër was.

Het was al bijna twaalf uur toen hij nog een tweede kop koffie nam en zich vervolgens op weg naar Cupertino begaf.

Na een paar kilometer rijden kreeg hij een idee voor een installatie voor de Neon-galerie. *Talking Heads*, zou hij zijn kunstwerk noemen. Hij zou een paar grote, Paaseiland-achtige koppen van papier-maché maken, alleen zouden het mediapersoonlijkheden worden. Mensen als Dan Rather, Mike Wallace, Oprah. Iconen van nu. De meeste hoofden op Paaseiland waren op stenen platforms, zogenaamde *anu*, gebouwd waarin de bewoners rituele voorwerpen hadden geplaatst. In zijn installatie kon hij misschien open platforms bouwen – houten stellingen – met erbovenop de hoofden. Erin zou hij... televisietoestellen plaatsen die zouden aanstaan... met nieuwsuitzendingen of talkshows of op MSNBC.

Het idee bezat een soort vage logica die hem wel aanstond. Wat het betékende, kon hij niet echt onder woorden brengen, maar dat was niet erg. Hij zette de autoradio aan en liet alles nog eens de revue passeren terwijl hij naar Cupertino reed.

Patels huis – inmiddels van Glenn Unger – bleek een keurig gerestaureerde bungalow die, gezien de buurt, vermoedelijk minstens een miljoen dollar waard was.

De prachtige deur, geflankeerd door oplopende, ruitvormige raamstijlen, was tot op het natuurlijke eikenhout afgeschaafd, waardoor de zwarte krans in het midden extra opviel. Danny had nog nooit een rouwkrans gezien en hij kreeg er de kriebels van. Het ding was gemaakt van veren, zwarte, krullende veren die zo glansden dat ze bijna de kleuren van een regenboog uitstraalden. Grimassend reikte hij naar de koperen deurklopper midden in de krans.

Hij had de klopper amper aangeraakt of de deur vloog al open. Het leek wel alsof hij uit zijn vingers werd gerukt – wat in feite ook zo was. Het effect was angstaanjagend en had veel weg van een elektrische schok, en hij deinsde achteruit.

'Ja?'

De man in de deuropening was ergens in de veertig. Doordat hij slechts een sportbroek, een leesbril en teenslippers droeg, zag je dat hij goedgetraind was. 'Kan ik u ergens mee helpen?'

Bij iemand aan de deur kloppen was niet iets wat Danny graag deed. Dat deed niemand eigenlijk graag. Maar geen enkele detective ontkwam eraan – want je had altijd lui die weigerden hun telefoon op te nemen. En als ze dat wel deden, waren ze vaak niet bereid om vervolgens een afspraak te maken. De eerste keer dat hij de opdracht kreeg bij een onwillige 'bron' langs te gaan, had hij geprotesteerd. *Wat moet ik dan zeggen? Ik ken de vent niet eens!*

*Nou en? Doe voor mijn part alsof je een stofzuiger verkoopt*, had zijn baas gezegd. *Geef hem een exemplaar van de* Wachttoren! *Kan mij 't schelen. Doe 't nou maar gewoon.* Dus dat had hij maar gedaan. En toevallig bleek hij er vrij goed in.

'Meneer Unger?'

De man kneep zijn ogen toe. 'Jaaa?'

'Mijn naam is Danny Cray en… ik hoopte even met u te kunnen praten over uw vriend, de heer Patel.'

Een geïrriteerde zucht. 'O, in godsnaam,' jammerde Unger. 'Wat bent u? Een… alternatieve krantenverslaggever?'

'Nee…'

'Want ik heb helemaal geen zin in publiciteit.'

'Dat begrijp ik, maar…'

'Mooi. Dan begrijpt u ook vast wel waarom ik nu deze deur dichtdoe. Dag!' Het laatste woord kwam er zangerig uit en ook een beetje als twee lettergrepen. *Da-hag.*

Nog nooit had Danny 'zijn voet tussen de deur gestoken', niet echt, althans. Maar nu deed hij het wel. 'Ik heb anders een heel eind gereisd,' legde hij uit.

Unger wierp een blik naar de opdringerige voet en sloeg vervolgens zijn ogen op. 'Pardon?'

'Ik bedoel… duizenden kilometers.'

'Vindt u dit niet een beetje gênant?'

Danny haalde zijn schouders op, maar liet zijn voet tussen de deur. 'Ik denk dat ik weet waarom meneer Patel werd vermoord.'

Unger keek bedenkelijk, hield zijn hoofd scheef en nam Danny even op. 'Moet dat nieuws zijn of zo? Iedereen weet waarom Jason werd vermoord.'

Nu was het Danny's beurt om verrast te zijn. 'O ja?'

'Natuurlijk.'

Danny knipperde met zijn ogen.

'Hij werd vermoord door een of andere potenrammer, een homofobische gek. Of gekken. Dat soort dingen gebeurt nog steeds. Welnu, als u over informatie beschikt...'

'Daar geloof ik niets van.'

Unger keek hem sceptisch aan. 'Neem me niet kwalijk?'

'Ik geloof niet dat het iets met zijn seksuele voorkeur te maken had.'

De man aarzelde; zijn onzekerheid was nu van zijn gezicht af te lezen. 'Als dit soms een smoes is...'

'Geen smoes,' zei Danny.

Met een zucht deed Unger een stap naar achteren en hield de deur wijdopen. 'Goed,' zei hij, 'kom dan maar binnen.'

Het interieur van de bungalow leek wel een antiekwinkel waar uitsluitend spullen in Craftsman-stijl te krijgen waren. Alles stamde uit die periode, elk fotolijstje, elk object. Bijna verwachtte hij prijskaartjes aan de meubels te zien hangen. Unger ging hem voor, via de 'vestibule' naar de 'salon', naar een stijlkeuken en ten slotte naar een kleine patio aan de achterzijde van de woning.

Deze oogde al net zo volmaakt als het huis zelf, met een borrelend fonteintje in de hoek. Op een gietijzeren tafeltje stonden een kan ijsthee en een bord met flinterdunne gemberkoekjes. Unger gebaarde naar een stoel en de mannen namen tegenover elkaar plaats. Met een roerstokje in de vorm van een giraffe met een lange dunne nek roerde Unger in de kan en hij keek op. 'Glaasje ijsthee?'

Danny knikte. 'Graag.' Het moeilijkste – binnen zien te komen – had hij achter de rug. Nu moest hij de man zien te overtuigen om, ondanks diens verdriet, een vreemde in vertrouwen te nemen. De enige manier om dit te bereiken, was door middel van een bekentenis aan te tonen dat hij te goeder trouw was. En dus schraapte hij zijn keel en begon. 'Ik vrees dat ik wel eens – indirect – verantwoordelijk kan zijn geweest voor Patels dood...'

De man tegenover hem hapte hoorbaar naar lucht en keek hem ontsteld aan.

'Ik werd ingehuurd door een man die Zerevan Zebek heet,' legde Danny uit, 'om erachter te komen wie degene was met wie ene professor Terio contacten onderhield.' Hij nam een slok van zijn ijsthee. 'Zebek zei dat hij werd belasterd in de pers,' ging hij verder, 'en dat Terio daarachter zat – Terio en nog wat anderen.'

Unger vouwde zijn armen en leunde achterover. Uit zijn blik sprak een soort alert ongeduld.

'Hij wilde dat ik uitzocht met wie Terio praatte,' zei Danny. 'Wat ik dus deed. Ik kreeg een kopie van zijn telefoongegevens…'

'Kan dat zomaar?'

Danny knikte. 'Die kun je bij informatiemakelaars kopen.'

'En dat leek u geen aantasting van Jasons privacy?' vroeg Unger op ijzige toon.

Hij maakte een hulpeloos gebaar. 'Ja, ik neem aan van wel, maar… als detective… hoort dat nu eenmaal bij je werk.'

Unger was niet onder de indruk. 'Nou,' zei hij, 'dat hoort dus bij úw werk.'

Danny begreep het. 'Inderdaad,' gaf hij toe.

'Ga verder.'

'Hoe dan ook, ik kwam erachter dat Terio met uw vriend contacten onderhield – en met nog twee andere mannen; een wetenschapper in Oslo en een journalist in Istanbul.'

Ungers scepsis uitte zich nu met gesnuif. 'Jason is nooit van z'n leven in die steden geweest.'

'Dat is niet relevant,' zei Danny.

'Wat dan wel?'

'Dat ze nu allemaal dood zijn,' sprak Danny.

'Wie?'

'Terio. De wetenschapper in Oslo. De Turkse journalist. Patel.'

Unger nam een slokje van zijn ijsthee. Kort daarna leunde hij voorover en zei: 'Lulkoek.'

Het verraste Danny, maar hij hield zijn gezicht in de plooi en trok zijn schouders op. 'Niet dus.'

'U suggereert dat Zebek Jason heeft laten vermoorden…'

'Dat klopt.'

'Maar Zebek is de éígenaar van vss.'

'Klopt,' gaf Danny toe. 'Dat is-ie.'

'En u zegt dat hij Jason heeft laten vermoorden nadat hij hem eerst bij Protein Dynamics wegkaapte? Nadat hij hem met bonussen en premies naar vss lokte?'

'Ja.'

'Nou, dat slaat dus nergens op,' was Ungers overtuiging. 'Jason was daar niet een of andere onderknuppel. Hij was als een goeroe. Ze zullen hem nooit kunnen vervangen bij vss. Zijn verlies is een ramp. Dat hoor je van iedereen. Hij was geniaal!'

'Daar twijfel ik niet aan,' reageerde Danny. 'Maar er gebeurde iets.'

'U bedoelt deze, deze ónzin over een lastercampagne tegen het bedrijf?'

'Nee, dat was slechts een excuus…'

'Wat dan?'

Danny slaakte een zucht. 'Ik weet 't niet. Ik hoopte eigenlijk dat u me dat kon vertellen.'

271

Ze namen het hele verhaal nog eens door, waarbij Danny van voren af aan begon. Terwijl hij praatte, zag hij de sceptische blik op Glenn Ungers knappe gezicht langzaam plaatsmaken voor verbijstering en ten slotte verontrusting.

'Ik zou nog wel even kunnen doorgaan,' zei Danny, 'maar dat was 't wel... in grote lijnen.'

'Hebt u de politie hierover verteld?' wilde Unger weten.

Danny schudde zijn hoofd. 'Ik geloof niet dat de plaatselijke politie dit kan bolwerken. We hebben het wel over, eh, vijf moorden in vier landen. Plus de "bijkomstige schade" in Turkije. En het enige wat ik echt kan bewijzen, is dat degenen die nu dood zijn allemaal dezelfde man kenden: Terio.'

Unger knikte en op zijn voorhoofd verschenen diepe rimpels. 'Jay maakte zich wél ergens zorgen over – het ging om iets op zijn werk. En hij kende Terio. Ze spraken elkaar een keer of twee over de telefoon. Misschien dat er ook werd gemaild en ik geloof dat ze elkaar ergens op een conferentie kunnen zijn tegengekomen.' Hij keek omhoog, probeerde het zich te herinneren, maar schudde zijn hoofd. 'Maar...' Met een hand bedekte hij zijn gezicht en zo bleef hij een tijdje zitten. Ten slotte gleed zijn hand over zijn voorhoofd naar zijn kruin. Zo leek hij wel een eeuwigheid te zitten, met zijn vingertoppen stevig tegen zijn schedeldak gedrukt. Daarna liet hij zijn arm zakken en schudde zijn hoofd. 'Ik weet het niet,' mompelde hij. 'Ik weet het gewoon niet meer.'

De tranen stonden in zijn ogen. 'Alles goed?' vroeg Danny.

Unger knikte. 'Wat u over Zebek zegt... als het waar is.' Een stilte. 'Het brengt Jason niet bij me terug – niets kan hem terugbrengen. Maar in zekere zin is het voor mij een rehabilitatie. Want de politie... iedereen gaat ervan uit dat we promiscue zijn... dat we voortdurend op de versiertoer zijn, volkomen losgeslagen. Maar de waarheid is: ik werk me te pletter – ik ben architect. En wat Jason betrof, nou ja, over hem zal ik maar niet eens beginnen! Ik moest hem van zijn werk naar huis slépen. Maar de politie... die lijkt te denken dat het voor iemand als Jason normaal is om zo aan zijn eind te komen. Voor hen is het een "homoaangelegenheid", meer niet.' Hij zweeg even en zuchtte diep. 'Dus... ik geloof dat ik u wel mag bedanken.'

'Ach, welnee...'

'Vertel me wat ik kan doen.'

Danny dacht even na. 'U zou me zijn computer kunnen laten zien.'

Unger hield zijn hoofd even naar links en daarna naar rechts, alsof hij wilde zeggen: *ja en nee.* Hij kwam overeind en gebaarde Danny hem te volgen. Samen liepen ze naar een zitnis opzij van de eetkamer, waar op een antiek eikenhouten bureau een flatscreen Silicon Graphics-monitor stond. Unger nam plaats in een bijpassende draaistoel, reikte onder het bureau en zette de computer aan.

'Dit is hem?' vroeg Danny. Hij zag eruit als een Dell. Hij had eigenlijk iets chiquers verwacht – maar wat precies, dat wist hij niet.

'Deze is van mij,' zei Unger. 'Jay had een laptop plus nog een op kantoor. En een Palm.'

'En waar zijn die?'

'De politie heeft ze,' zei Unger en hij leunde achterover in zijn stoel.

Met trompetgeschal verscheen het Microsoft-bureaublad in beeld. De achtergrond was een foto van Unger en een andere man, hangend over de reling van een cruiseschip. De tweede man was kleiner, donker en knap. 'Is dat Jay?' vroeg Danny.

Unger knikte.

'Zijn e-mail, kunt u daarbij?'

'Ik denk 't niet,' antwoordde Unger. 'Ik zit bij Yahoo en Jay kreeg zijn e-mail op het werk. Ze hebben firewalls en de hele rataplan.'

'Weet u wat zijn wachtwoord is?'

'Mwah, het was geen woord, meer een allegaartje van cijfers en letters en god weet wat nog meer! Ik geloof dat hij er wel een stuk of tien had, en trouwens, die lui van systeembeveiliging zorgden ervoor dat ze maandelijks werden veranderd, dus... nee.'

Danny dacht een ogenblik na. 'En vss?' vroeg hij. 'Denkt u dat u me daar binnen kunt krijgen?'

'Binnen?'

'Ja, zodat ik daar iemand kan spreken; uitzoeken wat er gebeurt, wat ze er doen...'

Unger spreidde zijn handen naar het plafond en schudde zijn hoofd. 'Onmogelijk,' zei hij. 'Ik bedoel, ik kan u er wel heen rijden, maar u komt nooit langs de receptie. Het gebouw is een fort.'

'Hm.'

'Maar ik kan u wel vertellen wat ze doen,' zei Unger. 'Ze genezen kanker.'

Nu was het Danny's beurt om sceptisch te kijken. 'U meent het!' Grappig, dacht hij, Zebek leek daar de vent niet naar...

'Om u de waarheid te zeggen, ja, dat doen ze. Eerst binden ze de strijd aan met borstkanker – daarna met andere soorten tumors.' Hij maakte een weids gebaar. 'Het wordt gigantisch.'

'Borstkanker,' herhaalde Danny.

'Daarom ging Jason weg bij Protein Dynamics. Hij kreeg de kans om werkelijk iets te dóén. Het was niet alleen werken met... apparaatjes! En het was ook niet langer slechts theoretisch. Jays moeder overleed aan borstkanker, dus dat had er wel iets mee te maken. En het zou natuurlijk ook een hoop geld gaan opleveren. Uiteindelijk. Maar daar ging het hem niet om. Dit was belangrijk wetenschappelijk onderzoek. Ik kan u zelfs vertellen hoe het werkt, min of meer dan. Ze construeerden tumorbommen, een soort nanogranaat die kankercellen zou binnendringen, alléén

273

de kankercellen, en ze zou vernietigen. En uiteraard zal de technologie in de toekomst ook op andere tumors worden toegepast.'

Danny fronste het voorhoofd. Hoe meer hij leerde, hoe minder hij wist. 'Eerder zei u dat Jason zich ergens zorgen over maakte, iets op z'n werk.'

Unger knikte. 'Grijs slijm.'

Danny knipperde met zijn ogen. 'Wat?'

'Jay dacht lange tijd dat die hele grijze slijmtoestand een soort fantasie was van tegenstanders van deze hele technische toekomstmuziek. Maar de laatste tijd… maakte hij zich zorgen.'

Danny bracht zijn handen in een hulpeloos gebaar omhoog. 'Waar hebt u het over?'

Unger keek verrast. 'Het probleem van het grijze slijm.'

'Wat is dat?'

'Weet u dat niet?'

Danny schudde zijn hoofd.

Unger zuchtte en dacht even na. 'Nou, het is… het einde van de wereld. Op z'n mínst.'

# 21

Danny zweeg een lang moment. 'Meneer Unger…' begon hij eindelijk.
Met een snel *tut! tut!* onderbrak Unger hem. 'Het is Glenn – toe.
Mijn váder is meneer Unger.'

'Goed, Glenn. Dus… waar hebben we het nu eigenlijk over? Ik bedoel:
het einde van de wereld, dat klinkt eh… tamelijk heftig, nietwaar?'

Unger lachte. 'Nou…'

'Ik bedoel, hoe zit het nu precies?' vroeg Danny. 'Ben ik net als Alice uit
*Alice in Wonderland* door een spiegel gestapt of zo…?'

Unger negeerde het. 'Wat weet je eigenlijk van nanotechnologie?'

Danny dacht even na en zuchtte. 'Ik weet wat het ís.'

'Maar je weet niets over grijs slijm?'

Danny schudde zijn hoofd.

Unger opende zijn mond, alsof hij op het punt stond het een en ander
uit te leggen, maar sloot hem weer. Potdicht. Ten slotte sprak hij toch. 'Ik
denk dat je maar eens met Harry moet praten. Ik ben architect, geen wetenschapper.'

'Ja, maar…'

Unger sprong overeind en kapte hem af. 'Geen zorgen, komt allemaal
wel goed. Vooral als ik hem op een etentje trakteer.' Hij hield zijn hoofd een
beetje schuin, overwoog zijn idee nog even en keurde het goed. 'Maar als ik
hem bel en het als een plánnetje overkomt, dan kan-ie misschien een tikkeltje panisch worden.'

'Over wie hebben we het?' vroeg Danny.

'Harry Manziger, een proteïne-ingenieur bij vss. Een erg impulsief
type. Het beste is maar gewoon bij hem langs te wippen, denk ik…'

Unger verzocht hem zijn huurauto even opzij te zetten, opende de garagedeur en daar stond een oude kobaltblauwe T-Bird, het model met het kleine ronde raampje. Hij reed achteruit de garage uit, maar bedacht zich en
zette de wagen weer binnen. 'Stel dat we inderdaad ergens wat gaan eten,
dan zal Harry er niet in passen. Misschien is het toch beter als we jouw
auto nemen.'

Het miezerde inmiddels. De straten waren glibberig, er was veel verkeer. Danny volgde Ungers aanwijzingen. Geen idee waar ik heen ga, dacht hij, al sla je me dood.

Al vrij gauw stopten ze voor een bungalow met dezelfde contouren als die van Unger. Maar daar hield de gelijkenis ook meteen mee op. In plaats van de keurig verzorgde voortuin ging Manzigers optrekje verscholen achter verwilderde struiken. De tuin ervóór was kaal en overwoekerd met onkruid. De volgepropte garage stond open en onthulde een klein pakhuis met dozen, speelgoed, gereedschap, fietsen, harken, ski's, verfblikken, oude computers, monitors en tv's. Een dikke tiener in zwarte kleding deed open, zijn lijkwitte gezicht vol met puistjes.

'Is Harry thuis?'

'Pa?! Je hebt bezoek!'

'Wie is het?' riep een stem terug.

'De fiscus!' antwoordde de jongen.

'Jordan!'

De jongen hield de deur voor hen open en ze liepen naar binnen. Een oude poedel, het ene oog melkachtig door grauwe staar, begon opgewonden te keffen.

'Ik kom zo boven!' schreeuwde iemand vanuit de kelder.

De jongen richtte zich tot de poedel. 'Turing!' gromde hij, 'hou nou effe je rotkop!' De hond keek hem verslagen aan terwijl de jongen een sleutelring van een haak naast de deur griste. 'Zeg even tegen pa dat ik met de auto weg ben, oké?'

Unger sloeg zijn ogen ten hemel.

Om nu te zeggen dat het een puinhoop was in de woning was een understatement. De twee mannen stonden op een bloedrood, pluizig vloertapijt vol hondenhaar en uitgedroogde voedselresten. De salontafel voor de versleten groene zitbank lag volgestapeld met kranten en tijdschriften. Overal slingerden spullen en uitgegooide kleren rond, lege frisblikjes, iemands trui. Boven op de rommel op de salontafel lagen wat lege bierflesjes naast een paar plastic borden voor diepvriesmaaltijden. Op wat karmozijnrode vegen bessensaus na leken de bordjes schoongelikt.

'Harry zal het eerste moment waarschijnlijk wat zenuwachtig overkomen,' waarschuwde Unger. 'Nerveus type.'

Vanuit de kelderverdieping klonken voetstappen en het volgende moment verscheen Harry Manziger in het deurgat van de keuken. Hij droeg een roze wasmand die was volgestouwd met ongevouwen kleren. En hij was groot. Een meter negentig ongeveer, met een gewicht van om en nabij de 135 kilo. Hij droeg een broek van zware katoen, waarvan de opgerolde band ergens onder zijn buik hing, en een overhemd zo strak dat het zijn vetrollen accentueerde. In zijn linkeroor zat een oorbel met een diamant.

'Glenn,' zei hij en zijn mollige gezicht kreeg onmiddellijk iets bezorgds.

'Is er iets?' Hij keek even vluchtig naar Danny en wendde vervolgens zijn blik af. Danny zag dat hij opzij in zijn hals een tattoo had van een uitgeholde Halloweenpompoen.

'Dit is Dan Cray,' stelde Unger hem voor. 'Ik hoop dat jij hem wat dingen kunt uitleggen. Mogen we even gaan zitten?' Zonder het antwoord af te wachten kuierde hij de woonkamer binnen, schoof wat kleding opzij en liet zich op de armleuning van een oorfauteuil zakken die in de rui leek te zijn. Danny volgde zijn voorbeeld, hoewel het eigenlijk een grootschalige afgraving vereiste om nog een stukje bruikbaar oppervlak te vinden om op neer te strijken. Manziger schoof zijwaarts met hen mee.

'Wat uitleggen?'

'O... dat probleem van het grijze slijm en de dingen waar Jay zich druk om maakte bij vss.'

De dikke man hield krampachtig de wasmand tegen zijn borst, alsof deze hem bescherming kon bieden. 'En waarom zou ik dat willen doen?'

'Omdat je Jays vriend was. En omdat Dan hier denkt dat zijn dood iets met vss te maken had.'

Manzigers blauwe ogen schoten door de kamer alsof hij naar een vluchtweg zocht. 'De politie houdt er een heel andere theorie op na,' sprak hij.

Geërgerd maakte Unger een pufgeluid met zijn lippen. 'De "politie" – alsjeblieft zeg!'

Danny zag dat Manziger zowaar een *pocket protector* droeg, een elektronische beveiliging tegen zakkenrollers. En het ding kweet zich van zijn taak, want het witte plastic straalde een blauwachtige nevel uit die zich, bij nauwkeuriger bestudering, als een netwerk van ragfijne inktlijntjes openbaarde. De dikke man balanceerde van de ene voet op de andere en hield de ogen koortsachtig op de vloer gericht. 'Ik weet het niet,' zei hij.

'Harry? Doe 't nu maar voor Jason. Het heeft niks met eigendomsrecht te maken. Vertel Dan gewoon over dat slijm – en misschien kunnen we het daarbij laten.'

'Zou ik kunnen doen,' gaf de dikke man toe, maar hij schudde zijn hoofd. 'Ik weet het niet.'

'Nou, terwijl jij probeert de knoop door te hakken, ga ík alvast in een shock. Serieus! Mijn suikerspiegel zakt namelijk als een baksteen!'

'Ik kan even een muffin voor je bakken,' opperde Harry.

'Waarom gaan we niet even uit eten? Kunnen we rustig praten – ik trakteer.'

Het idee van gratis eten leek Manziger over de streep te trekken. Hij zette de wasmand op de salontafel en verontschuldigde zich om zich even te gaan 'opfrissen'. Een minuutje later verscheen hij weer, met gekamd haar en ruikend naar Old Spice. 'Oké,' zei hij, terwijl ze de deur uit naar de prism liepen, 'maar ik zeg geen woord over het project zelf. Geen enkel detail. *Das ist verboten.*'

Ze belandden in de Blue Potato en Unger excuseerde zich al bij voorbaat voor het geval het tegenviel. 'Het is een nieuwe tent, dus ik weet niet of het iets is, maar zoveel restaurants hier...' Hij trok zijn schouders op. '... herinneringen...'

Een bleke, scharminkelachtige jongedame, voor wie deze planeet net zo nieuw leek als het werk in het restaurant, deelde de menukaart uit en nam de bestellingen voor de aperitiefjes op. Zwijgend bestudeerde het drietal de kaart. De meeste gerechten, zo zag Danny, bevatten een aardappelcomponent.

Eindelijk was het scharminkel weer in aantocht. Met de intense concentratie van een peuter overbrugde ze de korte afstand van de bar naar hun tafeltje. Pinot Grigio voor Unger, een Bombay Sapphire-martini voor Manziger en een lichte Sierra Nevada-ale voor Danny. Vervolgens bestelden ze, waarbij het scharminkel met veel pijn en moeite de woorden stuk voor stuk op haar kleine blocnote krabbelde, een opgave die nog eens werd bemoeilijkt door het feit dat ze haar Bic in een soort apenvuistje vasthield.

Toen ze klaar was, wendde Unger zich tot Manziger. 'Je zei?'

'Goed goed goed,' reageerde Manziger terwijl hij de olijf uit zijn martini viste en hem in zijn mond liet floepen. 'Welnu, het draait allemaal om exponentiële krommen. En beperkende omgevingen.' Zijn stem stierf weg. Er leek niets meer te komen.

'Dat is alles?' vroeg Danny.

Manziger schoof wat ongemakkelijk in zijn stoel en slaakte een zucht. 'Luister, bijna zijn hele carrière lang – en vergéét daarbij die laatste maand maar even – deed Jason de grijze slijmkwestie af als de slechtste vorm van hysterie. En ik ben het daar nog steeds mee eens. Het enige echte probleem bij vss is de cashflow. Er wordt niemand betaald en er wordt niets bereikt. Hoewel ik het vermoeden heb dat daar snel verandering in komt. We kregen een memo van boven...'

'Van Zebek?' vroeg Danny.

'We kregen een memo van bóven,' herhaalde Manziger. 'Er is een financiële injectie onderweg, dus in september is het volle kracht vooruit. Maar wat de rest betreft...' Hij schudde zijn hoofd.

'Jij was niet ongerust?' vroeg Unger. 'Helemaal niet?'

'Neuh,' zei Manziger. Hij hield zijn duim en wijsvinger ongeveer drie millimeter van elkaar. 'Nou, zoveel ongeveer. Ik vond dat Jay last had van... een soort midlifecrisis en dat hij op z'n oude dag een beetje een oud wijf begon te worden.' Hij grinnikte.

'Hè toe,' zei Unger. 'Aan dat soort terminologie nemen mijn vrouwelijke kennissen en ik aanstoot.'

Manziger rolde met zijn ogen en nipte lang van zijn martini. 'O, ik wist niet dat je vrouwelijke kennissen hád.'

Unger siste geschokt 'tss'.

Manziger grijnsde. 'Oké! Sorry.'

Unger keek een andere kant op.

'U zei?' vroeg Danny. 'Over dat slijm?' Hij begon zijn geduld te verliezen.

Manziger knikte en nam een tweede slok van zijn martini. 'Zoveel mensen, zoveel meningen. Persoonlijk maak ik me er geen zorgen over. En ik meen te weten waar ik het over heb. De nanotechnologie belooft een einde te maken aan honger, ziekte – misschien zelfs aan de dood. Ze belooft een einde te maken aan schaarste en houdt een ontwrichting in van elke hiërarchie ter wereld – maar alléén als we de technologie de vrije hand geven. En op dit moment zijn er mensen die deze grijze slijm-kwestie als een excuus aanvoeren om iets wat zich zonder al te veel obstakels dient te ontwikkelen allerlei beperkingen op te leggen.'

'Wat bedoelt u met dat ontwrichten van hiërarchieën?' vroeg Danny.

Manziger haalde zijn schouders op. 'Lijkt me tamelijk helder,' zei hij. 'Als je uit ruwe grondstoffen die in wezen vrij verkrijgbaar zijn zo'n beetje alles kunt maken... zal een aantal mensen daar niet blij mee zijn. Ik bedoel, als je olie, diamanten en goud kunt máken... wat gebeurt er dan met Exxon, De Beers en Homestake? Denk je dat die je dankbaar zullen zijn?'

'Ik snap wat u bedoelt,' zei Danny.

'Over een herverdeling van de rijkdommen gesproken!' riep Manziger enthousiast. 'De nanotechnologie is het helemaal! Daarom is het ook zo belangrijk om haar de kans te geven – net als het world wide web. Ja, het web is chaotisch, maar als het niet op zo'n onbelemmerde, organische manier was ontwikkeld zoals nu, zou het niet eens hebben bestaan. En anders zou het voor de meesten van ons gewoon nutteloos zijn gebleven, want in bepaalde opzichten zo beperkt dat we het ons niet kunnen voorstellen.'

'Dat kan ik nog wel volgen,' liet Danny hem weten, 'maar ik snap niet wat het met dat slijm te maken heeft.'

'Volgens mij is Harry nog maar net bezig de basis uit te leggen,' merkte Unger op.

'Klopt helemaal! Ik leg je de basis uit.' Het was duidelijk dat hij eerst even moest warmlopen, maar voordat hij verderging, kwam het scharminkel aangetrippeld met de borden calamaris en een 'aardappel-hooiberg' voor Danny. Als in slowmotion zette ze de borden neer, zó langzaam dat het was alsof ze naar een performance-kunstenares zaten te kijken.

Unger doopte een calamaris in de marinarasaus, kauwde, slikte en velde zijn oordeel: 'Verrassend lekker.'

'O ja?' vroeg Manziger en hij viel aan.

Danny haalde een hand door zijn haar, zuchtte en wachtte terwijl Manziger zijn pijlinktvis te lijf ging. Eindelijk bette de ingenieur met een servet zijn mond. 'U begrijpt hoe de nanotechnologie werkt?' vroeg hij.

'Min of meer,' reageerde Danny schouderophalend.

'Mooi. In wezen draait het allemaal om assemblers…' Het was boeiend om te zien hoe Manzigers sociale onbeholpenheid volledig in rook opging zodra hij over zijn vak begon. Hij was zo'n type dat een goede leraar zou zijn geweest. 'Door proteïne-ingenieurs bewerkte robots die moleculen op maat bouwen. Noem iets, en ze kunnen het maken. Als je wilt, bouwen ze huizen uit diamanten.

Maar elk karwei is weer anders. Elke taak vereist een AI-programma en gespecialiseerde assemblers. Hele massa's! Je hebt miljarden van die kereltjes nodig om iets te kunnen doen!' Hij pauzeerde even om nog wat ringetjes calamaris te verslinden.

'Daar heb ik over gelezen,' zei Danny.

'Nog even geduld. Goed, het bouwen van de eerste assembler is dus ontiegelijk moeilijk. Bij vss hebben we geloof ik wel zes jaar gewerkt aan een assembler die nano-apparaatjes moest gaan bouwen om borstkanker te bestrijden. En niemand zal er ooit in slagen genoeg assemblers te vervaardigen om ook maar iets te kunnen doen! Het zou een eeuwigheid duren en een fortuin kosten! Dus wat je moet doen, is zorgen dat ze zichzelf kunnen voortplanten.'

'Met andere woorden,' kwam Unger tussenbeide, 'je maakt er één en programmeert hem zo dat-ie kopieën van zichzelf genereert.'

'Precies. En dat maakt mensen dus ongerust. Terwijl, als je erbij stilstaat… waarom?' Met een duim wees hij naar zichzelf. 'Ik kan mezelf voortplanten – en u ook – tenminste, met iemand anders.' Hij wees naar de in stukjes gesneden aardappel op Danny's bord. 'Die piepers van u planten zichzelf ook voort. Dus vanwaar al die ophef?'

Danny schudde zijn hoofd en bracht een vork aardappel naar zijn mond.

'Die ophef,' ging Manziger verder, 'wordt gemaakt omdat wíj deze kereltjes maken, niet moeder Natuur. Niemand heeft er dus vertrouwen in dat ze ooit zullen stoppen met zichzelf te kopiëren – ook al zijn er ontelbare manieren om dat in te programmeren.'

'Zoals?' vroeg Danny.

Manziger schoof zijn vork door het kleverige restje saus op zijn bord en likte hem af. 'Je zou het zo kunnen doen dat ze zich alleen bij bepaalde temperaturen – zeg min negentig graden Celsius – vermenigvuldigen of in atmosferen die je in de natuur gewoon niet tegenkomt. Er zijn zat manieren.'

Danny knikte. 'En het grijze slijm…?'

'Ik ben er bijna.' Hij zweeg even en knikte naar Danny's aardappel. 'Eet u die nog op?'

Danny schudde van nee.

'Vindt u 't erg?' vroeg Manziger.

'Welnee, ga uw gang.'

Manziger knikte kordaat en ruilde met Danny van bord. 'Maar goed, bij een bedrijf als vss heb je na een gigantische investering in manuren dan eindelijk je eerste werkende assembler. Het kostte denk ik een jaar of tien om het klereding te maken, maar nu het dan gelukt is, heeft die assembler misschien slechts tien minuten nodig om zichzelf te kopiëren. Dus nu heb je er twee. Tien jaar voor nummer één, tien minuten voor de tweede. Enzovoort…' Met een glimlach leunde hij iets voorover naar Danny en hij keek hem met vochtige ogen aan. 'Hoe ver bent u gekomen met wiskunde?'

'Tot en met staartdelingen,' antwoordde Danny.

'Nee, écht?!'

Danny schudde zijn hoofd. 'Geintje… hoezo dan?'

Manziger keek opgelucht. 'Weet u wat een exponentiële kromme is?'

'Niet precies,' moest Danny toegeven.

'O, dat weet u best, hoor – u weet alleen niet dat dat zo wordt genoemd.' Hij doopte zijn vinger in zijn martini en tekende een soort hockeystick op de tafel.

'Wat mensen niet begrijpen,' legde hij uit, 'is dat in de eerste fases van een exponentiële progressie de snelheid van acceleratie praktisch onzichtbaar is.' Hij wees naar het begin van de curve, waar de krul van de stick overging in het rechte stuk. 'Hier is hij nog bijna horizontaal. Maar zoals u kunt zien' – zijn vinger volgde de curve omhoog langs de stick – 'zodra de boel in beweging is, buigt de lijn om naar verticaal.'

'Oké, maar…'

Manziger stak een hand op. 'Nog even. En maak u geen zorgen, want ik heb straks een geweldige fabel voor u.'

Danny sloeg zijn laatste restje bier achterover en hief zijn lege glas op naar het scharminkel. Hoe, vroeg hij zich ondertussen af, ben ik hier verzeild geraakt? Ik bedoel, daar waar ik nu zit? Hier in de Blue Potato, luisterend naar deze, toegegeven, intelligente dikzak die leutert over exponentiële krommen om me iets duidelijk te maken over grijs slijm? En nu nog een 'fabel' ook. Wat is er toch met mijn leven gebeurd? Wat klopt er niet aan dit plaatje?

Iets van deze gedachte moest van zijn gezicht te lezen zijn, want Unger keek hem van onder zijn puntige wenkbrauwen vorsend aan. 'Alles in orde met je, Dan?'

Danny haalde zijn schouders op. 'Ja,' zei hij, 'prima. Ik vraag me alleen af waar dit heen gaat.'

'Vertrouw me,' zei Manziger. 'U moet deze fabel echt even horen, dan wordt alles duidelijk. Met alleen getallen zult u het niet begrijpen.'

Danny zweeg.

'Ga je gang, Harry,' moedigde Unger de dikke man aan en hij wierp ondertussen een soort opbeurende knik in Danny's richting.

'Oké,' zei Manziger, zijn mollige handen samenknijpend. 'Het gaat als volgt.' Hij wachtte even. 'Speelt u schaak?' vroeg hij.

'Zelden,' antwoordde Danny. Even dacht hij terug aan zijn verblijf in Barzans schuilplaats en aan de dingen die hij had gemaakt met de friseertang. En aan Layla. Hij dacht aan haar en kreeg een bedrukt gevoel in zijn borst. Verdriet. *Deze*, had ze gezegd, terwijl ze de grootste van de stukken tegen het zonlicht omhooghield, *is konink?*

'Nou, deze fabel gaat over schaken, of eigenlijk: de úítvinding van het schaakspel. Wat een Chinese aangelegenheid was. De Chinese keizer is zo opgetogen over het spel dat hij de uitvinder, een van de hofwiskundigen, wil belonen. Dus de keizer vertelt de uitvinder dat hij kan krijgen wat hij maar wil. "Noem maar wat," zegt hij. En die uitvinder, een echte wijsneus, wijst naar het schaakbord. Het enige wat hij wil, is een rijstkorrel op het eerste veld, daarna twee rijstkorrels op het tweede… enzovoort, steeds op elk volgend veld het dubbele aantal korrels.'

Manziger vertelde geanimeerd verder. Hij raakte helemaal in zijn element en zijn gezicht begon te stralen, terwijl Danny met een half oor luisterde en in een depressie wegzonk.

'Dus de keizer is als een kind zo blij,' ging Manziger verder. 'Hij komt er immers goedkoop van af!'

In Turkije word ik vast gezocht wegens moord, dacht Danny ondertussen.

'En daar ziet het het eerste moment ook naar uit, want de progressie begint langzaam. Een, twee, vier, acht… ze tellen de korrels uit een theelepeltje rijst.'

Mijn vriendin haat me…

'Maar daarná hebben ze een eetlepel, een kopje, een kom, een vat nodig, en het gaat maar door.' Manziger keek hem aan. 'Luistert u nog?'

Danny knikte.

Manziger liet zijn hand door de lucht slingeren. 'Inmiddels ziet de keizer dat hij een probleem heeft. Ze zijn nog maar halverwege het bord en hebben nu al een ossenkar nodig! Nog twee of drie velden en ze zullen een hele silo nodig hebben!' Manziger lachte en liet zich met een tevreden blik in zijn stoel achterovervallen.

'Maar wat gebeurde er met de uitvinder?' vroeg Unger.

'Ze hakten zijn kop eraf,' was het antwoord. 'Wat moesten ze anders? Die vent vroeg iets van achttien miljoen biljoen rijstkorrels! Dat is… dat is…'

'… meer dan alle rijst in China,' opperde Danny.

Manziger barstte los in een nasaal giechellachje. 'Precies! Eigenlijk meer dan alle rijstvelden op aarde zouden kunnen produceren. Vandaar dat de keizer de kleine wijsneus een koppie kleiner liet maken.'

'En wat heeft dit met grijs slijm te maken?' vroeg Danny.

'De assemblers zouden zich exponentieel vermenigvuldigen, net als die rijstkorrels,' legde Unger uit. 'Je begint met een...'

Manziger knipte met zijn vingers naar Unger. 'Bingo! En je zou het niet eens zien gebeuren. Niet in het begin. Na een minuut of twintig heb je twee assemblers. Nog eens twintig minuten en je hebt er acht. Vier uur later heb je er iets van 128.000 – maar je ziet ze nog steeds niet! Daar zou je een heel sterke microscoop voor nodig hebben. Maar na ongeveer tien uur heb je zo'n 68 miljard assemblers! En nú kun je ze zien! Dat is een hoop biomassa. En dan – ja, pas dan – gaat het op topsnelheid! Dit is nog maar de eerste dag en nu al ben je bij het verticale deel van de curve aanbeland waar ik het net over had.' Hij likte aan zijn vinger en tekende de hockeystick weer. 'Precies hier,' zei hij en hij wees naar een plek net boven de curve.

Danny staarde naar de kleine veeg.

'Als je die vermenigvuldiging niet binnen twee dagen kunt stoppen,' ging Manziger verder, 'zullen ze zwaarder wegen dan de aarde. Nog vier uur erbij en ze zullen de massa van de zon en de planeten overtreffen. Nog eens vier uur en... nou ja, als ze de brandstof en materie kunnen vinden, is het richting de sterren.' Hij sloeg zijn martini achterover en zette zijn glas zo hard neer dat een gast aan het belendende tafeltje zich omdraaide en hem een moment aangaapte. 'Dat is het probleem van het grijze slijm,' zei hij, 'in een notendop.'

'Maar waarom noemen ze dat nu zo?' wilde Danny weten, terwijl zijn hoofd nog worstelde met de implicaties. Is dit echt? vroeg hij zich af. Of een soort oefening?

Manziger hield een vinger omhoog, gebaarde naar Ungers overblijvende calamaris en trok een wenkbrauw op. Unger knikte en de ingenieur doopte een ringetje inktvis in de saus, liet het in zijn mond glijden en kauwde.

'Ik heb Jay diezelfde vraag gesteld,' zei Unger tegen Danny.

'O ja?'

'Hij zei dat het "bollebozenhumor" was.'

Danny knikte, maar dacht: wat betekent dat nou weer?

'Grijs slijm,' zei Manziger. 'Vormloos, kleurloos. Niets. Snap je? Het is gewoon... doodsaaie smurrie!'

'Dus...?'

'Dus dat is het probleem!' vervolgde Manziger. 'In theorie zouden de assemblers binnen drie dagen het hele universum kunnen opvreten – en toch zou er niets interessants zijn gebeurd.' Hij wreef zijn handen tegen elkaar. 'Ik bedoel, ze hadden ook toiletpapier of voetballen kunnen maken – en klaar! Het armageddon. Het hele universum, opgeslokt door... slijm.'

Manziger gniffelde nog steeds nu het scharminkel als een ballerina in slowmotion met hun hoofdgerechten arriveerde. Op Danny's bord lag een tot een piramide opgebouwde groentestapel waarvan de instabiliteit het scharminkel in de problemen bracht. Toen het haar lukte het geheel intact voor hem neer te zetten, begon Danny bijna te applaudisseren. Unger staarde argwanend naar het gerecht voor zijn neus: een bouwsel van zoete aardappelen en garnalen. Enthousiast wierp Manziger zich op zijn biefstuk met friet. Het vooruitzicht van een armageddon had kennelijk geen negatieve uitwerking op zijn eetlust.

'En,' vroeg Danny, 'zou dit ook echt kunnen gebeuren?'

'Wat? Het einde van de wereld?'

Danny knikte.

Schouderophalend verwierp Manziger het idee. 'Theoretisch wel, ja. De assemblers leven en zijn geprogrammeerd om zich te vermenigvuldigen. Maar in werkelijkheid?' Hij schudde van nee. 'Je moet het zo bekijken: je creëert weliswaar een monster, maar het ding verricht een hoop werk voor je. Dus wat doe je? Maak je het af? Nee. Je stopt het in een kooi. Een stérke kooi.' Met een zaagbeweging sneed hij zijn biefstuk tot hapklare brokken. 'Doe je iets anders, dan gooi je de baby weg met het badwater. Jay sprak nergens anders meer over.' Plotseling verhief hij zijn stem tot wat Danny vermoedde dat een imitatie was van Jason Patels Indische accent. '"Mensen die zich zorgen maken, moeten meer doen dan zeggen: 'Dit kan gebeuren.' Ik ben een wetenschapper. Toon me het bewijs. Geef me een scenario! Want anders…"' Manziger trok zijn schouders op, stak een vork biefstuk in zijn mond en grijnsde.

'Dus aan wat voor soort kooi moeten we dan denken?' vroeg Danny. 'Hoe houd je die assemblers in bedwang?'

'Daar zijn zoveel manieren voor,' antwoordde Manziger.

'Zoals?'

Manziger tikte zacht op zijn vlezige lippen en krabde aan de pompoentatoeage in zijn hals. 'Nou, het eerste wat je doet, is ze zo programmeren dat ze op een zeker moment stoppen met zich te vermenigvuldigen – zodra je er genoeg hebt. Zo wérkt het ook. Je programmeert ze ten eerste om zichzelf te vermenigvuldigen en een bepaalde taak uit te voeren, en je programmeert ze ten tweede om, zodra die klus geklaard is, zichzelf te vernietigen.'

Danny dacht er even over na. 'Dus het is te vergelijken met een softwareprogramma?'

Manziger knikte.

'Zoals Windows?' opperde Danny.

Manziger knikte opnieuw.

Danny wierp zijn handen in de lucht. 'Nou, ik weet niet hoe het met úw computer zit,' zei hij, 'maar de mijne crasht toch wel twee of drie keer in de week. Ik zou de planeet niet durven verwedden op het nano-equivalent van Windows 98.'

Manziger grinnikte. 'Goed gezegd, maar u zou ook niet al uw geld op hetzelfde paard zetten. Als je de programmeurs er niet op vertrouwt – en dat doen we dus niet – zijn er nog andere voorzorgsmaatregelen die je kunt treffen om het faalveilig te maken.'

'Zoals?'

'Nou, je kunt het zo regelen dat de assemblers zich enkel in een écht afwijkende omgeving vermenigvuldigen. Een die in de natuur niet voorkomt.'

'Zoals?' vroeg Danny.

Manziger weifelde geen moment. 'De diepvries zou één manier zijn. Programmeer de assemblers zó dat ze zich alleen binnen een bepaald temperatuurbereik kunnen vermenigvuldigen. Veel virussen werken ook zo. Zolang ze binnen een kleine marge van de 37 graden Celsius blijven, is er niets aan de hand. Krijgt de gastheer koorts? Dan zijn ze naar de filistijnen. Dus als je de vermenigvuldiging beperkt tot omgevingen kouder dan, pak 'm beet, min 28 – en je fabriek staat hier in de Valley – dan moet je dus wel veilig zitten.'

'Ik snap het.'

'Een andere manier is dat je de bouwstof beperkt die de assemblers gebruiken. Ik bedoel, je wilt dat ze op iets goedkoops draaien dat in overvloed aanwezig is – zeewater of zoiets – maar ook wil je er een extra stofje bij doen. Iets zeldzaams. Osmium misschien, of zelfs xenon. Dus stel we krijgen een korte vorstperiode en die assemblers worden hartstikke gek, dan zullen die krengen nog steeds niet werken!'

Danny wilde iets zeggen, maar Manziger was nog niet uitgepraat.

'Nog een andere manier,' ging de corpulente ingenieur verder, 'is dat je ze zou kunnen programmeren om zichzelf uit te schakelen zodra er te veel van ze in de buurt zijn. Zo werken bacteriën bijvoorbeeld: zelfbeperkend.' Hij propte een hap frietjes in zijn mond en kauwde hoorbaar.

'Hoe je het ook bekijkt, het is allemaal moedertje Natuur,' verzuchtte Unger.

'Yep,' reageerde Manziger instemmend.

Danny was nog niet overtuigd. 'Wat ik niet begrijp,' zei hij, 'is waarom jouw vriend van gedachte veranderde. Ik bedoel, jarenlang maakte hij zich er niet druk over en opeens deed-ie dat wél. Wat gebeurde er?'

Ungers wenkbrauwen gingen even op en neer. 'Hij maakte zich zorgen over bezuinigingen in de fabriek. Tenminste, dat vertelde hij míj. Er was veel pressie om de uitgaven te beperken.'

'Pressie?' herhaalde Manziger. 'We hebben het over het genezen van kanker! Borstkanker, in elk geval. Besef je wel hoeveel levens we zouden redden? Of wat je opties waard zouden zijn?' Hij snoof verontwaardigd. 'Jay werd bang voor zoiets onwaarschijnlijks…' Hij schudde zijn enorme hoofd.

'Wát dan?' vroeg Danny.

Manziger leek zijn vraag te negeren. 'Het probleem is dat het toch al zo'n lang proces is. Je hebt goedkeuring nodig van de Food and Drug Administration, het loopt over veel schijven. De beveiliging die Jason wilde inbouwen, zou ons een paar jaar vertraging hebben opgeleverd – en daar heeft VSS gewoon het geld niet voor. Niet met deze economie.' De gedachte was zo verontrustend dat Manziger inmiddels met consumptie sprak: de stukjes friet vlogen door de lucht. 'Oké, dus we hebben voor de wetenschap gekozen, in plaats van... ik weet het niet... angst! Is dat zo erg?'

'Dus wat deed Jason Patel van gedachten veranderen?' wilde Danny weten.

De serveerster verscheen om te vragen of de heren nog een dessert wensten. Danny en Glenn Unger sloegen het aanbod af, maar Manziger wierp een vluchtige blik op de kaart. 'Doe mij maar crème brûlée en een cafeïnevrije cappuccino. En, eh... waarom ook niet, een Slippery Nipple.' De serveerster schreed weg en Manziger wendde zich weer tot Danny. 'Jason maakte zich zorgen over mutaties,' zei hij.

'Mutaties?'

'Ja. Er gebeurde iets. In het lab. Een van zijn nucleotide sequenties veranderde van de ene generatie op de andere.'

'Jay werd hysterisch!' voegde Unger eraan toe. 'Ik had hem nog nooit zo van streek gezien.'

Manziger knikte. 'Het kon van alles geweest zijn. Het is een lab, snap je? Maar Jay dacht dat het een mutatie was, en misschien was dat ook wel zo. Ik bedoel, de assemblers – zijn lévend. Dus theoretisch gezien bestond de kans.'

'En dat zou niet best zijn,' opperde Danny.

Manziger keek bezorgd. 'Inderdaad.' Hij rolde met zijn ogen. 'Het *worst case*-scenario is – oké: stel je programmeert de bot dusdanig dat hij zichzelf alleen bij aanwezigheid van rodium of zo kan vermenigvuldigen.' Hij maakte een wegwerpgebaar. 'Maakt niet uit welk element – maar in elk geval íéts van een beperking.'

'Maakt niet uit,' concludeerde Danny.

De serveerster bracht het dessert en Manziger viel even stil terwijl alle lekkernijen voor hem werden uitgestald. Vervolgens pakte hij de draad weer op. 'Jay vreesde dat de assemblers zich als kakkerlakken konden gaan gedragen – of als bacteriën of virusorganismen. Wie weet zouden die weerstand kunnen opbouwen. Misschien zouden ze zich aanpassen. Niet allemaal natuurlijk, maar dat is nu juist het punt. Eéntje zou al genoeg zijn.'

'En dan zou het monster uit zijn kooi breken,' merkte Danny op.

Manziger schrokte zijn crème brûlée naar binnen. 'Juist. Precies.'

Danny leunde achterover en wisselde een blik met Unger.

'Ik vroeg me altijd al af,' sprak de laatste wat aarzelend, 'waarom jóú dat geen zorgen baart, Harry.'

De grote vent haalde zijn schouders op. 'Omdat ik niet geloof dat er een mutatie heeft plaatsgevonden. Volgens mij verknalde Jason het zélf. Met zijn programmeerprotocol, vermoed ik.'

'Maar zelf dacht hij dat niet,' suggereerde Danny.

'Nee. Hij zwoer dat het om een mutatie ging, maar kon het niet aantonen. De originele monsters – de nucleotide sequenties waar hij mee begon – werden vernietigd. Zo paranoïde was hij. Hij dacht…'

'Harry!' protesteerde Unger.

Manziger keek hem uitdrukkingloos aan. 'Wat?!'

'Jason kan zichzelf niet meer verdedigen,' sprak Unger vermanend.

Zelfs terwijl hij zijn schouders ophaalde, en zelfs terwijl hij het laatste restje crème brûlée naar binnen werkte, wist Manziger zowaar een berouwvol gezicht te trekken. 'Jay beweerde dat die monsters met opzet werden vernietigd, wat belachelijk was.' Hij haalde zijn lepel door het toetjesbakje en schraapte langs de randjes de laatste restjes pudding weg.

'Belachelijk?' vroeg Danny.

'Ja, natuurlijk,' klonk het vinnig.

'Hoezo?'

Manzigers ogen spreidden zich nu wijdopen. 'Omdat niemand zoiets zou doen. Echt niet.'

Danny keek hem sceptisch aan. 'U zei toch zelf dat er een hoop geld mee gemoeid is?'

Manziger lachte hem uit. 'Geld? Als Jay gelijk had… dan zijn we verlóren. Nanobots mogen niet muteren. Ze moeten honderd procent stabiel zijn. Maakt niet uit wat voor soort mutatie hij zag. Het gaat om het féit van mutatie – van welk type dan ook. De stekker zou er meteen uit worden getrokken.' Hij liet zijn hoofd zakken, lepelde wat schuim van zijn cappuccino af en begon te slurpen.

'Want dat zou betekenen…?'

'Slijm!' Manziger brieste het woord uit, waardoor verscheidene gasten zich naar hun tafeltje omdraaiden. Hij maakte een verontschuldigend gebaar en glimlachte. 'Maar Jay had geen gelijk. Dat kon hij ook niet hebben gehad.'

'Hoe weet je dat zo zeker?' vroeg Unger.

'Omdat we artefacten hebben van al onze code – onze experimenten, alles. We beschikken over een archiefsysteem, oké? We moeten wel. Je programmeert een sequentie, en het werkt of het werkt niet. Werkt het niet, dan maak je een notitie en je wijzigt de boel. Om te weten wat je moet modificeren, moet je weten wat daarvóór gebeurde. Snap je?'

Danny en Unger zwegen.

'Zo is het gewoon. Dus vertel mij nu eens: hoe waarschijnlijk is het dat die ene codesequentie waar Jay het over had – die éne sequentie – uit het archief verdween?' Nu Danny en Unger het antwoord schuldig bleven, stelde Manziger een tweede vraag: 'Wie zou zoiets nu dóén?'

'Iemand bij vss,' opperde Danny. 'Je kunt er toch steenrijk mee worden? Tenzij ze op de fles gaan.'

Manziger schudde zijn hoofd. 'U snapt het echt niet, hè? Dit is niet een of ander pilletje tegen artritis. Ik heb 't niet over het knoeien met laboratoriumproeven zodat het product er beter uitziet dan het is. Als die assemblers echt muteren, dan wil dat zeggen dat ze zich zullen aanpassen. Niet vandaag, niet morgen, maar op den duur wel. En de restricties die we hebben ingebouwd, zullen dan niet werken.'

'Dus je zou ze niet kunnen stoppen?' vroeg Unger.

'Misschien dat het programma dat het vermenigvuldigingsproces beheerst nog wel zou werken. Zo niet, dan zou je ongeveer nog twaalf uur hebben,' antwoordde Manziger. 'Misschien dat je er een kernwapen tegenaan kunt gooien. Maar anders… welkom op planeet Slijm!'

'Dus u zegt dat als je weet dat deze dingen kunnen muteren en je gaat er dan toch mee door, dat je dan wel gestoord moet zijn?'

Manziger snoof luidruchtig, sloeg zijn cappuccino in één teug achterover en keek de andere twee nu met een melksnor aan. 'Gestoord?' herhaalde hij. 'Dat is nog zacht uitgedrukt. Je zou compleet verdorven moeten zijn.' Hij liet zijn eigen woorden bezinken. 'Meer dan dat zelfs,' voegde hij eraan toe, '… de duivel in eigen persoon.'

# 22

Danny voelde het achter in zijn nek omhoogkruipen: kippenvel, veroorzaakt door een bang voorgevoel. 'Iemand liep over mijn graf,' zei oma C. altijd met een huivering. En dat was precies wat hij nu ook voelde: de kille adem van de dreiging, de gefluisterde angst voor zijn eigen sterfelijkheid.

De duivel in eigen persoon.

Inzaghi had dezelfde woorden gebruikt, en 'Belzer' ook trouwens. Hoe had hij die verdachtmakingen jegens Zebek ook alweer verwoord? *Ze zeggen dat hij contacten heeft met de maffia, dat hij een wapenhandelaar is... een vervuiler en een oplichter. Ze zéggen dat hij de duivel in eigen persoon is.*

Ja, dat zeiden ze. Hij was 'de Pauw Engel' die pronkerig over de balkons van Sistemi di Pavone schreed en boven op Tawus Holdings neergestreken zat, uitkijkend op de doden bij de villa vlak bij Lake Van. Hij was dezelfde man die Terio in Diyarbakır uit een Bentley had zien stappen.

Maar hij was níet de duivel. Goed, Danny had behoorlijk de schrik in zijn lijf, maar er was niets bovennatuurlijks aan. Daar was hij van overtuigd, hoewel hij niet zeker wist of dat er iets toe deed. Zebek was namelijk gestoord én slecht, hoe je het ook bekeek.

En hij kon niets uitrichten om hem tegen te houden. Niet echt. Het interieur van het restaurant leek hem in te willen sluiten. Zijn humeur verslechterde. De Ouderlingen zouden hun bestuursvergadering in Zürich houden, waar ze de activa van de Jezidi's zouden overdragen aan Zebek, die het geld zou gebruiken om de Eerste Assembler tot leven te wekken. Binnen een jaar was borstkanker misschien te genezen. Binnen een jaar was het leven zélf misschien wel te genezen.

Hij betaalde de rekening, bedankte Manziger en Unger voor hun hulp en bracht de twee mannen naar huis. Daarna koerste hij in noordelijke richting naar het vliegveld aan de zuidkant van San Francisco, in de hoop een nachtvlucht terug naar Washington te kunnen pakken. De schemering van de namiddag vloeide over in de avond, een avond vol mist. Zijn koplampen boorden zich een weg door de nevel. Om de paar seconden gingen zijn ruitenwissers over de vochtige voorruit. Hij draaide de radio aan, zocht de zenders af en deed het ding weer uit. Wat dacht hij nu eigenlijk? Welke muziek hoorde nu bij zijn gemoedstoestand?

Een requiem. Hij schudde zijn hoofd en stond zichzelf toe even bitter te glimlachen. Immers, hij had het toch maar geflikt. Hij had deze zaak tot op de bodem uitgezocht. Hij had de puzzel opgelost en was achter Zebeks motieven gekomen voor de moorden op Terio, Patel, Barzan, Inzaghi en Rolvaag. De doden waren offers van Zebeks hebzucht en ambitie, geliquideerd opdat de miljardair niet zou worden ontmaskerd – als een oplichter die zijn volk bedroog, als een gek die bereid was om te dobbelen om de toekomst van het universum. Zebek was in staat eenieder die op zijn pad kwam, eenieder die zijn toegang tot het Jezidi-fortuin kon ondermijnen, het geld dat hij nodig had om zijn project bij vss te financieren, neer te maaien. En hij, Danny, had hem geholpen zijn menselijke obstakels te identificeren. Hij had hen net zogoed meteen als schietschijven kunnen opstellen. En wat nu? Nu was er niets meer dat hij kon doen om hem tegen te houden. Het spel was uit. En hij had verloren.

Het was al iets over halfnegen toen hij de auto bij Alamo afleverde en de shuttlebus naar de terminal nam. De nachtvlucht van United Airlines bleek om kwart voor twaalf te vertrekken en zou om kwart voor negen in de ochtend op Dulles landen. Er waren zat zitplaatsen en geen wachtrijen.

Hij had dus nog wat tijd over. In de Lindbergh Pub, waar een stuk of zes reizigers naar een footballmatch op tv zaten te kijken, dronk hij een flesje Sam Adams-bier. Eventjes overwoog hij zich te gaan bezatten – dan kon hij in elk geval wat slapen aan boord – maar hij zag ervan af. Hij was eigenlijk niet zo'n drinker. En bovendien wilde hij het hun niet gemakkelijk maken. Als hij het onderspit zou delven (en daar had het alle schijn van), dan toch zeker niet met een kater. En dus verliet hij de bar en slenterde door het luchthavengebouw, op zoek naar een kiosk.

Die vond hij niet, maar wel een shop die *Hook Me Up!* heette en waar ze 'datacabines' met internetverbindingen, telefoon- en faxvoorzieningen verhuurden. Voor dertig dollar per uur had hij zijn eigen kantoortje waar hij zijn e-mail kon checken, over het net kon surfen en telefoontjes kon plegen – niet dat hij iemand wist die hij nu wilde spreken (of eigenlijk: er was niemand die nog met hém wilde spreken).

Een jongeman in een zwarte spijkerbroek en een Ben Folds Five T-shirt wees hem zijn werkplek, waarna hij alleen werd gelaten. Een minuut lang staarde hij naar het Dell-logo op de monitor, zich afvragend wat hier het nut van was. Het was toch echt afgelopen. Iedereen die iets over Zebek wist, was dood. Behalve hij dan – en, zoals het grapje ging, zelf voelde hij zich ook al niet zo lekker.

Toch kon hij alles net zogoed even op papier zetten, een verslag maken van wat er was gebeurd en dit verspreiden. Een kopietje naar Caleigh (voor het geval hij haar niet wist te bereiken voordat Zebek hem te pakken kreeg); een kopietje naar zijn broers Kev en Sean; nog eentje naar Mounir (waarschijnlijk kon hij de Ouderling via poste restante, Uzelyurt, bereiken); en een kopie naar de plaatselijke politie die de moord op Patel onderzocht. Het zou vermoedelijk weinig uithalen, maar ach, wat kon hem het schelen.

Hij bewoog de cursor naar het Word-icoontje, klikte erop met de muis en begon een soort 'debriefing'-rapport te schrijven dat als volgt begon: *In het geval dat ik kom te overlijden, dien je het volgende te weten...*

Na een uur had hij een document van vijf pagina's, waarin precies stond wat er was gebeurd, beginnend met het telefoontje van Zebek die met hem afsprak elkaar in de Admirals Club op National Airport te treffen. In zijn verslag gaf hij uitleg over de lijst van interlokale telefoongesprekken die hij had verkregen, en over zijn zoektocht naar Terio's computer als onderdeel van een poging om een eind te maken aan de veronderstelde 'lastercampagne' tegen Zebek. Hij schreef alles op wat hij zich maar van de gebeurtenissen in Italië kon herinneren, inclusief zijn vlucht vanuit Siena naar Rome, alwaar hij pater Inzaghi dood achterliet op straat. Hij schreef over zijn zoektocht naar Remy Barzan in Istanbul, over 'Koerdistan', maar verzweeg het verhaal van zijn eigen kidnapping. (*Ik vond Barzan via een omweg*, zo verwoordde hij het.) Hierna herhaalde hij wat Barzan had gezegd over Zebeks overwicht op de Jezidi's – de manier waarop de wankelende financier de heilige Sanjak had vervangen door een vervalsing, vervaardigd naar zijn eigen beeltenis, en hoe hij vervolgens keurig getimed op de Turkse televisie was verschenen, wetende dat de imam spoedig zou worden vermoord en er een opvolger moest worden gekozen.

Al met al was het een ingewikkeld verhaal, en zijn relaas was allesbehalve overzichtelijk. Eigenlijk was het nauwelijks samenhangend te noemen. Hij schreef over de rol van de dendroloog (en het noodlot dat de Noor met zoveel anderen deelde) en besefte opeens dat hij Tawus Holdings nog niet had genoemd. Ergens anders in de brief realiseerde hij zich dat hij had vergeten Zebeks doel uit te leggen – het overnemen van de activa van de Jezidi's zodat de Eerste Assembler bij Very Small Systems, Inc., aan de slag kon. En, o ja, dat dit alles tevens het einde van de wereld kon betekenen.

Maar toch, hoe bijeengeraapt ook, het document had nog altijd zijn nut en zou Zebek ooit nog wel eens in de problemen kunnen brengen. Hij voegde er nog een paar zinnen over de Eerste Assembler aan toe en verwees voor verdere details naar Glenn Unger en Harry Manziger. Vervolgens printte hij zes kopieën uit en voegde aan zijn lijst van ontvangers de *Wall Street Journal* en het Office of Technology Assessment toe.

Eerlijk gezegd had hij weinig hoop dat het rammelende verslag dat nu uit de Deskjet naast hem tevoorschijn kwam iets zou opleveren, maar deze snelle optekening was het enige wat hij kon bedenken. Maak een verslag. Verspreid het. Wat verlies je ermee?

De printer was klaar en hij ordende de verslagen en kocht bij de *Hook Me Up!*-jongen wat postzegels en enveloppen. Terug achter zijn computer ging hij on line om de adressen te achterhalen die hij niet uit zijn hoofd kende, daarna liep hij met de enveloppen naar een brievenbus op de gang en liet ze erin glijden. Ten slotte besloot hij te kijken of hij nog e-mails had.

Die had hij. Het waren er zelfs 67, waarvan de meeste grappen, spam of lokkertjes voor *hot chixxx!*, penisvergrotingen en kunstbenodigdheden waren. Nadat hij alle junkmail had verwijderd, waaronder veertien moppen van zijn broer en twaalf van Jake, bleven er drie berichten over die van belang waren. Een daarvan was afkomstig van Lavinia Trevor.

*Danny boy! Waar zit je toch? Hard aan 't werk, hoop ik! De expositie van september breken we 1 en 2 oktober af. Op de derde zou je kunnen beginnen met installeren. De opening staat gepland voor vrijdag 5 oktober, om zeven uur 's avonds. Ik vind het echt vreselijk om je lastig te vallen, maar neem svp even contact met me op. Ik maak me een tikkeltje ongerust.*

Hij antwoordde direct: *Geen probleem – alles klaar – wou dat 't al zover was – tot ziens!* Kon hem het schelen. Als hij lang genoeg zou leven, zou hij wel een expo van het een of ander samenstellen (hoewel god weet waarmee). Zijn *Talking Heads*-idee zag hij steeds meer zitten. Het praktische gedeelte – de constructie – zou niet veel tijd in beslag nemen en de installatie zou een makkie zijn. Het opzetten van *Babel On II* was een grotere uitdaging, plus nog eens het organiseren van display-sokkels voor de rest. Toch was het te doen. Als hij nog zou leven.

Het volgende bericht was van zijn ouwelui. Die zaten in Maine, en waar zat hij? Ze hadden met Caleigh gesproken – *Wat is er gebeurd!!!? Moeder maakt zich ongerust – bel even naar huis!* Hij klikte op BEANTWOORDEN en stuurde een briefje dat geruststellend bedoeld was, zij het iets aan de karige kant wat de details betrof. *Welkom thuis! Tot gauw. Maak je geen zorgen. Doe hard m'n best met Caleigh. Ik hou veel van jullie, Danny.*

Het derde bericht was een klaagzang van Ian die aankondigde dat Danny ontslagen was. In een niet te bevatten vlaag van volwassenheid weerstond hij de verleiding om meteen een wijsneuzige reactie te sturen en verontschuldigde hij zich voor zijn onverwacht lange afwezigheid. Zodra hij thuiskwam, zou hij alles wel uitleggen.

Hij overwoog Caleigh te e-mailen, maar zag ervan af. Het zou alleen maar tijdverspilling zijn. Alles wat hij stuurde, zou meteen door haar worden gedeletet, net zoals hij had gedaan met de aanbiedingen van *hot chixxx!* en penisvergrotingen.

Wel stuurde hij een berichtje naar Salim, zijn weldoener in Dogubeyazit, die hij nog eens bedankte en hij wenste hem en zijn gezin alle goeds toe. Er zou een dag komen dat hij iets terug zou doen voor de man.

Hij had nog ongeveer een uur voor zijn vliegtuig vertrok en niets bijzonders om handen. Over twee dagen zou Zebek in Zürich met de Jezidi-Ouderlingen bijeenkomen – en dat zou dan dat zijn. Mounir en de anderen zouden zijn 'debriefingrapport', of wat het ook was, ontvangen, maar pas ná de bijeenkomst. Het zou toch niets opleveren. Dat wist hij zeker. Want het was te weinig en kwam te laat – het was een goedbedoeld gebaar terwijl er juist harde bewijzen nodig waren. Slechts wat onsamenhangend gekrabbel tegenover wat de meerderheid van de Ouderlingen beschouwde als de Tawus in eigen persoon, een levende god. Had hij enige kans van slagen? Neuh, hij dacht van niet.

Hij twijfelde er geen moment aan dat er bewijzen te vinden waren. Ergens. Terio en Barzan hadden zich door niets laten weerhouden om in de ondergrondse stad een monster van de Sanjak te bemachtigen. Die bomenvent had de vervalsing bijna onweerlegbaar weten aan te tonen, maar de man was niet meer, en hetzelfde gold voor diens rapport. Ook dat was er niet meer of het was vermist. Een van de twee…

Waarschijnlijk ligt het ergens in een archiefkast, dacht Danny, ergens in Noorwegen. Of opgeslagen in de computer van die man. Maar nee. Die zou Zebek al wel hebben weggekaapt. Het huis van Rolvaag was vermoedelijk, net als dat van Terio, in vlammen opgegaan.

De Ben Folds Five-jongen stak zijn hoofd om de hoek. 'Nog iets nodig, meneer?'

'Nee, niets,' antwoordde Danny afwezig. Afwezig, omdat hij opeens een ingeving kreeg.

'Geef maar een gil als u iets nodig hebt.'

Danny leunde achterover in zijn stoel en zwenkte wat heen en weer. Iets wat Remy Barzan had gezegd, was hem te binnen geschoten. Barzan en Terio hadden gewacht op Rolvaags geschreven rapport, waarin de ouderdom van het houtmonster uit de Sanjak werd vermeld. Op een gegeven moment had Terio telefonisch contact gehad met Rolvaag, die zijn bevindingen moest hebben uiteengezet. Daarna had Terio immers zijn brief aan Tawus Holdings geschreven met het verzoek om de echtheid van de Sanjak te bespreken. De brief was op Paulina's bureau beland en doorgegeven aan Zebek, die onmiddellijk stappen had ondernomen om Terio om zeep te brengen.

Maar, zo vroeg hij zich af, wist Rolvaag van de moord op Terio? Waarschijnlijk niet. Terio was al wekenlang ingemetseld geweest toen zijn lichaam werd ontdekt. Ondertussen was Rolvaag vermoedelijk gewoon doorgegaan met waar hij mee bezig was en had het rapport afgemaakt. Uiteindelijk moest hij het op de bus hebben gedaan of het als bijlage hebben ge-emaild naar zijn klant. Of allebei.

Hij wierp zijn hoofd in zijn nek en liet zich eventjes helemaal ronddraaien. Wanneer je overleed, viel de post nog geruime tijd op je deurmat. Ook je e-mails bleven nog een tijdje binnenkomen. Pas als de creditcard waarmee je je internetabonnement betaalde werd geblokkeerd, sloot AOL je af – en niet eerder. En wat gratis accounts bij ondernemingen als Yahoo en Angelfire betrof, tja, Danny wist niet beter dan dat ze voor altijd operationeel zouden blijven. Voor een universiteitsaccount was het misschien een ander verhaal, maar hij vermoedde dat ook dat gewoon zou voortduren. Het was namelijk niet zo dat ze iets kóstten – niet echt, althans. Naar alle waarschijnlijkheid werden zulke abonnementen slechts één keer per jaar bekeken – als dat al gedaan werd.

Wat betekende dat Rolvaags rapport – en het bewijs dat Danny nodig had – vermoedelijk ergens op een server te vinden was.

Het vergde slechts vijf minuten om Terio's e-mailaccount bij de George Mason University te achterhalen. Hij had ingelogd op de website van de universiteit en doorgeklikt naar de vakgroep Filosofie en Godsdienstwetenschappen, waar hij al snel de docentenlijsten van de faculteit had aangetroffen. En ja hoor, daar vond hij alles over Terio: een foto, een cv, een opsomming van publicaties en de twee cursussen die hij in het najaar zou gaan geven. Zijn e-mailadres luidde: c.terio@gmu.edu.

Danny wist dat de meeste universiteiten over een meerlaags serversysteem beschikten, dat via Telnet bereikbaar was. Hij draaide een informatienummer dat op de website vermeld stond en werd spoedig verbonden met de 'webmeesteres', een beleefde jongedame. Ze slikte zijn voorwendsel dat hij een freelance stuk aan het schrijven was over webservers voor zoete koek en vertelde hem wat hij wilde weten over de servers van GMU. Ze hadden er vier ('op dit moment dan, maar we groeien!'), die naar enkele patriotten waren vernoemd: Madison, Jefferson, Adams en Hale.

Hij logde in op Telnet en probeerde elk van de namen totdat hij ten slotte in 'Adams' verbinding kreeg met de Terio-account. Het systeem verzocht hem om een wachtwoord.

De cursor, een grijs vierkantje op een zwarte achtergrond, knipperde geduldig.

Uit zijn gesprekken met techneuten bij Fellner Associates wist hij dat het meest gebruikte wachtwoord, het wachtwoord dat door ongeveer negentig procent van de pc-bezitters werd gebruikt, gewoon *wachtwoord* luidde. Omdat hij wachtend op zijn vlucht toch niets beters te doen had, probeerde hij het:

*wachtwoord*
*login onjuist*

Oké, dacht hij, dus Terio liep niet mee met de kudde. Hij was een soort wachtwoordneanderthaler. Wat inhield dat hij vermoedelijk de naam van een van zijn huisdieren gebruikte. Of van zijn kinderen. Of echtgenotes. Dat deed negentig procent van de resterende tien procent immers ook (tenminste, volgens Bob LaBrasca, Fellners eigen IT-deskundige). De professor was echter ongetrouwd, kinderloos en zonder huisdieren (tenminste, voorzover hij wist).

Hij wierp een blik op het curriculum vitae van de professor, zoekend naar aanwijzingen. Zijn oog viel op de geboortedatum en hij voerde hem in:

*14-10-60*
*login onjuist*

Daarna probeerde hij de universiteit waar Terio zijn postdoctorale werk had gedaan:

*georgetown*
*login onjuist*

Hij probeerde nog een aantal variaties uit, waaronder *johns-hopkins*, vervolgens wat namen en woorden die in Terio's woordenschat een bijzonder plekje konden hebben ingenomen: *mani, zarathoestra, sjeikadi, shaykadi, jezidi, pauw, sanjak, mesopotamië, avatar...* Het was hopeloos, concludeerde hij. Zelfs als hij het juiste woord te pakken had, kon Terio het achterstevoren hebben ingevoerd of er een 1 aan hebben toegevoegd. De waarheid was dat hij de goede man gewoon niet goed genoeg kende. Misschien had Terio wel een obsessie met filmregisseurs:

*louismalle*
*login onjuist*

of elementaire deeltjes:

*neutrino*
*login onjuist*
*neutrino1*
*login onjuist*

Het kon van alles zijn! Zelfs zo'n onmogelijk te achterhalen wachtwoord dat niets betekende en dat een normaal mens nooit zou kunnen onthouden, zoals bijvoorbeeld:

*ljq3%7tf0'5*

De cursor knipoogde naar hem.

Uiteraard was elk wachtwoord te kraken. LaBrasca lachte er altijd om en zei dat die dingen totaal geen nut hadden. Met een beetje normale computer en het juiste softwareprogramma kwam je al een heel eind – en na verloop van tijd kwam je heus wel binnen. Maar niet zoals hij het nu deed. Op zijn manier – naar woorden raden en ze dan intikken – kon het eeuwen gaan duren. Net als in dat sprookje: raad de naam van dat kleine kereltje. Repelsteeltje. Dat grietje in het sprookje zou het nooit hebben geraden. Hij was even vergeten hoe het haar toch was gelukt.

Met een moedeloze zucht leunde hij weer achterover, hij zwenkte weer wat heen en weer, met zijn ogen gefixeerd op het geluiddempende plafond. Hij zat in een impasse, volkomen vast. Sjeik Mounir was volgens zijn overleden kleinzoon niet een type dat op basis van een verhaaltje van gedachte zou veranderen. De man had bewijzen nodig.

Hij sloot zijn ogen en groef in zijn geheugen. Wat wist hij nog meer van Terio?

*vruchtbarehalvemaan*
*login onjuist*

Hij dacht terug aan zijn gesprek met pater Inzaghi, Terio's enige goede vriend.

*inzaghi*
*login onjuist*

De priester had hem verteld hoe verbaasd hij was geweest bij het nieuws van Terio's 'zelfmoord', dat Terio juist iemand was geweest die van het leven hield, een man die graag lachte.

*onvruchtbarehalvemaan*
*login onjuist*
*larry*
*login onjuist*
*moe*
*login onjuist*
*curly*
*login onjuist*

Kap er nou maar mee, maande hij zichzelf. Je verspilt je geld door hier te zitten. Dus Terio had gevoel voor humor. Wat dan nog?

*shemp*
*login onjuist*

Er was iets over 'een ezelsbruggetje'. Een of ander flauw grapje dat Terio leuk vond. Een woordspeling. Wat was het ook alweer? Danny probeerde het zich weer voor de geest te halen. Het had te maken met een kinderversje, net zoiets als Repelsteeltje. Toen wist hij het weer:

*hé-ho de terio*
*login onjuist*

Hij probeerde het nogmaals, nu zonder het verbindingsstreepje, maar tevergeefs. Hij haalde een hand door zijn haar (het was inmiddels lang genoeg om dat te kunnen doen) en staarde naar de woorden. Dat 'terio'-deel was natuurlijk verkeerd. Dát was nu juist de woordspeling en maakte het grappig. (Nou ja...) Het versje ging eigenlijk zo: Heigh-ho the derio. En het had iets te maken met een boer.

Zijn ogen waren gericht op de knipperende cursor, en opeens begon het hem te dagen. Hij neuriede het liedje:

*The farmer's in the dell,*
*The farmer's in the dell.*
*Heigh-ho the derio,*
*The farmer's in the dell.*

Boer. *Dell.* Welke *dell*? Wat is een *'dell'*? Een nauwe vallei. Een moerassig gebied. Een computer! *The farmer's in the Dell. In the Dell* – dus niet de *'dell'*.

Het juiste woord had hem in feite al de hele tijd aangestaard, het logo op de monitor: *Dell*. Daar zat die boer in. Hij zat in de computer.

*farmer*
*login onjuist*
*thefarmer*
*login onjuist*
*farmer'sinthedell*

Terstond rolde er een lange lijst met e-mails over het scherm. Zijn hart sloeg even over, en in een oogwenk zag hij dat de ongelezen berichten twee maanden teruggingen.

Hij scande de e-mails en zag dat de professor meer dan honderd ongelezen berichten had en misschien nog eens duizend andere die hij wél had gelezen maar niet had verwijderd. Ze stonden in geordende kolommen onder *verzender, datum, grootte* en *onderwerp*. Zoals hij dat zelf met Yahoo deed, zo had Terio de server van de universiteit als een on-line-archiefkast gebruikt.

Uit de aanhef kon hij afleiden dat het gros van de berichten irrelevant was – facultaire briefjes of vragen van studenten en dergelijke. Maar al snel vond hij wat hij zocht:

| Verzender | Datum | Grootte | Onderwerp |
|---|---|---|---|
| O. Rolvaag | 22-07-01 | 7k | Artefact Nevazir |

Hij klikte het aan.

*Beste meneer Terio,*

*Ik heb de AMS-koolstofresultaten terug van Alpha Analytics. Samen met de serievergelijkingen van de jaarringen uit ons eigen lab bevestigen deze resultaten dat het geteste artefact niet ouder is dan 111 jaar.*

*Sterker, het 100-grams monster (van cederhout) is waarschijnlijk nog jonger. Als u wilt, kunnen we nog wat proeven doen en de ouderdom wellicht nog nauwkeuriger bepalen. Dergelijke proeven zullen echter tijdrovend en betrekkelijk kostbaar zijn. Gezien het feit dat uw belangstelling zich tot een enkele vraag beperkt – is het monster minstens achthonderd jaar oud? – hebben we in afwachting van verdere instructies onze pogingen gestaakt.*

Er klonk een statisch geknetter door de hal en hij hoorde dat zijn vlucht werd omgeroepen. Hij negeerde het en richtte zijn aandacht weer op het scherm.

*Het artefact blijkt afkomstig van een boom die ergens tussen 1890 en 1920 n. Chr. werd gekapt. De eerste serievergelijkingen duiden erop dat de boom vermoedelijk op Jemenitische grond stond.*

*Bij deze e-mail vindt u diverse bijlagen, waaronder: 1) een JPEG-bestand, dat de samengestelde indexcluster van vergelijkingsringen laat zien, de resultaten van een gecomputeriseerde correlatiescan plus een beschrijving van onze methodologie; 2) de gedigitaliseerde fotoanalyse, met een voor de leek begrijpelijke verklaring; 3) het rapport van Alpha Analytics, met een chronologisch register van de ijkingsgegevens, prepareermethoden, een verklaring waarin de analytische procedures worden uiteengezet (in dit geval de AMS-techniek) en de conclusies van het lab.*

*Via de reguliere post zal een factuur naar uw kantoor worden gezonden.*

*Hoewel een radiometrische ouderdomsbepaling ons nog beter zou kunnen helpen, sluit het feit dat jaarringvergelijkingen en AMS-proeven op een betrekkelijk recente tijdsperiode samenvallen de mogelijkheid uit dat het monster zo oud is als wordt beweerd. Bijgevolg lijkt er dan ook geen aanleiding te zijn voor verdere proeven, tenzij er een rechtszaak in het geding komt. (Waar het antiquiteiten en rechtszaken betreft: hoe meer deskundigen en proeven, des te beter!)*

*Mocht u desalniettemin wensen dat wij dergelijke proeven doen, blijven wij tot uw dienst. (NB: in dat geval zal het houtmonster wel helemaal verpulverd worden. In geval van verdere analyses dient u zich daarvan dus wel bewust te zijn.)*

*Ten slotte, wat een eventuele rechtszaak betreft, is het mijn ervaring dat valse beweringen omtrent de ouderdom van objecten soms tot gerechtelijke stappen leiden. Laat ik u in dit verband mededelen dat Alpha Analytics kan zorgen voor een getuige-deskundige die ervaring heeft met getuigenissen over technieken van koolstofdatering. Mocht er behoefte zijn aan een dergelijke getuigenis aangaande jaarringenanalyse sta ook ik als getuige-deskundige tot uw beschikking (tegen $1400,- per dag, plus onkosten).*

*Op uw verzoek zal ik een uitdraai van dit rapport, samen met het 100-grams monster, naar uw kantoor doorsturen.*

'Willen passagiers voor vlucht 161 van United Airlines met bestemming Dulles Airport Washington nu instappen bij gate 23? Willen passagiers voor vlucht 161 van United...'

*Laat me even weten of u voor de betaling aan de koerier uw eigen rekeningnummer (of dat van uw instituut) wenst te gebruiken.*

*Met vriendelijke groet,*
*dr. Ole Rolvaag*

Danny zuchtte even diep, blies de lucht uit en liet zich opgewonden en ver-lamd tegelijk achteroverzakken in zijn stoel. Het bewijs van Zebeks ver-raad prijkte op de monitor voor hem. Hebbes, dacht hij, en vervolgens: wat nu?

Hij kopieerde de e-mail en de bijlagen op een diskette en maakte een uitdraai om in het vliegtuig naar Washington te lezen. Elke pagina bevatte bovenaan hetzelfde opschrift: *Oslo Instituut – Mesopotamisch Dendrologieproject. 'Nevazir-artefact'*. Het document zelf bleek de koolstofdateringsprocedure uiteen te zetten en omvatte een uitleg over drie pagina's van hoe de resultaten van C-14-datering met behulp van bekende dendroschaalverdelingen van jaarringen aan een kalenderjaar konden worden gekoppeld.

Het maakte allemaal een vrij degelijke en betrouwbare indruk. Uiteraard was het beter geweest als het rapport had vermeld dat het houtmonster afkomstig was van een boom die precies 82 jaar oud was (of zoiets). Maar waar het om ging, was dat het artefact, ongeacht wat het verder ook mocht zijn, niet afkomstig was van een object dat sjik Adi had vervaardigd. Danny kon zich niet meer herinneren wanneer de goede man leefde, maar vermoedde dat het ergens rond 1200 na Christus was.

Voor de derde keer schalde de omroep voor zijn vlucht door de hal. Hij kwam overeind, schikte de pagina's en niette ze vast. Daarna liep hij naar de Ben Folds Five-jongen om af te rekenen.

Terwijl de knul het wisselgeld gaf, keek hij even naar Danny's papierstapel. 'Hé, wilt u er hier misschien eentje van?' vroeg hij en hij bood Danny een Tyvek-envelop aan met daarop het logo van een gevleugeld bureau. Hij bedankte de jongen, liet de documenten in de envelop glijden en liep met lange, soepele stappen naar gate 23.

Hij deed er slechts een minuutje over en toen hij buiten adem bij de gate aankwam, schonk de bureliste hem een glimlach die hem zoveel aan Caleigh deed denken dat het voelde alsof hij recht in zijn hart werd geraakt. Maar toen ze zijn instapkaart aannam en deze door het apparaat boven op het verhoginkje voor haar haalde, veranderde haar glimlach in een verwijtende blik. 'Ja hoor, daar bent u dus,' zei ze, 'onze laatkomer. Ik heb op u staan wachten.' De kaart floepte naar buiten en ze gaf hem terug. 'Bent u altijd zo op het nippertje?' vroeg ze met een handgebaar naar de slurf.

'Ja,' zei hij op verblufte toon. 'Ik vrees van wel.'

# 23

Terwijl de 747 op grote hoogte op de continentale waterscheiding af-koerste, staarde Danny met een glas rode wijn in de hand door het raampje naar de donkere uitgestrektheid van Amerika. Het was al na middernacht, maar de lichtjes doorkliefden de inktzwarte duisternis en schitterden zo nu en dan op tot een sterrenwolk wanneer een dorp of stad in de diepte onder de vleugels door gleed.

Het toestel was bijna leeg. Hij had een hele rij stoelen voor zichzelf, en hetzelfde gold voor de meeste passagiers. Hij probeerde zich voor de geest te halen wat Barzan had gezegd over de Ouderlingen en hun bijeenkomst in Zürich. Het was een bestuursvergadering voor Tawus Holdings, maar aangezien alle directeuren Jezidi-Ouderlingen waren, had de bijeenkomst ook een andere naam: een *shura*. En volgens Barzan vond deze 'morgen over een week' plaats. In het Boar O'Lack.

Op de een of andere manier wist hij dat het Boar O'Lack een hotel was. Maar hoe lang was het ook alweer geleden dat Barzan had gezegd dat de vergadering 'morgen over een week' zou zijn? Zes dagen, zeven? Vijf? Dat was immers belangrijk. Het zou namelijk totaal geen zin hebben om naar Zürich af te reizen – en nu hij Rolvaags rapport en de JPEG-bestanden had, móést hij daar wel naartoe – als die vergadering al had plaatsgehad.

Dus nipte hij van zijn wijn en deed zijn best het zich te herinneren.

Het was zo'n beetje het laatste wat Barzan tegen hem had gezegd voor-dat het schieten begon. Er stond voor 'morgen over een week' een vergadering van Ouderlingen gepland in Zürich.

Barzans 'morgen' was begonnen met de avondlijke rit naar Salims dorp. Deze werd gevolgd door een tweede rit per pick-up, gevolgd door een bus-rit naar Ankara. Dan was er de avond in het Hotel Spar in Ankara en de dag daarop (dat moest dan dag drie van Barzans zeven dagen zijn geweest) de vlucht naar Washington. Daarna had hij de nacht doorgebracht in het huis van zijn ouders (nog steeds dag drie) en was hij de volgende middag naar Californië gevlogen. Hoeveel dagen was dat in totaal? Vier, inclusief de nacht in het Doubletree-motel buiten San Francisco. Plus nog vandaag, zijn gesprek met Unger en Manziger. Dat was dus dag vijf (hoewel 'vandaag' strikt genomen eigenlijk al gisteren was, omdat het inmiddels iets over enen in de nacht was).

Dus dit is dag zes, concludeerde hij. Het begin van dag zes. En de vergadering is… morgen. In Zürich was het ook dag zes, maar daar zaten ze al aan het ontbijt. Toch zou hij het, zelfs met die paar uur tijdsverschil, moeten kunnen halen. Hij zou rond de klok van negen op Dulles aankomen. Rond twee of drie uur vanmiddag zou hij op weg zijn over de oceaan. In de vroege morgen van de zevende dag, de dag van de vergadering, zou hij in Zürich landen.

Met een knikje om zichzelf gerust te stellen sloeg hij het laatste beetje wijn achterover en hij zette het glas op een blad twee stoelen van hem vandaan. Hij deed het lampje boven zijn hoofd uit, trok een deken tot onder zijn kin, liet zijn hoofd tegen de rand van het raampje rusten en dacht: heb ik dat nu wel goed berekend?

De informatiebalie op de luchthaven van Zürich was dankzij het reusachtige uitroepteken dat erboven hing gemakkelijk te vinden. Van een glimlachende brunette, wier beheersing van het Engels de zijne overtrof, vernam hij dat de trein ('veruit!') de beste manier was om in de stad te komen. 'U neemt de roltrap naar beneden. Elke twaalf minuten vertrekt er een trein naar het *Hauptbahnhof*. Dat is het centraal station.' Ze raadpleegde een dienstrooster. 'Er gaat er een om 9:04 uur, van perron 5, en nog een om 9:16 uur van perron 3. Zodra u er bent, vindt u vóór het station een taxi. Maar als u niet al te veel bagage hebt, kunt u ook gaan lopen. Mag ik u vragen waar u van plan bent de nacht door te brengen?'

'In het Boar O'Lack.'

Hij merkte dat ze heel licht met de wenkbrauwen fronste terwijl haar donkere ogen zijn trui en spijkerbroek opnamen. En zijn tand. 'Uitstekend,' merkte ze op. 'Hebt u het hotel laten weten dat u eraan komt?' vroeg ze. 'Want doorgaans kunnen gasten van dit hotel op vervoer rekenen.'

'Nee,' liet Danny haar weten. 'Ik had ook zo'n haast…' Hij haalde zijn schouders op.

Ze keek hem onderzoekend aan. 'Goed,' zei ze ten slotte, 'het ligt vlak om de hoek van de Bahnhofstrasse, ongeveer een kilometer.' Ze sloeg een toeristenkaart open en legde deze omgekeerd op de balie zodat Danny hem kon bekijken. Met een pen trok ze cirkeltjes rond het station en – nu zag hij ook de juiste spelling – het Hotel Baur au Lac.

Hij nam de dubbeldekstrein van vier over negen, zocht bovenin een plekje in de tweede klas en keek hoe de buitenwijken aan zijn raam voorbijgleden. Dit was niet het Zwitserland zoals hij dat zich had voorgesteld. Geen koeien, geen Alpen, geen skiërs of blonde Heidi's met vlechtjes. De trein denderde langs degelijke, gepleisterde woningen met keurige groentetuintjes aan de achterzijde, die geleidelijk plaatsmaakten voor flatgebouwen met afscheidingsmuren vol graffiti nu de trein de stad naderde. Het was een andere bouwstijl dan hij gewend was in Amerika, met veel representatieve beelden en een levendig kleurenpalet.

Ook van het koele Zwitserse klimaat, zoals hij zich dat had voorgesteld, viel weinig te bespeuren. Vanuit het stationsgebouw betrad hij de klamme, drukkende hitte van wat net zogoed een zomermiddag aan de Golfkust kon zijn. De lucht zinderde, samengepakt en grijs, alsof de hemel op het punt stond te ontploffen.

De Bahnhofstrasse bleek een drukke weg, met overal dure winkels, particuliere banken en voorbijzoevende trams. Hij volgde de flauwe bocht en passeerde een tiental korte stratenblokken in evenzoveel minuten om ten slotte in de Borsenstrasse te belanden. Iets verderop zag hij tegen een decor van met sparren beboste hellingen een veerboot de Zürichsee op stomen.

Hij sloeg rechts af en stond plotseling in een verstilde en paradijselijke hof van Eden. Het Baur au Lac was een statig, witstenen gebouw op eigen parkgrond en op slechts een steenworp afstand van het meer. Op het uitstekende gedeelte van het dak wapperden drie vlaggen, waarvan de middelste – een rood vlak met een wit kruis in het midden – hem net zo bekend voorkwam als het Zwitserse padvindersmes.

Voor de ingang hield een geüniformeerde man de wacht. Ze wisselden een glimlach uit. Danny beende op de voordeur af, maar dook op het laatste moment naar rechts het terras voor het hotel op. Hij bleef staan en nam schijnbaar alles even in zich op, maar hield in werkelijkheid de adem in. In zijn hoofd hoorde hij de stem van zijn oude schoolcoach, Nilthon Alvarado, die hem maande vooral rustig aan te doen. *Tranquillo, tran-quíl-lo*, zei hij altijd terwijl hij zijn geopende handen omhooghield.

Een paar goedgeklede en duur gecoiffeerde gasten – van wie de meesten Aziatisch waren – zaten aan hun tafeltjes onder witte parasols. Twee reusachtige bomen van een soort die Danny niet kon thuisbrengen, belommerden het hele terras. Vlakbij zat een drietal uitermate gedistingeerde golfers – wier golftassen de stoelen naast hen in beslag namen – het weer te vervloeken.

'Met bákken,' voorspelde een man met een aristocratisch Brits accent. 'Het komt straks met bákken uit de hemel.'

In de tuin achter het terras klaterde een fontein in de vorm van een lier, waarbij de 'snaren' werden gevormd door ragfijne waterstralen. Een ober met een wit servet over zijn arm gedrapeerd kwam voor Danny's neus in de houding staan en maakte een kordate, theatrale buiging. 'Kan ik u van dienst zijn, meneer?' vroeg hij in het Engels.

Zie je dan echt meteen dat ik een Amerikaan ben? 'Nee, dank u,' reageerde Danny. Met een glimlach draaide hij zich om naar de lobby. Daar gaat-ie dan…

Vanachter de balie keek een vrouw van middelbare leeftijd, vakkundig opgemaakt en gekleed in een kanten witte blouse, hem over een half brilletje aan. Elke vraag van hem werd kort en bondig beantwoord.

De vergadering van Tawus Holdings stond gepland voor vier uur. In de Winterthur-zaal. Tweede verdieping. En ja, Herr Barzan stond inderdaad geregistreerd, maar – ze belde even naar zijn kamer – was op het moment niet beschikbaar. 'Wilt u misschien een boodschap achterlaten?'

'Ja.'

Ze glimlachte en schoof hem een crèmekleurig briefpapier van degelijke kwaliteit toe, met daarop de naam en de façade van het hotel in reliëfdruk, alsmede een bijpassende envelop en een witte pen. Vervolgens gebaarde ze naar de lobby, waar een aantal gemakkelijke fauteuils op een zee van vloertegels leek te drijven. Hij negeerde de luie stoelen, en staand achter een antieke secretaire met een bordeauxrood leren inzetsel begon hij te schrijven.

Wat zeg je tegen een sjeik? vroeg hij zich af. Hoe spreek je hem aan?

*Meneer Barzan...*

schreef hij, hij peinsde even en probeerde een manier te bedenken om zijn verhaal zo overtuigend mogelijk over te brengen.

*Ik heb belangrijke informatie voor u, informatie waar u vóór de vergadering van Tawus Holdings over dient te beschikken.*

Hij sloeg zijn ogen op en probeerde te bepalen hoeveel details hij moest vermelden.

*Inmiddels zult u ervan op de hoogte zijn dat uw kleinzoon – die in de paar dagen dat ik hem kende mijn vriend was geworden – is vermoord. Om vier uur vanmiddag zult u een ontmoeting hebben met de man die de opdracht tot deze moord heeft gegeven.*

*Voordat Remy stierf, vertelde hij me in vertrouwen over zijn pogingen om aan te tonen dat de Sanjak een vervalsing is. Hij vertelde me dat u daarvoor bewijzen nodig had.*

Hij dacht weer even na. Hoe moest Mounir contact met hem opnemen? Hij had geen hotel, niet eens een mobiele telefoon. Het beste was dus maar om een tijdstip voor te stellen waarop Danny hém zou kunnen bellen. Hij wierp een blik op zijn horloge, maar dat gaf nog steeds de tijd in Washington aan. Het was dus vijf uur vroeger. Of zes? Met een vraagteken op zijn gezicht draaide hij zich om naar de balie, zoekend naar een klok – en daar zag hij haar staan. De mooie Paulina, haar heldere bruine ogen met de affectie van een roofvogel op hem gericht.

Een lang ogenblik stonden ze allebei als aan de grond genageld. Het volgende moment zette Paulina het opeens haastig op een lopen en klik-klakte door de lobby naar de liften waar, zo zag hij nu, de rug van de Wenk-brauw opdoemde.

Danny liep de andere kant op, terug naar het terras, versnelde zijn pas, drong voorbij verbaasde mannen en vrouwen en begon te rennen nu hij het gazon had bereikt. Hij passeerde de lierfontein en vloog tussen de bomen en beplanting door totdat hij langs de oever van een vaart stond. Op de Talstrasse aanbeland zigzagde hij tussen de aanstormende trams door en stak de straat over naar een parkje waar verkopers rösti en aperitiefjes aan de man brachten. Met een nerveuze blik over zijn schouder zag hij de Wenkbrauw misschien vijftig meter achter hem op de Bahnhofstrasse snel naar links en naar rechts kijken.

Danny wilde het liefst gewoon rennen en zijn tas op de grond laten ploffen om met een supersprint het drukke plein aan de overkant van de Limmat te bereiken. Als hij ongezien de brug kon oversteken, zou het niet zo moeilijk zijn om in de menigte op te gaan. Maar dat betekende dat hij nu moest wandelen.

Hij sloot aan in een rij voor een Italiaans ijskarretje, trok zijn trui uit en propte deze in zijn tas. Paulina en haar vrienden zouden de meute afspeuren naar een rode trui, niet naar het witte T-shirt dat hij nu droeg. Opkijkend zag hij dat de Wenkbrauw inmiddels gezelschap had gekregen van een tweede man. Voor een fotozaak tuurde het duo in tegengestelde richtingen de hele Bahnhofstrasse af. Een paar meter verderop fluisterde Paulina in een gsm'etje.

Danny haalde diep adem, draaide zich snel om en liep langzaam in de richting van het overbevolkte plein. Rechts van hem lag de Zürichsee, links de Limmat. Als het moest, kon hij over de reling springen en tussen de zwanen plonzen.

De korte wandeling over de brug leek een eeuwigheid te duren. Net als in Rome het geval was geweest, was het de kunst om met zijn rug naar zijn achtervolgers te blijven lopen. Dus dat betekende vooral niet omkijken, wat op zijn beurt weer inhield dat hij niet wist waar zijn belagers zich precies bevonden. Maar hij was er vrij zeker van dat als hij werd gezien, een van hen met een schreeuw de anderen zou waarschuwen – en dat zou hij duidelijk kunnen horen. In dat geval zou hij zijn tas laten vallen en het op een lopen zetten.

Maar stel dat hij zich vergiste. Wat dan? Stel dat de Wenkbrauw hem wel op de brug zag lopen, maar zijn mond hield. Stel dat hij hem gewoon... bleef volgen. Dan zou de dood als een verrassing komen. Een mes in zijn rug. Een kogel achter het oor. Een arm om zijn nek en een snelle draaibeweging.

Shit, ik ben aan het snelwandelen, dacht hij, en tandenknarsend vertraagde hij zijn pas. Hij voelde hun ogen in zijn rug, een soort visueel krachtveld dat zacht tegen zijn schouderbladen duwde.

Opeens was hij over de brug en hij versnelde weer. Hij koos voor de weg van de minste weerstand en zigzagde met een bonzend hart tussen het auto- en voetgangersverkeer door. Vrij snel lag het plein achter hem en liep hij door een doolhof van eeuwenoude straatjes die te smal waren voor auto's en trucks en die aan weerskanten werden omzoomd door dure winkels en restaurants. Nauwe steegjes waaierden in alle richtingen uit. Hij nam een lange trap naar een klein park met uitzicht op de rivier. Midden in het parkje stond een ronde fontein, gevoed door drie leeuwen. Uit hun bek spoot water in boogjes naar beneden. Een meisje met lang blond haar was bezig een thermosfles om te spoelen. Plotseling fronste ze haar wenkbrauwen, en even dacht Danny dat het door hem kwam: slordig gekleed en buiten adem.

Maar nee.

Het begon te regenen. Je zag het op het bespikkelde oppervlak van het fonteinwater. De eerste paar druppels waren zo groot en traag dat hij even dacht ertussendoor te kunnen lopen. Maar allengs zwollen ze aan tot een bui en was dat niet langer mogelijk. Een ogenblik later goot het zo hard dat het gewoon pijn deed. Overal dromden mensen samen in deuropeningen en onder luifels, zoekend naar een schuilplek tegen de wolkbreuk.

Hij dook een nog vrije portiek in en drukte zichzelf tegen de muur. De stortbui deed de goten overlopen. Op tien centimeter van zijn gezicht schermde een gordijn van water hem af van de straat.

Hij had een hotel nodig – een plek om te kunnen bellen. De boodschap die hij aan Mounir had geschreven, zat onvoltooid en ongeadresseerd in zijn zak verfrommeld. Hij zou de oude man moeten bellen en proberen hem ergens te treffen.

Goed… een hotel dus. Maar welk? Hij tuurde door de grijze slagregen. Niet hier, dacht hij. Het moet in een ander deel van de stad zijn. De doolhof van straatjes die enkele minuten daarvoor nog in zijn voordeel had gewerkt, kon de komende minuten net zogoed een nadeel blijken. Dit deel van Zürich, het oude stadsdeel, was een wirwar van achterweggetjes en steegjes – een plek waar je met gemak een bekende 'tegen het lijf liep'.

Hij wilde helemaal geen bekenden tegen het lijf lopen.

Toen de regen stopte, stroomde het water over de kinderkopjes en hij volgde de stroompjes. Al snel sloeg hij een hoek om en belandde in een brede, drukke straat waar mensen gewapend met paraplu's op de tram stonden te wachten. Er stopte net een mooie, gestroomlijnde tram van lijn 23. Hij rende eropaf en sprong aan de achterzijde via de harmonicadeuren aan boord. Het voertuig zat propvol, wat goed was. En niemand leek te betalen. De bestuurder reed verder; er was geen conducteur.

Alle zitplaatsen waren bezet, wat ook gold voor de meeste staanplaatsen. Plasjes water trilden op de vloer. De ramen waren beslagen. Algauw waren ze bij een ingewikkelde kruising waar veel lijnen leken samen te komen. Een elektronische stem kondigde aan: 'Bellevueplatz'. Door de opengeklapte deur zag hij bij het meer een enorm reuzenrad staan. In een opwelling dook hij met de meute naar buiten, stak de tramrails over en sprong op een andere tram. Lijn 4. Dit keer waagde hij een blik door de beslagen ramen en tuurde naar de menigte buiten, zoekend naar Paulina en haar kornuiten. Terwijl de tram wegreed van het plein meende hij even de Wenkbrauw te zien, doornat en in zijn eentje langs de rivier lopend. Maar misschien vergiste hij zich.

Iets verderop stapte hij weer uit en nu belandde hij in een woonwijk. Het straatnaambord vertelde hem dat dit de Seefeldstrasse was. De winkels hier waren niet voor de toeristen bedoeld, eerder voor de bewoners. Hij liep langs een ijzerhandel, een eenvoudig winkeltje waar klein gereedschap verkocht werd, een reformwinkel, een kapsalon, een reisbureau en twee of drie winkels met tweedehands haute-coutUrEkleding. Hij passeerde wat volgens hem een wapenwinkel moest zijn, waar de etalage vol lag met kruisbogen, pistolen en messen. Een etalagepop in camouflagekleding richtte een geweer op een opgezette beer.

En zo ging het nog even door. Een kinderartspraktijk. Nog een kapsalon. Een Feng Shui-winkel. Na drie lange stratenblokken te hebben afgelopen overwoog hij maar weer een tram te pakken, toen hij opeens voor het Hotel Seefeld stond.

De receptioniste was een betoverend mooie blondine met witte lippenstift en lange, zilveren oorbellen. Hij vroeg of ze een kamer had en kreeg een bondig antwoord: 'Natuurlijk.' Tikkend op haar toetsenbord praatte ze over het weer. 'Een heuse hittegolf,' zei ze. 'Zo on-Zwitsers.' Ze schoof de sleutelkaart over de opgepoetste chromen balie en schonk hem een berouwvolle glimlach. 'En ik zie al meteen dat u niet zo'n Amerikaan bent die overal waar hij komt airconditioning verwacht, of vergis ik me?'

Hij schudde zijn hoofd. Natuurlijk niet.

Zijn kamer op de tweede verdieping bleek een ultramoderne cockpit, een en al fineerhout en chroom, zwart, wit en antracietgrijs. En vreselijk heet. Hij trok de gordijnen opzij met de bedoeling de deuren naar het kleine balkon open te duwen dat uitkeek op de Seefeldstrasse. Maar zo eenvoudig ging dat niet. De deuren werden bediend door een mechanisme dat net zo complex was als een Zwitsers horloge. Gehurkt als een brandkastkraker pielde hij er vijf lange minuten mee terwijl het zweet van zijn slapen parelde. Uiteindelijk sprongen de balkondeuren open en spoelde een golf klamme lucht de kamer binnen.

Hij pakte de telefoon en verzocht de telefoniste hem door te verbinden met het Baur au Lac. Al snel rinkelde in Mounir Barzans kamer de telefoon. Na de zesde rinkel vroeg een antwoordapparaat hem of hij voor de hotelgast een boodschap wilde achterlaten. Hij dacht even na, en hing op.

Met een diepe zucht kleedde hij zich uit tot op zijn boxershort en strekte zich uit op de frisse, witte sprei om na te denken.

Zoals hij het bekeek, bevond hij zich nog maar een paar uur in Zürich en nu al was de hele situatie veranderd. Nu Paulina hem had gezien, was het bijkans onmogelijk geworden om in de buurt van die vergadering te komen. Zebek zou een mannetje in de lobby hebben staan, iemand bij de deur, iemand op nog een andere plek. Daar ging zijn verrassingselement. (Goed werk, gladjanus...)

Toch kon Zebek met geen mogelijkheid weten hoeveel Danny wist. Wat de kersverse imam van de Jezidi's betrof: hij had zo hard gerend dat hij geen tijd had gehad om erover na te denken. Zebek zou niet weten hoeveel Remy Barzan hem had verteld of zelfs dat hij Barzan had gevonden, wat afhing van de vraag of het doorzoeken van Barzans geleende villa Danny's paspoort boven water had gebracht. Bovendien zou Zebek niet op de hoogte zijn van wat Manziger allemaal had verteld. Noch van Danny's geslaagde poging om Terio's e-mail te kraken en Rolvaags rapport te bemachtigen.

Niet dat het er iets toe deed, overigens. Zebek zou hem toch wel vermoorden, al was het maar om hem te zien lijden voordat hij stierf. Hij hóéfde niet eens iets te weten.

Op een tafeltje naast het bed gaf een digitaal klokje flikkerend de tijd aan: 12:18 uur. Hij moest Mounir zien te bereiken – nog vóór de vergadering. Maar hoe? Hij deed zijn ogen dicht en herinnerde zich iets wat Remy had gezegd, iets over zijn grootvader, dat gerucht over 'een Zwitserse jongedame'.

Hij ging rechtop zitten, pakte de gele gids erbij en zag dat deze in het Duits was. Of Zwitser-Duits. Hij kon het in elk geval niet lezen. Een moment overwoog hij de blondine achter de balie om hulp te vragen, maar hij zag toen dat het woord *escortservice*, net zoals *golf* en *disco*, geen vertaling behoefde.

Er waren een stuk of dertig van dergelijke escortbureaus en het idee om die allemaal te bellen was deprimerend. Maar hij had verder toch niets te doen, dus begon hij boven aan de lijst. Zijn zorgen over eventuele taalproblemen bleken misplaatst. Het waren niet de plaatselijke inwoners die behoefte hadden aan 'escortdames', maar zakenlieden uit het buitenland die een nacht of twee in Zürich moesten doorbrengen. Na een paar telefoontjes had hij de indruk dat de vrouwen die hij sprak dezelfde vragen ook in het Japans, Spaans, Russisch of welke taal dan ook konden pareren. Telkens weer werd hij in vloeiend Engels te woord gestaan.

Hij verzon een smoes dat hij de persoonlijke assistent van Mounir Barzan was en dat het belangrijk was dat hij hem te spreken kreeg. Het was uiterst dringend. De dames waren stuk voor stuk heel aardig, maar ook allemaal even onbehulpzaam. Nadat hij een stuk of tien bureaus had gebeld, liet een hese madam hem weten dat hij zijn tijd verspilde.

Deze berisping verraste hem. 'Pardon?'

Ze lachte; het klonk als een welluidende triller. 'Ten eerste,' begon ze, 'als u echt de persoonlijke assistent van deze meneer was, zou ú dan niet degene zijn geweest die dit voor hem had geregeld?'

'Mm, ja, maar…'

'Ten tweede,' ging ze geamuseerd verder, 'denkt u nu echt dat u zomaar naar iemand kunt informeren? Dat iemand de telefoon zal opnemen en zeggen: "Wacht even, lieverd, volgens mij is-ie bijna klaar met Helena"? Niet echt aannemelijk, hè?'

'U hebt gelijk,' gaf hij toe. 'Absoluut, maar… ik moet deze meneer echt zien te vinden. Hij verkeert serieus in gevaar.'

'U zult uzelf bedoelen.'

Danny wilde protesteren, maar zuchtte en vroeg: 'Is het zo duidelijk dan?'

'Mag ik u iets vragen?'

'Ja?'

'De heer die u zoekt? Is dat een Arabier, een Afrikaan of…'

'Wat heeft dat er nu weer mee te maken?'

'Nou, sommige clubs hebben zo hun specialísme.'

'O. Dat wist ik niet. Hij is een… Koerd.'

'Een Koerd, mmm, dan weet ik het niet. Maar ik geloof dat Thai Centerfolds wel populair is bij cliënten uit het Midden-Oosten. En ook de Little Black Book. Laat gewoon een boodschap achter. Brei er geen verhaal omheen. Het is een noodgeval en de man moet u bellen.'

Het was een goede raad en Danny bedankte haar.

'Graag gedaan,' zei ze. 'En wie weet? Misschien hebt u mazzel.'

Dat had hij, maar tegelijk ook weer niet. Om kwart over een had hij elk bordeel in het telefoonboek gebeld. En niemand leek Mounirs naam te herkennen. De jetlag deed hem aan één stuk door gapen, maar hij wilde niet in slaap vallen. Hij probeerde de receptie om te informeren of ze roomservice hadden. Helaas. Hij spatte koud water tegen zijn gezicht, wat een paar minuten hielp, maar tussen de smorende hitte in de kamer en zijn slaaptekort door merkte hij dat hij al snel weer zat te knikkebollen. Hij wilde niet, mócht niet in slaap vallen. Hij moest aan iets denken, een manier vinden om Mounir te bereiken. Daarvoor had hij nog twee uur en een paar minuten de tijd en hij dwong zichzelf zich te concentreren. Hij riep zich Inzaghi's verminkte lichaam, de slachting van Remy Barzan en het grijzeslijmscenario van Manziger weer voor de geest om weerstand te bieden aan zijn vermoeidheid. Maar eerlijk gezegd was zijn hoofd te veel in nevelen gehuld om een concreet plan te bedenken voor wat hij zou kunnen doen of hoe hij bij Mounir kon komen. Even later kon hij gewoon niet meer ophouden met gapen. Hij had koffie nodig, dát in elk geval.

Hij legde de hoorn van de haak, redenerend dat als Mounir Barzan de ingesprektoon kreeg, hij wel terug zou bellen. Hij sprintte naar het café op de hoek. Ze hadden geen gewone koffie, enkel espressosoorten. Alleen al de koelere buitenlucht en de geur van koffie hielpen hem weer een beetje op te kikkeren. Hij bestelde een driedubbele cappuccino om mee te nemen en liep in snelwandeltempo met de papieren beker, waar hij bijna zijn hand aan verbrandde, terug naar het hotel.

Meer dan vijf minuten kon hij niet zijn weggeweest, maar toen hij de hoorn weer op het toestel legde, knipperde het rode lampje. Vloekend drukte hij op de toets om het bericht af te luisteren en hij luisterde naar Mounirs zware stem en diens formele intonatie. 'Met Mounir Barzan. Ik bel u op uw verzoek terug, maar u bent er niet. Ik verblijf in het Hotel Baur au Lac. Ik ben verder de hele dag in vergadering. Voor noodgevallen kunt u me vanavond weer bereiken.' Het ingesproken bericht eindigde met een tijdmelding: kwart voor een. Danny besefte dat Mounir had gebeld toen hijzelf nog met de escortbureaus bezig was. Het telefoonsysteem van het hotel zette inkomende gesprekken dus niet in de wacht, maar beschikte over voicemail, en het duurde kennelijk even voordat je daar een signaal van kreeg. Zijn opluchting dat zijn koffie-expeditie niet de reden was waarom hij Mounirs telefoontje had gemist, duurde slechts een fractie van een seconde, waarna hij zich overgaf aan zijn gefrustreerde woede.

'Godverdomme!' Hij smeet de hoorn terug op de haak en wierp een woeste blik door de hotelkamer. Vervolgens beende hij naar het balkon (dat was slechts twee passen), stapte naar buiten en gromde: 'Kom nou toch!'

Hij begon zijn greep op de zaak te verliezen.

Hij liet zich op het bed vallen en staarde naar het maagdelijk witte plafond. Het voelde alsof hij met een honkbalknuppel was geslagen. Wat nu? Onder zijn balkon reed een tram voorbij. Het geknerp van de ijzeren wielen doorsneed het doffe verkeerslawaai. Vrouwen liepen af en aan over de gang, pratend in een taal die hij niet eens kon thuisbrengen. Een van hen lachte en haar plezier was zo oprecht dat het hem zo mogelijk een nog rotter gevoel bezorgde. En zo bleef hij futloos liggen, tien, vijftien, twintig minuten lang.

Uiteindelijk vond hij weer de motivatie om het Baur au Lac nogmaals te proberen. Maar 'Herr Barzan' was niet op zijn kamer. Met zijn hoofd in zijn handen zat hij op de rand van het bed, dacht na over zijn opties en zonk steeds dieper weg in zijn wanhoop – tot hij opeens een idee kreeg. Hij herinnerde zich de wapenwinkel die hij op weg naar het hotel was gepasseerd, de etalagepop in camouflagekleding. Waarom ook niet? Wie A zegt, moet ook B zeggen. Wat kan mij het schelen? Ik ga er toch aan.

Op school was hij, aangemoedigd door het vooruitzicht lekker lang met de leuke Holly Saxton in de bus te kunnen zitten, een semester lang lid geweest van de debatingclub, waarvan Holly een uitblinkster was. Deze cynische maar niet al te slimme opzet zou misschien nog goed zijn uitgepakt als Danny als debater nog een beetje had kunnen meekomen. Maar dat had hij dus niet, en zo moest hij toezien hoe de teams zonder hem toernooien afreisden.

Tot nu toe was de debatingclub een symbool van zijn falen geweest, maar nu opeens bewees hij zijn waarde. Hoewel hij in de bus nooit minder dan twee stoelen van Holly Saxton af had gezeten, wist hij inmiddels vrij veel over de Zwitserse wapenwet.

In een debat over wapenbeperking had hij de opdracht gekregen het standpunt van de National Rifle Association te verdedigen: een beperkende wet op wapenbezit heeft weinig of geen invloed op de criminaliteit. Zijn grote wapen (ha-ha) in deze stelling was Zwitserland: een land met heel veel wapens, weinig wettelijke voorschriften en nauwelijks geweldsmisdrijven. Het aantal moorden lag hier lager dan in andere landen – zoals Engeland, Canada en Japan – waar ze de strengste wapenwetten ter wereld hadden.

Net als de Amerikanen hadden de Zwitsers hun onafhankelijkheid gewonnen na een revolutie die door een gewapende burgerij was uitgevochten. En nog steeds vormden ze een verenigd land dat potentiële binnendringers middels een beleid van een zwaarbewapende neutraliteit ontmoedigde.

In Zwitserland gold een algehele militaire dienstplicht voor mannen. Zo ook was iedere volwassen man wettelijk verplicht een wapen in huis te hebben – en niet zomaar een wapen, nee, het moest een aanvalswapen zijn!

De enige vuurwapens waar je een speciale vergunning voor moest hebben, waren pistolen en automatische wapens – en zelfs in die gevallen was zo'n vergunning eenvoudig verkrijgbaar. Jachtgeweren, daarentegen, vielen daarbuiten. De aanschaf van een kaliber twaalf was als het kopen van een broodrooster. Hetzelfde gold voor halfautomatische geweren. En hoewel de Europese buurlanden druk hadden uitgeoefend op Zwitserland, waren pogingen om in elk geval de verkoop van wapens aan buitenlanders te reguleren herhaaldelijk neergemaaid door het Zwitserse equivalent van de NRA. Dus hoe vreemd het ook leek, hij wist zeker dat als hij wilde, hij zo naar die wapenwinkel terug kon lopen om een godvergeten kanon aan te schaffen.

Het probleem was alleen dat hij niet zou weten wat hij ermee aan moest. Ondanks het feit dat hij nog geen week eerder zomaar iemand had neergeknald, was zijn pistool hem áángereikt, geladen en wel. Het leek wel een klappertjespistool; hij hoefde alleen maar de trekker over te halen. Maar met een geweer, laat staan een halfautomatisch wapen, zou hij niet overweg kunnen.

Zijn familie telde niet één jager, zelfs niet onder zijn neven. Hij besefte natuurlijk wel hoe ongebruikelijk dat was. Iedere Amerikaanse familie had minstens één verdwaasde oom die zijn neefjes mee uit jagen nam en elke Thanksgiving aanwipte met keurig ingepakt hertenvlees voor in de vrieskist. Maar niet de Crays. In de hele familie niet. En al wás er iemand geweest: helaas, Danny was vegetariër.

Nee, dan Caleigh – Caleigh was een heel ander verhaal. Zij kon een cowboy de hoed van z'n kop knallen. Terwijl Danny in de achtertuin met een voetbal, een viertje, zijn oefeningetjes deed, schoot zíj in de Black Hills op ratelslangen – en raakte daar uiterst bedreven in. Maar dat was Caleigh. Hij was Danny.

Maar toch, was zijn gedachte. Ik ben een vent. Hoe moeilijk kan zoiets nou zijn? Gewoon richten en schieten. Of niet. Trouwens, wat te zeggen van de vent die hij had neergeschoten. Met een voltreffer. Misschien was hij wel een natuurtalent. Zoals dat Woody Harrelson-personage in die Oliver Stone-film.

Maar ergens leek het hem toch wat onwaarschijnlijk.

Niet dat dat er iets toe deed. Hij kon gewoon even niets anders bedenken. Zoals die bluesknakker al zei: *If I didn't have the gun idea I wouldn't have no idea at all...*

Voor de laatste keer probeerde hij het Baur au Lac. Geen Mounir.

Met enige inspanning kwam hij overeind en wipte wat op en neer op zijn tenen, in een poging energie op te wekken die hij eigenlijk niet voelde. Vervolgens sloot hij de deur achter zich en daalde met twee treden tegelijk de trap af naar de lobby. Twee minuten later stond hij in de wapenwinkel, die de naam 'Speicher des Jägers' (het magazijn van de jager) droeg.

De man achter de toonbank was een jaar of vijftig, met priemende blauwe ogen en een hoogrood gezicht. In zijn linkeroor zat een ringetje in de vorm van een edelweissbloemetje. Hij boog zijn hoofd iets. '*Bitte?*'

'Ik ben op zoek naar een vuurwapen,' zei Danny en hij deed ondertussen hard zijn best vooral niet met zijn ogen te rollen.

De man trok een wenkbrauw op en glimlachte flauw. 'Zoals u ziet... bent u aan het juiste adres. Wat voor soort wapen?'

Eentje waarmee je indruk maakt, dacht hij. Iets waarmee ik kan rondzwaaien. 'Dat misschien?' vroeg hij knikkend, naar een zwart, wat hoekig uitziend geval. Wat het type ook mocht zijn, het zag er dodelijk uit, het soort wapen waarmee Schwarzenegger een bar vol bikers binnen zou stappen. Het idee dat een of andere halvegare hier zomaar kon binnenlopen en dat ding kon kopen – zoals hij op het punt stond te doen – was beangstigend.

'Die uzi?'

'Ja. Die daar.'

De man sloot even zijn ogen en knikte goedkeurend. 'Een voortreffelijk exemplaar als u op zoek bent naar een licht aanvalswapen – en heel betrouwbaar. En de opklapbare lade maakt het zelfs nog wat compacter en dus makkelijker te dragen.' Ter demonstratie pakte hij de uzi op en klapte de geweerlade tegen de loop.

'Voortreffelijk,' merkte Danny op.

'Maar mag ik u iets vragen?'

O-o, nu komt het, dacht hij en hij zette zich schrap voor een spervuur van vragen; in feite verwachtte hij te horen te krijgen dat hij zich schromelijk vergiste, dat je in Zürich niet zomaar een wapenshop kon binnenwalsen om een stuk artillerie te kopen. Er was vast een wachttijd, zodat ze je achtergrond konden natrekken.

'Waar komt u vandaan?' vroeg de man. 'Amerika?'

Danny knikte. 'Hm-hm.'

'Dat vraag ik omdat uw Bureau for Alcohol, Tobaccos & Firearms onlangs een verbod heeft ingesteld op de invoer van bepaalde onderdelen voor de uzi.'

'O,' reageerde Danny, teleurstelling veinzend. Dat ding heeft 'onderdelen'?

'U mag hem bijvoorbeeld niet mee naar huis nemen met de bajonetaffuit of de granaatwerper erbij.'

Danny siste *tss*, alsof hij wilde zeggen: wat een afknapper.

De man draaide zich om naar de vitrine achter zich en pakte een ander wapen op dat hij naast de uzi op de toonbank legde. De twee leken veel op elkaar. 'Met dit wapen zult u geen problemen krijgen met het ATF. Zelfs niet met het extra grote legermagazijn. Dat is gelukkig nog wel toegestaan.'

'Extra groot magazijn, hm?'

'Honderd patronen. Standaarduitrusting, IMI.'

'Dat moet wel genoeg zijn,' merkte Danny op. 'Meer dan genoeg.' Vervolgens: 'IMI. Waar staat dat voor?'

De man keek verrast op. 'Israeli Military Industries.'

Danny haalde zijn schouders op en deed zijn best te glimlachen. 'Fantastisch.'

'Weegt ruim vier kilo – goed te dragen dus.' Hij tilde het wapen op en gooide het van zijn ene over in zijn andere hand. 'Met een pistoolgreep. En de patroonhouder steek je uiteraard onder in de kolf – perfect voor nachtwerk.'

'Hoezo?'

'Omdat je dan zonder te kijken kunt herladen. Al met al een heel doordacht, compact aanvalswapen.' Hij legde het op de toonbank.

'Hoeveel kost het?'

De man reikte naar zijn leesbril, die aan een koord om zijn nek hing, en zette hem op de brug van zijn neus. 'In dollars?' vroeg hij.

Danny knikte.

De wapenhandelaar draaide zich om naar een computer op een bureautje achter de toonbank, tikte wat op het toetsenbord en wachtte. Ten slotte draaide hij zich weer om naar Danny. 'Tweeduizendzevenhonderdeenentachtig dollar. Geen BTW. We zijn Zwitsers, hè?' Hij glimlachte.

'Goed,' zei Danny met een lichte aarzeling. Vaak had hij dagenlang nodig om te beslissen over de aankoop van een bepaalde trui. Het idee dat hij nu zomaar een uzi kocht...

'Hij is tweedehands, uiteraard,' zei de handelaar. 'Was het dienstwapen van iemand die met pensioen ging.' Ter onderstreping trok hij even een wenkbrauw op. 'Met andere woorden: uitstekend onderhouden.'

Danny haalde diep adem. 'Accepteert u ook Visa?'

# 24

De winkelbediende wikkelde de uzi in bubbeltjesplastic en liet hem zachtjes in een kartonnen doos zakken die gedeeltelijk gevuld was met harde dobbelsteentjes polystyreen. Vervolgens pakte hij de doos en de patroonhouder in bruin papier in en bond het pakketje met wit touw dicht.

Het kon net zogoed iemands wasgoed zijn geweest.

Op weg terug naar zijn hotel dacht Danny diep na over hoe hij in de Tawus Holdings-vergadering kon inbreken. Hij kon met de ingepakte uzi een taxi nemen naar het Baur au Lac, in het herentoilet het pakket openscheuren en de vergaderzaal binnenstormen.

Alleen, zo ver zou hij nooit komen. Zebek wist dat hij zich in Zürich bevond en zou zijn mannetjes inmiddels overal rond en in het hotel geposteerd hebben. Dus als hij binnen wilde komen, zou hij een of andere dekmantel moeten hebben. Of een vermomming.

Terug in het Seefeld beende hij opnieuw met twee treden tegelijk de trap op naar zijn kamer, belde het Baur au Lac en vroeg naar Mounirs kamer. Het nummer kende hij inmiddels al uit zijn hoofd. Als hij de oude man gewoon kon bereiken, zou hij hem wellicht ergens anders kunnen ontmoeten, hem aldaar de diskette met Rolvaags rapport kunnen geven en het eerstvolgende vliegtuig naar huis nemen. Maar nee. Dat zou te gemakkelijk zijn. De telefoon bleef overgaan, waarbij de paarsgewijze, onbeantwoorde tonen hem als een misthoorn zo treurig in de oren klonken.

Goed... op een wonder hoefde hij dus niet te hopen. Nu was het aan hem – alleen aan hem en zijn vriend, de stevig verpakte meneer Uzi.

Wat betekende dat hij een vermomming nodig had. Iets waarmee hij in de lobby kon komen. (Het wapen zou hem in de vergaderzaal brengen.) Hij dacht na over een vermomming en herinnerde zich de reactie van Remy Barzan – of eigenlijk, het úítblijven van een reactie – op de plotselinge komst van 'de soldaten'. Pas toen ze begonnen te schieten, besefte Barzan dat hij het doelwit was.

Feit was dat mensen enkel het uniform zagen – niet de man die het droeg. Helaas liepen er geen uniformen rond het Baur au Lac. Enkel de portier, en zo dichtbij kon Danny niet komen. De enige mensen die hij hier had gezien, waren zakenlieden en golfers.

Als een gloeilampje in een stripverhaal verscheen het beeld van de golfers op het caféterras voor zijn geestesoog. Golfers sleepten altijd van die golftassen met zich mee. En golftassen waren min of meer ideaal om een automatisch wapen door de lobby van een vijfsterrenhotel te loodsen. Hij dacht terug aan de golfers op het terras. Ze droegen van die kleine hoedjes – wat van pas kwam – en een zonnebril zou ook op zijn plaats zijn.

Hij keek even op de klok: 14:43 uur. Terwijl hij de uzidoos onder zijn arm propte, controleerde hij nog even of hij de diskette met het rapport van de dendroloog bij zich had. Vervolgens rende hij de trap af om aan de blondine te vragen waar hij golfspullen kon kopen.

'Heel fijn, meneer! En neemt u me niet kwalijk dat ik 't zeg, meneer, maar het doet me deugd te zien dat een jongeman zoals u de sport zo enthousiast omarmt.' De donkerharige verkoper deed een stap naar achteren en zuchtte tevreden.

Verbijsterd gaapte Danny zichzelf aan in de spiegel waarin je jezelf van drie kanten kon bekijken. Hij bevond zich op de Sporting!-afdeling van het warenhuis Jelmoli aan de Bahnhofstrasse. Als hij qua kledingstijl ergens geen affiniteit mee had, dan was het wel met golfkleding. En toch stond hij hier: helemaal het golfheertje, opgedoft in een reebruine knickerbocker met kniekousen en zwart-witte schoenen met een contrasterende kleur over de wreef. Verder een kort, goudkleurig poloshirt met een gevlamd patroon en een V-kraagje, plus een gloednieuwe Ray-Ban-zonnebril. Om het ensemble af te maken, was er een Schotse ruitercap die zijn haar aan het zicht onttrok en ten slotte een suède golfhandschoen die nonchalant uit zijn achterzak hing.

'Anders nog iets, meneer? Een regenpak? Paraplu?'

'Nee, hier kan ik wel mee uit de voeten.'

Met zijn jagersgroene Gore-Tex golftas, met voering van eerste kwaliteit rundleer, was de uitrusting zowel overtuigend – 'Jan-Jacob, kérel, moet je daar eens kijken!' – als schandalig duur. De tas bevatte een minimale verzameling van Jelmoli's goedkoopste golfclubs, waarbij de exemplaren met een houten kop door een gebreide hoes werden beschermd. Danny had de tas slechts om één eigenschap uitgekozen: het frame waarin je de clubs gescheiden van elkaar kon bewaren, zat los en kon je eruit halen, zodat je de tas kon schoonmaken. Hij zou het frame verwijderen om ruimte te maken voor de uzi.

'Ik denk dat ik 't maar aanhoud,' zei hij. 'Over een uur sta ik op de green.'

'Natuurlijk. Mag ik dan uw andere kleren voor u inpakken?' De verkoper nam Danny's Visakaart aan en vouwde zorgvuldig diens blauwe spijkerbroek en trui om ze in een doos te leggen die zelfs nog duurder leek dan de kleren.

Hij overwoog nog even naar de paskamer te lopen om daar maar meteen de uzi in de golftas te stoppen, maar zag ervan af. Het warenhuis beschikte ongetwijfeld over bewakingscamera's en hij kon zich nu geen gedoe met de beveiliging van Jelmoli veroorloven. Dus tekende hij gewoon het bonnetje van de creditcard en liep de deur uit.

Het was slechts een korte wandeling over de Bahnhofstrasse naar het Baur au Lac, maar hij voelde zich net een ooievaar in deze kleren en met de golftas. Hij kon er maar beter met een taxi arriveren. In een zijstraat zag hij een standplaats. De taxichauffeur liet de kofferbak openfloepen en legde de golftas erin en de doos met de uzi ernaast. Vervolgens hield hij het achterportier open.

Aan het eind van de oprit voor het hotel zag Danny al de eerste van Zebeks schildwachten: Gaetano, die met een zorgelijke en uiterst geconcentreerde blik op de uitkijk stond. Hij tuurde door de ramen van de passerende taxi, maar schonk Danny – met zonnebril en petje – verder geen aandacht.

Dat deed trouwens niemand. Voor de ingang naar de lobby stapte hij uit, gaf de chauffeur een fooi, nam zijn golftas en pakketje aan en liep op zijn gemak langs een uit de kluiten gewassen Italiaan die vlak bij de deur rondlummelde.

Langs de balie lopend viel zijn oog op een goudgerand mededelingenbord op een staande ezel:

*Novartis Pharma A.G.*
*Jungfrau-zaal – verd. 1*
*14:15 uur*

*Tawus Holdings*
*Winterthur-zaal – verd. 2*
*16:00 uur*

Hij liep door naar een gepolitoerde eiken deur met een koperen plaquette met het opschrift HERREN, betrad het herentoilet en sloot zichzelf in een wc-hokje op. Hij zette de tas met golfclubs tegen de deur, nam plaats met de doos uit de wapenwinkel op schoot en scheurde het papier los. Hij tilde de uzi uit het schuimplastic en schoof de patroonhouder in de kolf, vlak achter de trekker. Het maakte een tevredenstemmende *klik*, net zoals in de film. Daarna trok hij de clubs uit de golftas en zette ze rechtop tegen de wc-deur. Vervolgens was het binnenwerk van de tas aan de beurt, dat hij verwijderde en achter het toilet zette, samen met de doos waar zijn oude kleren in zaten. Ten slotte liet hij het vuurwapen in de tas zakken, herschikte de clubs en trok door.

Weer terug in de lobby kreeg hij een stoot adrenaline te verduren die

317

hem bijna op de vlucht deed slaan. Maar hij hield zich in. Rustig liep hij naar de lift, ondertussen het voetbalmantra uit zijn jeugd herhalend: *tranquillo, tran-qúíl-lo...* Een getaande man in een zwart zakenkostuum kwam naast hem staan in de ogenschijnlijk schier eindeloze wachttijd voor de lift. Telkens drukte hij op de liftknop, zoekend naar een lampje dat zou kunnen aangeven waar de lift zich bevond. Maar dat was er niet. Eindelijk gleden de deuren met een zachte klingel open en verscheen er een piccolo die een goudkleurig, met Tumi-koffers volgestapeld karretje voortduwde.

De reis van de lobby naar de eerste verdieping, waar de zakenman moest zijn, was een beproeving. Het leek ongeveer een minuut in beslag te nemen – wat eigenlijk helemaal niet zo lang is, tenzij je je adem inhoudt. Wat hij dus deed, al was het dan onbedoeld. De lift klingelde. De zakenman stapte uit. De deuren gleden weer dicht. Danny haalde diep adem.

*Tranquillo.*

Zijn plan (als je het een plan kon noemen) was vrij recht voor z'n raap. Uitstappen op de tweede verdieping. De golfclubs lozen en – vergrendeld en geladen (wat dat ook mocht betekenen) – de vergaderzaal binnenstormen. Iedereen bevelen zijn bek te houden en zich vooral niet te verroeren.

Zo zou Bruce Willis het aanpakken.

Een zacht geklingel kondigde zijn komst op de tweede etage aan. De liftdeuren gleden open. Op een stoel naast de gesloten zwaaideuren van de Winterthur-zaal, recht tegenover de lift, zat de gespierde rechthoek die voor Danny 'de Wenkbrauw' was gaan heten.

Ze zagen elkaar op hetzelfde moment, maar de Wenkbrauw had *een, twee, drie* tellen nodig om tot het besef te komen dat de kakker die voor zijn neus stond in werkelijkheid de punkartiest was die hij om zeep moest brengen. De eerste tel ging verloren met een blik van 'moet-je-hem-zien' die overging in een geamuseerd schouderophalen; een tel later gevolgd door de ontluikende schok der herkenning. De derde tel eindigde met de bijna uit zijn stoel rijzende gestalte van de Wenkbrauw – en wel precies op het moment dat de liftdeuren weer dichtgleden.

Danny had geen idee op welke knop hij had gedrukt, maar toen de deuren zich weer openden, zag hij aan de kamernummers dat hij zich nu op de derde verdieping bevond. Hij stak een voet tussen de deur en zijn hoofd om de hoek en tuurde links en rechts de gang af. Aan beide zijden was een trap, aangeduid met een verlicht groen bord met de afbeelding van een mannetje met wandelstok dat een witte trap afrende.

Hij dumpte de golfclubs op de vloer van de lift, trok de uzi tevoorschijn en wierp de tas opzij. Het vuurwapen voelde koud en compact aan in zijn handen. Er kwam een olieachtige, metalige geur van af. En hoewel het zíjn wapen was, joeg de vreemde manier waarop het ding eruitzag en aanvoelde hem de stuipen op het lijf.

Hij deed een stap naar achteren. *Tranquillo.*

De liftdeuren suisden dicht en een golf van claustrofobie trok door zijn onderbuik. Waar ben ik mee bezig?! Hij kon het gewoon niet geloven: dat machinepistool, die kleren, de hele situatie. Hij schudde zijn hoofd en probeerde het gevoel te zijn opgesloten van zich af te schudden, maar het lukte niet. De lucht voelde dik en verstikkend, de lift benauwd, het wapen in zijn handen loodzwaar. Waar ben ik mee bezig, waar ben ik mee bezig? Een sissend geluid klonk op in zijn hoofd, alsof van zijn ene naar zijn andere oor een vonkende lont opbrandde. Stel dat er iets fout gaat. Dit ding hier is wél een machinepistool. Stel dat het op een slachting uitloopt. Stel dat ik ze allemaal afknal. Als een kreeft die uit een pan kokend water probeert te ontsnappen schoot de paniek door zijn hoofd.

*Ting!* Het zachte geklingel klonk als een handgranaat die in zijn hoofd explodeerde.

Toen de deuren opengingen, zag hij de Wenkbrauw buiten voor de Winterthur-zaal, druk pratend in een mobiele telefoon. De kleerkast zag de uzi nog eerder dan de man die hem vasthield en zweeg even. '*Ciao,*' zei hij, hij verbrak de verbinding, liet het toestelletje vallen en stak zijn handen in de lucht.

Vanuit zijn ooghoeken ving Danny uit beide richtingen bewegingen op. Er kwamen mannen op hem af gerend. Ze hadden kennelijk de trappen in de gaten gehouden. Maar nu ze zagen wat hij in zijn handen had, vertraagden ze hun pas om al snel helemaal halt te houden. 'Staan blijven,' beval hij, alsof hij een niet al te gehoorzame labrador opdroeg in de hoek te wachten. Met de uzi gebaarde hij de Wenkbrauw hem voor te gaan naar de Winterthur-zaal.

Aan het hoofd van een lange houten tafel, waarvan het opgepoetste blad glom in het middaglicht, zat Zebek. Om hem heen zaten negen oudere mannen, net als Zebek gekleed in een donker kostuum. Midden op tafel lag een gekromd mes met een handvat dat met edelstenen was versierd. 'Sorry dat ik stoor,' zei Danny, de Wenkbrauw van zich af duwend.

Voor iedere aanwezige stond, naast een dichtgeslagen blauwe map en een kostbare pen, een glas water. De mappen waren voorzien van gouden letters in reliëfdruk: TAWUS HOLDINGS. Dit waren dus de Jezidi-Ouderlingen. Danny zag dat drie van hen, onder wie sjeik Mounir, een laptopcomputer voor zich hadden.

'Sjeik Mounir,' sprak Danny. 'Ik moet u dringend spreken.' Zijn stem klonk hol, alsof hij sprak in een ruimte zonder echo's.

'Bel beveiliging,' beval Zebek met een knik van zijn hoofd naar de mooie Paulina. Ze greep naar haar mobieltje.

'Ik knal je arm eraf!' waarschuwde Danny haar.

Ze stopte het toestel weer weg.

'En als je van plan bent dat pistool in je tasje te pakken,' voegde hij eraan toe, 'knal ik je kop eraf.'

Nu keek ze gekwetst, ze vouwde haar handen samen in haar schoot en zette een pruilmondje op.

Een van de Ouderlingen vroeg Mounir iets in het Turks. De sjeik schudde zijn hoofd en wendde zich tot Danny. 'Ken ik u?' vroeg hij.

'Ik kwam naar uw huis – in Uzelyurt, weet u nog wel? Een paar weken geleden.' Vanuit een ooghoek zag Danny de Wenkbrauw iets dichterbij sluipen. 'Laat dat!' beval hij en hij zwaaide de uzi met een boog naar de borstkas van de reus.

De Wenkbrauw stond als bevroren.

Hij wendde zich weer tot Mounir en zette zijn petje af. 'U liet me ontvoeren,' zei hij. 'Door de man met het basketballshirt – en die andere vent. Ze namen me mee naar uw kleinzoon. Naar Remy. Dat moet hij u hebben verteld.'

Vanuit een wirwar van kraaienpootjes staarden Mounirs ogen hem aan. Danny kon de radertjes in zijn hoofd bijna zien draaien. De oude man herinnerde zich Danny's bezoek en wat er daarna was gebeurd: de ontvoering en ondervraging, gevolgd door Remy's vertrouwen in hem. 'O ja, natuurlijk,' stamelde de oude man, net zoveel tot zichzelf als tot de overige aanwezigen. 'Maar Remy...'

'Ik weet 't,' zei Danny.

Zebek grinnikte, draaide zich om naar Paulina en de Wenkbrauw en zei iets in het Italiaans. Paulina sloeg zich op de knieën, giechelde en zwenkte haar stoel om naar hem op te kijken. De Wenkbrauw vloekte en stapte tot Danny's verrassing naar voren, daarbij de uzi die op zijn borst gericht was volkomen negerend. Voordat Danny hem kon waarschuwen haalde de grote Italiaan als een werper bij het honkballen zijn arm naar achteren, draaide vliegensvlug om zijn as en deelde de Amerikaan een zwaaistoot uit die hem tegen de muur deed kwakken.

Terwijl hij wankelend onderuitging, leek het alsof de zaallichten even uit- en toen weer aanfloepten. Hij zag dat de Wenkbrauw met een ruk een pistool van onder zijn jasje trok. 'Laat dat!' waarschuwde Danny en hij haalde de trekker van zijn uzi over.

*Klik!*

Paulina giechelde.

*Klik klik klik!*

Zebek lachte. Zelfs de Wenkbrauw glimlachte terwijl hij zich bukte om de uzi uit Danny's handen te rukken. 'Met de veiligheidspal er nog op doet-ie het echt niet, hoor,' legde Zebek uit.

'Da's pech,' erkende Danny, hij kwam langzaam overeind en wierp zich plotseling op Zebek. Iedereen was verrast, niet in het minst Danny zelf, die Zebek driemaal in het gezicht sloeg, waardoor deze languit van zijn stoel viel. Danny liet zich met een knie op Zebeks borst zakken en wilde nog eens uithalen, maar de Wenkbrauw sleurde hem aan de kraag van zijn poloshirt weg.

'Weg met die vent!' snakte Zebek naar adem. 'Hij is gestoord!'

De Wenkbrauw trok Danny al naar de deur toen opeens Mounirs stem boven het geschrokken gemompel van de andere Ouderlingen uit steeg. 'Ik zal hem laten uitspreken,' oordeelde hij.

Nog steeds op de vloer zittend kon Zebek zijn oren niet geloven. 'Wat?!' Hij krabbelde overeind, sloeg met zijn vuist op tafel en begon te redetwisten in een taal die Danny niet verstond.

'Ik zei dat ik hem zal laten uitspreken.'

Zebek protesteerde opnieuw. Hoewel hij de woorden niet kon verstaan, begreep Danny maar al te goed wat ze betekenden. Hij wilde Mounir ergens voor waarschuwen.

De oude man knikte. 'U bent de imam,' gaf hij toe. 'En ik ben de voorzitter. Aangezien dit een zakelijke bijeenkomst is, zal de jongeman worden gehoord.' Hij draaide zich naar Danny. 'Hoe stierf mijn kleinzoon?'

'Hij vermóórdde hem!' beweerde Zebek.

'Klopt dat?' vroeg Mounir.

'Nee,' antwoordde Danny. 'Klopt helemaal niets van.'

'Vertel me dan maar eens wat er gebeurde,' droeg Mounir hem op.

Terwijl een van de Ouderlingen op zachte toon tolkte voor zijn collega's die geen Engels spraken, legde Danny uit dat Remy Barzan zich schuilhield voor Zebek – en dat hij zelf ook voor dezelfde man op de vlucht was.

Tweemaal trachtte Zebek hem te onderbreken, maar beide keren werd hij door Mounir tot zwijgen gebracht.

'Remy had met de soldaten bij een controlepost langs de weg een afspraak,' vertelde Danny. 'Ze kwamen een of twee keer per week naar het huis. Ik weet niet of ze voor Remy kwamen of dat ze voor iemand anders het huis in de gaten hielden, maar… Remy was eraan gewend dat ze langskwamen. En toen – ik weet niet of het soldaten waren of gewoon kerels die zich als soldaten hadden vermómd, maar op een dag verschenen ze bij het huis en… Remy zag ze op de monitor. Hij maakte zich niet ongerust. Hij ging zelfs een praatje met ze maken! Het volgende moment begonnen ze te schieten.'

Zebek lachte hem uit.

'En u?' vroeg Mounir, zijn ogen strak op die van Danny gericht.

'Ik rende weg en verschool me.'

'En u weet niet wie het waren?'

'Ja, dat weet ik wel! Ze hoorden bij Zebek!' riep Danny uit.

Voordat Zebek het kon ontkennen, bracht Mounir zijn rechterhand omhoog. 'Hoe weet u dat?' vroeg hij.

'Omdat ik hem zelf heb gezien.'

'Trap er toch niet in!' waarschuwde Zebek.

'Hij reed in een Bentley.'

Mounir hield zijn blik een lang moment op Danny gericht, zuchtte toen diep en wendde zich met een vragende blik tot Zebek.

Zebek dacht een ogenblik na, wreef over zijn kaak die Danny flink had geraakt, schraapte ten slotte zijn keel en sprak. 'U zei het zelf al, Mounir: dit is een zakelijke bijeenkomst. Wat er tussen Remy en mij gebeurde – of niet – heeft niets te maken met waarom we hier zijn. Ik stel voor dat we de vergadering voortzetten en deze andere zaken een andere keer bespreken.'

Mounir draaide zich weer om naar Danny. 'Is het waar wat hij zegt? Dat wat er met Remy gebeurde niets te maken heeft met waarom we hier bijeenzijn?'

Danny schudde zijn hoofd. 'Het heeft er juist alles mee te maken.'

'Hoezo dan?' vroeg Mounir.

Danny haalde diep adem. 'Ik heb u een rapport toegestuurd,' vertelde hij. 'Dat zult u over een paar dagen ontvangen – met de post. Intussen…' Hij reikte in zijn zak en haalde de diskette tevoorschijn waarop hij Rolvaags rapport had gekopieerd, compleet met de JPEG-bestanden. Hij schoof de diskette over de tafel naar Mounir. 'Hier staat alles op.'

Mounir gaf de diskette door aan zijn oudere buurman. Die schoof het ding in een laptop en opende een van de bestanden. Mounir wierp een blik op het beeldscherm, waarop een serievergelijking van jaarringen uit verschillende perioden en plaatsen te zien was. 'Wat is dit?' vroeg hij met een verbijsterde blik op zijn gelaat.

Zebek leunde iets achterover in zijn stoel voor een beter zicht op het scherm. Even keek hij wat verwonderd, maar al snel verhardde zijn gelaat en sperden zijn ogen zich wijdopen omdat hij de afbeelding op het scherm herkende.

'Ik zal bij het begin beginnen,' stelde Danny voor. 'Anders snijdt 't geen hout.'

Mounir knikte, ten teken dat hij zijn gang kon gaan.

'Ongeveer een maand geleden werd ik door deze meneer hier gebeld,' begon hij met een handgebaar naar Zebek. 'Hij zei dat-ie Belzer heette en of ik met hem op de luchthaven kon afspreken…'

Hij had behoorlijk wat tijd nodig om het hele verhaal te vertellen, vergat telkens bepaalde details en moest dan een stapje terug doen. De tolk verzocht hem een keer of twee te stoppen, zodat hij weer bij kon raken. Maar uiteindelijk kwam het hele verhaal eruit. 'Dus waar het op neerkomt, is dat onze vriend hier de Sanjak die ooit door sjeik Adi werd vervaardigd, verwisselde voor een vervalsing – want dat was de enige manier om aan het geld te komen voor zijn bedrijf. Chris Terio en Remy Barzan kwamen erachter en lieten het houtmonster door doctor Rolvaag onderzoeken. U kunt de conclusie van Rolvaag lezen, maar de conclusie is duidelijk: de heer Zebek is…' Danny dacht even na, '… een gevaarlijk persoon.'

Het was benauwd in de vergaderzaal en stil; het hardste geluid kwam van een incidenteel tikje op een van de toetsenborden. Opeens begon Zebek traag en sarcastisch te applaudisseren. Toen hij ieders aandacht had, bracht hij zijn vingers op een vrome manier samen en nam op nuchtere toon het woord: 'Hij dringt onze vergadering binnen, gewapend met een machinepistool. Hij gaat met zijn vuisten uw imam te lijf. En nóg luistert u naar hem?' Hij liet een stilte vallen. 'Is het dan niet overduidelijk,' vervolgde Zebek, 'dat deze man en die andere twee – Terio en Remy Barzan – is 't niet overduidelijk dat ze hun eigen agenda voeren?'

'Welke dan?' vroeg Danny.

Zebek keek hem niet eens aan. 'Hij werkt voor Fellner Associates, een firma die aan bedrijfsspionage doet. Ze proberen mijn onderneming te gronde te richten om zo aan onze patenten te komen.'

'Bullshit!' riep Danny.

Mounir bracht zijn rechterhand omhoog en wees naar het beeldscherm voor zich. 'En dit dan?'

'Wat is daarmee?' vroeg Zebek.

'Beweert u dat deze informatie gelogen is?' vroeg Mounir.

Zebek fronste het voorhoofd. 'U bedoelt dit rapport uit het – wat was het ook alweer? Het Oslo Instituut? Het rapport van die dendroloog?'

Mounir knikte. Alle Ouderlingen keken Zebek strak aan.

Hij trok een pruillip en zei: 'Neuh, ik denk niet dat het rapport onnauwkeurig is. Ik ben ervan overtuigd dat alles klopt.' Hij wachtte even om de woorden te laten bezinken.

'Dan...' begon Mounir.

'Ik ben ervan overtuigd,' ging Zebek verder, 'dat dat stuk hout precies is wat deze geleerde zegt – vijftig jaar oud! Honderd jaar! In elk geval veel te jong om van de Sanjak afkomstig te zijn.' Hij zweeg weer even. 'Maar wat bewijst dat nu helemaal?' stelde hij. 'Dat de Sanjak een vervalsing is? Nauwelijks. Het enige wat dat bewijst, is dat Terio en Barzan deze meneer, deze Rolvaag, een stuk hout gaven dat van iets anders afkomstig was dan van de Sanjak.'

'O, waarvan dan?' vroeg Danny.

Zebek haalde zijn schouders op. 'Een sigarendoos, wie weet?' Hij schudde zijn hoofd. 'Ik kan gewoon niet geloven dat we hier nog langer naar luisteren,' zei hij.

Onder de Ouderlingen brandde nu een discussie los. Niet bij machte hier een woord van te begrijpen, richtte Danny zich tot Zebek. 'U bent echt van de pot gerukt, weet u dat wel?'

Zebek wendde zijn blik af.

Na een poosje hief Mounir een hand in de lucht en iedereen werd stil. 'We moeten dit eerst zien op te lossen voordat er verder zaken kunnen worden gedaan.'

'Helemaal mee eens,' liet Zebek hem weten. 'U moet beslissen wie u gelooft. Uw imam – of deze… deze maniak uit Amerika.'

Zelfs Mounir moest om deze typering glimlachen. 'Dan zijn we eruit,' sprak hij en hij kwam langzaam overeind. 'Uw vliegtuig staat op de luchthaven?'

'Mijn vliegtuig?' herhaalde Zebek.

'Ik heb gehoord dat u een privé-toestel hebt?'

'Eh, ja,' zei Zebek, 'maar…'

'Dan vind ik dat we maar moeten gaan.'

'Maar waarheen dan?' wilde Zebek weten. 'Waar wilt u naartoe?'

Mounir negeerde de vraag en draaide zich om naar de andere Ouderlingen. Kort sprak hij hen toe. Daarna stonden ze een voor een op en volgden hem de zaal uit.

Iets na zevenen steeg het vliegtuig met volle brandstoftanks op en koos een zuidoostelijke koers. De piloten was verteld dat Athene hun bestemming was, maar dat bleek een list te zijn. Na een uur betrad Mounir de cockpit en deelde hun de nieuwe bestemming mee: Diyarbakır.

Hoewel hij zijn best deed het te verhullen, leek deze verandering Zebek te verontrusten, want hij werd merkwaardig stil. Ook Danny was vrij stilletjes. Dit was zijn eerste reis aan boord van een privé-jet en hij zou liever ergens anders hebben gezeten. Ten eerste was er geen cabineservice, en dus geen eten. Ten tweede, en dat probeerde hij Mounir ook uit te leggen, was er voor hem eigenlijk geen reden om ergens heen te gaan, behalve dan naar huis. Hij had de Ouderlingen het rapport van Rolvaag gegeven en had hun alles verteld wat hij wist. Waarom moest hij mee naar Diyarbakır?

'Omdat een van u tweeën liegt,' antwoordde Mounir.

Het was een lange vlucht, het Europese equivalent van New York naar Denver. Ergens boven de Kaukasus stond Zebek op en liep naar achteren naar waar Danny zat en ging naast hem zitten.

'Je had binnen kunnen zijn,' fluisterde Zebek.

Danny keek even op en staarde weer door het raampje in de duisternis.

'Het is nog niet te laat,' zei Zebek.

Danny draaide zich naar hem om. 'Bent u niet bang dat ik u opnieuw een tik verkoop?'

Zebek haalde zijn schouders op. 'Ik zei dat het nog niet te laat is.'

Danny keek om zich heen voor een vrije stoel, maar alles was bezet.

'Dit gaat over een droom,' mompelde Zebek. 'Niet over zomaar een saláris. Ik heb 't over al het geld dat je je maar kunt wensen, net zoveel als je maar zou willen uitgeven.'

Danny schoof wat in zijn stoel heen en weer.

'Het is niet alleen het geld, ook de tijd,' ging Zebek verder. 'De tijd die een kunstenaar nodig heeft om zijn weg te vinden. Beschouw het als een enkeltje Parijs… met Paulina, als je wilt…'

Danny keek hem aan. 'Waar bent u toch zo bang voor?'

De vraag deed Zebek opschrikken. Hij trok even licht met zijn schouders, alsof hij een schok kreeg. 'Ik ben nergens bang voor. Dat zou jij moeten zijn. Volgens mij neemt Mounir ons mee naar Uzelyurt...'

'Waarom?'

Zebek haalde zijn schouders op. 'Er staat een grote samenkomst op het programma – een soort gemeentevergadering – om te beslissen wie van ons de waarheid vertelt. Eerlijk gezegd zie ik niet in hoe dit goed kan aflopen voor jou.'

Zelf zag Danny het ook niet in. Zebek was de imam die het plaatselijk dialect vloeiend sprak. Danny was... een buitenlandse kunstenaar in golfkleren, die veel van zijn eerste expositie verwachtte.

'Dus waar praten we over?' vroeg hij. 'Wat wilt u dat ik doe?'

'Zeg ze dat je loog,' reageerde Zebek. 'Dat probleempje met je vriendin kan ik wel oplossen – ik kan haar overtuigen dat die video een slechte grap was. Ik kan alles oplossen – inclusief de problemen die je straks hebt met de Jezidi's. Maar dan moet je Mounir wel eerst vertellen dat je loog. En snel ook. Vertrouw me...'

Danny dacht er even over na. 'Neuh,' was zijn antwoord.

Iets na tweeën in de ochtend landden ze in Diyarbakır. Terwijl de piloten de douaneformaliteiten afhandelden, ging Mounir iedereen voor naar het parkeerterrein, waar een rij zwarte Mercedessen met draaiende motoren al gereedstond. Tot Danny's verrassing verschenen Kukoc en Buddy-Buddy uit het luchthavengebouw. Op aanwijzing van Mounir begeleidden ze Zebek tot op de achterbank van de eerste auto, waarna ze aan weerskanten van hem plaatsnamen.

Danny werd naar de tweede auto geleid, waarin hij snel gezelschap kreeg van Mounir en twee van de andere Ouderlingen. Zo zaten ze een minuutje totdat de stoet Mercedessen zich in beweging zette.

'Wanneer is de vergadering?' vroeg Danny terwijl hij een geeuw onderdrukte. 'Ik hoop vanmiddag, want...'

'Er is helemaal geen "vergadering",' deelde Mounir hem mee.

De koude rillingen liepen Danny over de rug. 'Maar... ik dacht dat er een soort dorpsvergadering gepland stond, in Uzelyurt. Zebek...'

'... vergist zich,' liet Mounir hem weten. 'We gaan niet naar Uzelyurt.'

Danny fronste zijn wenkbrauwen. Waarheen dan? Waar konden ze anders naartoe?

Mounir leek zijn gedachten te kunnen lezen. 'We rijden naar Nevazir.'

'De ondergrondse stad?' Danny snapte er niets van. Hij was versuft door de jetlag, uitgewrongen door alle stress en bekaf. Een bij een optellen was bijna meer dan hij aankon. 'Maar waarom?' vroeg hij. 'Wat is daar dan?'

Mounir stak een sigaret op, inhaleerde diep en blies de rook in een lange, dunne sliert uit. Hij staarde naar buiten en schudde zijn hoofd. 'Ik weet het niet. Misschien wel niets.'

De rit duurde twee uur en voerde al kronkelend door de heuvels de bergen in, waarbij het maanlicht de honingblonde aarde deed vergrijzen. Eindelijk draaide de stoet de hoofdweg af, waarna het met een slakkengang verderging over een onverhard pad dat eindigde bij een open plek omzoomd door cipressen. Een voor een werden de motoren van de Mercedessen afgezet, waarna de Ouderlingen uitstapten.

Ingeklemd tussen Kukoc en Buddy-Buddy zat Zebek bijna te grommen. Het klonk als een mengeling van woede en angst. Hoewel Danny geen woord verstond van het Jezidi-dialect maakte Zebeks toon wel duidelijk dat hij zich verraden voelde. Hij had beslist niet verwacht hierheen te worden gebracht.

Ze stonden een meter of twintig van een deuropening af die toegang bood tot de heuvel zelf. Een paar massieve, antieke ijzeren deuren zwaaiden open en een zwarte, diepe grot werd zichtbaar. Naast de opening stond een jongeman met een doos zaklampen die hij aan de Ouderlingen uitdeelde. Iedereen betrad nu de grot.

Danny haastte zich naar Mounir toe. 'Wat is daarbinnen?' vroeg hij.

De oude man reageerde met een schouderophalen. 'Nevazir.'

'Ja, nou, als u 't niet erg vindt, wacht ik hier wel,' liet Danny hem weten.

Mounir grijnsde en schudde zijn hoofd. Hij nam Danny bij de arm, gaf hem een zaklamp en ging hem voor in wat een lange, lage tunnel bleek te zijn die door een reeks van grotachtige vertrekken kronkelde en draaide. Steeds dieper daalden ze af. De ondergrondse stad was een reusachtige mierenkolonie, precies zoals Danny was verteld, met tunnels die alle kanten op liepen.

Hun lichtbundels doorkliefden de duisternis, speelden tegen de rotswanden. 'Waar gaan we heen?' vroeg hij, door zijn neus ademend om maar niet te gaan hyperventileren. Het was alsof hij zich in een mijn bevond, maar dan een met honderd gangen. Stel dat we verdwalen, dacht hij. Stel dat de batterijen van die lampen leeg raken. Stel dat… Zijn jetlag was verdwenen, verteerd door een overweldigend gevoel van claustrofobie.

'Wat is dat?' vroeg hij, halthoudend naast een massieve ronde keisteen die in een soort, aan de gang grenzende, nis hachelijk in een stenen rand rustte. Voorzover Danny het kon zien, was een veel kleinere steen, vastgeklemd tussen de grote kei en de stenen rand, het enige wat de grote kanjer tegenhield.

'Die werd gebruikt om de tunnel te blokkeren,' legde Mounir uit. 'Als de vijand de Jezidi's de stad in volgde, konden ze de gangen hermetisch afsluiten. Meestal gaven hun vijanden het dan wel op.'

'En daarna? Rolden ze de steen dan terug?'

Mounir schudde zijn hoofd. 'Onmogelijk. Dan moesten ze een nieuwe gang uitgraven.'

Ze hadden inmiddels een kwartier of nog langer gelopen. Het tempo was laag, gegeven de fysieke toestand van een aantal Ouderlingen en Zebeks horrelvoet. Misschien was het wel veel meer dan een kwartier. Hij wist het niet. Er was niets in deze ondergrondse stad waaraan je kon zien dat de tijd verstreek. Het besef van diepte of richting ontbrak volledig. 'Waar zijn we?' vroeg hij.

'Ongeveer twintig meter onder de grond,' liet Mounir hem weten. 'Het is niet meer zo ver.'

Dat klopte. Ze liepen nog een paar minuten door totdat de gang uitkwam op een grot met hoge plafonds en een gewelfde alkoof in een wand. In de donkerte hing een goudkleurig gordijn slap aan een ijzeren roede; het verborg iets.

Zebek stond in het midden van het vertrek, geflankeerd door Kukoc en Buddy-Buddy, en foeterde tegen de Ouderlingen. De lichtbundels trilden in de muffe lucht. Danny kreeg een bang voorgevoel.

'Goed, hier zijn we dan!' sprak Zebek zich uit met een weids gebaar. 'En waarvoor? Waarom? Wat moet dít nu helemaal bewijzen?' Zijn stem leek hoger dan normaal en vol bravoure.

Mounir schraapte zijn keel. 'Ik denk dat u wel eens gelijk kunt hebben,' zei hij. 'Dat deze jongeman en Remy – en die andere man, Terio – tegen u samenzweren.'

'Precies!' riep Zebek. 'En waarom ook niet? Geen van hen was immers een gelovige! Waarom zou iemand hém geloven, deze Amerikaanse gozer, in plaats van mij? Tegen ons – de ware Jezidi's, de gelovigen – is al duizend jaar lang samengezworen!'

Mounir knikte, alsof hij het met hem eens was. 'Ik vroeg me af,' zei hij, 'hoe wij kunnen weten of de Sanjak vals is – of dat het juist het rapport is dat ons bedriegt? Was het een houtmonster uit de Sanjak dat door deze Noorse geleerde werd onderzocht, of was het misschien een stuk drijfhout dat iemand aantrof op de oevers van Lake Van? In beide gevallen is het een ernstige zaak. Als de echte Sanjak, ons heiligste voorwerp dat door sjeik Adi persoonlijk werd gemaakt, door een vervalsing werd vervangen, dan hebben we het over de allergrootste heiligschennis.'

De oude man pauzeerde even en schraapte zijn keel. 'Aan de andere kant,' ging hij verder, 'is het mogelijk dat er partijen zijn die het om eigen politieke of persoonlijke redenen niet eens zijn met de wijze waarop de Ouderlingen een nieuwe imam kiezen. Het kan zijn dat zulke partijen twijfel en verwarring wilden zaaien door met een vals rapport te komen waarin de legitimiteit van de nieuwe leidsman in twijfel wordt getrokken. Wellicht om tijd te winnen voor het plannen van een moordaanslag.' De oude man keek naar Danny, die zich plotseling rusteloos en claustrofobisch voelde. *Tranquillo*, maande hij zichzelf terwijl hij zijn uiterste best deed Mounirs kalme blik niet te ontwijken. 'Een vals rapport,' vervolgde de oude man, 'zou net zogoed heiligschennis zijn, een poging om de wil van de Tawus en de profetieën van de *Zwarte Schrift* te beïnvloeden.' Mounir onderbrak zijn betoog, liet zijn blik van Danny naar Zebek glijden en schudde zijn hoofd. 'Maar hoe komen we daarachter?'

Zebek wilde iets zeggen, maar Mounir kapte hem af met een opgeheven hand. De miljardair zweeg.

'Het kwam mij voor,' vervolgde de sjeik, 'dat als de Sanjak die wij Ouderlingen aanschouwden terwijl we ons beraadden over de keuze van de nieuwe imam inderdaad een vervalsing was, de maker deze waarschijnlijk weer zou vernietigen zodra het beeld zijn dienst had bewezen. De Sanjak is nooit te bezichtigen. Alleen tijdens de imamverkiezing wordt hij onthuld. De nieuwe imam is jong. Hij zou met gemak alle Ouderlingen overleven. Het is zelfs mogelijk dat de authentieke Sanjak op zijn juiste plaats is teruggezet, maar uiteraard zouden wij dan meteen zien dat het een ándere Sanjak was, niet de Sanjak die op onze handelingen toeziet.'

Danny's ogen schoten van Zebek naar de alkoof en weer terug. De bankroete miljardair leek een konijn dat in de lichtbundel van een paar naderende koplampen gevangen was.

'Maar als het rappórt bedrog was,' ging Mounir door, 'dan kan elk stukje hout als een proefmonster hebben gediend. En in dat geval zou de Sanjak hier nog gewoon op zijn oude plek staan, precies zoals we dat ons herinneren.' De oude man zuchtte. 'Dus hoe zit het?' vroeg hij en hij keek van Danny naar Zebek.

'Ik geloof dat ik het nu wel zat ben!' tierde Zebek en hij draaide zich om om weg te lopen.

Maar Buddy-Buddy ging pal voor hem staan. '*Buhhh-ddy*,' zei hij vleierig. '*Búhhh-ddy…*'

Langzaam liep Mounir naar de nis in de rotswand. Toen hij naar het gordijn reikte, stormde Zebek op hem af, maar Kukoc en zijn makker hielden hem tegen.

'Dat is verboden!' brulde Zebek. 'Hij mag niet worden aanschouwd…!'

De oude man trok het gordijn opzij en de Ouderlingen hielden als één man de adem in. Achter het gordijn bevond zich een voetstuk van zwart marmer, met daarop een kleine, vierkante lap van fluweel – en verder niets. Plotseling stoof een van de Ouderlingen met een stiletto in de hand op Zebek af. Zebek ontweek hem en rende naar de gang, maar Kukoc versperde hem de doorgang.

'Wat heb je ermee gedaan, Zerevan?' vroeg Mounir op zachte toon. 'Waar is de echte Sanjak?'

Zebek leek opeens een stuk kleiner, in zichzelf gekeerd. 'Als ik u dat vertel,' marchandeerde hij, 'laat u me dan gaan?'

Mounir snoof even minachtend en schudde zijn hoofd. 'Ali en Suha kunnen je wel overreden,' zei hij, wijzend naar Kukoc en Buddy-Buddy, 'of je kunt jezelf een hoop ellende besparen.'

'Ik ben hier niet verantwoordelijk voor!' tierde Zebek. 'Ik weet van niets!' Dat was Zebeks laatste, zwakke protest. Danny's twee oude belagers stapten op Zebek af en Danny bereidde zich voor op het ergste. Hij wist niet zeker of hij wel wilde toekijken bij wat eufemistisch een 'onvriendelijke ondervraging' werd genoemd. Uiteindelijk bleek enkel de dreiging al voldoende, of misschien was Zebek bijdehand genoeg om te weten dat weerstand bieden de doodsangst alleen maar zou verlengen. Zonder zelfs maar een klap te incasseren zwichtte hij.

'Sotheby's.' Het woord kwam langzaam uit zijn mond.

Mounir was zo verbaasd dat hij nauwelijks nog iets kon uitbrengen. 'Je verkócht het?'

'Nog niet,' antwoordde Zebek kalm. 'Volgende maand vindt er een antiekveiling plaats.'

Mounirs gezichtsuitdrukking verhardde. Hij verhief zich tot zijn volle lengte en maakte een lichte, formele buiging. 'We laten je hier achter,' zei hij en hij blafte een kort bevel dat Danny niet verstond. Langzaam liepen de Ouderlingen een voor een de grot uit. Zebek begon in het Turks te tieren; zijn toon verraadde de betekenis van zijn woorden: *Doe 't niet! Toe! In godsnaam! Ik maak jullie allemaal af!*

Zoiets moest het volgens Danny zijn, een mengeling van dreigementen en smeekbeden. Terwijl ze zich opmaakten om de grot te verlaten, legde Mounir een hand op zijn mouw. 'Geef hem uw zaklamp maar,' droeg hij hem op. 'Over een tijdje zullen we hem buiten leggen voor de vogels. Dat is de traditie.'

De vogels? Wat? Danny herinnerde zich iets over vogels, maar kon zich er op dat moment niet het hoofd over breken. Wel over dat hij hier zo snel mogelijk weg wilde komen. Hij draaide zich om en stapte vlug terug de grot in. 'Hier,' zei hij en hij duwde Zebek de zaklamp in handen. De onteerde imam staarde er een lang ogenblik naar en sloeg zijn ogen op naar Danny. Tranen van doodsangst glansden op zijn wangen. 'Toe,' smeekte hij, 'niet dit.'

Zeg dat maar tegen Chris Terio, dacht Danny, maar hij hield het voor zich. '*Ciao*,' mompelde hij, hij draaide zich om en beende het vertrek uit. Toen hij zich weer bij Mounir en de Ouderlingen voegde, zag hij dat Kukoc met een koevoet bezig was om de steen die de massieve kei in de alkoof op zijn plaats hield van zijn plek te slaan. Plotseling kwam er beweging in het gevaarte en het enorme gewicht helde naar voren. Danny wierp nog één blik op Zebek, die stond waar hij hem had achtergelaten; met de zaklamp in zijn hand, schijnend op de vloer, terwijl zijn mond zich opensperde tot een geluidloze schreeuw.

Het volgende moment sprong iedereen achteruit, terwijl de keisteen op zijn plek rolde, daarmee de gang afsloot en Zebek voor eeuwig opsloot in de pikzwarte graftombe van zijn jeugd.

# EPILOOG

D e voorbereiding van de expositie was nog niet eens het moeilijkste. Nee, het moeilijkste was de naderbij komende confrontatie met Caleigh.

Voor ongeveer honderd dollar had hij de installatie *Talking Heads* samengesteld. Hij had kleerhangers en oude lakens gebruikt om de geraamten te maken. Het papier-maché dat eroverheen moest komen was gemaakt van oude kranten uit de recycling, ruim twintig kilo stortmeel en vele liters water, gekookt op het fornuis in zijn moeders keuken.

Nu waren de hoofden min of meer klaar.

Het waren er zeven in totaal en het was nu slechts een kwestie van telkens weer een laag papier erop plakken totdat ze stevig genoeg waren om de rit naar de galerie te kunnen overleven. Voorlopig stonden ze nog in het souterrain van het huis van zijn ouders, doorweekt en surrealistisch, drogend te midden van een woud van geleende ventilators en luchtontvochtigers.

Hoe meer hij over de 'pratende hoofden' nadacht, hoe meer ze hem aanstonden. Hier, gestrand in hun kleinsteedse omgeving, waren ze bijna net zo mysterieus als hun grotere broers op Paaseiland. Spoedig zou hij ze bedekken met collages van krantenkoppen en foto's van bekende tv-presentatoren en talkshowhosts: Mike Wallace en Oprah. Dan Rather en Barbara Walters. Eenmaal voltooid zou het kunstwerk iets zeggen over de manier waarop Amerika beroemdheid verheft tot een vorm van gnosis.

Tenminste, dat was het idee erachter.

Wanneer hij niet aan de hoofden werkte, zat hij aan de telefoon om een kwekerij te zoeken die genoeg graszoden wilde schenken om de vloer van de galerie te bedekken, en om tv-toestellen te lenen die geïnstalleerd moesten worden in de beschilderde triplex sokkels die zijn vader wel wilde bouwen voor de hoofden. Hij had het zo druk dat hij er nog niet aan toegekomen was om iets aan zijn tand te laten doen. Niet dat hij het zich kon veroorloven, maar zijn moeder – die telkens wanneer hij lachte, terugdeinsde – zat hem achter de vodden. 'Daniel, ik betaal het wel. Zie het als een verlaat verjaarscadeau. Je lijkt wel een zwerver. Tóé nou.'

Maar er was nog zoveel werk te doen. Hij had een bestelwagen laten voorrijden om schilderijen en sculpturen – inclusief *Babel On II* – naar de Neon Gallery te vervoeren. Zijn vader zou hem helpen met het uit elkaar halen van die laatste sculptuur en elk onderdeel van een kleurcode voorzien, zodat ze hem ook weer in elkaar kregen. Vervolgens zouden ze met materiaal dat pa had besteld bij een bedrijf dat Mr. Shrinky heette alles in krimpfolie verpakken. Zijn vader had de instructievideo al bekeken. 'Je hebt alleen een rol polyethyleen en een warmtekanon nodig,' legde hij enthousiast uit. 'Inpakken, vacuüm trekken en je hebt een stevig pakketje. Weet je dat je een hele boot in krimpfolie kunt verpakken? Je kunt echt alles krimpverpakken!'

Het viel niet mee – het was een hoop werk – maar Danny wist dat de expositie er goed zou gaan uitzien. Fantastisch zelfs. En het geroezemoes eromheen begon al aan te groeien. Volgens Lavinia wilde *Culturekiosque* een on-line-interview met hem en de *Post* ging hem opnemen in een artikel in de zondageditie over 'drie veelbelovende kunstenaars uit Washington'.

Was zijn liefdesleven maar half zo veelbelovend.

Maar Caleigh wilde niet eens met hem praten. Hij had nagedacht over manieren om haar terug te winnen, maar die waren stuk voor stuk clichématig of duur of allebei: een billboard of, beter nog, een vliegtuig dat met rook een boodschap in de lucht schreef: *Danny # Caleigh*; of mandenvol madeliefjes (haar lievelingsbloemetjes), afgeleverd op haar werk; een operazanger onder haar raam; een puppy.

Dat die ideetjes cliché waren, deed er niet toe. Hij kon cliché zijn. Alleen, hij wist dat het niet zou werken. Wat hij had uitgevreten, was in Caleighs ogen onvergeeflijk en haar ogen waren de enige die ertoe deden. Je hebt het verknald, was zijn conclusie, zo simpel is het.

Alleen, dat was het niet. Zittend op de bank in de woonkamer van zijn ouders en kijkend naar *Forrest Gump* wist hij het opeens. Als Gump met Elvis kon dansen en met JFK handjes kon schudden, dan was er ook voor Danny nog hoop. Het was niet honderd procent ethisch verantwoord, dit idee, maar het had wel één sterk punt dat zijn andere plannetjes ontbeerden. Het zou wel eens kunnen werken.

'De laatste keer dat ik haar sprak,' liet Caleighs vader hem weten, 'wilde ze niks meer met jou te maken hebben, jongeman.'

Als een kruisraket sloeg dat 'jongeman' bij hem in en eventjes voelde hij zijn benen slap worden. Door de jaren heen waren hij en Caleighs vader naar elkaar toe gegroeid in iets wat oprechte vriendschap kon worden genoemd. En nu heette hij 'jongeman'. Hij zuchtte en was sprakeloos.

'Ma en ik weten gewoon niet wat we hiervan moeten maken.'

Ma en ik. Voltreffer numero twee. Caleighs ouders noemden elkaar pa en ma. Samen vormden ze de spil die het grote, hartelijke gezin, dat gulheid en een goed humeur uitstraalde, bij elkaar hield. Ze woonden op een ranch, op een plek zo vrij en afgelegen dat je 's nachts geen enkel kunstmatig licht kon zien – behalve misschien dat van een vliegtuig, en dan meestal nog zo hoog dat je het niet van een ster kon onderscheiden. Frisbeeën met de hele kliek, lekker keuvelen op de veranda, potje kaarten. Zonder Caleigh zou hij ook dat allemaal kwijtraken.

'Ik dacht altijd dat jij en Cay op een dag zouden trouwen,' vertelde Clint. 'Ons met een stel artistieke kleinkinderen zouden opzadelen.' Hij grinnikte.

'Ik wíl ook met haar trouwen,' bezwoer Danny hem. 'Maar ik krijg haar niet te pakken om haar te vragen. Ze wil… ze wil niet eens met me praten.'

Er viel zoveel te zeggen dat ze allebei een lang ogenblik zwegen. 'Hoe ben je eigenlijk op Caleighs zwarte lijst gekomen?' vroeg Clint ten slotte, om nog voordat Danny antwoord kon geven eraan toe te voegen: 'Laat ook maar. Ik zou beter moeten weten.'

'Het was… echt heel stom,' bekende Danny.

Clint zuchtte. Een lange zucht. 'Even raden. Een ander mokkel.'

Een mokkel. Danny moest bijna lachen. Maar wat hij zei, was: 'Ik zat in het buitenland, en… ik was dronken.'

'Dat is precies hetzelfde als wat ík zei toen ik Ralph Tanners hond overreed,' merkte Clint op. 'Alleen was dat niet in het buitenland en bovendien… die hond bleef dood, weet je.'

'Ja,' reageerde Danny, 'ik weet 't.'

'Wat Cay betreft, die is nou niet bepaald "vergevingsgezind" te noemen.'

'Dat weet ik.'

'Helemaal niet.'

'Helemaal niet niet,' zei Danny. Het was een typische Evans-uitdrukking en Clint moest erom grinniken.

'Dat heb je goed begrepen,' zei hij.

'Luister, Clint… ik heb een idee. Het is misschien een manier om haar terug te krijgen.'

'O?'

'Ja. Maar ik heb wel wat videobeelden nodig.'

'Wat voor videobeelden?'

'Iets met Caleigh erop. Een paar minuutjes video maar. Van een verjaarspartijtje of zo… had je niet iets waarop ze lacrosse speelt?'

'Waar wil je dat voor hebben?'

Danny aarzelde. 'Eh, dat is wat lastig uit te leggen.'

'Hoezo?' De man wist ook niet van opgeven.

'Ik weet niet. Ik dacht gewoon… ik dacht als ik nou 's een film maakte – en ze vindt hem leuk – wie weet dat ik dan weer een voet tussen de deur kan krijgen.'

Clint bromde – een mokkend geluid. Danny kon wel horen dat Clint een tikkeltje argwanend was. 'Ik denk dat ik je daar wel mee kan helpen,' klonk het ten slotte.

'Geweldig!' Danny slaakte een zucht van opluchting.

'Ik hoop maar dat je tot haar door kunt dringen,' zei Clint. 'Nooit gedacht dat ik dit nog eens zou zeggen, want de eerste keer dat ze met je verscheen, was ik sceptisch. Een vegetarische kúnstenaar? Mag ik even een teiltje? Maar volgens mij ben je de ware voor onze Cay.'

Jake hielp hem. Ze namen het videofilmpje mee naar een studio die Technicality heette en lieten hem digitaliseren. Vervolgens downloadden ze een testversie van Simulacra-software van Sistema's Beta-site en installeerden die op Jakes iMac. Danny was blij dat de website nog in bedrijf was, maar Jake vertelde dat je op andere sites vergelijkbare software kon vinden. Er waren wel een stuk of vijf bedrijven die met deze technologie werkten.

Het vinden van een bruikbare videofilm van bergbeklimmers was lastiger. Hoewel de Google-zoekmachine 109.000 hits opleverde, bood slechts een handjevol sites clips die te downloaden waren. Bijna allemaal toonden ze beelden van mannen. Het duurde daarom een poosje, maar na een uur vond hij toch wat hij zocht: een jonge vrouw die in de Australische Blue Mountains een verticale rotswand beklom.

'En nu,' zei Jake, 'voor het grote digi-smeedwerk à la Vulcanus...'

Het apparaat zoemde terwijl het Simulacra-programma zijn werk deed. Twee uur later had hij een videoclip van drieënvijftig seconden: Caleigh in close-up, hangend aan een van de Three Sisters, met haar benen vrij in de lucht bungelend terwijl ze naar haar volgende houvast zocht. Daarna een iets breder shot dat haar meer vanuit de verte liet zien. Ze hing aan een overhangende rots waarop slechts een vlieg uit de voeten zou kunnen. Opeens verloor ze haar greep, viel en verdween pijlsnel de diepte in – gelukkig niet haar dood tegemoet, zo bleek al snel, maar tien of vijftien meter naar beneden, totdat ze door haar veiligheidslijnen werd opgevangen. De camera zoomde in op de kleine gestalte, die aan het eind van een bontgekleurd touw boven de afgrond draaide. Met opgetrokken wenkbrauwen en een glimlach om haar lippen leek ze te zeggen: *Dank u, Lieveheer!* Maar in werkelijkheid was het de reactie van een kind die haar verjaardagstaart te zien kreeg.

Het was Caleigh ten voeten uit, en ondanks het feit dat de bergbeklimster slechts negen jaar oud was en geen klimmersuitrusting droeg maar een spijkerbroek, cowboylaarzen en een gele trui met panda's op de rug zag de video er volkomen realistisch uit.

'Dit is gewoon ongelofelijk!' riep Jake uit.

'Ja, hè?!' zei Danny.

'Ik bedoel – poeh! – wel 'n beetje griezelig.'

'Vind je?'

Ze keken er nog eens naar. En nog eens.

'Caleigh slaat helemaal wit uit als ze dit ziet!' riep Jake enthousiast. 'Het is niet te geloven – en jouw bedoeling laat zich wel raden.'

Danny knikte, maar voelde zich er wat gelaten en ongemakkelijk onder. Dit was de enige manier die hij kon bedenken om haar terug te krijgen, maar hij was er niet gerust op. Misschien was het toch niet zo'n goed idee om Zebeks software te gebruiken om de vrouw van wie hij hield met een trucje zover te krijgen dat ze hem vergaf. Wie weet bleek er een slecht karma aan te kleven. Aan de andere kant, zo dacht hij, kon het ook de 'ideale gerechtigheid' zijn. En als er ooit iets was waarbij het doel de middelen heiligde, dan was het dit wel, want het draaide hier immers om de liefde. En meer dan liefde heb je niet nodig. Dat had John Lennon immers ook gezegd. Of was het Paul? Plechtig beloofde hij de god van de Herkansing dat hij een verhoorde smeekbede waardig zou zijn. Ooit zou hij haar, hoe dan ook, de waarheid vertellen, echt...

'Hallo, hier aarde voor Danny! Over?!'

'Wat?' Hij keek op van de iMac.

'Ik zei dat je bedoeling zich wel laat raden!'

'Mijn "bedoeling"...?'

'Dat snáp je toch wel: dat je je ogen niet kunt geloven.'

Hij wachtte tot de dag van de opening, toen alles gereed was – zo had hij nog iets om zich op te verheugen voor het geval de video geen succes bleek. Bij drie verschillende bloemenwinkels kocht hij madeliefjes totdat hij een bak vol had, en tot zijn opluchting merkte hij dat Caleigh niet de moeite had genomen een nieuw deurslot op de flatdeur te installeren. Hoefde hij tenminste niet in te breken.

Het was een raar gevoel om weer in de flat te zijn – en niet alleen vanwege al de madeliefjes die hij rondstrooide. Caleigh had al zijn spullen in dozen verpakt en ze in een hoek opgestapeld. Het was alsof hij een woning bezocht waar iemand was overleden. Vooral met al die bloemen.

Hij was twintig minuten binnen toen hij haar op de trap hoorde, en toen ze binnenkwam, zat hij op de bank met een bloem tussen zijn tanden en een hart dat in zijn keel bonsde. Ze leek niet blij hem te zien.

'Heel grappig,' was haar reactie terwijl ze haar handtas aan de kapstok naast de deur hing. 'Heel romantisch. En nu wegwezen.'

Hij liet de bloem vallen. 'Voordat ik ga...'

'Eruit.'

'Wacht nou even – geef me een seconde. Weet je nog die e-mail die ik je stuurde? Waarin ik je op het hart drukte je ogen vooral niet te geloven? Weet je nog?'

Ze wendde haar blik af. 'Nee. Misschien wel. Ik weet het niet. De enige e-mail die ik me herinner, is je videootje.' Ze zweeg even. 'Als je het niet erg vindt, zou ik nu graag een bad nemen.'

'Nee. Ik bedoel, luister – ik stuurde dat ding niet. Ik zweer het je.'

Ze staarde hem aan. 'Wie dan wel?' Voordat hij kon antwoorden, stak ze haar handen in de lucht en zei: 'En het maakt toch niet uit. Het maakt niet uit wie hem stuurde!'

'Wel waar. Dat maakt wel uit – want het was nep. Kom, ik zal het je laten zien.' Hij hield de videoband die hij en Jake hadden gemaakt omhoog.

'Nee, dank je,' liet ze hem weten, verveeld en kwaad tegelijk.

'Caleigh, ik wil dat je met me trouwt.'

Ze liep rood aan. 'Tróúwen?!'

'Ja!'

Haar ogen vielen op de band. 'En wat is dat? Deel twee?'

'Nee. Eigenlijk sta… jij erop.'

'Ja hoor!'

'Nee, echt. Het duurt maar een minuutje. Als je dit gezien hebt en je wilt nog steeds dat ik wegga… dan ga ik weg.'

'Afgesproken,' bromde ze. Ze plukte de band uit zijn handen en liet hem in de videorecorder glijden. Met haar armen over elkaar en een pruilende onderlip drukte ze ten slotte op PLAY.

Hij kon haar gezicht niet zien. Ze keek met haar rug naar hem toe naar het tv-scherm, maar toen hij haar adem hoorde stokken, wist hij dat hij een kans had. Ze had hoogtevrees en natuurlijk kon de opname niet echt zijn.

Toen ze zich naar hem omdraaide, was haar gezicht een en al verbijstering. 'Dus die attachment die je verstuurde…'

'Die heb ik helemaal niet verstuurd.' Hij gebaarde naar het tv-scherm, waarop de virtuele Caleigh aan een touw bungelde. 'Het is een truc,' zei hij. 'Een softwaretruc.'

'Nou, ik weet één ding zeker,' zei ze op koele toon. 'Dat ben ik niet.' Er was iets in haar ogen, een sceptische schittering die hem angst inboezemde en hem als een speer doorboorde. Hij voelde zich rillerig, bijna duizelig, ervan overtuigd dat ze het gedoe met de videoclip op de een of andere manier herkende als de wanhoopslist die het was. Zelfde golflengte, dacht hij, en op dat moment verscherpte haar blik, bijna alsof hij de gedachte had uitgesproken.

Een lang ogenblik keek ze hem onderzoekend aan. Hij hoopte dat ze het filmpje zou kunnen aanvaarden als een brug naar de toekomst, als iets waar ze samen op konden verderbouwen. Hij hoopte dat ze de waarheid vermoedde, maar dat ze het desalniettemin over haar hart kon verkrijgen om hem te vergeven.

Eindelijk deed ze een paar passen in zijn richting, een bloemetje tussen twee vingers draaiend. Ze begon bloemblaadjes van het madeliefje te plukken. 'Hij houdt van me, hij houdt niet van me, hij houdt van me, hij houdt niet van me…' Hij keek toe hoe de blaadjes naar de vloer zweefden en hoe ze er vervolgens bij lagen, als witte tranen. Het leek geen goed teken.

'Ik hou zoveel van je.' Hij had zijn adem ingehouden en de woorden kwamen er nu met een snik en op hoge toon uit, alsof hij een hijs van een joint in zijn longen had vastgehouden en er nu overheen sprak. 'Ik hou zoveel van je,' probeerde hij nog eens, met de bedoeling oprecht over te komen. Maar ditmaal had het meer weg van een gefluisterde, slechte Darth Vader-imitatie.

Het was waar. Hij hield van haar. Zoveel dat hij het amper kon verdragen, dat hij niets kon uitbrengen. Hij had haar nodig om te kunnen overleven, net als lucht of water.

'Dew belde nog,' zei ze, alsof ze hem niet had gehoord. De helft van de bloemblaadjes lag inmiddels op de grond. Ze hield op met plukken en draaide het bloemetje tussen haar duim en wijsvinger heen en weer. 'Ik maakte me echt ongerust om je,' ging ze door op dezelfde zakelijke toon.

'O ja?'

'Maar ik weet niet zeker… ik weet eigenlijk niet zeker of ik wel met je wil trouwen,' liet ze hem weten, 'als dat tenminste echt een aanzoek was.'

Wat betekende dát nu weer? Nou, dat ze er niet in trapte, besefte hij. Hij voelde zich koud, bevroren, lamgeslagen. Hij zette zich schrap voor de genadestoot, de knock-out. *Fuck you.* Of misschien gewoon *Vaarwel, Danny?* Eindelijk lukte het hem weer iets te zeggen. 'Waarom niet?' Nu klonk het veel te hard.

'Nou,' begon ze, 'om te beginnen die nieuwe tand.' Ze fronste haar wenkbrauwen en schudde haar hoofd, maar een flauwe glimlach deed haar poging om met een stalen gezicht verder te gaan, mislukken. 'Daar kun je geen potjes mee breken.'

Op hetzelfde moment dat een opgelucht gevoel door zijn lichaam schoot, sloeg hij een hand voor zijn mond.

Toen boog ze zich voorover, glimlachte en stopte het madeliefje achter zijn oor. 'Zo,' zei ze, 'dat is al een stuk beter.'